重讀二十世紀中國小說

II

許子東 著

商務印書館

重讀二十世紀中國小說 II

作　　者：許子東
責任編輯：蔡柷音
封面設計：涂　慧
出　　版：商務印書館 (香港) 有限公司
香港筲箕灣耀興道 3 號東滙廣場 8 樓
http://www.commercialpress.com.hk
發　　行：香港聯合書刊物流有限公司
香港新界荃灣德士古道 220-248 號荃灣工業中心 16 樓
印　　刷：美雅印刷製本有限公司
九龍觀塘榮業街 6 號海濱工業大廈 4 樓 A 室
版　　次：2022 年 3 月第 1 版第 3 次印刷 (平裝)
2022 年 3 月第 1 版第 1 次印刷 (毛邊本)
2022 年 3 月第 1 版第 1 次印刷 (精裝)

ISBN 978 962 07 4620 8 (平裝)
ISBN 978 962 07 4637 6 (毛邊本)
ISBN 978 962 07 4635 2 (精裝)
Printed in Hong Kong

目 錄

1949-1976

1949 當代文學生產機制
2

1952 1952 年 3 月 22 日的巴金日記
17

1956 王蒙〈組織部來了個年輕人〉——
幹部與官員
23

1957 錢谷融〈論「文學是人學」〉——
五十年代的文學評論
32

1957 梁斌《紅旗譜》——
農村階級鬥爭模式
41

1957 曲波《林海雪原》——
紅色武俠小說
56

1957 吳強《紅日》——
革命戰爭小說的樣板
65

1958 楊沫《青春之歌》——
像戀愛那樣革命
75

1959 柳青《創業史》——
唯一描寫「十七年」的「紅色經典」
87

1961 羅廣斌、楊益言《紅岩》——
發行一千萬冊的監獄文學
101

1966 1966 年 8 月 23 日：老舍自殺前一天
110

哪部作品可以代表 1966 至 1976 年？
120

1977-

1977 劉心武〈班主任〉、盧新華〈傷痕〉——
傷痕文學的淚點
132

1979 高曉聲〈李順大造屋〉、〈陳奐生上城〉——
卑微的農民和好心的幹部
143

1979 茹志鵑〈百合花〉、〈剪輯錯了的故事〉——
「三紅」與「一創」的拼貼
154

1979 張潔〈愛，是不能忘記的〉、張弦〈掙不斷的紅絲線〉——
七十年代末的愛情小說
165

1979 蔣子龍〈喬廠長上任記〉——
改革文學與官場鬥爭
176

1980 汪曾祺〈受戒〉、〈大淖記事〉——
禮失求諸野
185

1981 禮平《晚霞消失的時候》——
紅衛兵的愛情、抄家與懺悔
195

1981 古華《芙蓉鎮》——
一本書了解「十年」
206

1981 韓少功〈飛過藍天〉、梁曉聲〈這是一片神奇的土地〉、張承志〈綠夜〉——
知青文學三階段
216

1984 阿城〈棋王〉——
革命時代的儒道互補
226

1984 **杭州會議與韓少功的一天**
236

1984 張賢亮〈綠化樹〉、〈男人的一半是女人〉——
知識分子的苦難歷程
246

1985 殘雪〈山上的小屋〉——
當代版「狂人日記」
266

1986 史鐵生〈插隊的故事〉——
最傑出的知青小說
275

1986 張煒《古船》——
「民族心史的一塊厚重碑石」
285

1986 莫言〈紅高粱〉——
當代文學的世界意義
297

1986 路遙《平凡的世界》——
改變青年三觀的中國故事
306

1987 張承志《金牧場》、《心靈史》——
「人民之子」與哲合忍耶
324

1987 馬原〈錯誤〉——
敘述的圈套
347

1987 王蒙《活動變人形》——
審父之作
358

1987 王朔〈頑主〉、〈動物兇猛〉——
流氓的時代
373

1988 楊絳《洗澡》——
從「國民」變成「人民」
385

1988 鐵凝《玫瑰門》——
寫階級鬥爭還是寫女性命運？
397

1993 陳忠實《白鹿原》——
「政權」、「族權」與「神權」
409

1993 余華《活着》——
幾十部當代小說的縮寫本
432

1993 賈平凹《廢都》——
「一本寫無聊的大書」
451

1994 王小波〈黃金時代〉——
身體快樂，成了唯一的精神武器
472

1996 王安憶寫作《長恨歌》的地方

488

2003 閻連科《受活》——

很苦很善良，很壞很愚昧

510

2006 劉慈欣《三體》I、II、III——

中國故事與普世價值

522

二十世紀中國小說中的人物形象及若干問題

547

後記

579

參考書目

583

王蒙
梁斌
曲波
吳強
楊沫
柳青
羅廣斌
楊益言

1949-1976

1949 當代文學生產機制

1949年7月2日至19日，中華全國文學藝術工作者代表大會在北平召開，會期很長，開了十七天，而且在十一「開國大典」之前，可以說文藝界的這一聚會也是建國的準備工作之一。正式代表和邀請代表共八百二十四人，分別組成了平津一二團、華北、西北、華中、東北、部隊、南方一二團等不同的代表團。周恩來在會上的政治報告說，「這是從老解放區來的與從新解放區來的兩部分文藝軍隊的會師，也是新文藝部隊的代表與贊成改造的舊文藝的代表的會師，又是在農村中的，在城市中的，在部隊中的這三部文藝軍隊的會師。」

「文藝軍隊」，把幾路作家比作幾方面軍會師，這個概念決定了當代文學生產機制的基本方向——從今以後文學要成為革命的工具，革命的武器，是革命事業的一部分。

毛澤東主席在會上講話，周恩來、郭沫若、茅盾、周揚分別有報告，郭沫若是籌委會主任委員，茅盾、周揚是副主任委員。周揚說除了思想領導以外，還必須加強對文藝工作的組織領導。郭沫若宣佈，要成立專門管理文化藝術部門的組織機構——文聯，全稱「中華全國文學藝術界聯合會」，下面有中華全國文學工作者協會，還有戲劇家協會、音樂家協會、美術家協會、曲藝家協會、電影家協會等等。其中「中華全國文學工作者協會」，在 1953 年時改名叫中國作家協會。中國作協章程標明這是「中國作家自願結合的羣眾團體」——這個羣眾組織有正部級的級別，和全國文聯平級。也就是說，作協比其他協會高一個級別。作家比其他藝術家更受重視，為甚麼呢？

一、作家幹部化的三種方式

「當代文學生產機制」包括四個因素，第一個就是作協體制，幾乎全部作家理論上都是國家幹部。第二，五、六十年代特殊的稿費和版稅制度。第三，生產機制中的文藝論爭和文學批判。第四，當代文學中的集體創作生產模式。

洪子誠在 1997 年香港青文書屋出版的《中國當代文學概說》(以下簡稱《概說》) 中說，「從五十年代到八十年代的『當代文學』，也可以稱為毛澤東的『工農兵文學』建立起絕對支配地位，以及這一地位受到挑戰和削弱的文學時期。……這是本書對『當代文學』含義的理解。」因此《概說》分為上下兩編，「上編主要描寫這一特定的文學規範如何取得絕對的支配地位，以及這一文學形態的基本特徵；下編，則揭示這種支配地位在八十年代的崩潰，以及中國作家『重建』多元的文學格局所做的艱苦努力。」[1] 後來在北京大學出版社出版，被列入「北京大學中國語言文學教材系列」的《中國當代文學史》，洪子誠改用「一體化」的說法：「『當代文學』這一文學時間，是五四以後的新文學『一體化』趨向的全面實現，到這種『一體化』的解體的文學時期。」[2] 在另一篇論文裏，洪子誠解釋「一體化」的概念，認為當時「存在一個高度組織化的文學世界對文學生產的各個環節加以統一的規範、管理，是國家這一時期思想文化治理的自覺制度，並產生了可觀的成效。」[3]

洪子誠對當代文學的「一體化」，有理解也有批評。相比之下，另外一些學者就更多反省的意思。邢小羣說，「以國家把文學工作者全部包下來，把文學活動全域管起來為特徵。尤其在毛澤東時代，更具有全能國家的特點，文學全部納入黨和國家意識形態的軌道。」[4] 吳俊和郭戰濤的論文指出，「當文學（在國家範疇內）受到國家權利的全面支配時，這種文學就是國家文學。國家文學是國家權利的一種意識形態（表現方式），或者就是國家意識形態的一種直接產物，它受到國家權力的保護。同時，國家文學是意識形態領域中國家權利的代表或代言者之一，它為國家權利服務。」[5] 王本朝則有專文討論這個題目，「在文學與社會，作家與讀者，文學的生產、評價與接受之間，中國現代文學確立了一套文學體制，如職業作家、社團文學、文學報刊與出版、文學論爭與批評，以及文學的審查與獎勵等等，它們都對文學的意義和形式起到了一定的引導、支配和控制作用。」[6]

「一體化」、「國家文學」、「文學體制……的引導、支配和控制作用」，這些概念都顯示八、九十年代研究者與五十年代文學家關注焦點不同。當年文學家關注「我們」的文藝應該如何發展，後來的研究者則關注究竟甚麼才是「我們」的文藝？「黨的文學」，(或譯「黨的出版物[7]」) 是否應該或必然等同於所有的文學和出版物。「當代文學生產機制」的第一個特點，作家的幹部化，就是「文藝軍隊」怎麼從思想落實到體制，如何由生態來決定心態。作家幹部化有三種不同方式。第一種方式就是延安及解放區作家，本來就是黨的幹部，然後從事文學創作，這是最直接最自然的作家幹部化。洪子誠《概說》專門列表，詳細列出三十一位「主流作家」的籍貫、學歷、主要經歷和主要作品，以分析這些作家的「文化性格」，其中小說家有柳青、趙樹理、杜鵬程、周立波、梁斌、歐陽山、峻青、王願堅、王汶石、楊沫、吳強、馬烽、西戎、李准、茹志鵑、浩然等人，[8] 基本概括了「十七年」小說的中堅力量。

關於作家幹部化的第二種方式，學術界有不同看法：使國統區作家全部進入新的幹部體制，是對知識分子的意識形態管理？還是城市居民的單位變化？[9] 毛澤東在 1949 年 9 月政協會議上表示，「我們應當將全中國絕大多數人組織在政治、軍事、經濟、文化及其它各種組織裏」。[10] 這種組織對農民來說後來就是合作社，對城市人口來說就是工廠、企業和各種單位。在「一體化」制度中，任何工作都是「參加革命」。作家和醫生、廚師、工程師或者和尚一樣，要有單位，要有級別，也是幹部。但另一方面作家又是與眾不同的幹部，獲得特別關照 (作協是正部級)。1948 年丁玲訪問蘇聯作協總書記法捷耶夫，問蘇聯作家是甚麼組織？據《胡風日記》記載，法捷耶夫說有全國性的中央組織，有《文學報》批評，出版前要有檢查，還要保障作家權益等等。[11] 中國的作協制度部分參照蘇聯形式，作協主席第一屆是茅盾，副主席是周揚、丁玲、巴金、柯仲平、老舍、馮雪鋒、邵荃麟。從晚清到四十年代，完全靠稿酬、版稅生活的作家很少。作家在寫作的同時，或者兼職編輯，或者兼職教授 (吳福輝在《中國現代文學發展史》第四章第三十二節「文人經濟狀況和寫作生活方式」中，對民國不同時期的作家生態，有頗詳細的介紹 [12]) 。簡而言之，二、三十年代文人收入相當於中產階級，抗戰後生活就十分艱難了。現在，全部作家突然都做公務員。古代文人如柳宗元、白居易、歐陽修、蘇東坡等，也曾是「省部級」官員。但是曹雪芹、蒲松齡等，就沒有做官。在 1949 年以後，只要成為作協專業作家，就是幹部，就有生活保障，有不同級別，比如文藝一級是張天翼、周立波、冰心等，二級有舒羣、羅烽、白朗、陳企霞等等東北作家羣，馬烽、西戎、康濯等是三級。文藝一級工資高於行政七級，行政七級等於司局級或者至少是正處級。老一輩作家，有的在上海住法租界高級公寓，和上海警備區領導住同樣級別的房子。 1953 年，中宣部副部長胡喬木一度動議說要取消文聯，據說毛澤東不同意，說「有一個文聯，一年一度讓那些年紀大有貢獻的文藝家們坐在主席臺上，享受一點榮譽，礙你甚麼事了？文聯虛就虛嘛！」[13] 所以從起因上來講，現在也有研究者說作家幹部制不是為了控制作家，初心是要團結、供養老作家。直到今天，作協的工資已不重要，但是理論上作家們還都是公務員，公費醫療還是重要。

除了先當幹部後寫作品，和全部作家進入作協體系之外，「作家幹部化」還有第三種方式，就是附加「社會榮譽」:「許多知名作家，往往被委任各種機構各種社會組織（直至中央的機構）的負責人，或授予各種稱號，委以各種雖說沒有多少權力的職務。除官職外，通常可以供安排的有：從中央到各省、市婦女聯合會委員、工會委員、青年團組織的委員、政協委員、人民代表大會代表、人代會常委會委員等等。獲得上述職務、稱號的，當然也伴隨一系列的物質上、社會待遇上的收益。……如何不辜負這一『名聲』與『位置』，自然要為他們所考慮。」[14]

二、五、六十年代的稿費、版税制度

當代文學生產機制的第二個重要條件，是五、六十年代中國的稿費、版稅制度。這個制度經過很多次改動，主要特點有兩個，一是稿費相對偏高，二是版稅漸漸取消。

「1956 年前後，制定了統一稿酬實施標準。規定中央一級的刊物、出版社，著作（文學創作、理論等）的稿酬為每千字十元（人民幣，下同）、十二元、十五元、十八元四級，翻譯為七、九、十一、十三元四級。並對出版物規定「額定印數」，超過額定印數的可再得一筆以千字計數的稿酬。」[15] 五十年代中國城市的職工平均工資是四十元左右。如果作者領取最低稿費，每個月只需寫四千字，便已達到中等生活水平。今天中國內地，稿費以千字兩百元計算（當然可以更高，但這是我 2019 年發表論文收到的稿費），要達到中等生活水平（2019 年上海平均工資一萬零六百六十二元），需要每月發表五萬字左右。作家、學者比五十年代辛苦十倍。或者倒過來說，當時中國作家的經濟環境比同時代其他人更舒適，也比他們之前和之後的同行更優渥。

要是在五十年代，這位作家非常勤奮，也寫十萬字，稿費每月一千元。按張均的計算，《紅旗譜》作者「梁斌十萬稿酬相當於一名普通職工不吃不喝二百年。」[16]《紅岩》的作者羅廣斌、楊益言，稿費收入二十萬左右。更有誇張的傳說，說陳夢家出了一本考古書，在北京買了七間房子，待考。

六十年代後稿費逐步降低，1966年後則取消了稿費（因為屬於「資產階級法權」）。現在有人認為「建國初期稿費標準奇高，明顯脫離國民經濟水平，實出於延安文人和資深『新文學』作家的『合謀』」。[17] 問題是，「合謀」的目的和效果是甚麼？在蘇門答臘靠酒廠老闆郁達夫救濟保護的胡愈之，建國初期正好負責全國的出版事務；茅盾、葉聖陶也是文化部長和教育部副部長。相比民國時期魯迅還要和北新書局計較版稅，郁達夫也會寫對聯哭窮「著書都為稻粱謀」，1949年後中國作家的經濟狀況一度的確比較相對優渥。但更重要的是，原先稿費與印數掛鈎遞減，後來完全廢除了版稅，於是書一過審，收入固定，與銷量無關。也就是說，本來作家有兩個「上帝」，出版社及讀者，現在只剩下一個服務對象，就是出版以及審查部門。這種稿費制度的變化對當代文學影響深遠。

三、二十世紀中國文學批評的三種基本形態

與作家幹部化和稿費制度同樣重要的「當代文學生產機制」的第三個要素，就是文藝運動。「五四」以來的文學批評，大致

有三種基本形態。二十年代主要是作家風格流派批評。從事批評的主要是作家和圈中人。比如創造社，郭沫若寫詩、編戲；郁達夫寫小說、散文；成仿吾則是專職批評家，評論小說，幾乎凡創造社的都說好，不是自己流派的，很不客氣。評論《吶喊》，說其中只有一篇〈不周山〉還可以看看。魯迅再版時就偏偏把〈不周山〉抽掉（後來收在《故事新編》）。文人之間不免意氣用事，如徐志摩刻薄批評郁達夫，說「創造社的人就和街頭的乞丐一樣，故意在自己身上造些血膿糜爛的創傷來吸引路人的同情。」[18]但這不妨礙兩人的友誼。文學研究會的批評家主要是沈雁冰。魯迅一貫罵陳西瀅，胡適評論李伯元也不大客觀，梁實秋又看不起五四的浪漫派……

這些文學評論，大都基於作家個人立場、趣味、氣質，甚至是偏見。所以第一類的文學評論，主要是不同作家之間的批評，評論在文體上也常常被認為是文學的一部分。

三十年代左聯出現，有至少六次比較重要的文藝論爭，表面上還是作家批評家之間的冷嘲熱諷，實際上作家筆戰背後有不同政治勢力的複雜角力，有不同思想觀點的曲折交鋒，有對中國現實相當嚴重的分歧和論辯。

「兩個口號」論爭是轉捩點，第二種批評生態轉向第三種文藝論爭。簡而言之，第二種批評是作家、流派、社團之爭在明，政治、黨派、理論之爭在暗，這是三十年代。第三種形態是五十年代以後，正好倒過來——政治、階級、理論之爭在明，作家、宗派、人事之爭在暗。文章裏都是人民、革命、階級、現實主義等等概念術語，可是文章的背景，卻有派別人事之爭和話語策略操縱。

重讀上世紀中國小說，梳理這三種批評生態的轉變發展是一個很重要的線索。為甚麼說「兩個口號」之爭是個轉折？表面上是在爭論有關抗日文化的口號，實際上又是左聯內部，接近魯迅的馮雪峰、丁玲一派和周揚、郭沫若、茅盾等人的一種宗派對立。五十年代以後，所有文藝論爭，都以政治、階級、理論的名義展開，但是文壇宗派、人事紛爭同時隱藏在幕後，而且加進了很多不確定因素。

四、「當代文學生產機制」中的文學批評

從內容看，上世紀文藝論爭，最初是五四新文學對新舊國學，胡適、陳獨秀、魯迅對林琴南、辜鴻銘、梅光迪，二十年代初見分曉（到了世紀末，又重新出現，暫且不論）。然後是國共之間的論爭，三十年代初魯迅和左聯批判王平陵等民族主義文學，勝負立見。國民政府的文學管理機制，主要靠報刊審查制度（作者開天窗抗議），真正兩黨間文藝論爭很少。民國最常見的是自由主義與左翼文化之爭。二十至三十年代魯迅對陳源、梁實秋、胡適、林語堂，左聯批施蟄存，四十年代郭沫若批判朱光潛、沈從文等等，都成為文壇主戰場（至少在各種現代文學史的敍述中）。1949 年第一次文代會以後，「當代文學生產機制」中的文學批評，則以左翼內部鬥爭為主。

開始是批判電影《武訓傳》，《人民日報》1951 年 5 月 20 日發表社論〈應當重視電影《武訓傳》的討論〉。領袖親自關心一

部電影，這代表甚麼？文藝界當時對此可能沒有足夠的思想準備。武訓是一個到處磕頭、求人捐錢辦學的小人物，演員趙丹倒是一個大明星，以前也曾經跟江青共事過。批評、批判、評論，這些詞彙本來是中性的，但是五十年代以後，批評和批判意思不同，可以變成兩類不同性質的矛盾。「有經有權」的〈講話〉早說過，「文藝界的主要的鬥爭方法之一，是文藝批評」，[19]「在我們為中國人民解放的鬥爭中，有各種的戰線，就中也可以說有文武兩個戰線，這就是文化戰線和軍事戰線。」[20] 洪子誠認為在毛澤東文藝主張中，「文學與政治的關係這一左翼文學的問題，已經被極大地簡化、直接化：現實政治是文學的目的，而文學則是政治力量為實現其目標必須選擇的手段之一。」[21] 後來當代作家寫本質，趕任務，突出英雄，寫光明面，以歌頌為主等等，都是從「文學是政治工具」這個基本觀點派生的。

文學在客觀上成為政治的工具，與作家主觀上將文學作為政治的工具，其實有重大區別。魯迅認為一切文藝固是宣傳，而一切宣傳卻並非全是文藝。這正如一切花皆有色（我將白也算作色），而凡顏色未必都是花一樣。[22]

在 1948 年香港的《大眾文藝叢刊》上，郭沫若、邵荃麟、喬冠華、胡繩等人已開始操練新的話語系統的文藝批判。[23] 通過對《武訓傳》的批判，人們又看到文藝批評發表在黨報、國家級刊物上的巨大社會影響。後來作家們漸漸明白，這種「文藝批評」不僅可以是政治鬥爭的後果，而且也可能是政治鬥爭的誘因。

五十年代第二次文藝運動是批判胡適思想，胡適本人缺席。1955 年到 1956 年，北京三聯出版《胡適思想批判》共八輯，近二百萬字，其中有侯外廬、馮友蘭、任繼愈、王若水、艾思奇、游國恩、陸侃如、羅根澤、王元化、馮至、王瑤、何其芳、以羣、劉大傑、范文瀾、翦伯贊、周一良、俞平伯等人的文章。「這些批判文章，有的表現認真的『學術』態度，有的是無限上綱、用詞粗暴而忮刻，有的則屬不得已的避重就輕言不由衷。」[24] 批判胡適當然獲得很大勝利，連不肯隨父親離開北京的胡適的兒子，也寫了批判文章。不過他後來還是自殺了。

第三次文藝鬥爭是批判胡風。批判胡適是為了教育改造那些「從舊社會過來」的知識分子，批判胡風完全是左翼內部的論爭。倘若從胡適、朱光潛的角度看，胡風和周揚區別實在不大——他們都由衷地相信文學要成為政治的工具，都假定「我們」的文學，等同於「黨的文學」(或譯「黨的出版物」)，也差不多等同於一切中國的文學。他們只是爭議怎樣才能更好地做「齒輪螺絲釘」：同樣為政治服務，周揚強調世界觀，胡風強調主觀精神；同樣是現實主義，周揚要寫社會本質，胡風堅持批判功能。周揚和胡風有時是觀念分歧，有時是氣質不同。如果想理解，或者說不能理解胡風精神，可以讀路翎的《財主底兒女們》——糾結矛盾就是激情信仰。在五十年代，胡風等人比較堅持自己的文藝信念，周揚等人比較緊跟政治形勢。到了八十年代，周揚等人劫後餘生卻開始反省，丁玲等卻依然堅持革命初心。或偏執激情，或通達務實，畢竟骨子裏，都是「十八九世紀歐洲文學大染缸」裏出來的人。

如果說胡風、馮雪峰、丁玲這些案件純粹是因為與周揚的私人恩怨，那我們把五十年代文壇鬥爭看得太簡單了；但如果說胡風、馮雪峰、丁玲這些案件與周揚派別沒有私人關係，那我們也把「當代文學生產機制」看得太簡單了。

既然說是機制，總有一些規律：

第一，五十年代以後的文學批評和作家身分及出版權利緊密聯繫，是一種「三合一」的綜合機制。民國作家如魯迅、郁達夫，找房子看醫生是一回事，和出版社交涉版權是另一回事，別人怎麼評論你的作品又是一回事。在五十年代，作家的個人生活和出版權利和被評論情況，緊密相關。當時最著名的文學評論家，如周揚、張光年、邵荃麟、林默涵、馮雪峰、劉白羽等，都是中國作協的副主席或黨組成員，分別負責《人民文學》、《文藝報》、《詩刊》等權威雜誌。國家名義上沒有專設的書報檢查機構，但作品如受批判，出版部門會受懲罰。這種事後審查制度也會演變成出版之前的「理論指引」，作協系統的評論於是比報刊書評或學校教材更加權威。人們很快發現，作協評論背後還有意識形態風向。從現代文學與社會的關係看，原先有報刊媒體或學校教育兩個輪子，現在兩個輪子成了一個獨輪車或「磁懸浮」。從作家選擇看，既不需要擔心讀者銷量，也不需要考慮大學兼職，作協讓作家的身分、收入和貢獻也「一體化」了。

規律之二是當代文學評論不僅引導而且也創造讀者。文學評論本身本來總有專家意見和讀者需求的差異矛盾，現在專家就是領導，「一有爭議，其最後的解釋權也便落到了政治權力的擁有者身上。」[25] 甚至羣眾意見，也可以由專家製造。洪子誠舉過一個例子，1951 年 6 月《文藝報》四卷五期發表讀者李定中批評肖也牧〈我們夫妻之間〉的來信，《文藝報》加「編者按」支持這封讀者來信。「但實際上，來信與編者按都出自當時《文藝報》主編馮雪峰之手。⋯⋯更值得注意的是，當代中國的政治—文學環境，在一個時期內培養了一些善於捕捉政治風向，把握權威批評旨意的讀者（說的還不是現在網絡時代）。他們在文學界每一次重大事件或批判運動中，總能適時地寫信、寫文章，來支持當時的主導觀點，而被納入文學界規範和控制的力量之中。一方面，『讀者』的不被具體分析，也就是不承認文學讀者是形成不同羣體、劃分不同圈子的，不承認不同社會羣體有不同的文化需求，因而也就不承認有屬於不同羣體的文學。這是為使文學取消多種思想傾向、多種藝術風格、多種藝術品味（嚴肅文學、純文學與大眾文學、消遣性文學等）而走向『一元化』的保證。」[26] 另一方面，專家製造讀者，不僅為了忽視否認讀者的多元需求，更是為了製造文學與「人民」的天然的道義聯繫。

規律之三是五十年代如有文學論爭，雙方力量一定不均衡，不要說五五、四六，三七都不可能。一旦論爭，很快就變成一九，一是靶子，九是批判方。嚴格說來，「當代文學生產機制」裏沒有論爭，只有批判——潛規則是對外對資產階級思想代表人物處罰比較客氣，對黨內錯誤傾向及其代表人物懲治更加嚴峻。如果說民國政府報刊審查是意識形態被動防範，當代文學則是主動管理，主要不是控制出版、懲罰越規，而是把所有作家編入革命隊伍，自覺「洗澡」。

1957 年反右，是「文革」之前最大規模的文藝鬥爭，其性質、範圍、意義都遠超出文學界。比較知名的右派作家有：馮雪峰、丁玲、艾青、陳企霞、羅烽、白朗、秦兆陽、蕭乾、吳祖光、徐懋庸、姚雪垠、李長之、黃藥眠、穆木天、傅雷、陳夢家、孫大雨、施蟄存、徐中玉、許傑、陳學昭、馮亦代、陳湧、公木、鍾惦棐等。除老作家外，還有一些年輕作家也被「錯劃」：如王蒙、鄧友梅、劉紹棠、從維熙、公劉、白樺、邵燕祥、流沙河、高曉聲、陸文夫、張賢亮。這些人後來成為八十年代最重要的兩個作家羣之一（另一個羣體是知青作家）。

「當代文學生產機制」除了作家幹部化、稿費制度、文學批評以外，還有第四個重要因素，就是集體創作機制，我們會在重讀《紅日》、《紅岩》、《紅旗譜》等作品時再討論。

注

1 洪子誠：《中國當代文學概說》（香港：青文書屋，1997 年），頁 3。此書根據洪子誠教授 1991 至 1993 年東京大學訪學講稿整理、修改、補充而成。

2 洪子誠：〈中國當代文學史・前言〉，《中國當代文學史》（北京：北京大學出版社，1999 年），頁 IV。

3 洪子誠：〈當代文學的一體化〉，《中國現代文學研究叢刊》，2000 年，第三期。

4 邢小羣：《丁玲與文學研究所的興衰》（濟南：山東畫報出版社，2003 年），頁 1。

5 吳俊、郭戰濤：〈自序〉，《國家文學的想像和實踐 —— 以〈人民文學〉為中心的考察》（上海：上海古籍出版社，2007 年）。

6 王本朝：〈文學制度與文學的現代性〉，《湖北大學學報》，2003 年第六期。

7 列寧在 1905 年 11 月 26 日發表〈黨的組織與黨的出版物〉（俄文標題為 партиийнаяорганизация и партиийная литература，英文對應標題為 Party Organization and Party Literature）。標題裏的 литература 一詞，英文翻譯為 Literature。中譯文自 1926 年最早的翻譯至 1980 年，均為「文學」。毛澤東 1942 年延安文藝座談會講話引證該文，《毛選》第三卷注解標明：「見列寧〈黨的組織和黨的文學〉。」列寧另一段著名論斷：「寫作事業應當成為整個無產階級事業的一部分，成為由整個工人階級的整個覺悟的先鋒隊所開動的一部巨大的社會民主主義機器的『齒輪和螺絲釘』。」也出自這篇文章（《列寧選集》第一卷，北京：人民文學出版社，1995 年，頁 663。）1980 年根據胡喬木和其他人的提議，「黨的文學」改譯為「黨的出版物」。研究者陳力丹、姚曉鷗認為：「俄文 литература 一般理解即中文的『文學』，但根據上下文，列寧這裏講述的不是一般意義的文學，而是指黨的組織出版和黨員撰寫的各種著述，包括文學作品，更指政治性的黨報和黨刊、黨控制的圖書館、閱覽室推薦和收藏的書籍，以及由黨領導的文化活動。」（見〈名詞原文、中譯文和英譯文比對分析 —— 源於俄文的馬克思主義新聞觀〉，《新聞與傳播研究》2017 年第五期）。

8 同注 1，頁 36-38。

9 張均：《中國當代文學制度研究（1949-1976）》（北京：北京大學出版社，2011 年），頁 20-27。

10 毛澤東：〈中國人民大團結萬歲〉（為中國人民政治協商會議第一屆全體會議起草的宣言，1949 年 9 月 30 日）。

11 曉風整理：《胡風日記》（上），《新文學史料》，1984 年，第四期。

12 吳福輝：《中國現代文學發展史》（北京：北京大學出版社，2010 年），頁 344-352。

13 轉引自張光年、李輝：〈談周揚〉，《新文學史料》，1996 年，第二期。

14 同注 1，頁 27。

15 同注 1，頁 29。後來在北京大學出版社 1999 年版的《中國當代文學史》中，也涉及這個問題，但刪去了以上注釋。

16 張均：《中國當代文學制度研究（1949-1976）》（北京：北京大學出版社，2011 年），頁 33。

17 同注 16，頁 11。

18 轉引自郭沫若：〈論郁達夫〉，原載《人物雜誌》第三期（1946 年 9 月），收入《沫若文集》第十二卷（北京：人民文學出版社，1957 年）。

19 毛澤東：〈在延安文藝座談會上的講話〉，《毛澤東選集》第三卷（北京：人民出版社，1953 年），頁 889。

20 同注 19，頁 869

21 同注 1，頁 27。

22 魯迅：〈文藝與革命〉，《三閒集》，《魯迅全集》第四卷（北京：人民文學出版社，2005 年），頁 85。

23 詳情可參考錢理羣：《百年中國文學總系・天地玄黃》，第二章「南方大出擊 —— 1948 年 3 月」（濟南：山東教育出版社，1998 年），頁 21-47。

24 洪子誠：《中國當代文學史》（北京：北京大學出版社，1999 年），頁 52。

25 同注 1，頁 24。

26 同注 1，頁 24-25。

1952.3.22

巴金日記

1952 年 3 月 22 日的巴金日記，選自人民文學出版社 1993 年出版的《巴金全集》第二十五卷《赴朝日記》的第一部分，這一卷裏還收錄了 1960 年的《成都日記》、1962 年的《上海日記》等等。巴金的日記基本上也是記事為主，寫的時候應該也沒想到發表。《赴朝日記》的第二篇是 1952 年 3 月 16 日，記載巴金坐車跨過鴨綠江，「江水碧綠，水面蕩漾着微波。除了橋上炸痕外，看不見戰爭痕跡……車行不到一小時，就看見美國暴行的罪證，公路旁的房屋幾乎是片瓦不存。」短短一句話，可見作家在五十年代初，真心實意與志願軍、與新政權站在一起。

這是 3 月 22 日的日記。

> 晨六時五十五分起，七點半下山，飯後開會討論讓彭總解答的問題，和對王、丁二位報告的意見。

志願軍王部長和丁處長，一天前給作家們做了幾個小時的戰爭形勢報告。

> 十時半汽車來接我們，坐在卡車中。到山下大洞內三反辦公室，等了一刻鐘，彭總進來，親切慈祥有如長者對子弟，第一句話：「你們都武裝起來了。」「你們裏頭有好幾個花木蘭。」「你們過鴨綠江有甚麼感想？」談話深入淺出，深刻、具體、全面。

彭德懷當時是志願軍總司令，比巴金大六歲，此處「有如長者」，是比較尊敬的說法。「談話中甘政委和宋副司令也進來了。彭總講完後宋、甘也講了些話。宋司令講到歡迎。彭總說：『我雖然沒有說歡迎，可是我心裏頭是歡迎的。』甘政委講話時喜歡笑。會後彭總留我們吃飯，和彭總談了幾句話。又和甘政委談了一陣，很感動。三時吃飯，有火鍋。飯後在洞口休息，洞外大雪，寒風撲面。」

1952 年，戰爭其實已經進入膠着狀態。戰爭初期，1951 年初，志願軍曾經佔領過漢城。後來因為歸還戰俘等問題，雙方爭執，停火協定簽不下來。「一條大河波浪寬」—— 電影《上甘嶺》的故事，就發生在朝鮮戰爭的後半段。天冷冬裝不足，也影響了戰事的進展。

> 洞中非常暖，回到洞內候五時半才放映電影，共放映《海鷹號遇難記》和《團結起來到明天》二片。晚會結束，坐卓部長小吉普回到宿舍山下。卓部長把手電筒借給我。雪尚未止，滿山滿地一片白色。我和白朗在山下叫趙國忠專接我們。山下積雪甚厚，膠鞋底很滑，全靠趙分段拉我們上

山。剛到山上，看見山下燈光，知道別的同志們回來。休息片刻，看鐘不過九點五十分。讀俄文到十點一刻睡。睡前寫了一封家信。

以上是 3 月 22 日巴金日記全文，日記簡略記述體驗前線生活的作家們獲得首長接見，然後吃火鍋、看電影，氣氛融洽。這是一個終生信仰無政府主義的作家，在短時間裏就成為「同志」，放在歷史進程中看，還是有特別意義。巴金數十年後被批為「黑老 K」，散文〈懷念蕭珊〉寫到他和妻子文革中早上醒來，互相絕望感歎，「日子難過啊！」他去朝鮮的成果，是小說《團圓》，後來改編成著名電影《英雄兒女》，王成一句「向我開炮」，幾乎是五四作家所寫的唯一一篇「紅色經典」。十七年間，巴金是上海作協主席，還兼有政協和人大的工作，他的一些散文記載，整天忙着到機場接外賓，參加各種聯歡活動，還有各種政治會議。對巴金來說，幹部的工作比作家的職責更繁忙，更緊迫。《團圓》也是巴金在 1949 年以後最重要的小說作品。

這不是巴金一個人的情況，而是五十年代大部分知名作家的普遍情況。曹禺和老舍，四十年代末都在海外，聽到新中國的消息，先後回國。曹禺後來成為中國文聯的執行主席、北京市文聯主席、北京人民藝術劇院院長，但是他在五十年代卻寫不出新戲，十分苦惱，一度只能反覆修改早年的《雷雨》、《日出》，將方達生、魯大海改成地下黨等等。

茅盾身為文化部長和中國作協主席，第一次文代會以後，也再沒有長篇、中篇創作。五十年代中期，寫過一些文學評論，把文學發展概括成現實主義和反現實主義，學術價值有限。葉聖陶是教育部副部長，他也不再寫那些批判小市民、解剖知識分子的小說，和一級作家張天翼一樣，轉型兒童文學。比較最勤奮的五四作家是冰心和老舍。冰心寫了不少出國訪問的遊記，一貫光明，一片冰心，對新中國兒童教育頗有貢獻。老舍 1953 年當選為中國作協副主席。不斷有話劇新作，最出名的是《茶館》，我們在六十年代以後會專門講老舍的一天。說是老作家，其實「巴老曹」在五十年代也就四、五十歲，和王蒙一代在文革後創作爆發的年齡差不多，比現在每年有長篇新作的賈平凹、王安憶等還要年輕。可是五四「老作家」做了領導，地位崇高，接見外賓、主持會議、視察前線，當然也起到「文藝軍隊」的作用，但是作品是幾乎沒有了。

洪子誠將四十年代較有文學成就的張愛玲、錢鍾書、師陀、巴金、沈從文、沙汀、蕭紅、路翎、丁玲等，稱為「中心作家」(雖然他們實際上都曾以各種不同方式被排除出或從未進入過「中心」)。「中心」場域很快被從解放區過來的「主流作家」所取代。《中國當代文學概說》詳細列表，[1] 列出柳青、趙樹理、梁斌、楊沫、吳強、茹志鵑、浩然等三十一位「主流作家」的籍貫、學歷、革命經歷和主要作品，以分析這些作家的「文化性格」，這份很有結構主義閱讀效果的圖表在北大出版社的《中國當代文學史》裏被刪除了。從表格上人們可以看到幾個有意思的現象：

第一是解放區的作家，大都出身山西、陝西、河北、山東等西北或中原地區，和五四一代江浙四川東南沿海作家較多，恰成對照。這種作家地域的轉換，使文學思潮文學創作，從注重學識、才情靈感、文化傳統轉變到強調政治意識、鄉土經驗、現實鬥爭策略。文學家的這種地域轉變也和中國革命的實際進程有關。當時老一輩革命家大都來自於湖南、江浙，中年幹部很多來自於北方。前些年有一屆黨代會後，有好事傳媒統計政治局成員的籍貫分佈，發現山東等北方省份最多，沿海地區較少，廣東好像一個都沒有 —— 當然，這裏有很多偶然因素，不說明甚麼問題。如果讀者有興趣，對於王蒙、張煒、張承志、莫言、余華、賈平凹、陳忠實、王安憶、韓少功、閻連科等等當代作家也做一個地域、籍貫的統計，或許也會發現一些很有意思的線索。形象一點概括，現代作家是「文學北伐」，當代文學是「革命南下」。

第二個顯而易見的共同點，就是這些作家的主要經歷都是基層革命工作，有記者（馬烽、杜鵬程）、郵遞員（李准）、教師（趙樹理、周立波）、軍人（吳強）、文工團（王汶石、茹志鵑）等等，大部分都曾有文宣工作經驗。以〈小二黑結婚〉的標準看，他們都是先做村長、區長級別的革命官員，然後才成為作家。所以「作家幹部化」，對這些五十年代「主流作家」而言，順理成章

第三，這些基層「官員」，一不靠「捐」，二不依「考」。和五四作家很多留學海歸或是大學教授不同，五十年代作家平均學歷較低，除了周立波當過「魯藝」教員，趙樹理、李准做過中小學教師，賀敬之、張光年在革命大學兼過課外，其他作家和高等學歷大學教育沒有關係。但他們的底層經驗、鬥爭經歷遠遠超過他們的知識文憑和外文能力 —— 這種情況甚至延續到八十

年代以後，社會經驗多於學識修養成為中國當代作家的一個基本特點，例外不多。

第四，這些作家常常一本書出名，長篇多靠集體創作機制，但獨特的生活經驗有限，藝術上後續乏力。於是便形成了「十七年」特殊的文學史現象：有名作，無名家，作品大於作家。當代文學史，需要按題材歸類，無法以流派分梳。

對於巴金這一輩作家來說，五十年代初期相對而言是比較和平的年代。不像二、三十年代，激奮鬱悶離家出國再歸來，也不像抗戰時期，到處顛簸，輾轉鬥爭。至少在生活條件上，比較安定甚至優渥。可能經常要「洗澡」，要跟上革命形勢，要經受運動的考驗。寫作是有些困難，整整一代作家都基本沒有新作，除了一個老舍。他們當然不知道，再過十幾年是怎樣的情況。

注

1　洪子誠：《中國當代文學概說》（香港：青文書屋，1997 年），頁 36-38。

1956

〈組織部來了個年輕人〉

王蒙

幹部與官員

一般古代或現代文學史，章節標題多為大家名作，比如李白、杜甫、曹植與陶潛、明代四大奇書、《紅樓夢》，或者魯迅（有時分為兩章）、茅盾、巴金、曹禺、老舍等等。可是各種「當代文學史」（迄今至少已有七十二種[1]）有一個共同點，就是章節標題大都不用作家名字，而是先分題材，革命歷史小說、農村小說等等，整個分類頗有計劃經濟的風格。一方面，的確因為五、六十年代文學比較有「計劃」，有「文藝軍隊」的戰略部署與戰術策略；另一方面，今天說「有高原無高峰」或有爭議，回首十七年，的確是「有名作無大家」。「紅色經典」都是作品比作家有名，題材比風格重要。《亞洲週刊》評選的「二十世紀中文小說一百強」，在這個歷史階段，整整十七年或者三十年，只有兩部小說列入一百強：浩然的《艷陽天》和王蒙的〈組織部來了個年輕人〉。《紅岩》、《紅日》、《紅旗譜》、《創業史》等等，是否也屬於二十世紀最重要的百部中文小說 —— 我們可以再討論。但是不管怎麼樣說，王蒙這個短篇的重要性卻是毫無疑問的。

一、二十世紀後半葉中國最有代表性的作家

王蒙是二十世紀後半葉中國最有代表性的作家，沒有之一。王蒙在時間上貫穿始終，在每一個文學轉變階段都有作品，有評論，都引領風騷。王蒙和茅盾一樣，既懂政治又愛文學，對兩者都十分忠誠。怎麼處理文學和政治的緊張關係，是二十世紀後半葉的文學家的重要課題，王蒙在這方面有比較成功的平衡和探索（雖然也和茅盾一樣，有委屈和困難）。茅盾參與過中共建黨，1949 年後任文化部長，王蒙也是文化部長，而且是作家中極少數的中央委員。王蒙五十年代就寫長篇《青春萬歲》；八十年代初〈春之聲〉、〈布禮〉等意識流實驗，引人關注；他的《活動變人形》，代表當時反思小說的水平；1989 年〈堅硬的稀粥〉又受到批判。王蒙七十歲後還不斷地推出「季節」系列長篇小說，系統回顧中國知識分子的命運史。建國七十週年時，王蒙是唯一一個獲得「人民藝術家」國家榮譽稱號的作家。

但是這麼漫長、輝煌的創作過程，在今天乃至今後的文學史上，王蒙先生最重要的代表作，恐怕還是他二十多歲時寫的短篇〈組織部來了個年輕人〉。為甚麼？為甚麼我們認為這是二十世紀五、六十年代中國最重要的一個短篇？

我的看法可能會令一些人驚訝：因為〈組織部來了個年輕人〉是二十世紀五十年代的《官場現形記》——可能王蒙先生，或者李伯元醒來，都會奇怪這個聯繫，容我慢慢解釋。

二、二十世紀五十年代的《官場現形記》

《官場現形記》是五四以前，中國文學前所未有後來也少見的對「官本位」社會形態的全面批判，其文學史價值長期以來被低估。無論是捐官和腐敗的必然聯繫，還是金錢在官場中的運作原理，或者師生、同鄉、親屬和性關係在政治制度裏的調節作用，乃至商業、軍隊、外交、救災等各個領域不同與相通的遊戲規則，李伯元的長篇都有巨細無遺、一視同仁的無差別批判，並且批判還不露感情，諷刺還不顯鋒芒。小說把官場問題看作是中國社會的根本問題，其細節力量和現象分析，遠超過思想和時代局限。當然，〈組織部來了個年輕人〉社會批判的廣度和細節遠遠不如《官場現形記》，但是思想高度不同。甚至，王蒙原意不在批判，而是歌頌為人民服務的幹部羣體，只是稍微指出一點需要警惕可以改進的地方。但是王蒙這篇小說卻在半個世紀之後，又一次把官場置於文學矛盾中心，重新成為小說裏的中國問題的焦點。或者說得更準確一點，這不完全是王蒙的原意，這是被讀者的興趣、評論家的包圍、領導的指示、文學史的書寫，最後合力造成的一個文學史現象。

王蒙自己根本不會用「官場」這個話語。有一次和他一起做「三人行」（鳳凰衛視《鏘鏘三人行》節目），提到周揚五十年代在文藝鬥爭中的種種策略教訓，我好奇說周揚當時會不會有仕途的考慮？比方說官職、權位等等。王蒙先生當場就說：在周揚的詞典裏，恐怕沒有「仕途」這個詞彙。所以，五十年代的王蒙應該也絕不會覺得他所寫的是「官場」，而是一個青年教師參加革命工作碰到的問題。小說創作原意就是警惕官僚主義，或者是檢討青年成長歷程。

李伯元他們當年認為，解決中國社會問題關鍵在官場，這個想法被「五四文學」否定了（或者至少輕視了）。五四的視野不僅是關注「官」，也不僅是關注「民」，而是關注「人」。第一，關注個人與社會的對抗——清醒的「狂人」、孤獨的「超人」、「沉淪」的男人，還有拯救女人而失敗的知識分子——〈傷逝〉、《倪煥之》、〈春風沉醉的晚上〉、〈創造〉等等。第二，觀察被侮辱者會不會也損害他人，窮到阿 Q、祥子，富到吳蓀甫、「財主底兒女們」，最典型的是中間狀態的李石清等等。第三，體會女人們如何「從困境走向困境」，〈繡枕〉、莎菲、貞貞、《生死場》等等。總之，從二十年代到四十年代，很少有作品以官員為主角，華威先生、魏連殳、或者病癒候補的「狂人」，算是例外。但很少官員主角，也少有官場舞臺。五四主張「人的文學」，探索的是官民、窮富之間相通的國民性，並不以為官民必定勢不兩立、窮富必然你死我活。「五四作家」們並不認為解決官場的問題就能解決中國所有的矛盾。官員壞，當然，但換別人做官，會好嗎？革命好，誠然，但阿 Q 的革命夢美好嗎？

「官場」在小說中重新出現是趙樹理的〈小二黑結婚〉。小二黑跟小芹的戀愛遭到雙方父母反對，更遭到村幹部金旺、興旺破壞，但最後得到「好官」區長支持，如願結婚。從趙樹理的「解放區小說」開始，小說人物有一個最基本的四分法，「好官」對「壞官」，邪不壓正；「先進」幫「落後」，民眾進步。「解放區文學」的人物四分法，在某種程度上是晚清官民二元對立模式的重現以及忠奸對立審美傳統的延續。從政治上講，「好官」加「羣眾」就等於「人民」，「落後羣眾」如果不跟上的話，就會失去「人民」的資格。「人物四分法」也是「人民文藝」的關鍵。

三、革命機器的內部矛盾

〈小二黑結婚〉將晚清官場故事模式翻轉，過去官場只會壓迫人民，現在「新官場」為人民服務。官員／官場的概念，逐漸被幹部、領導、同志公僕等新的話語所取代，隔了十幾年，王蒙寫的已全部是幹部隊伍內部矛盾。毛澤東卻在王蒙小說裏發現官僚主義問題。[2] 官僚主義這個角度，點出了幹部公僕與官員官場兩種話語系統之間的隱形聯繫。青年教師林震調到組織部工作，十分興奮，這是一個很有朝氣，十分正直，非常誠實的青年，對當時的組織部——正是管理「官場」的機構——充滿了期待，眼裏不容沙子。小說裏羣眾只是背景，如麻袋廠工人，不收錢的車夫等，大部分故事都發生在組織部裏面。林震的上級是工廠建黨組組長韓常新，身材高大、衣着整潔，長得英武，但粉刺較多（「粉刺」標誌負面角色）。在工作中韓常新弄虛作假、貪圖榮譽，到麻袋廠裏了解建黨情況，對廠長王清泉作風問題視而不見，對於廠組織委員魏鶴鳴的彙報情況不聞不聽，回頭卻能寫一個非常漂亮的、上級很喜歡的「抓建黨、促生產」的總結報告，讓林震目瞪口呆。類似的例子多了，林震就去找副部長劉世吾。

劉世吾當然是小說裏最精彩的一個人物，沒有這個人物，這部小說不會這麼出名。劉世吾也是二十世紀中國小說中最重要的幹部／官員形象之一。這是一個老謀深算的副部長，深藏不露，平時裝糊塗，有條件時，辦事非常有效率，在我看來，他是一個精緻的官僚主義者。當林震因為干預工廠事務受批評時，劉世吾表揚林震動機是好的，但又說「這是一種可貴的、可愛的想法，也是一種虛妄」。林震感覺受挫折時，有個女幹部趙慧文，請林震「到我家坐坐好嗎？省得一個人在這兒想心事」（本來就是同志間的純潔關係，坐坐就真是坐坐。後來秦兆陽等《人民文學》編輯修改小說結尾，將林震和趙慧文關係向愛情方向發展了 —— 這也是當代文學生產機制中「集體創作」的一個範例[3]）。趙慧文家裏有小孩，他們一起聽柴可夫斯基的《意大利隨想曲》，然後就議論組織部的人事關係。

一般來說，能夠和公司單位裏的人議論其他同事尤其是領導的是是非非，說明倆人關係不同尋常。趙慧文和林震談論韓常新的問題，也講到劉世吾，說「劉世吾有一句口頭語：就那麼回事，他看透了一切，以為一切就那麼回事」。原來趙慧文也曾經像林震一樣意氣風發、嫉惡如仇，但是在組織部日子久了，單位裏壓力大了，也就失了朝氣、激情。反過來，劣幣淘汰良幣，韓常新倒是升了副部長。後來，麻袋廠王清泉和魏鶴鳴的衝突又升級了，甚至引起黨報的注意，組織部內部就出現了爭執、僵持的局面。小說結尾，林震只好去找更大的官 —— 周書記，「隔着窗子，他看見綠色的檯燈和夜間辦公的區委書記的高大側影，他堅決地、迫不及待地敲響了領導同志辦公室的門」。

總之，幹部之間的矛盾，不同層級總有「忠 - 奸」即正反雙方。廠裏有一級，組織部又是一級，說不定之後區委書記與區委常委會又有一級。官場內部的衝突，總要找更高的官員解決問題。理論上幹部應該朝向下看，首先考慮羣眾利益。實踐中官員卻一層層往上看，先看領導意思。這種新的官場遊戲規則不僅出現在小說裏，也出現在小說外 —— 小說發表後才幾個月，僅《中國青年報》和《文藝學習》就收到評論稿一千三百多篇，包括不少著名作家、評論家的文章，很多支持但也有批判。李希凡說〈組織部〉「激烈地批評了一個黨委機關，一個具體化到北京的一個區委，甚至在它隱射的鋒芒上，還不止於此。」[4] 馬寒冰說「在中共中央所在地的北京市果然有這樣的區委會，中央和北京市委居然不聞不問，聽其存在，這是不能相信的，也是難於理解的。」[5] 正反雙方爭論果然一級級上升，到 1957 年 3 月 16 日全國宣傳工作會議，毛澤東講話既批評王蒙，更批評李希凡：「王蒙的小說有小資產階級思想，他的經驗也還不夠。但他是新生力量，要保護。批評他的文章沒有保護之意。李希凡說王蒙小說寫的地點不對，不是典型環境，說北京在中央附近不可能出現這樣的問題，這是不能說服人的。」[6] 於是，爭論到此為止。（馬寒冰因批評王蒙而被上級批評，承受不了壓力而自殺。再過一年，他的觀點又是正確的，王蒙被劃成右派。）[7]

小說裏有兩個關鍵點，第一就是林震與劉世吾性格的異同，一個激動、熱情，一個世故、圓滑，但他們卻心心相通。為甚麼相通？原來他們都愛好文學，都愛好俄羅斯、蘇聯小說。林震以蘇聯小說《拖拉機站站長和總農藝師》當中的女英雄為榜樣；劉世吾喜歡看《靜靜的頓河》。好像在幹部圈／官場裏面，不管你是新鮮血液，或者是支撐的樹幹，看嚴肅文學的書都是一種有生命力的表現。所以不愛看書的韓常新，劉世吾就看不起他——這個細節，是否知識分子一廂情願的官場想像，試圖證明官僚主義老將劉世吾可能曾經也有過林震般的初心？放在二十世紀中國小說的脈絡中看，曾樸他們當年也相信科舉「考」出來的官總比花用錢「捐」來的缺要好些。時代不同了，但是希望官員喜歡讀書，假定知認識分子做官至少會好一些——這種作家與讀者的無意識文化期待仍然在延續。

第二個關鍵點是林震與劉世吾的仕途命運，如果劉世吾以前也像林震這樣，這麼激情，這麼正直，這麼勇敢，那小說是不是也在暗示，將來林震向劉世吾的方向演化、轉變也是一種不可避免，是一種規律呢？（再讀《靜靜的頓河》也沒用？）如果年輕人林震一直在官場，也必須逐漸成熟，也必然逐步世故；或者倒過來說，像劉世吾這樣的老江湖，當年也是從林震這樣的年輕人的書生意氣發展過來的，這說明——沒有林震般的初心，便沒有劉世吾的成功？還是說林震般的初心，必然導致劉世吾的「成功」？

王蒙二十多歲寫了〈組織部來了個年輕人〉，七十多歲時讀老莊哲學，經驗多了，看透世事。既不忘初心，也與時俱進。重讀這篇在五十年代引起巨大風波的「新官場小說」，人們第一會反省：晚清小說所描寫的「官本位」現象，究竟還是不是中國各種問題的關鍵？第二人們也難免要思考：從林震到劉世吾的轉化演變規律，到底是不以成績而以忠誠來決定的幹部升降機制導致，還是說任何制度後面，仍然是人性的理由？林震所看到的劉世吾現象，到底是中國特殊國情？還是「普世負價值」，權力必然使人世故腐化？

這篇小說題目曾被《人民文學》的主編秦兆陽改為〈組織部新來的青年人〉，這麼一來，主語就是「青年人」了，可以讀成一部成長小說，是一個年輕人參加革命（或者進入公司）的必然歷練過程：堅持理想和原則，還是適應環境而生存？而原題〈組織部來了個年輕人〉，主語是「組織部」，這是更明顯的官場小說，也是五十年代最早描寫革命機器內部矛盾的小說。作品涉及的官僚主義等問題，有點超前，也可能超過王蒙自己的預期。

注

1　這是筆者在 2010 年作的不完全統計，見〈四部當代文學史〉，《一九四九以後》，王德威、陳思和、許子東主編（香港：牛津大學出版社，2010 年），頁 83-85。

2　1957 年 2 月 27 日毛澤東在最高國務會議第十一次（擴大）會上的講話（後改為〈關於正確處理人民內部矛盾的問題〉）和 3 月 12 日宣傳工作會議的講話中都談到王蒙小說發現官僚主義問題。參見黎之：〈回憶與思考 —— 1957 年紀事〉，《新文學史料》，1999 年第三期。

3　洪子誠：《百花時代》（濟南：山東教育出版社，1998 年），頁 116-117。

4　李希凡：〈評《組織部新來的青年人》〉，《文匯報》1957 年 2 月 9 日。

5　同注 3，頁 112。

6　同注 3，頁 113。

7　同注 3，頁 114。

1957
〈論「文學是人學」〉
錢谷融

五十年代的文學評論

如果說王蒙的〈組織部來了個年輕人〉是比較能夠代表五十年代中國文藝界狀態的小說，那麼錢谷融先生的〈論「文學是人學」〉，就是比較能夠代表五十年代中國文藝界狀態的文學評論。我這樣說，不是因為錢先生是我的老師，而是從當代文學史發展的角度立論。錢先生一生著述不多，但在學術界威望很高。最重要著作就是兩種——1957 年寫的長篇論文〈論「文學是人學」〉，和兩三年以後寫的評論集《〈雷雨〉人物談》。《〈雷雨〉人物談》屬於現代文學研究，錢理羣稱讚錢谷融先生引領現代文學研究中的藝術審美學派（相對王瑤、李何林、唐弢等人的社會政治研究主流學派而言）。[1] 但錢先生更重要的作品是〈論「文學是人學」〉。

1957 年初，為貫徹「百花齊放，百家爭鳴」的中央號召，華東師大召開一個科學討論會，當時的中文系主任許傑先生，動員中青年講師錢谷融寫篇論文。之前錢先生很少寫文章，結果一寫就是幾萬字，1957 年 5 月 5 日在上海的《文藝月報》（《上海文學》前身）全文刊出。當天上海的《文匯報》第一版就發表了題為〈一篇見解新鮮的文學論文〉的報導，不久就有了批判文章。洪子誠後來在《中國當代文學史》第三章「矛盾與衝突」的第三節「對規範的質疑」裏這樣記錄：

> 1956 年到 1957 年春天……在「思想解放」的潮流中，關切中國文學前景的作家，對五十年代以來的文學落後狀況表示不滿，指出「我們的文壇充斥着不少平庸的灰色的、公式化、概念化的作品」，有思想深度和藝術魅力的作品並不多見。他們認為，造成這種現象的根本原因，是由於嚴重的教條主義和宗派主義的束縛所致。
>
> 而教條主義的表現集中表現在以蘇聯的社會主義現實主義的不合理的「定義」作為我們創作和批評的指導原則，同時也表現在對〈講話〉的片面和庸俗化的理解。
>
> 這一時期，提出重要問題、影響較大的理論文章有：秦兆陽〈現實主義——廣闊的道路〉（《人民文學》1956 年第九期），陳湧〈為文學藝術的現實主義而鬥爭的魯迅〉（《人民文學》1956 年第十期）……錢谷融〈論「文學是人學」〉（《文藝月報》1957 年第五期）……鍾惦棐〈電影的鑼鼓〉（《文藝報》1956 年第二十三期）……[2]

在教科書提到這些五十年代反主流的文章裏，錢谷融先生的論文最有理論性和系統性，所以要想了解那個時代的中國文學，此文必讀。

一、文學的目的是寫人，還是反映現實？

先不講背景，直接讀文章。把「文學」稱為「人學」，原是高爾基（Maxim Gorky）的建議。當然，如果從西方現代文藝理論的角度來講，「人學」到底是科學還是藝術？很難回答。錢谷融認為，「文學是人學」，是理解一切文學問題的總鑰匙。他的論文分成四個部分，涉及當時，甚至說也是今天中國文藝理論界面對的幾個基本問題。

第一，藝術家的目的、藝術家的任務，是寫人，還是反映現實？

蘇聯理論家季摩菲耶夫的《文學原理》說：「人的描寫是藝術家反映整體現實所使用的工具。」這就是說，文學的目的是寫現實，寫人是一種工具。錢谷融先生不同意這個基本定義，他認為「這樣，人在作品中，就只居於從屬的地位，作家對人本身並無興趣，他的筆下在描畫着人，但心目中所想的，所注意的，卻是所謂『整體現實』，那麼這個人又怎麼能成為活生生的、有血有肉的、有着自己的真正的個性的人呢？而且，所謂『整體現實』，這又是何等空洞，何等抽象的一個概念！」[3]

季摩菲耶夫的《文學原理》當時是權威教材，任何疑問挑戰，都需要極大的學術勇氣。錢先生馬上補充，說自己並不反對文學反映現實，他反對的是「把反映現實當作文學的直接的、首要的任務；尤其反對把描寫人僅僅當作是反映現實的一種工具，一種手段」。他的文章以極簡單的方式，直接切入了一個非常複雜的理論或政治問題。在一個大家都想做「劉世吾」，同時還培養「韓常新」的文壇理論界，突然闖進了一個新人 —— 這也是「理論界來了個年輕人」。

文學的目的是寫現實，還是寫人？This is a question。首先，要分主客觀。客觀上，文學總可以幫助人們認識現實、了解社會，反映時代。我們重讀近百部小說，也企圖閱讀小說中的中國故事。但這都是文學的客觀效果。猶如花必有顏色，花卻不只為色而開。作家主觀的創作動因是甚麼？從魯迅到沈從文到張愛玲到錢鍾書，他們的主觀動因是要反映一百年或者其中某一年的社會整體現實？還是描寫具體的人，解剖人的階級、民族、身分與人性的關係？按錢谷融的說法，只有寫出「活生生的、有血有肉的、有着自己的真正的個性的人」，換句話說，只有寫出了賈寶玉、安娜・卡列尼娜、包法利夫人、阿 Q、七巧等等，才有可能說是文學，才有可能讓人們去看這些人背後的社會、時代，甚至可以在這些人身上看到不同的社會和時代。

總之，作家寫人，不只是手段。

其次，除了主客觀的分別，還可以看論者到底是從文學出發，還是從社會學、政治學或歷史研究出發。從文學出發，寫人就是目的；從其它的學科出發，從政治需求出發的話，那人，包括文學，也可能是手段工具。

第三，除了主客觀和出發點以外，「工具手段」在當時其實是敏感詞，觸及五十年代「文學要成為鬥爭工具」的政治現實。錢先生或者是書生意氣，有心挑戰，或者是不懂世故，誤闖雷區。從國家意識形態管理層面重新檢討文藝界的「階級鬥爭工具論」，那是 1978 年以後的事情。（有意思的是，也是《上海文學》

發難，率先發表文章題為〈為文藝正名 —— 駁「文藝是階級鬥爭的工具」說〉，[4] 大背景是撥亂反正。）錢谷融先生質疑文學是否應該成為工具是在 1957 年，確實有點超前了。

對於錢先生自己而言，他只是講述自己理解的藝術原理。他以李後主為例，李後主只是寫他的悲傷心情，別人可以在他的詩裏讀出那個時代乃至超越時代的悲傷。倘若李後主為了寫時代而寫他自己，可能會有點假。人一假，時代也真不了了。

第四，想深一層，為甚麼要強調文學必須寫人？為甚麼要懷疑文學反映「整體現實」的功能？這裏有沒有一種藝術家的無奈？假使作家很想反映現實，可是他眼中的現實與官方或主流看法不同，怎麼辦？對土改、大鳴大放、大躍進等，作家有個人評論的自由和權利嗎？人們會說你看到的只是局部，不夠整體，不夠典型。怎麼樣才能把握「整體現實」？作家如果沒資格、做不到，所以不如在技術和策略上強調寫人，寫活生生的、有血有肉的具體的人，他才可能有更多的話語權。

當然，潛臺詞，策略表達，也許都不是錢先生的初衷。幾十年以後，我們站着說話不腰痛。在 1957 年，錢先生文章的鋒芒，令人驚訝。所以很多同行，蔣孔陽、羅竹風等，批判他，也欽佩他。換個角度，幾十年後再回首，誰知道我們現在是站着，還是用甚麼別的姿態在說話。我們自己也看不到。

二、文學與人道主義的關係

錢先生的文章分四個部分。第一部分討論文學的目的，寫人還是寫現實；第二部分討論文學與人道主義的關係。五十年代強調「文藝軍隊」的戰鬥任務，要改造作家的世界觀。但是文學史上有不少例子，顯示世界觀與創作成就不一定有必然聯繫。最多人談論的例子是托爾斯泰與巴爾札克，政治傾向都比較保守，文學成就卻很高。怎麼解釋？當代作家也有類似困境，曹禺1949年以後，思想進步了，卻反而寫不出像《雷雨》、《日出》這樣的作品。錢谷融的文章花了很大的篇幅，嘗試解釋思想和作品之間的關係。王智量等學者認為是現實主義創作方法戰勝了保守的世界觀。錢先生認為是人道主義精神起了關鍵的作用。為甚麼托爾斯泰原本要批評一個蕩婦，卻寫出了不朽的女性形象 —— 安娜・卡列尼娜？因為人道主義是文學作品的底線，人道主義比現實主義、人民性等其它評論標準，更普遍地滲透在幾乎所有的經典文學中。這個討論不僅在五十年代有挑戰性，而且也可回溯到三十年代初的文藝論爭。歸根究底，所有文學都會既寫到人性又寫到階級性，問題還是像「文學的目的，是寫人，還是寫現實」一樣弔詭。通過人性而寫階級性，還是根據階級性去寫人性，不僅是抽象理論問題，也是二十世紀中國小說從晚清到五四再到延安反覆變化之中的一條矛盾主線。

三、甚麼是「典型」？

錢先生論文的第三部分，討論了現實主義、浪漫主義、自然主義、社會主義、現實主義等理論問題，第四部分，又轉到了一個當時文藝界的熱門課題 —— 甚麼叫「典型」？其實典型問題，與階級性、人性直接相關。一個人物的典型意義，是否只取決於他的階級身分？錢先生直接提到當時已經引起爭論的〈組織部來了個年輕人〉：「有人因為這篇小說把一個老幹部劉世吾寫成了一個對一切都處之泰然的官僚主義者，就指責作者『這樣來刻畫老幹部老同志，簡直是對老幹部的污衊』。這種論調，難道不是和把典型歸結為一定社會歷史現象的本質的理論相一致的嗎？」到底甚麼是「典型」，有很多不同的看法。魯迅說過，他的人物「嘴在浙江，臉在北京，衣服在山西，是一個拼湊起來的角色」。有人覺得魯迅強調的是典型的共性意義。歌德說這是從一般到特殊。他自己更主張文學應該從特殊到一般。從一個獨特的個體，深挖下去，不用去想這個人有沒有代表性，是不是典型，或者它能不能反映「整體現實」。在文學當中，只要描寫的人物有真正獨特的個性，必然會有某種典型意義。這是錢谷融反覆強調的文學信念。

這種典型論和前面的文學目的論相關呼應。在論文的最後部分，錢谷融先生花了很多篇幅，以阿Q這個典型的文學人物，來闡發他對階級論、人性論、文學典型的看法。在五十年代，中國很多評論家，當時正為一個非常簡單的問題而苦惱。「何其芳同志一語中的地道出了這個問題的癥結所在：『困難和矛盾主要在這裏：阿Q是一個農民，但阿Q精神卻是一個消極的可恥的現象。』許多理論家都想來解釋這個矛盾，結果卻都失敗了。」

錢先生概括當時關於阿Q的爭議：第一，說阿Q是農民的典型，這是對勤勞英勇的農民的侮辱嗎？第二，將阿Q歸為落後農民的典型，「幸虧沒有人肯自居於落後農民，否則也會有人出來要抗議」。第三，馮雪峰把阿 Q 和阿 Q 主義分開來看，阿 Q 主義屬於封建統治階級，阿 Q 自己是樸素的農民。第四，李希凡說：「魯迅通過雇農阿 Q 的精神狀態，不僅是為了抨擊封建統治階級的阿 Q 主義，更深的意義在於控訴封建統治階級在阿 Q 身上所造成的這種精神病態的罪惡。」何其芳、馮雪峰、李希凡都是五十年代的權威學者，卻在當時困入這種層次的學術陷阱。錢谷融詳細分析圍繞阿 Q 典型性的各種觀點，目的是要說明：一個人物的典型意義，並不一定等於其階級性。現實中、歷史上，人的個性、人性與階級性、民族性的關係是非常複雜的，把每個階級的人物只寫成一個典型，一講地主，就是黃世仁，一講叛徒，就是甫志高，典型是典型了，但是文學性就消失了。

錢谷融的文章很長，好幾萬字，邏輯嚴謹，旁徵博引，充滿理論自信與學術激情，實在不像他後來做我們老師時候的散淡、瀟灑。錢先生晚年一直因散淡人生、瀟灑風度為人稱道，他最喜歡讀不同版本的《世說新語》。只有重讀他的〈論「文學是人學」〉，才知道先生也曾經年輕，也曾經那麼有鋒芒。這種赤子之心，這種學術鋒芒，其實晚年都在，只是表面看不見。重讀〈論「文學是人學」〉，我們可以回到那個時代，體會以文學寫人、在文學中承載人道主義，也曾是一種「艱辛探索」。

1957 年，同系的許傑、徐中玉、施蟄存都成了「右派」，錢谷融先生倒沒有被「錯劃」。有兩種說法，一種據說是當時上海市委書記柯慶施指示，不要都打成死老虎，留兩隻活老虎以後好批判（另外一隻就是復旦大學的蔣孔陽教授）；另一個傳說，說是周揚指示保護錢谷融的，好像周揚心裏其實頗同意，至少是同情錢谷融的觀點。

回到錢先生的說法，其實他只是表達他「活生生的、有血有肉的、有着自己的真正的個性」的思想，至於這篇文章引起的反響，怎麼反映五十年代的「整體現實」，大概也是他始料未及的。

注

1 錢理羣：〈讀錢谷融先生〉，《文藝爭鳴》，2017 年第十一期，頁 7。

2 洪子誠：《中國當代文學史》（北京：北京大學出版社，1999 年）頁 46。

3 錢谷融：〈論「文學是人學」〉，原載上海《文藝月報》，1957 年第五期；後作為附錄收入《「論『文學是人學』」批判集（第一集）》（上海：新文藝出版社，1958 年）。

4 〈為文藝正名 —— 駁「文藝是階級鬥爭的工具」說〉，《上海文學》，1979 年第四期。

1957

《紅旗譜》

梁斌

農村階級鬥爭模式

《紅日》、《紅岩》、《紅旗譜》、《創業史》及《青春之歌》，是 1949 到 1966 年間最主要的文學成就。在《亞洲週刊》評選的「二十世紀中文小說一百強」中，這些作品全部沒有入選。也許當時海內外專家評委覺得這些小說的藝術價值，夠不上「一百強」標準。但是從中國現當代文學發展的角度看，尤其是當我們試圖通過小說來講述中國故事，「三紅一創一歌」是一個不可忽視、不可遺忘的板塊。

一、窮富矛盾與國共鬥爭

《紅日》、《紅岩》、《紅旗譜》都是「革命歷史小說」，黃子平在這六個字中間加了兩個點，「革命 · 歷史 · 小說」，一個文類概念變成了三個不同範疇：革命與歷史的關係弔詭，歷史與小說的界限微妙，革命與小說的緣分更值得玩味。按照黃子平的概括，「革命歷史小說」就是「講述革命的起源神話、英雄傳奇和終極承諾，以此維繫當代國人的大希望與大恐懼，證明當代現實的合理性，通過全國範圍內的講述閱讀實踐，建構國人在這革命所建立的新秩序中的主體意識」。[1]「三紅」任務相同，但又有分工：《紅日》描繪軍事勝利，《紅岩》強調道德信仰，《紅旗譜》說明民心歸屬，主要敍述中國農民為甚麼會在歷史發展中選擇共產黨，反對民國政府。從故事背景時間上看，《紅旗譜》最早，寫的是二十年代到三十年代抗日前的北方農村。從故事內容看，《紅旗譜》涉及中國革命當中最重要的農民問題。後來的《創業史》、《艷陽天》，以及八十年代後的〈紅高粱〉、《古船》、《白鹿原》等等，其實都在延續或改編或重寫《紅旗譜》的故事。

《紅旗譜》表面寫兩家窮苦農民和一家地主豪門之間兩三代的恩仇爭鬥，實際寫北方農村的階級矛盾如何被引向政治鬥爭。小說有個序曲，大概二十多年前（清末民初），地主馮蘭池要砸掉防汛堤上的明代古銅鐘。砸銅賣錢，借機強佔四十幾畝公地。「公地」並不屬於國家，是當地四十八村村民並從前集資購買，古銅鐘就是購地證明。農民朱老鞏，見義勇為，赤膊上陣，拿鍘刀護鐘。嚴老祥也揮斧助戰，四十八村村民都來圍觀。在小說裏，在改編電影裏，都是一個非常戲劇性的經典場面。

馮蘭池找來地主嚴老尚，騙走朱老鞏，古鐘還是被砸。朱老鞏吐血而死，女兒也自殺，兒子朱小虎離鄉背井闖關東。關於古鐘，小說裏沒有細說，各種文學史和評論也很少提及，其實被砸掉的古鐘有某種象徵意義，代表了一種傳統鄉村民間社會的秩序和契約，或者說標誌了不同階級面對河水災難的一種合作關係。古鐘一毀，預示着窮富的矛盾從此不可調和。

小說開篇朱小虎已經四十多歲，改名朱老忠，從關東回來，帶着老婆貴他娘和兩個兒子。此時嚴老祥的兒子嚴志和，走投無路正想闖關東，被朱老忠勸下，說關東也沒有窮人活路，而且馮家砸鐘之仇未報，心有不甘。陳平原曾經總結過中國歷代武俠小說的三種主題，第一是「平不平」，第二是「立功名」，第三是「報恩仇」。只有「報恩仇」，才能最大限度拉長小說情節，增加故事動力，給人物行動以足夠持久的道德理由。[2] 朱嚴兩家與馮家本已階級對立，再延續砸鐘世仇，兩家後來兩肋插刀不變色，明是階級友誼，暗是俠義道德。

小說男主角，當然是堅決反抗、豪爽仗義、有勇有謀的朱老忠。馮牧說他「是一個兼有民族性、時代性和革命性的英雄人物的典型」，「不僅繼承了古代勞動人民的優秀品質，古代英雄人物的光輝性格，而且還深刻的體現新時代（無產階級革命時代）的革命精神。」[3] 小說把所有優秀品質都堆在朱老忠身上，中國農民其他還有甚麼不那麼優秀的地方，就找膽小怯懦的嚴志和、眼睛看不見的朱老明、「封建」固執的老驢頭或喜歡吹牛的馮大狗等人來分擔。在這部經過反覆修改的集體創作中，朱老忠不會犯錯，嚴志和謹慎膽小。嚴家兩個兒子運濤江濤，是革命主力，兩人相貌接近，性格上也幾乎沒有分別。朱嚴兩家是小說中的窮人代表。對立面馮老蘭，就是當年砸鐘的馮蘭池，現已六十多歲了，在小說裏沒做過一件好事，甚至對自己做的任何壞事也沒起過任何的懷疑 —— 這是「五四」小說裏所沒有的人物。現代文學中，傷害子女的七巧，最後「手鐲推到手臂上」，也有她的可憐；周樸園對侍萍的虛假懺悔，可能弄假成真。可惡人物亦總有可憐或至少可理解之處，五十年代的地主就是劉文彩、黄世仁，還有馮老蘭。馮老蘭除了整天在陰暗的大院裏算帳，算計農民，求財、巴結官府以外，還會好色看中良家民女，還要霸佔村民養的小鳥，總之，絕對反派。

到了八十年代以後，《古船》、《活着》、《白鹿原》、《生死疲勞》也都熱衷於寫地主，卻又是另外一些不同寫法了。那是後話。

馮老蘭次子馮貴堂，讀過「法科」，當過軍官，還有點「新思想」，拆了家族祠堂辦學校，對於農產品生產銷售，也有一點科學改革的想法。小說沒往這些地方多花筆墨，只強調在維護家族利益上，他和父親立場一致，因為和保定衛戍司令是同學，直接聯繫地主階級和國民黨官僚，所以他的力量比馮老蘭還要大。

朱老忠回來以後雙方初次較量，竟然是因為一隻鳥。運濤偶然捕獲了一隻漂亮、名貴的鳥，同村少女春蘭為鳥籠繡了一個美麗的套。鳥在集市上可以賣很多錢，大家競投，出錢最多的就是馮老蘭。運濤、大貴一看馮老蘭要買，故意不賣。地主托人來勸：老蘭想要這隻鳥，你送他吧，留個人情。他們不肯，結果鳥被貓吃掉了，是大貴的疏忽。而運濤說你疏忽了，那也沒辦法，我們原諒。

這個情節不是「一石數鳥」，而是「一鳥數石」，既重新點燃了農民和地主之間的舊仇新怨，又加固了兩家農民之間的義氣情誼，還透露農民地主居然有玩鳥的共同興趣（到六十年代這樣的細節應該也要在集體創作過程中刪改的）。

馮老蘭當然記仇，不僅因為一隻鳥，而且因為丟面子。不久軍隊抓壯丁，他就把朱老忠的長子大貴點出去。朱老忠想，兩家四個兒子，有人會武也是好事。他還支持運濤、江濤去讀書，長遠復仇，有文有武。運濤和村裏女孩春蘭要好，家人不准。春蘭爸老驢頭，一來嫌運濤家裏窮，二來看不慣男女青年自己要好，就痛打女兒，把她關起來。這時馮老蘭也貪戀春蘭漂亮，派人許諾送車、送牛等等，要春蘭做小。老驢頭也不答應，說輩分不對。春蘭是《紅旗譜》裏形象最鮮明、情感最矛盾的一個人物，真心喜歡運濤。運濤識字能讀《水滸傳》，認識了高小教員賈湘農。賈湘農其實是地下黨縣委書記（作家梁斌當時也是這個身分），祖父也是農民，但父親是工人（符合先鋒隊的標準），本人坐過牢。運濤在賈湘農教育下，覺悟提高很快，某天突然失蹤——去了南方參加北伐，臨走和家人都沒說，獨獨跟春蘭告別：「希望你另找一個體心的人兒……」春蘭急哭了，「你革起命來，就有好光景了，還看得起我窮人家閨女。」這時運濤才明白春蘭的性格，瞪起眼睛說：「不管你等不等我，我一定要等着你！」[4] 鄭重其事的山盟海誓，通常預示不幸意外。失蹤半年後，運濤突然來信，說在南方參加革命軍，當上了見習連長。嚴志和對朱老忠說，嚴運濤做了官啦，當上連長啦！一下子嚴家在村裏的地位瞬間提高，連春蘭她爸也換了臉色，「他『革』上『命』，也坐上官了」——這是農民對革命的基本理解。整部小說中，這是朱嚴兩家最快樂的時光。想像兒子在遠方的軍威，盼望革命軍快點北上。但是北伐軍中途「清黨」，運濤是以共產黨員身分加入國民黨軍隊，於是被捕，還被押到濟南監獄。

消息傳來，嚴家陷入災難。運濤想見家人。家人還想要營救。此時江濤已入保定第二師範，求老師給長官寫信。嚴老師的女兒喜歡江濤——後來很多「紅色小說」都有這類橋段，名人士紳富家女兒，常常不理門當戶對追求者，執意喜歡冒險革命的青年。

問題是探監救人都要錢，聽到孫子出事，嚴志和老母氣急去世，家裏又要辦喪事，又要救兒子，要借錢，怎麼辦？

> 濤他娘說：「一使帳就苦了！」……一家人沉默起來，半天無人說話。江濤想：「上濟南，自己一個人去，覺得年輕，沒出過遠門，沒有經驗。要是兩個人去，到濟南的路費，再加上託人的禮情，再加上運濤在獄裏的花銷，怎麼也掉不下一百塊錢來。家裏封靈、破孝、埋殯，也掉不下五十塊錢……」
>
> 嚴志和想：「一百五十塊錢，按三分利算，一年光利錢就得拿出四五十塊。這四五十塊錢，就得去一畝地。三年裏不遇上艱年還好說，一遇上年景不好，房屋地土也就完了。要賣地吧，得去三畝。」
>
> 濤他娘想：「使帳！又是使帳！伍老拔就是使帳使苦了。他在老年間，年頭不好，使下了帳。多少年來，利滾利，越滾越多，再也還不清了，如今還馱在身上，一家人翻不過身來。」

這段文字將一個農民家庭的困境、絕境，寫得一點也不誇張。無奈之中，他們只好找馮老蘭，馮老蘭因「鳥」記仇，當然不借。最後嚴家忍痛賣了三畝寶地。嚴志和病了，朱老忠和江濤去探監，通過關係，好不容易進到獄中，只見到運濤慷慨激昂喊口號，義正嚴辭表忠心。「打倒刮民黨！」「中國共產黨萬歲！」讀者看了這段，當然佩服他的革命豪情，但也忍不住想：你知道你家人為了來看你，賣了地呵……運濤又對江濤、忠大伯喊，「叫春蘭等着我，我一定要回去，回到鎖井鎮上去，報這不共戴天之仇！」

全知全能的敍事者告訴讀者，這時候朱德、毛澤東剛在井岡山會師。運濤和朱嚴兩家還要等很多年。

二、農民抗稅與城市學潮

運濤入獄關在濟南大牢，江濤接替了運濤的工作。兩人外貌、性格、身分都很像。賈湘農派江濤回鄉，進行「反割頭稅鬥爭」。這是梁斌親身經歷過的一個真實事件。「割頭稅」是突然新加的稅項，農民每殺一頭自己養的豬，都要另交幾塊錢。稅名義上給政府，實際是承包給地方富豪來收稅。比如馮老蘭保證向上交四千塊，實際上能收到上萬元。

農民已經要交各種地租、雜稅，面對新稅，一般農民也只能忍氣吞聲。江濤、朱老忠串聯村中一些農民，大家覺得此事不平，一起鼓噪，形成了氣勢。大貴當逃兵回來，就在自家門口架殺豬鍋。農民去馮老蘭派人架的殺豬鍋要收稅，但大貴他們說，我們殺豬免費，不收錢。這就形成對陣之勢。

通過反割頭稅，小說寫出農民被共產黨「煽動」，不是因為政治口號，而是因為經濟實利。殺豬新稅是政府聯手富人欺負百姓，通過尋租承包等契約形式。也就在「反割頭稅」過程當中，運濤坐牢已經一年，這時村裏邊有農民要給大貴說親。

說誰呢？說春蘭。

> 老驢頭說：「老明兄弟！可輕易不到我門裏來……」朱老明說：「我衣裳破，瞎眯糊眼的，進不來呀！」老驢頭說：「算了吧，你的眼皮底下那裏有我老驢頭啊？」朱老明說：「今天來，有個好事兒跟你説説，你喜歡哩，咱就管管，不喜歡也別煩惱。」老驢頭呲出大黄牙說：「你說吧，咱老哥們有甚麼不能說的。」朱老明說：「咱大貴回來了，我說給他黏補個人兒，想來想去想到你這門裏……」朱老明和老驢頭說着話，他不知道春蘭就在炕那一頭，做着活聽着。她聽來聽去，聽說到自己身上，心上一下子跳起來，一隻手拿着活計，一隻手拿着針線，兩隻手抖顫完了，那根針說甚麼也扎不到活計上。

這是非常傳神的語言，非常精彩的情節。運濤坐牢，無期徒刑，村裏人也是實心實意為春蘭好，不能一直等，等得年紀大了。朱老忠在村裏有點威望，兒子大貴又老實又強壯，本來春蘭也應該動心。可是運濤在牢裏剛剛一年……接下來村裏所有利益相關者——朱老忠、貴他娘、嚴志和、濤他娘、江濤、大貴自己，人人都得對「黏補」這件事表態，人人都很為難。每個人表態的過程，是《紅旗譜》中最精華的段落。對朱家來說，有人幫自己兒子找媳婦，好事；而且春蘭，他們都很熟，關係密切。但是又很為難 —— 運濤兄弟還在牢裏，能把他的媳婦娶過來？如果問嚴志和、濤他娘，他們嘴裏也說好，因為兒子「無期」了，不能讓人家女的一直等下去。可是嘴裏說好，心裏都不樂意。大貴雖然喜歡春蘭，覺得是個好媳婦，可是不好意思說。江濤是讀過書的人，更難表態。不知道是樸素的農村道德，還是愚昧的人倫關係，總之是一種錐心痛苦的選擇。當然最難的是春蘭。這件事，直到整部小說完結，都是一個懸案。

幾個主要人物，革命者運濤，大地主馮老蘭，逃兵大貴，都圍着同一個女人。類似情節《死水微瀾》有先例，後來《白鹿原》田小娥更加厲害。為甚麼在鄉村故事而且是「史詩」裏，總會出現「一女多男」的情節結構？有多少是現實依據，有多少是讀者需求？值得探討。

「反割頭稅」從鎖井鎮蔓延到了縣城，變成羣眾大會，嚴知孝老師的女兒嚴萍，看到江濤能在眾人面前演講，激動佩服。開會，慢慢又演變成遊行，街上商店也停下來，有人撒傳單，從殺豬稅聯繫到其它地租、高利貸……漸漸地，口號就走向政治化，「中國共產黨萬歲」！「打倒土豪劣紳」！同樣的混亂場面茅盾早在〈動搖〉中就描寫過，那是真的混亂。五十年代《紅旗譜》重新描述的混亂只是表象，背後是黨的精心計劃。縣裏的保安隊也阻止不了羣眾，因為當時人們知道保安隊不敢真的動武。遊行示威成功，縣長宣佈暫緩稅項，馮老蘭遭受損失。從經濟不滿到政治集會再到遊行再到衝突等等景象，後來中國的讀者都很熟悉。

在運動當中，江濤和賈湘農關係非常接近。但小說中有一段，有點令人困惑。

> 他（賈）拿起江濤兩隻手在火上烤着，問：「嗯，你那位女同志，她怎麼樣？」又扳起江濤的臉來看了看。他們有一年不見了，今天見了面，心上很覺高興。流露在他們之間的，不是平常的師生朋友的關係，是同志間的友愛。他幾次想把嘴唇親在江濤的臉上，見江濤的臉頰靦腆地紅起來，才猶疑着放開。說：「告訴我，嚴萍怎麼樣？」江濤歪起頭看了看，說：「她嗎？還好。你怎麼知道的？」賈老師笑着說：「我有無線電，你的一舉一動我都知道。」

這兩位是同志，還是「同志」？同志間的友愛，要把嘴唇親在他臉上？

兩人還有一段對話更加精彩。「反割頭稅運動」成功了，農民殺豬不用交錢了，江濤突然問賈湘農。「鬧騰了半天，我還不明白，這個運動的目的是甚麼？」

> 賈老師揚了一下眉毛，笑了說：「運動在目前是為了發動羣眾，組織羣眾嘛。組織起來向包商主，向封建勢力進行鬥爭，他們是大地主、大資產階級。將來要在運動裏吸收一批農民積極分子，打好建黨的組織基礎。」
>
> 江濤又問：「落腳石呢？」
>
> 賈老師伸出一隻拳頭，猛力向下一捶，說：「還是一句

老話，最終的目的是起義，奪取政權哪！是不是這樣？」

也就是說，農民反割頭稅，是為了不用交錢。賈湘農反割頭稅，是為了奪取政權。江濤處在兩者中間，「鬧騰了半天」，始終不知為了甚麼。

「反割頭稅」是成功的，接下來「二師學潮」卻失敗了。小說隨着江濤的足跡，從農村寫到了城市。一些主張抗日的武裝學生，被國民黨軍隊包圍在保定二師校園裏，雙方僵持不下。學生們沒有食物，出去搶東西，也靠外面的羣眾「飛餅」——從天上丟一些餅給他們吃。江濤想通過鄉親馮狗子逃出去，又利用女友嚴萍的關係，請老師嚴知孝找衛戍區的司令陳貫羣說情，但都不成功。在學生們準備強行突圍前，軍隊開始進攻。梁斌本人並沒有直接看到血腥的「七六」慘案，他依據同學們的第一手材料，在書的最後部分描寫了悲慘結局，有十七、八個學生死亡，五、六個受傷，三十多人被捕，包括江濤。朱老忠、嚴志和也趕到現場，但兩個老農民幫不了任何忙。這是「紅色經典」當中很少沒有光明結尾的作品。

三、農村階級鬥爭的「紅旗譜」模式

怎麼評價這部小說？

第一，《紅旗譜》提供了一種頗有文學史意義的農村階級鬥爭模式。晚清小說寫官場壓迫民眾，但農夫妓女地主僕人都包括在「民眾」裏面。「五四」小說淡化官場，也寫農民被壓迫，但較少寫反抗。〈小二黑結婚〉幹部重登文學舞臺，不僅官分好壞，農民也分先進落後。「人物四分法」到了《紅旗譜》規模雖擴大，結構卻簡化。二諸葛的落後，本來與父威「族權」迷信「神權」有關，三仙姑的落後，則牽涉鄉間貧富勢利，這些農村社會各階級分析的細微之處，在《紅旗譜》裏，都被主要矛盾線索而簡化了。主要矛盾線索也是「人物四分法」：窮人／地下黨 vs 地主／國府。《紅旗譜》是長篇小說，明明有很多實在的細節，比如砸鐘關係祠堂宗族文化，馮老蘭兒子還想改變鄉村生產方式，嚴志和、朱老明、老驢頭、馮大狗等農戶至少也有中農、貧農、傭農之分別……但是小說將這些較複雜的階級秩序民俗矛盾，迅速概括為窮富矛盾與國共鬥爭的邏輯關係。《紅旗譜》的農村階級鬥爭模式本來至少有六個基本要素：窮苦農民、新式學校和地下黨，對抗地主加祠堂加國府。但小說淡化了祠堂文化的功能，又直接描寫小學老師就是地下黨。《紅旗譜》的這種農村階級鬥爭模式，後來被很多作品重複、增補或者顛覆。〈紅高粱〉就是在農村社會六原素之外，重新復活了第七種人 —— 土匪，從而救活了革命歷史題材。[5]《白鹿原》則將這六個要素重新組合，地主也靠國民黨政權，窮人也靠共產黨造反，但是學校教育和宗法祠堂卻從對抗轉為聯手，於是「政權」、「族權」、「神權」在鄉土層面互相制約。這些二十世紀後期的重要作品，都是從《紅棋譜》模式的基礎上發展演變過來的。

第二，《紅旗譜》不僅寫農村「反割頭稅」的勝利，也表現了城鎮「二師學潮」的失敗。尤其是學生與軍隊血的對抗，省委撤退指令，是否太晚？賈湘農書記有沒有預想到最後結局和代價？

作家其實知道這是三十年代王明路線的「左傾盲動」，但在五十年代仍然選擇歌頌英雄。[6] 一方面《紅旗譜》客觀展示了革命歷史中的錯誤與代價，另一方面小說還是將教育功能置於歷史真實之前。歸根到底，「革命歷史小說」，更是「革命教育小說」。(《紅旗譜》、《紅岩》和《創業史》都由中國青年出版社組織出版)。

從藝術標準看，小說主要人物，如朱老忠馮老蘭，非黑即紅，非邪即正，都是類型人物，幾乎沒有內心矛盾和性格轉變。江濤運濤則是同一人物的變體。小說中越是主角越是扁平，反而一些次要人物嚴志和、春蘭、老驢頭等，更有生活色彩。陳思和在《中國當代文學史教程》指出，「這部小說在描寫北方民間生活場景和農民形象方面還是相當精彩的」，[7] 一些具體場景，比如鄉親們要將春蘭「黏補」給大貴，還有大貴在野地裏捉豬等等，細節充滿泥土氣息。

《紅旗譜》中朱老忠代表農民，馮老蘭代表地主，賈湘農這個小學教師兼地下黨書記，角色也非常重要。這其實也是一種「士 - 官 - 民」三角關係：賈湘農看到馮老蘭勾結國民黨欺壓農民。不同之處是「士」的複雜性，在魯迅那裏，「士」的態度有狂人般救救孩子，有不能解救閏土、祥林嫂的知識分子內疚，也有審判阿 Q 之死的幫兇長衫黨等多種不同角色。而在賈湘農（以及之後我們還要討論的許雲峰、江雪琴等具有革命理想的「士」）那裏，他們只繼承狂人傳統，堅信自己有能力抵抗官府解救民眾。所以三角關係演變成「士教民反官」。

小說作者梁斌（1914-1996），河北人，十一歲小學就加入了共青團，親身參與「反割頭稅」和「保定二師學潮」。他的作家身分和幹部經歷幾乎同步，1934 年發表小說。抗戰期間，擔任縣委領導，參加地下鬥爭。1949 年以後任河北省文聯副主席，作協河北分會主席。《紅旗譜》有一個很長的醞釀過程，從 1935 年的小說〈夜之交流〉，到 1941 年寫〈三個布爾什維克的爸爸〉，《紅旗譜》中的不同情節，早就在他的這些作品裏出現過。真正寫作期，是五十年代中期，稿子送交中國青年出版社，由蕭也牧、張羽等作家幫助修改。蕭也牧自己的小說〈我們夫婦之間〉被批判，可他卻為《紅旗譜》的改稿做了很多幕後工作。

當代文學生產機制，除了作家幹部化和優厚的稿費制度、文學批評以外，還有一個集體創作模式。集體創作模式的特點：第一，通常是根據真實歷史事件寫作；第二，原作者是事件親歷者，或是參與者。「反割頭稅」時，梁斌自己家門口就架過殺豬鍋；「二師學潮」時，「七六」慘案那天，他正好在養病，但是很多參與者都是他的同學。從長篇的結構看，「二師學潮」和整體結構不大和諧，前面講農村階級鬥爭，最後轉到城市學生革命，可能是作家堅持要寫親歷經驗，並想以作品來紀念他的同學、朋友，他們在學潮慘案中付出了生命的代價。作家畢竟在這集體智慧的紅色經典中，也留下了一點個人印記。

當然，集體創作還有第三個特點，即編輯部與其他作家的參與，或潤色文筆，或拔高主題。另外，很多作品會以未定稿或者徵求意見本等特殊的形式出版，我們以後再討論。

注

1　黃子平：《革命・歷史・小說》（香港：牛津大學出版社，1996 年），頁 9。

2　陳平原：《千古文人俠客夢》（北京：北京大學出版社，2010 年），頁 97。

3　馮牧、黃昭彥：〈新時代生活的畫卷〉，《文藝報》，1956 年第十九期。

4　梁斌：《紅旗譜》（北京：中國青年出版社，1957 年）。以下引文同。

5　雷達曾稱讚〈紅高粱〉：「它與以往我們的革命戰爭文學都不相像⋯⋯在審美方式上它是一次具有革命性的更新。」〈靈性啟動歷史〉，《上海文學》，1987 年第一期。

6　「《紅旗譜》中，關於政策問題曾經反覆醞釀，開始也曾想正面批判『左傾盲動』思想，後來想到，書中所寫的這些人，在當時都是執行者，當然也有責任，但今天在文學作品中寫起來，主要寫他們在階級鬥爭中的英勇，這樣便於後一代的學習，把批判的責任留給我們黨的歷史家去寫吧。」梁斌：〈漫談《紅旗譜》的創作〉，《人民文學》，1959 年第六期。

7　陳思和：《中國當代文學史教程》（上海：復旦大學出版社，2008 年），頁 79。

1957《林海雪原》

曲波

紅色武俠小說

一、革命歷史小說也是通俗政治小說

在某種意義上，革命歷史小說也是類型小說，只是「類型」的定義和偵探小說、武俠小說、愛情小說，或者一般的歷史小說有所不同。再學術一點講，十七年的革命歷史小說其實是一種「通俗政治小說」。

這裏的「通俗」，卻不只是追求娛樂，迎合讀者慾望，以生產數量為主要目的。而是「先普及，後提高」，符合〈講話〉精神，滿足人民羣眾口味。這裏的「政治」，也不只是作家個人的政治觀念，而是以文學為階級鬥爭的工具，證明主流意識形態的合理性、合法性。革命歷史小說的人物，通常善惡分明。但是人物善惡分明，並不只是革命歷史小說的特點，而是幾乎所有通俗文學的一般特徵。要辨別一部作品是「通俗文學」還是「嚴肅文學」（都是中性概念），最簡單方法就看故事裏面有沒有絕對的「壞人」。「革命歷史小說」與一般通俗文學的相通之處是「共創機制」：優先考慮大眾需求，作品實際上是作家與讀者（通過出版社編輯甚至宣傳部門的仲介）的共同創造。

「通俗革命小說」，又可分成兩大類，第一類更強調「革命」效果，第二類更注重「通俗」手段。前一類無意中希望延續歷史演義的風範格局，有時代脈絡，打江山得天下是關鍵，《紅旗譜》、《紅日》、《紅岩》，還有同類的《三家巷》等，都屬此類。後一類有傳奇的格式，有意追求俠義小說的趣味，故事緊湊，焦點具體，情節比人物更重要。代表作有《鐵道遊擊隊》、《烈火金剛》、《苦菜花》等等。其中《鐵道遊擊隊》是〈紅高粱〉出現之前最成功的抗戰文學。小說《烈火金剛》中有一段「肖飛買藥」，也成為曲藝評書中的當代經典。1957 年出版的長篇《林海雪原》，則是革命小說追求通俗趣味與俠義風範的典範。

二、《林海雪原》滿足了國人對武俠文學的需要

陳平原的《千古文人俠客夢》，說一般武俠小說有三種場景：「武俠小說中大的背景是『江湖』，最主要的生活場景則有懸崖山洞、大漠荒原和寺院道觀。」「這三者在相對於都市塵世、宮廷衙門這一點上是一致的，都是王法鞭長莫及之處，是武俠小說所虛擬的法外世界、化外世界的具體體現。但三者在武俠小說中又各有其特殊功能，在不同層面上實現了生活場景的文學化，並共同構建了一個頗有審美價值的『江湖世界』。」[1]

先看第一種場景「懸崖山洞」，「懸崖和山洞因視點不同，可以是隆起，也可以是下陷，但在視覺效果上，無疑都是地平

線的突然中斷。」[2]《林海雪原》雖然是紅色小說，故事場景卻處處體現武俠小說的基本規則。比如少劍波小分隊第一個戰鬥目標——許大馬棒的奶頭山，小說這樣描寫：「亂石灘是四外全是陡立的大石山，把個奶頭山圍在核心。……東面是鷹嘴峰，峰上有一塊大石頭，活像鷹嘴。這山離奶頭山最近，山腳下也不過百多步。可是立陡立陡，上面吊懸那塊鷹嘴巨石，伸向奶頭山，好像一個老鷹探過腦袋要去吃奶，……山半腰，有一個大石縫，石縫旁有一個石頭洞。洞口朝正面，正對噴水山，……洞裏邊又有兩個小洞。一個通往山上，叫通天洞，一直通向山頂的樹林。一個向下，叫入地穴，沒底地深，裏面黑洞洞，陰風颯颯，嗚嗚地響，……」[3]

這是一個採蘑菇老漢向小分隊介紹地形（很多文學修辭？），後來小分隊就從鷹嘴峰上用繩索飛盪到奶頭山，從山上往下打，下面又用火力封鎖，就在這奇峰異洞之中順利殲滅敵匪。在真正的武俠小說中，這種懸崖山洞通常是靜心習武、隔斷人世之處；或者在打鬥當中，這種絕境常常意味轉機。《林海雪原》寫奶頭山一役，出擊即勝，有點浪費了這麼奇特的佈景。

第二類場景是大漠荒原，再引陳平原：「武俠小說家之所以非要把俠客拉到大漠荒原不可，與其說出於實戰的考慮，不如說是因為審美的需要。『笑盡一杯酒，殺人都市中』（李白《結客少年場行》），固然也是行俠……可於大漠荒原中縱橫馳騁，方顯出英雄本色。」[4]

曲波寫《林海雪原》是因為他親身參加過這個剿匪行動，1946 年 4 月，四野在黑龍江北部已取得軍事勝利，但還有一些國軍殘餘，躲在牡丹江深山老林裏，佔據了一些地形險惡的地方。團參謀長少劍波帶領的三十二人小分隊，於是在冰雪世界裏「縱橫馳騁，方顯出英雄本色」。作者就是二〇三首長少劍波的原型。《林海雪原》出版時，曲波已經是一機部第一設計院副院長、二等殘廢軍人。小說的細節或者虛構誇張，基本故事還是真人真事。

但奇妙的是，四野打了那麼多戰役，從東北打到廣州（曲波自己也在遼沈戰役中負傷），為甚麼不是那些決定中國命運的重大戰役產生文學巨著，反而是一支小分隊的行動被人們記得？為甚麼《林海雪原》會成為甚至比《紅日》更為人所知的革命戰爭小說？不管主觀上曲波有沒有意識到，從接收效果看，《林海雪原》恰恰滿足了五十年代國人對武俠文學大漠荒原的懷念，不僅是正義之師，還有真假土匪，還有滑雪奇觀。很少一部小說，地理、氣候、背景，對故事主題有這麼直接的影響。1958 年 6 月，小說以《奇襲虎狼窩》為名，被譯成俄文。後來又改編成樣板戲《智取威虎山》，這些篇名都不能像「林海雪原」一樣，從字面上就道出小說的氣氛、意境、溫度和魅力。

三、《林海雪原》紅在哪裏？

一般武俠小說在山崖絕境或大漠荒原打鬥，也常會在荒村野店碰頭。《林海雪原》也有兩個荒僻偏遠的車站村落，在小說裏成為和懸崖、雪原一樣重要的場景。一是小說開篇，杉嵐站被許大馬棒「土匪」襲擊。這是非常重要的一章，因為等部隊趕到杉嵐站，已經一片慘景，令人膽寒。「村中央許家車馬店門前廣場上，擺着一口鮮血染紅的大鍘刀，血塊凝結在刀床上，幾個人的屍體，一段一段亂雜雜地垛在鍘刀旁。有的是腿，有的是腰，有的是胸部，而每個屍體卻都沒有了頭。」「內中有一個年輕的婦女，只穿一條褲衩，被破開肚子，內臟拖出十幾步遠，披頭散髮，兩手緊握着拳，像是在廝打拼命時被殘害的。」

武俠江湖的基本規則是習武之人不能對不會武功的凡人動手，否則就犯江湖大忌。許大馬棒對幹部和羣眾的恐怖屠殺，完全打破了武俠世界的底線，既不像正規軍，也不如土匪。中國文學中，匪俠常常「一詞兩面」。小說寫杉嵐站慘景，就是伏筆，無論小分隊後來在肉體上用甚麼方式消滅敵人，都有了道德依據。對於少劍波來說，整個行動也是一種私仇——被害地方幹部，包括少劍波的姐姐鞠縣長。「鞠縣長和工作隊的九個同志，被匪徒用一條大鋼絲，穿通肩上的鎖子骨，像穿魚一樣被穿在一起。」他們全部被殺，肝腸墜地，耳朵被割。

杉嵐站之後，還有夾皮溝。在準備進攻座山雕，派遣楊子榮進入匪巢期間，小分隊在夾皮溝發動羣眾。這裏不是農民，是伐木工人，很短時間內就被小分隊組織起來。杉嵐站與夾皮溝這兩個冰雪世界中的邊遠村落，以不同方式顯示小分隊不僅勇武神奇，而且守紀律、幫百姓，救俘虜，甚至連敵軍官太太也救。而對手方，貌似有江湖氣味，住奇峰異洞，稱兄弟手足，齊上齊落，名字都是動物綽號，相貌也似綠林中鬼，但是他們無紀律、害百姓，亂睡女人，實際上打破了土匪的底線。

《林海雪原》雖有武俠情節（對讀者來說「武俠情結」），但是有三點保證這是一種紅色的武俠：一是善惡分明，沒有轉變，沒有折衷；二是對民眾態度決然不同，或扶助，或傷害；三是潰敗的軍官，行為還不如土匪。這三條紅色底線，在五十年代幾乎所有的革命歷史小說裏普遍存在，在今天的各種電視劇裏也貫穿始終。

武俠小說場景，除懸崖山洞、大漠荒原外，還有第三種寺院道觀，《林海雪原》也絕不遺漏 —— 深山老林裏居然有一個河神廟，住一定河道人。當然道人也是假的，被殺害的真道人是個忍着家仇之痛，隱藏在此的文人慈善家，假道人原是日本軍官，今天是國軍特務，在地下還藏着幾個女人（沒資格做道人）。

在俄國形式主義理論家普羅普（Vladimir Propp）用一百個俄國民間故事總結的敘事規則中，一個被多方尋找的「寶物」常常具有特殊功能，[5]《林海雪原》中的「寶物」就是先遣圖。楊子榮就依靠先遣圖才取得座山雕的信任。另一普羅普強調的情節是「真假英雄」—— 百雞宴之前，小爐匠突然逃到威虎山，當面與冒充許大馬棒副官胡彪的楊子榮對峙，這也是《林海雪原》裏最驚心動魄的一個情節，後來也是樣板戲《智取威虎山》的核心情節。

小爐匠被捕時見過楊子榮，現在威虎廳上當着幾十個土匪的面，本來很容易揭穿這個假胡彪，可是小爐匠他不敢承認自己曾經被捕，所以他先說謊，說自己是從另外一個土匪婆那裏來的，但是後來又反口，說他被「共軍」捉過，之後形勢不利時，又求「胡彪」楊子榮保命。反口是法庭對峙的大忌，這一段「舌戰小爐匠」，語言對話充滿戲劇性（楊子榮騙過了座山雕，乃真人真事）。更重要的是，「真假胡彪」的戲，讀者觀眾這麼感興趣，因為它有一種象徵意義 —— 英雄要用「土匪」面具，才顯出俠客精神。

四、為甚麼讀者更喜歡「男二號」楊子榮？

「儘管俠客形象可分為粗豪型和儒雅型兩類，可前者明顯比後者源遠流長且更得讀者歡心。從王度廬到金庸、梁羽生，都曾努力刻畫名士型俠客，也都有其得意之筆，但仍無法與粗豪型俠客媲美……魯迅稱頌《三俠五義》『以粗豪脫略見長』，更直接指出其『獨於寫草野豪傑，輒奕奕有神』。」[6]

《林海雪原》裏少劍波更像文人名士，名字裏面的「波」，取自作者自己名字，還有他太太的名字劉波。中間這個「劍」字更是武俠小說常用符號（「書劍恩仇」）。雖然小說處處強調少劍波的膽識、勇謀，可是沒辦法，讀者、觀眾還是更喜歡楊子榮（楊子榮是「十七年文學」中屈指可數的最著名的人物形象），喜歡這個粗豪型的英雄，尤其是他扮土匪的那一段 —— 這個現象令人深思。

「在現代人看來，草莽英雄自有其獨特的美感，而且好就好在那種不為『文明』所規範的『十足的野性』。其敢說敢笑敢作敢當的性情以及其『粗豪脫略』的風格，令過於文明過於懦弱過於無所作為的現代人讚歎不已。而這種『野性』，只能形成也只能存在於草澤山野之中。」[7] 可以把「文明」理解為革命規則，把「野性」解讀為俠義風範。後來《林海雪原》改成樣板戲《智取威虎山》，男一號就從少劍波轉向了楊子榮。表面是文革時期貫徹「三突出」的創作原則，其實背後，也是中國民眾審美需求的集體無意識選擇：即便六十至七十年代，中國的革命文藝打倒一切「封資修」，但是對武俠傳統的呼喚始終還是存在。真正復興當然是在八十年代的〈紅高粱〉（以及金庸「北伐」）以後，但是即使是在純粹「紅色」年代，人們對草莽英雄或俠客匪氣，還是心心相印。除了楊子榮，還有阿慶嫂。到了《杜鵑山》，「匪氣」已被柯湘改造得所剩無幾了。

《林海雪原》後半部，楊子榮回到小分隊，他的形象就不再引人注目了。在紅色與武俠的結合過程中，少劍波也還是有他特別的功能。小說一開始就寫：「團參謀長少劍波，軍容整齊，腰間的橙色皮帶上，佩一支玲瓏的手槍，更顯得這位二十二歲的青年軍官精悍俏爽，健美英俊。」這種作者自戀，使男主角承擔了普羅普所謂的王子功能。王子公主的模式，也隱隱地存在於紅色經典作品之中。

真實的楊子榮沒有四十歲，戰鬥的時候大概就二十九歲。少劍波真的只有二十二歲。楊子榮在冰雪行動最後階段犧牲，因為槍械出了問題，被一個匪徒的鄭團長打死。

小說刪除了這個情節，無論是「紅色經典」，或者傳奇模式，都不喜歡悲劇。《智取威虎山》後來成了家喻戶曉的一種合唱的京劇，不過大家最樂於背誦的，卻還是那些土匪的黑話——天王蓋地虎，寶塔鎮河妖。臉紅甚麼？精神煥發！怎麼又黃了？防冷，塗的蠟。

據說那個時候也有人演到這一段的時候出岔錯了，「天王蓋地虎，寶塔鎮河妖。臉紅甚麼」，他說快了，說成「防冷，塗的蠟」，話趕話對方又問，「怎麼又黃了」，這個人急中生智，回答一句：「再塗一層蠟！」

就在全國人民高唱「甘灑熱血寫春秋」的時候，小說作者曲波卻受到打擊迫害，小說新作《橋隆飆》被紅衛兵燒毀。他晚年多病，沒有完成構思長久的一些新作品。

注

1 陳平原：《千古文人俠客夢》（北京：北京大學出版社，2010 年），頁 136。
2 同注 1。
3 曲波：《林海雪原》（北京：人民文學出版社，1957 年）。以下小說引文同。
4 同注 1，頁 139。
5 參考弗拉基米爾・雅可夫列維奇・普羅普著，賈放譯：《神奇故事的歷史根源》（北京：中華書局，2006 年），頁 242-256。
6 同注 1，頁 141。
7 同注 6。

《紅日》

1957

吳強

革命戰爭小說的樣板

明代四大奇書中《三國演義》寫史詩，《水滸傳》俠義派，《西遊記》神魔小說，《金瓶梅》世俗言情。其中前三種都有暴力武戲，尤其是《三國演義》。可是到了現代文學，直接寫戰爭的小說很少。

沈從文在軍隊待過，但很少寫正面軍事行動，主人公大都是邊緣身分的士兵 —— 伙伕會明、〈新與舊〉裏的劊子手。《財主底兒女們》有大段南京戰爭場面，但不是寫打仗激烈，而是寫逃兵困境。蕭紅寫過抗日遊擊隊，戰果也不佳。一百年間，像《紅日》這樣正面描寫大部隊作戰的小說，實在不多。人民文學出版社作為「紅色長篇小說經典」再印的《紅日》，1958 年初版，2018 年再版，一共四百九十頁，其中直接描寫戰爭場面和戰鬥細節的，最多佔全部篇幅的五分之一，而大部分小說的內容，也都是文戲。

如果戰爭文學可以大概分成三類，一是通俗文學渲染打鬥過程宣洩暴力慾望，二是革命文學證明正義必定戰勝邪惡，三是嚴肅文學懷疑戰爭的殘酷荒謬，《紅日》基本屬於第二類。經典戰爭文學的文戲，通常是雙方（或幾方）將帥鬥智勇講計謀，既明爭也暗鬥（如《三國演義》），或者表現戰爭狀態下的人性選擇（如《戰爭與和平》）。這是兩種最基本的類型。可是《紅日》的文戲，既不是國共雙方高層的戰略角力，也沒見軍中主要人物的心理矛盾衝突。書中的愛情戲都是點綴，對戰爭進程毫無影響，於愛情本身也無考驗。

所以，《紅日》的主要篇幅到底在寫甚麼？為甚麼這個作品在中國當代文學中頗受好評？

一、一部文戲比武戲多的戰爭小說

小說分四個部分。一是 1946 年 10 月，華東野戰軍某部，軍長沈振新，在江蘇淮安附近的漣水縣，被國民黨王牌七十四師部分擊敗，損失嚴重撤退山東。二是沈振新軍在 1947 年 2 月參加山東萊蕪戰役，負責攻佔吐絲口，切斷了國民黨軍的退路，李仙洲部被殲五、六萬人。三是沈振新軍全體指戰員，強烈想打七十四師報仇，卻被安排在不知甚麼地方休整待命。從小說第八章三十一節到小說第十三章五十四節，全書大概三分之一的篇幅，一直在吊胃口——部隊沒方向，敵人在哪裏，下一步做甚麼，全都不知道。第四部分，五十四到七十四節，沈振新軍突然被派去參加孟良崮戰役，直接對陣張靈甫。

這部小說，全軍上下有名有姓的人物有幾十個，他們的全部行動，都由一個報仇雪恨的線索，也就是由張靈甫七十四師這

八十年代中，吳強（前排右五）為時任上海作協副主席，許子東（最後排左四）是上海作協會員（小說組）。

麼一個敵人串聯起來的。這裏當然有史實依據，也有文學構思加工。據說，1947 年 5 月 17 日，吳強作為華東野戰軍六縱的宣傳部長，親眼目睹了張靈甫的屍體被解放軍戰士從山上抬下來。從那時開始，他便想寫一部長篇小說。

在戰爭文學當中寫人頗不容易，或突出高級將領，像電影《巴頓將軍》、《山本五十六》；或以小分隊寫大戰役，比如《拯救大兵瑞恩》。《紅日》卻用了一種「最笨」、最吃力的方法：從軍長開始寫，師、團、營、連、排、班，每一級都寫，或詳或略。這樣的寫法弄不好，讀者分不清誰是誰，誰也記不住誰的名字。但是另外一方面的效果，卻是可以讓人們看到整個革命戰爭機器的運作機制。也許這才是革命歷史小說的創作目的：證明我們的軍隊為甚麼優勝。

男一號是沈振新軍長，一個剛毅、堅定、了解全局的人，並不是說他自己有特別計謀，但他堅決執行陳毅、粟裕的指令，威信高，批評下屬也不留情，記得很多前線人員的名字。比如，有人醉酒騎馬，被沈振新嚴厲批評。軍長過河時落水，也靠士兵救回。在前線指揮，仗一打贏，馬上在野地裏睡着……據說軍長原型是三野六縱的王必成，但也有人說是幾個人物合起來，葉飛、陶勇等等。

軍政委丁元善，和沈振新沒有任何矛盾，只是作風不同，比較和善委婉。軍長和妻子黎青，通過兩次信。副軍長梁波單身，和地方幹部華靜有點感情關係（為此作家感到壓力，1964 年再版「華靜和梁波的愛情生活部分，則完全刪去了。」[1]）。軍部還有參謀長朱斌、作戰科長黃達、警衛員湯成、李堯，以及被眾多男軍人們注目的機要員姚月琴，她因為戰爭中斷了和參謀胡克戀愛。僅僅一個軍部就有這麼多人，不容易記。

師級寫得比較簡略，師長叫曹國柱，政委戲分不重要。團一級又是重點，團長劉勝脾氣急躁，政委陳堅溫和性子。這些都是類型人物：軍事首長總是比較急躁、大膽、勇敢，政委總是比較委婉、策略、善解人意，他們的權力有點互相制衡；也模擬「父母官」的政治性別分工。

團以下，營又是虛的，下一個重要角色就是連長石東根，電影裏是楊在葆演。打了勝仗，醉酒騎馬，穿了國軍軍服，拿個軍刀，這個讓解放軍易裝的畫面令觀眾印象深刻。連長脾氣暴躁，打仗時赤膊上陣衝在前面，幾次建功。

這部小說的規律，一級虛，一級實。排長林平等人一筆帶過。下面和軍同等重要的是班。軍是領導，班是基層。但這個班裏的戰士，偏巧軍長都認識。班長楊軍守漣水負傷。妻子阿菊從家鄉逃出。班裏好幾個戰士，秦守本、張華峰等都被軍長叫過去了解情況。最有軍事才能的，是神射手王茂生，後來居然用步槍打飛機。

全軍上下，幾十個人物，他們之間沒有重大矛盾衝突，最多只有急躁、冷靜之分，尖銳、溫和之別，他們只有一個目的，就是要打敗曾經打敗他們的七十四師，要活捉或者打死張靈甫。因此整個小說以人物塑造來講，最重要的人物，反而是張靈甫。

《紅日》的讀者，哪怕是熱愛「紅色經典」的學者，恐怕也說不出幾個具體人名？卻都記得張靈甫。

這一點都不代表《紅日》敘述解放軍戰功不成功。恰恰相反，為甚麼要特別強調張靈甫、七十四師厲害？就是要通過敵人不弱，證明我軍更強。

二、戰爭勝負的五個要素

在小說裏，戰爭勝負取決於至少五個要素，第一參戰人數，第二武器裝備，第三戰略戰術，第四鬥志士氣，第五道德人心。《紅日》五個因素全面分析，這是長篇寫作的「正規戰」。從人數上看，不論漣水戰、萊蕪戰，還是孟良崮，雙方投入的總兵力其實相差不多，差別只是在局部——這裏集中了力量，那裏以少對多。偶然情況下，李仙洲部潰敗時，三野趁勝抓了成千上萬的俘虜。單純數字統計，沈振新軍一天裏抓的國軍人數，可能比抗戰八年所有中國軍隊活捉的日軍俘虜還要多。但總體看，《紅日》中描寫的幾次戰役，參戰人數不是決定因素。

第二，武器裝備，小說強調裝備重要，渲染美式裝備優勝。漣水戰失利，士兵們就說，受不了七十四師的大炮；後來也有軍官，特別想多些炮火支援。楊軍養傷回隊以後，發現部隊煥然一新，所有槍械都換了。總之，說明武器還是有作用的。但是，既然武器這麼重要，那為甚麼武器好的國軍反而失利？這就涉及到第三點 —— 戰略戰術。

戰略層面，說實在，軍長軍政委都只是靜靜聽從三野首長，以及更高級別的指揮。對照歷史記載，當時有一些決定性的戰略戰術因素，《紅日》並沒有寫進去。比方萊蕪戰役，粟裕安排七個縱隊，2 月 10 日秘密夜行北上，躲避了國民黨飛機的偵察。又比如說，孟良崮被圍的關鍵時刻，國軍整編八十三師李天霞假裝在路上，實際上不施援手 —— 因為之前李天霞和張靈甫爭奪七十四師師長的位置告敗。在某種意義上，國民黨軍隊系統內鬥也是導致七十四師被殲滅的重要原因。但是這些重要的戰略、戰術情節，在《紅日》裏沒有出現。吳強是左翼作家，參加新四軍後，從事宣傳工作，好處是始終從軍隊基層的角度去寫戰爭的氣氛，軍隊休整，官兵待命，沒有全知角度，到底外面戰場發生甚麼事情，當事人不知道的，讀者也不知道。在戰略上，小說強調服從。甚麼時候整休，甚麼時候夜行，都是只聽指揮，連軍長都不問原因，絕對服從。當然，客觀上就是這些服從，完成了萊蕪戰役中粟裕的夜間調兵。反過來，李天霞不服從蔣介石軍令，間接導致了張靈甫的失敗。所以，從軍事效率來講，在《紅日》描寫的 1947 年，「絕對服從」確有好處 —— 當然如果超出軍事範疇，「絕對服從」也會導致很難自我糾錯，比如說在《紅日》寫作的 1958 年。

戰略強調服從，戰術卻有民主。進攻吐絲口受挫，要改變突破方法，劉勝團長的建議就改變了沈軍長的想法。最後總攻時刻，在一個頑固的碉堡面前，楊軍排長還能開火線「諸葛亮會」，讓大家商議突破方案。《紅日》有很多例子，證明同一級別內軍事長官和政治委員有一定程度的權力制衡，不像張靈甫的參謀長，永遠只能唯唯諾諾，大難臨頭才說出真話。

通過小說看，解放軍部隊戰略上更加絕對服從，戰術上更多局部民主，但最大的區別還是鬥志士氣。小說描述不少戰士在家鄉遭受苦難，比如楊軍，父親被殺母親入獄，妻子逃出來，連軍長也特別關心他的情況。在家鄉裏受了欺凌，戰場上更加勇敢。但也有士兵，因為母親跟隨國軍軍官而殺害親夫，這樣的家庭背景使他在部隊裏背上包袱。家庭出身和戰場表現，一定程度上掛鈎。軍隊的獎勵升遷制度，既看作戰成績，也考慮看家鄉成分。軍官提拔，一看出身，二看表現。兩者之間的複雜關係，後來在其他當代小說中，漸漸成為二十世紀後半葉的官場遊戲規則。

軍功也會轉化成政治榮譽。王茂生打下飛機，團幹部馬上嚷嚷說趕快讓他入黨（其實他已是黨員）。把家鄉的階級鬥爭帶入戰場，還有經濟動因，因為在家鄉能分到土地。四十年代後期的土地政策，對於軍隊士氣有重要影響。因此，士氣就聯繫到了第五點——民心與道德。小說不僅強調三野軍紀嚴明，繳獲歸公——雖然有時不大捨得交掉手錶手槍之類。更與對方比較，守衛吐絲口的國軍師長，下令活埋自己軍中帶不走的重傷號（戰爭罪行）。還有國軍打白旗，假投降等等，戰術也不道德。不過在寫七十四師的時候，這類的醜行比較少見。

概括一下，戰爭各因素中，人數相當，武器落後，戰略服從，戰術民主，階級鬥志，土地民心——《紅日》就靠這些大段大段的文戲，既描寫戰爭機器，也有意無意透露着影響五十年代主流意識形態的「戰爭文化心理」。這種「戰爭文化心理」的基本特點就是總體絕對服從、局部暫時民主、成分表現並重但排序有先後、人心鬥志可以戰勝物質條件，最重要是時刻有敵情觀念……可見軍事文學從來都不只是描寫軍事。

三、《紅日》為甚麼讓我們記住了張靈甫？

張靈甫是黃埔四期，和劉志丹同學，在電影裏由大明星舒適演的，扮相非常威武，小說描寫「他的身體魁梧，生一副大長方臉，嘴巴闊大，肌膚呈着紫檀色。因為沒有蓄髮，腦袋顯得特別大，眼珠發着綠裏帶黃的顏色，放射着使他的部屬不寒而慄的凶光。」[2] 小說並沒有將張靈甫完全臉譜化，雖然被困山洞，仍然驕傲狂妄，以為自己是插進共軍的釘子；但在沒人的時候，小說又寫他內心憂慮苦惱，清醒意識到處境危險。被共軍放回來的張小甫，講了一段對戰爭的懷疑論——

> 八年抗日戰爭剛剛結束，現在，又打內戰！為內戰犧牲人命，百姓受苦。我沒有死，為打內戰而死，不值得……我擔心師長，擔心七十四師兩萬多人……萊蕪戰役，五六萬人被俘的被俘、死的死、傷的傷，泰安一戰，七十二師全部給人家消滅掉……眼前這一仗，不知又是甚麼結果！路上，山溝裏，麥田裏，盡是死屍，有的受了傷沒人問，倒在山溝裏。戰爭！我害怕！厭惡！這樣的戰爭有甚麼意義！對民族有甚麼好處！我沒有別的話說，師長的前途，七十四師的前途，請師長想想，考慮考慮！

西方文學裏常有的戰爭懷疑論，在《紅日》裏竟是通過一個俘虜勸降的形式發佈。說的時候，張小甫流着眼淚，張靈甫竟也許久沒說話，這就是說他的內心也有複雜矛盾。

關於張靈甫之死，有三種說法：一是最後關頭自殺，二是華東野戰軍擊斃，三是被俘後擊斃。小說採取了第二種說法，畢竟第一種有點美化張靈甫，第三種有點批評三野士兵的嫌疑。後來據說有一個電視劇，暗示張靈甫自殺，結果三野很多老戰士和將軍表示不滿，說這樣的描寫不符合事實。也有傳說張靈甫自盡前留下遺書，但是非常可能是國民黨軍中的人偽造的。

比較確鑿的是，死後第三天，三野六縱副司令皮定鈞下令，張靈甫遺體裹白布，用四寸厚的棺木材，厚葬於孟良崮以北十五公里處，山東沂水一個名叫野豬旺的小山村山崗上，立墓牌，標明身分。

2004 年，張靈甫遺孀（張靈甫四五個老婆中的最後一個），還有他兒子，在上海浦東為他設立了一個衣冠塚。2005 年，張靈甫的兒子替他父親領了中共中央、中央軍委和國務院頒發的「中國人民抗日戰爭勝利六十週年紀念章」，因為張靈甫在抗日戰爭當中，戰功卓著。臺灣高雄有一條凱旋路，曾經一度被命名為張靈甫路。

世事真是弔詭，三野花了這麼大的代價，消滅了七十四師，吳強以這麼長篇小說記載戰事，客觀上卻也讓更多讀者知道了張靈甫。

注

1 黃子平：〈「革命」的經典化與再浪漫化〉，《革命・歷史・小說》（香港：牛津大學出版社，1996 年），頁 17。

2 吳強：《紅日》（北京：人民文學出版社，1958 年）。以下小說引文同。

1958

《青春之歌》

楊沫

像戀愛那樣革命

一、五十年代的「一女多男」模式

《青春之歌》是五十年代最重要的愛情小說；是當時最知名的女作家作品；也是「十七年文學」中比較罕見的描寫知識分子的小說。

五四新文學最成功的人物形象，一是麻木愚昧的農民，二是彷徨矛盾的知識分子。到了五十年代的革命歷史小說，農民還是主角，精神面貌變了。知識分子大都需要身兼革命幹部，五四常見的猶豫彷徨、上下求索的「多餘人」大大減少。

《青春之歌》的特別，不僅還寫讀書人上下求索，而且把「尋找道路」與「尋找愛情」兩個選擇無縫重疊，難分主次。「革命」和「戀愛」一直是新文學的兩條主線，左翼文學早有「革命加戀愛」的各種配方，莎菲女士在二十年代已有選擇男人和選擇道路的困難症。直到八十年代，張抗抗〈北極光〉還是同一結構——找甚麼樣的男友，等於選擇甚麼樣的人生。張抗抗、張辛欣、張潔都有類似的作品。但百年間，只有在《青春之歌》中林道靜的時代，關於「男人」與「人生」的選擇完全合二為一。

楊沫原名楊成業，原籍湖南，1914 年出生於北京。三妹楊成芳，即著名電影演員白楊。楊沫十四歲就讀北京西山溫泉女中，因為父親破產，家庭瓦解，母親曾要她嫁一軍官，楊沫拒絕後，母親就斷絕供給。這時，楊沫認識了一個北大國文系學生（就是晚年十分有名的散文家張中行）。楊沫和男友在北京同居，到北大旁聽，早年讀得最多的是郁達夫、冰心、廬隱等。楊沫也做過小學教員、家庭教師、書店店員。1934 年開始寫作。和《紅旗譜》、《紅日》、《林海雪原》一樣，《青春之歌》也是作家親身經歷的「革命歷史小說」。

小說開篇寫一個白衫素裝、拿着樂器的女學生，坐火車從北京到北戴河找教書的表哥。表哥不在，小學余校長答應幫她找教職。林道靜的生母是在熱河某偏僻山村和祖父一起生活的村姑，名叫秀妮。被下鄉收租的大地主林伯唐看中後做了姨太太。從之前阿 Q 土谷祠的夢，到茅盾〈動搖〉裏的「解放婦女保管所」，再到日後張煒、莫言、格非、陳忠實等人的小說，地主的老婆（尤其是姨太太）一直是二十世紀中國小說的一道風景，五十年代也不例外。秀妮生下女兒林道靜以後，被大太太徐鳳英趕走，不久自殺。楊沫自己是鄉紳家庭背景，但在寫小說時，她特地給林道靜種下了一些窮人基因。

林道靜父親破產時，母親笑着問女兒：「好姑娘，說實話，你究竟願意嫁個甚麼樣的丈夫呢？」在丁玲、張愛玲、蕭紅等女作家筆下，女主人公也都被問到這個問題，答案有所不同。任性的莎菲是猶豫不決拒絕回答，薇龍在姑媽精心安排下，走投無路地「愛」上喬琪喬。七巧當初嫁進姜家時，有沒有選擇呢？〈金鎖記〉略寫，後來長篇《怨女》就鋪開解釋，說女主角想得很清楚，仍決心嫁入姜家……

直到二十世紀末，王安憶《長恨歌》裏還有類似的問題：上海小姐第三名王琦瑤，身邊也有真心的追求者，可還是住進了高官李主任的愛麗絲公寓。王琦瑤甚至比她的前輩們更加堅決，不加思考。李主任提問時，王琦瑤說：「明天就搬嗎？」當時李主任只是試探，愛麗絲公寓還沒租好。

這百年裏，女性面臨的同一問題，為甚麼只有林道靜的時代，回答是最堅決的呢？

> 母親說：「親女兒，告訴你一個好消息，常來咱家的那位胡局長，看上了你，喜歡你的才貌。局長從來沒有結過婚，人不過三十多歲，可是個有財有勢的闊人呢。……寶貝，你要同意了，福可是享不清的呵，局長在南京上海全有洋房；北平銀行裏存着大批現款；在家鄉有一二十頃土地；上海還有不少股票——他是蔣介石的親信，不久還要升大官……」道靜再也忍耐不下去了，她猛地甩掉母親的手，發着沉悶的哭聲：「媽，您別總打我的主意行不行？——我寧可死了，也不能做他們那些軍閥官僚的玩物！您死了這條心吧！」[1]

拒絕局長、洋房、土地、股票之後，林道靜要走自己的路——其實也是中國現當代文學常見「一女多男」的道路。

北戴河的余校長，想把林道靜送給鮑縣長做禮物。女主角傷心、絕望要跳海時，北大國文系學生、余校長的堂弟余永澤救了她。「道靜對這個突然闖進生活裏的青年，帶着最大的尊敬，很快地竟像對傳奇故事中的勇士俠客一般的信任着他。」林道靜留在小地方教書，余永澤回北平讀書，在火車站含情脈脈，不捨得分手。「啊！多情的騎士，有才學的青年。」「啊」是文藝腔；「騎士」是歐化符號，青年「才學」，既是五四擇偶基本條件，也連着千古文人的自戀夢。之後兩人頻繁通信，林道靜在信中說：「永澤，我憎惡這個萬惡的社會，我要撕碎它！可是我像蜘蛛網上的小蟲，卻怎麼也擺脫不了這灰色可怕的包圍。……家庭壓迫我，我逃到社會；可是社會和家庭一樣，依然到處發着腐朽黴爛的臭味，黑漆一團。這裏，你的堂兄和我父親是一樣的貨色——滿嘴仁義道德，滿肚子男盜女娼！」「告訴你，你不是總嫌我對你不熱烈甚至冷酷嗎？不，從今天起，我愛你了。而且十分的……你知道今天我心裏是多麼難過，我受不了這些污辱，我又想逃——可是我逃到哪裏去呀？……所以我非常非常地愛你了……」

這份情書很有意思，說我走投無路，所以決定愛你（言下之意是假如有別的出路，別的可能，我大概就不會愛你了）。余永澤卻不管，他真心喜歡林道靜，不管你甚麼動機，只要在一起就好。

不久，發生九一八事變。在一個學生聚會上，林道靜見到了同事的小舅子盧嘉川，聊起抗戰：「道靜目不轉睛地望着盧嘉川。在她被煽動起來的憤懣情緒中還隱隱含着一種驚異的成分。

從來沒有見過這樣的大學生，他和余永澤可大不相同。余永澤常談的只是些美麗的藝術和動人的纏綿的故事；可是這位大學生卻熟悉國家的事情，侃侃談出的都是一些道靜從來沒有聽到過的話。……只不過短短十多分鐘的談話，可是他好像使道靜頓開茅塞似的，忽然知道了好多事情。」

這裏頓開的茅塞，既是情竇，也是三觀，兩者緊密相關，與〈傷逝〉等「戀愛等於啟蒙教育」非常相似。不過盧嘉川一閃而過，很快就帶着學生到南京示威，被捕入獄。這些都是全知敍述，女主角並不知道。她回到北平，借住好友王曉燕家，到處求職不成，身邊只有余永澤可靠。兩人拍拖選擇天安門為背景：

> 當走到天安門前的玉帶河旁，他們才在玉石欄杆旁邊站住了。在黯淡的燈光下，余永澤用力捏緊了道靜冰冷的手指，深情地凝視着她。半天，才用顫抖的聲音小聲說：「林，願意做我最親愛的嗎？……我會永遠地愛你……」道靜低下頭來，沒有回答他。她的心頭激蕩着微妙的熱情，兩頰燃燒起紅暈。這就是青春的熱戀嗎？它竟是這樣的幸福和甘美！她情不自禁地握住余永澤的手，把頭靠在他的肩上。

這是五十年代最「浪漫」的約會細節，很像茅盾早期小說的腔調，難怪文化部長當時曾為這種小資情調殘餘辯解。[2] 之後兩人同居。林道靜要出去工作，余永澤不贊成，他寧可自己多做工作。林道靜到書店做職員，被人調戲而辭職。同學陳蔚如，嫁了銀行經理，家裏非常舒適安逸，還有小孩的溫暖，可是林道靜一點也不羨慕。某日余永澤在家請同學吃飯，想通過該同學的父親認識胡適（余永澤當時有志「整理國故」）。當天鄉下來了個窮親戚，余永澤不大耐煩，給了一塊錢打發人家，林道靜卻送了十塊。余永澤看呆了：「『拿着我的錢裝好人，這是甚麼意思？』余永澤第一次對林道靜發起火來了。『啊！』道靜想不到余永澤竟會說出這種話來。她猛地站起身來，激怒地盯着余永澤：「你這滿嘴仁義道德的人，對待窮人原來是這樣！我，我會還你……」林道靜哭了，「更使她傷心的是：余永澤 —— 她深深熱愛的人，原來是這樣自私的人，美麗的夢想開始破滅。」

吵架的原因，一是女性自尊，花男人錢受氣；二是男友勢利，對窮人沒感情（階級立場）；三是余想做胡適的學生，政治方向有問題（小說寫於五十年代，正在批判胡適）。一年後，林道靜在聚會上重遇盧嘉川，這時她覺得盧嘉川非常帥，兩個人談了很久。盧嘉川否認他有個人感情打算，但借了很多書給林道靜，從此余永澤在家裏讀古書，女主角就在一邊看《國家與革命》。盧嘉川還會上門拜訪，不管余永澤在旁邊臉色難看，盧嘉川照樣給林道靜講革命道理 —— 這場面有點尷尬。

他們參加北大學生遊行，喊口號，丟石頭，警隊阻攔、鎮壓、開槍，場面非常混亂。可是林道靜只看到盧嘉川演講，風采動人。同一時間余永澤躲在圖書館，心裏也惦記林道靜的安危。中國現代小說寫兩男一女模式，一般都比較同情失敗的男方，因為近代國人對屈辱感比對勝利征服更加敏感。但是在余永澤、林道靜、盧嘉川這個三人關係中，小說明確傾向第三者。

但盧嘉川不久就被捕而且犧牲。他最後託林道靜保存一批傳單，林道靜拿去派發，結果自己也被捕了。審問她的居然是最早追求她的胡局長。胡局長把她擔保出來，此時林道靜和余永澤分手。

二十世紀中國小說中的「一女多男」模式，「多男」總有不同社會身分代表不同政治力量，決不重疊浪費。《青春之歌》裏國民黨胡局長、自由派余永澤和地下黨盧嘉川也是「三個代表」。女主角「移情別戀」，不只是愛上別人，而是愛上了革命。所以，「革命戀愛小說」，某種程度上就是主人公像戀愛那樣革命，這裏「戀愛」可以是動詞。

「革命」的目的原是權力利益再分配。「戀愛」—— 至少按照十九世紀浪漫主義的定義，則是感情至上，非功利，不計代價，不怕犧牲。感情至上、不計功利、不怕犧牲地追求以革命名義的階級鬥爭權力分配，《青春之歌》的這一特點，我們遲些還要討論。

很長一段時間，林道靜並不知道盧嘉川被捕犧牲，這時另一地下黨人江華，負責聯繫指揮林道靜。林道靜因好友王曉燕幫忙，到定縣她姑媽當校長的學校教書，可是卻聽了叛徒戴愉的錯誤指揮，發動學生去批鬥虔誠信教的校長。出事以後，林道靜離開，江華又安排她到一個地主家裏做家教。地主宋貴堂和兒子宋郁彬，或明或暗都非常壞，甚至老地主打偷糧農民時，幾歲的地主孫子也會在旁邊叫好。楊沫想告知讀者，龍生龍，鳳生鳳，地主的兒孫會打人。地主一家全壞，其他女傭、長工、車夫當然都是好人。有鄭姓長工，仇恨林道靜，因為林父曾害死鄭長工的女兒。好在林道靜母親是窮人出身，所以小說強調她「有白骨頭也有黑骨頭」。以後討論「傷痕文學」時我們會檢討血統論在當代中國的演變，其實五十年代已有伏筆。

二、《青春之歌》的「多麼文體」

《青春之歌》的文筆比較學生腔。比如林道靜在屋頂上看到了農民在田野裏搶糧：

> 當她站在房上向四外望去時，啊，一種美妙的好像海市蜃樓的奇異景象立刻使得道靜眼花繚亂了！那是甚麼？在黑黝黝的原野裏，四面八方全閃起了萬點燈火，正像美麗的星星在灰色的天幕上眨動着她們動人的大眼睛。在不甚明亮的閃閃燈光中，有無數黑點在浮動。這不是幽靈，也不是螢火蟲在夜風草莽中飛舞，而是覺醒了的農民像海燕一樣正在暴風雨的海上搏鬥……她太高興了，她激動得幾乎想大喊：「啊，黨，你是多麼偉大啊……」

《青春之歌》這種被當時青少年廣泛模仿的文體，可以概括為「多麼文體」。比方稍後林道靜回北京，和好友王曉燕看到故宮，小說這樣寫：

> 那高大的黃色的琉璃瓦屋脊多麼富於東方的藝術色彩；那奇偉龐大的角樓，更彷彿一尊尊古老的神像，莊嚴而又神秘地矗立在護城河上的夜空中，又是多麼令人神往呵。

後來林道靜被捕入獄，同牢房有一位化名鄭瑾的黨員，向她描繪了共產主義的幸福願景：

> 道靜聽着，吃驚地望着她。啊，多麼美麗的大眼睛呵，那裏面蕩漾着多麼深邃的智慧和攝人靈魂的美呵！完全可以相信她是革命的同志了。而她給予自己的鼓勵——也可以說是批評，又是多麼深刻而真誠！道靜忽然覺得心裏是這樣温暖、這樣舒暢，好像一下子飛到了自由的世界。這樣一個堅強的熱情的革命同志就在自己的身邊，夠多麼幸福呵。

出獄以後，林道靜被發展入黨，因為在獄中經受了考驗。林道靜說：「盧嘉川、江華，還有我剛入獄時遇到的林紅，這三個人，我今生能夠認識他們真是無上的光榮和驕傲。」林道靜的心還在盧嘉川身上，「我願意永遠着等他。」她還寫了一首詩給盧嘉川：「在漆黑的大風大雨的夜裏，你是馳過長空迅疾的閃電。啊，多麼勇猛！多麼神奇！……你對着我微笑，默默的告訴我：你那勇敢的、艱苦的戰鬥事蹟。我是多麼幸福啊！」

但不久，組織上給她看了盧嘉川的遺書：「親愛的小林……在這最後的時刻，我很想把我的心情告訴你。不，還是不要說它的好……小林，更加努力地前進吧！更加奮發地鍛煉自己吧！更加勇敢地為我們報仇吧！永遠為共產主義事業奮鬥不息吧！你的忠實的朋友熱烈地為你祝福……」

小說描寫讀信時，林道靜異常冷靜，「她站在地上好像一座美麗的蒼白的大理石塑像」。如果說最初女主角可能因為迷戀瀟灑的盧嘉川而追求革命，那麼在這之後，她就是因迷戀革命而戀愛樸實老練的江華 —— 江華其實愛上林道靜很久了，實際上等於領導向下級求愛。「一女多男」模式出現罕見的身分重複。小說結尾處，林道靜跟隨江華參加一二・九學生運動。

三、以戀愛的態度來參加革命

楊聯芬做過一番考察，「戀愛」本是日本傳入的新詞，中國文學向來稱之為「情」(如男女私情等)，最初是傳教士用「愛」或「戀愛」來對譯「love」。國人最早使用「戀愛」一詞，又是梁啟超(《飲冰室自由書》，1900 年出版)。之後才有《愛之花》、《戀愛奇談》等小說，才有「戀愛自由」、「自由戀愛」等五四關鍵字。廚川白村對「戀愛」有如下定義：「兩性間的犧牲精神，往往為了戀人的關係，雖赴湯蹈火，亦所不辭……這種熱烈的自己犧牲的至高的道德性之花，只有戀愛裏面，才能很鮮艷的產生。所以戀愛決不是單為性慾的滿足，也不是為子孫私有財產的讓渡，也不是像拆白黨的追躡婦女的惡劣行為，完全是自然的崇高的最淨化的一種現象。」[3]

在五四語境裏，「戀愛」被定義為浪漫、非功利、忠誠、不怕犧牲。《青春之歌》則將這種革命性的戀愛觀，轉化為對革命的近似戀愛的態度。小說裏描寫的愛情，第一好像浪漫，「一見鍾情」，其實有無意識的選擇。看到胡局長、一見無情。海邊遇余永澤相愛，卻經不起思想交流考驗。忽然愛上盧嘉川，是形象魅力，更是思想吸引。第二，戀愛不顧利害功利。胡局長有錢，余永澤有學問，但是林道靜寧可跟地下黨員盧嘉川、江華在一起，沒有好處，只有危險，不顧利害，這才是「戀愛」。第三，戀愛的底線和境界，就是忠誠。不能三心兩意，更不容許背叛。第四，「戀愛」還要飛蛾撲火，無怨無悔。林道靜和盧嘉川，kiss 都沒有，卻癡情忠貞（直到看到遺書），然後又愛上新的同志。

以上「戀愛」四原則，正是林道靜對革命的態度。三十年代的左翼文學，一直有革命加戀愛的傳統，這種「癡迷革命」的姿態，一路發展到林道靜，演變成「戀愛（動詞）革命」—— 林道靜接受革命理論，也是「一見鍾情」（階級成分暗暗起作用？）；林道靜參與革命，也是不為功利，不顧個人利害；林道靜經歷考驗，處處體現對革命的忠誠；林道靜對戀愛對革命也一樣是終生不悔。就像瞿秋白評論丁玲「飛蛾撲火，至死方休」。

純就藝術價值而言，《青春之歌》顯然無法列入二十世紀中文小說的百強，其文學史意義也不如「三紅一創」。但這部小說的獨特性，就在於有意無意地把現代文學的兩個關鍵字和兩條故事主線 ——「戀愛」和「革命」，以最奇特的方式交織在一起，無縫銜接。

《青春之歌》的主要讀者是五、六十年代的青年。到了八、九十年代，同樣二、三十歲的讀者，卻更欣賞余永澤的原型 —— 張中行的散文（張中行、金克木、季羡林合稱「燕園三老」），或者他們更為楊沫的兒子老鬼寫的實錄知青苦難史的《血色黃昏》而感動。在這樣的時候，《青春之歌》的作者會後悔嗎？我想可能也不會，畢竟對楊沫來說，革命不是產業投資，也不僅是政治活動。革命，就是她的「戀愛」。在文學當中，人們常常不會後悔戀愛，《小團圓》不會，《青春之歌》也不會。

注

1 楊沫：《青春之歌》（北京：人民文學出版社，1958 年）。以下小說引文同。

2 見茅盾：〈怎樣評價《青春之歌》〉，《中國青年》1959 年第四期。

3 參見楊聯芬：〈「戀愛」之發生與現代文學觀念變遷〉，《中國社會科學》2014 年第一期。

1959

《創業史》

柳青

唯一描寫「十七年」的「紅色經典」

「十七年」的「紅色經典」都出自兩家出版社：《紅日》、《林海雪原》和《青春之歌》由人民文學出版社出版，《紅旗譜》、《紅岩》和《創業史》來自中國青年出版社。這很值得研究當代中國出版史的人們留意。都是「通俗革命小說」，青年出版社更注重「革命」，人文社反而比較「通俗」。《創業史》一般被認為是「十七年文學」最重要的一部長篇。1959 年 4 月開始在《延河》雜誌上連載，同年《收穫》雜誌第六期全載《創業史》第一部。1960 年中國青年出版社出版單行本。作者柳青 (1916-1978)，陝西省吳堡縣人。十二歲入團，二十歲入黨，二十二歲到延安做文化宣傳工作，典型的「先做幹部後做作家」的經歷。1952 年，三十六歲的柳青擔任陝西省長安縣副書記。他為了寫小說，以縣委常委的身分在長安縣皇甫村落戶十四年，住破廟，衣着打扮、生活跟農民一模一樣。

除了作家的創作經歷感人以外，《創業史》的重要性還在於「三紅一歌」都在寫 1949 年前的革命歷史，「十七年文學」代表作中好像只有《創業史》真的在寫「十七年」。其他描寫農村土改、合作化的作品也不少，從趙樹理的《三里灣》、周立波的《暴風驟雨》，到浩然的《艷陽天》、《金光大道》，但其中最著名最有文學史意義的，的確是柳青的《創業史》。在二十世紀的中國小說中，農村階級關係變化始終是一條主線，農民的生活和生產方式怎麼受中國社會政治變化的影響，這是百年中國故事非常核心的內容。在這個主線的變化過程當中，簡單說，從〈阿Q正傳〉、《生死場》到《平凡的世界》、《活着》，中間有一部《創業史》。這是一個不可迴避的石碑，一個不可忘卻的階段。

一、《創業史》中的三類人

《創業史》描繪五十年代的中國鄉村，同時出現了兩條「鄙視鏈」（價值評價系統）。一方面，農民羡慕那些能自己蓋大房子的富裕中農，多田地，有牛馬，子女還能進城讀書。但另一方面，農民們又很看重「在黨」幹部的權力，以及上面政府所支持的互助組、合作社。兩條「鄙視鏈」、兩種價值觀互相鬥爭。如何靠經濟成績來奪取政治勝利——《創業史》的這個主題今天也不過時。

小說開始時，梁三老漢和村裏很多農民一樣，看到富裕中農郭世富大張旗鼓、熱鬧喧嘩地為自己的新房架樑，非常羡慕。梁三老漢生氣自己的兒子梁生寶，不在家裏好好種田致富，卻籌錢到幾百里地以外去買所謂「高產稻種」。梁生寶在小說前幾章只聞其聲，不見其人，很多鋪墊，直到第五章才出場。梁生寶不在時，村莊裏的「經濟鏈」較佔上風。另一黨員郭振山，身處「政治鏈」的上端，卻對互助組不大熱情，主要心思是追求自家幸福生活。女主角改霞，正在猶豫是否進城當工人。郭世富土改時向幹部下跪求饒，幸運地劃成富裕中農，現在蓋房、架樑，好神氣。富農姚士傑，寧可倒賣餘糧，也不借給窮人。貧農高增福想要抓他，可是幹部郭振山說：「咱政府宣佈了土改結束，解除了對地主和富農的財產的凍結了。」而活躍借貸（有糧的農民應該借給窮的農民）也是指示，不是法令，不能強迫。說着郭振山忽然感慨：「兄弟！我也願意老像土改時一樣好辦事，可那好年頭過去囉。」[1] 這番感慨意味深長：土改鬥地主，只要聽指令，那是好年頭。可現在要尊重法令，保護私產了。再以後怎麼辦呢？這就是《創業史》的主題了。

梁生寶收到上級楊副書記的一個指示，「靠槍炮的革命已經成功了，靠優越性，靠多打糧食的革命才開頭哩」。「靠多打糧食的革命」，這是不是中國特色社會主義的本質？梁生寶沒有問楊書記：革命是為了多打糧食，還是多打糧食是為了革命？

「靠多打糧食的革命」，第一步靠科技，梁生寶買稻種，是很重要的一個象徵。土改已將土地分給了農民，怎麼樣再把土地再聚集起來，以配合五十年代初統購統銷支援城市工業建設？這些政治經濟大背景小說寫得很少，強調的是社會正義道德原則。梁生寶和梁三老漢有段對話，講的是村裏情況，卻關係到對社會主義的基本理解。

梁三老漢說：「土改大家分了地了，各自老老實實種地，不就好了嗎？」梁生寶和他解釋說：「爹！打個比方，你就明白了。咱分下十畝稻地，是吧？我甭領導互助組哩！咱爺倆就像租種呂老二那十八畝稻地那樣，使足了勁兒做。年年糧食有餘頭，有力量買地。該是這個樣子吧？嗯，可老任家他們，勞力軟的勞力軟，娃多的娃多，離開互助組搞不好生產。他們年年得賣地。這也該是自自然然的事情吧？好！十年八年以後，老任家又和沒土改一樣，地全到咱爺倆名下了。咱成了財東，他們得給咱做活！是不是？」

老漢掩飾不住他心中對這段話有濃厚興趣，咧開黃鬍子嘴巴笑了。

「看！看！」老伴揭露說，「看你聽得多高興？你就愛聽這個調調嘛。娃這回可說到你心眼上哩吧？」

梁三老漢為了表示他的心善，不贊成殘酷的剝削，他聲明：

「咱不雇長工，也不放糧。咱光圖個富足，給子孫們創業哩！叫後人甭像咱一樣受可憐……」

「那不由你！」生寶斬釘截鐵地反駁繼父，「怪得很哩！莊稼人，地一多，錢一多，手就不愛握木頭把兒哩。扁擔和背繩碰到肩膀上，也不舒服哩。那時候，你就想叫旁人替自個兒做活。爹，你說：人一不愛勞動，還有好思想嗎？成天光想着對旁人不利、對自個有利的事情！」

人人為己，按勞分配，就會形成經濟「鄙視鏈」。生產發展導致不均衡和階級分化，所以需要互助組合作化。梁生寶相信「錢多了就不愛勞動」，但沒想到人人都無法為自己以後，也不大愛勞動。人與人本來勞力才能都不一樣，要是都得到一樣的成果，是否也是不平等？

高曉聲〈李順大造屋〉、路遙《平凡的世界》，還有史鐵生〈插隊的故事〉等作品，後來都描述了中國農民在合作化以後的幾十年困苦艱辛。當然那是後話，時代無法穿越，他們所見到的情況，梁生寶、柳青都沒想過。

所以，《創業史》前半部分一直圍繞這個意義深遠的主題，怎麼多打糧食來獲得革命勝利，怎樣用「政治鄙視鏈」超越「經濟鄙視鏈」。

在這兩個價值系統中，小說中出現了至少三類人：一類是鄉親們既仇恨又羨慕的富裕羣體，代表人物是富農姚士傑和富裕中農郭世富，這是蛤蟆灘僅有的兩座四合院的當家人。姚士傑的爺爺，據說當初是患慢性病財癆而死的。姚士傑原來希望跟下堡村的楊大剝皮、呂二細鬼三足鼎立，但是「土改把他翻到全村人的最底層」（這是小說原文，「翻到全村人的最底層」，也就是「政治鄙視鏈」的最底層）。1950 年，姚富農曾低聲下氣地把正在草棚裏練習訴苦發言的土改積極分子高增福請到自己家裏（發言訴苦，需要反覆練習）。富農全家出動歡迎，漂亮三妹妹「身子貼身子緊挨高增福走着。她的一個有彈性的胖乳頭，在黑市布棉襖裏頭跳動，一步一碰高增福的穿破棉襖的臂膀」。結果姚士傑還是劃成了富農。1952 年查田定產，發了土地證，姚士傑又抬起頭來了，還是住好院子，有車有馬、人多田多，以至於很多困難戶，包括高增福的兄弟高增榮又要低聲下氣地來向姚士傑借糧。

郭世富當年也是替一個國民黨師長承包土地才發家（證明富裕通常有原罪），但鄉親們還是羨慕他地多屋大。在「政治鏈」上他只比姚士傑高一級，不過這一級非常重要。中農和富農，前者是人民內部矛盾，後者是敵我矛盾。

處在富有的第一類人對立面的，就是很多窮人組成的互助組，頭頭就是梁生寶，因為各種不同原因，這些「半無產階級」經濟情況都比較慘。梁生寶買稻種，希望互助組多打糧食。但是稻子不會馬上種出來。這時梁生寶就和供銷社簽了一個掃帚合同，一下子預支到幾百塊，雪中送炭。供銷社只和鄉政府支持的互助組簽約，所以這個地方，窮人得到了黨的政策幫助。

在姚士傑郭世富和互助組窮人之間，村裏更多的人屬於第三種勢力。其中的代表人物就是郭振山及梁三老漢。郭振山和梁生寶是當地僅有的兩個黨員，郭振山還是梁的入黨介紹人，曾領導土改分地，現在一心想發家致富。「他的第一個五年計劃的目標是：按人口平均，土地面積趕上郭世富」。但是他的計劃，受到了上級批評。「整黨的時候已經把共產黨員買地，提到犯紀律的水平上來了。」於是他病了，病中呻吟着：「共產黨員呀！共產黨員呀！這麼難當……」他反覆地猶豫，不願把家裏十幾口人的光景孤注一擲給互助組（家庭倫理高於政治倫理）。但他又很清楚必須「在黨」，這既是覺悟，也是利益。就像趙樹理五十年代小說或者後來浩然的《艷陽天》一樣，中間人物最真實、最有魅力——恐怕時至今日，幹部應不應該讓家人致富，還是一個令人疑問令己困惑的問題。

〈小二黑結婚〉將農民分成先進落後，《紅旗譜》裏只有農民和地主鬥爭，《創業史》裏農民至少有三類，且有兩種價值觀並存。如果在今天，「經濟鏈」上端的郭世富，政治上光榮的梁生寶，又「在黨」又想發財的郭振山，人們會選擇哪條路呢？

二、「官員」形象最好的一個時期

就在這兩條「鄙視鏈」的較勁當中，村中最美麗的姑娘改霞，卻同時與這三類人有了關連。郭世富兒子永茂給她寫了求婚情書，梁生寶是她心儀愛慕的青年，而郭振山大叔是他最信任的領導，勸她進城去做工人。在五十年代社會主義的中國農村，也出現了像《死水微瀾》或《青春之歌》式的「一女多男」的道路選擇的困難。

改霞之前定過親，但她抗婚。沒解除婚約時，已經暗暗喜歡梁生寶，但那時梁有生病的童養媳，兩人無法發展關係。改霞母親很早守寡，典型的節婦，賢良淑德。富裕中農兒子的求婚信，她說「騷情」，交給領導，公開嘲笑，被郭振山阻止了。村中還有個姓孫的青年也追她，改霞的反應是，「哼！甚麼青年！連黨也入不了！」改霞和林道靜一樣，婚戀「政治標準第一」，土地、房屋、車輛、牲畜、衣物、用具等私有財產，在她眼裏如同湯河邊的丸石、沙子和雜草一般沒有意義。她覺得到了適當的時機，自己提出入黨申請而不被接受，她不知道她怎樣活下去！每個時代，男人都喜歡美女（其實是喜歡能獲得美女的自己)，女生卻喜歡不同的男人(騎士、書生、總裁、明星……)在五十年代的中國，「當代英雄」就是青年黨員。可是偏偏梁生寶考慮感情問題也是「政治標準第一」，他聽到改霞要離鄉進城便很生氣。兩人之間一直有誤會，直到小說第一部結束，還是沒有好事成真。

一般都認為梁生寶是《創業史》的主角。學術界近年已經在反省「十七年文學」究竟是當代文學的「遺產」還是「債務」，[2]但也有研究者稱讚只有梁生寶代表社會主義文學傳統：「梁生寶和他的生活世界既蘊含着已被歷史化的『過去』，也包含着行進中的『現實』，更為重要的是，他還『預設』了歷史的希望願景。……『新世界』與『新人』互為表裏相互成就，共同象徵着五十年代社會主義實踐的重要歷史內容。……《創業史》也因之成為五十年代最具代表性和症候意義的重要作品。」[3]「過去」就是土改，「現實」就是互助組，而「歷史的希望願景」(革命初心？)，到底是人民生活幸福，還是消滅私有制？承載這麼重大主題的青年農民，在小說中實際做了三件事，一是買稻種，回家將新的稻種分給別人，自己反而分得少。第二件事，與供銷社簽約做掃帚，帶着貧窮農民進山搞副業，解決眼前生活困難。此舉既表現梁生寶實幹苦幹，也顯示政府對互相組的政策傾斜。第三件事更重要，小說第十六章是解讀梁生寶的關鍵。生寶到中共黃堡區委會和區公所，進門聽說黃堡區東原上中劉村的哥倆為了爭奪剛去世的大哥名下的十來畝地，競相要把自己兒子過繼給亡兄。生寶在一旁，甚麼反應？

他現在又在痛恨一個可憎的名詞 —— 私有財產。

私有財產 —— 一切罪惡的源泉！使繼父和他彆扭，使這兩弟兄不相親，使有能力的郭振山沒有積極性，使蛤蟆灘的土地不能儘量發揮作用。快！快！快！儘快地革掉這私有財產制度的命吧！

嚴家炎教授在 1961 年撰文評論《創業史》說「作品裏的思想上最先進的人物，並不一定就是最成功的藝術形象。」[4] 原因就是思想先進與否形勢常變，藝術成功與否則有較長久的標準。在《創業史》第一部裏，梁生寶是一個沒有缺點錯誤的人，不僅團結貧雇農，和富農中農的經濟優勢對抗，也反對黨員郭振山個人勞動致富。他幹的是農活 —— 買稻種、砍竹林、育秧苗、賣公糧等等，外表也被描寫得像個農民，但讀來總覺得梁生寶更像一個大學裏的青年幹部。《創業史》裏邊的三類農民，一類是已有較多土地，第二類是分到土地後想自力更生致富，第三類是貧雇農、互助組想用有限土地謀求幸福生活。這裏沒有哪一個或者哪一類農民是徹底不要私有財產的，除了梁生寶。

見了區委王書記，小說這樣描寫 ——

生寶帶着兄弟看見親哥似的情感，急走幾步，把莊稼人粗硬的大手，交到黨書記手裏。如像某種物質的東西一樣，這位中共預備黨員的精神，立刻和中共區委書記的精神，融在一起去了。

不僅區委書記，「給生寶平凡的莊稼人身體，注入了偉大的精神力量」。而且生寶又見到了縣委楊副書記。王、楊兩個書記，既不像劉世吾那麼世故，更不像《芙蓉鎮》裏的楊書記那麼奸詐。《創業史》裏的幹部形象，光明透脱、謙虛英明，既關心梁生寶互助組，又過問他的婚戀動態。「同志間政治上的關係和勞動人中間感情上的關係，竟融合得這樣自然呀！生寶這個剛入黨的年輕莊稼人，不禁深有感觸。他覺得同志感情是世界上最崇高、最純潔的感情；而莊稼人之間的感情，在私有財產制度之下，不常常是反映人與人之間利害關係的庸俗人情嗎？」

> 點着楊書記招待的一支紙煙以後，極端興奮的生寶並顧不得吸。他莊稼人拿慣旱煙鍋的手，笨拙地拿着冒煙的紙煙，坐在楊書記旁邊的一個小凳上，只顧向前傾着茁壯的身子，眼睛專注地望着穿一身灰制服的縣委副書記。……黨書記腦裏是考慮甚麼重大的問題呢？生寶摸不着楊書記腦裏，活動着甚麼深奧莫測的思想。他欽佩首長們，苦心為人民打算的這股勁兒。

百年中國小說中，這是幹部官員形象最美好的一個時期。晚清小說都寫貪官，甚至清官更壞。五四小說很少寫官員。「三紅一歌」裏許雲峰等好官還沒掌權。日後八十年代幹部／官員形象又變得十分複雜：區委縣委書記們在〈李順大造屋〉或者《活着》裏面都是好心辦壞事，《平凡的世界》裏每一級幹部都要在路線鬥爭中艱難選擇。所以《創業史》中的官員幹部形象最美好，前面沒有過，後面也不會再有了。

這不僅是幹部官員形象最美好的一個時期，也是幹部和農民關係最好的一個階段（如果梁生寶真的可以代表農民）。當然，如果梁三老漢甚至郭世富是農民代表，那就是另一個版本的中國故事了。

其實王、楊書記對於如何處理貧農和中農的矛盾也沒有共識，王佐民對楊書記說的土地集中也不大理解，作家在這裏居然放過了用文學嚴肅解剖中國農村矛盾和政策危機的重要機會。幹部們也沒有談到統購統銷、支持城市等農村政策的背景和代價，只對農村兩種價值觀的此消彼長感到開心。梁生寶說：「我做夢，夢互助組；俺媽說，俺爹做夢，夢他當上富裕中農哩！」「真有意思。」兩位書記同聲笑了。

嚴家炎教授認為梁三老漢是比梁生寶更成功的人物形象，[5] 這是嚴教授幾十年文學評論實踐中比較重要的一個成果（雖然當年廣受批評）。其實郭世富這個富裕中農也非常有意思。小說用批判的筆調形容中農的思想，「他只順着共產黨和人民政府所提倡的路走 —— 增加生產和不歧視單幹！他決定：在任何集會和私人談敍中，他只強調這一點。他會拖長聲說：『好嘛！互助也好，單幹也好，能多打糧食，都好咯。』有時候，他將不這樣直說，他只含蓄地說：『紅牛黑牛，能拽犁的，都是好牛。』莊稼人一聽，都能明白他的意思咯。」

郭世富這段「紅牛黑牛論」說於 1953 年，柳青寫出來批判是 1959 年。鄧小平同志引用四川成語講「黑貓白貓」是在六十年代初。

三、如何評價梁生寶和《創業史》？

今天怎麼回頭看梁生寶的私有財產論和郭世富的「紅牛黑牛說」？我們該怎麼重新閱讀《創業史》？

第一，梁生寶這個人物既真誠又虛幻。真誠是他愛勞動、幫窮人、肯吃苦、有理想。但是他的真誠奮鬥，為了消滅私產，這是一個也許幾百數千年以後才能實現的遠大目標——如果我們相信這是人類未來的話。或者也可能天賦人權，人權之中也包括擁有自己財產的權利，不應該被全部剝奪。無論如何，把消滅私產作為五十年代初中國貧窮農民的生活目標，可能是幼稚、虛幻而且殘酷的實驗。虛幻的理想會變成虛假的現實，會導致畝產萬斤等等虛假的後果，後來在〈李順大造屋〉、《古船》、《活着》等作品中都有詳細且誇張的描寫，值得並置閱讀。

第二，作家柳青，也是既真誠又虛假。他下鄉十四年，跟農民同吃同住，注視農村的一系列變化，期盼農民走上合作化的道德熱情、美好願望不容懷疑。後來他得了稿費，也都捐給當地的建設，他的寫作態度是真誠的。但是，把梁生寶作為新農民典型，描寫互助組在政治上、經濟上改變農民的基本生活方式，進而走向取消私有制的奮鬥目標……即使在柳青寫小說的五十年代後期——大躍進時期——應該也不難知道彭德懷元帥看到的農村景象。所以柳青的《創業史》十分真誠地創造了一個不無虛假的農村圖景。事實上，土地承包制後來是一個中國現代史的轉捩點。

後來陳忠實曾撰文紀錄柳青在十年期間被殘酷批鬥，一度曾想觸電自殺，這時《創業史》又被作為反黨罪證。[6]

從藝術標準看，《創業史》確是記錄五十年代中國農村生活細節的文學經典。小說中正反主角比較概念化，梁生寶高尚，姚士傑卑鄙。姚以老婆坐月子為理由，騙王瞎子的媳婦素芳來幫工，後來誘姦素芳（素芳倒是小說中比較複雜的一個女人形象），姚士傑還要派素芳去引誘生寶下水。這條階級鬥爭的線索在第一部結束時還只是伏筆。相比於寫正反主角的戲劇化，小說中很多中間人物層次豐富、手法細膩。書中最精彩的是第二十五章，郭世富到集市賣糧，怎麼觀察行情，怎麼包裝麥子，怎麼隱蔽地用手勢討價還價，怎麼跟牙家（經紀人）合作和爭奪……據說柳青自己到集市觀察很久，才寫出這一章。這些段落是小說的精華。另外寫從清朝過來的王瞎子，明明自己是窮人，卻能夠「舉出大量的事實證明土改是一種亂世之道」。不肯接受土改分地，「他認為：產業要自己受苦掙下的，才靠實，才知道愛惜。外財不扶人！」。這是一個很生動的「落後老人」。小說中除了幾類農民，還有一些另類角色，比方說以前當過國民黨兵的二流子白占魁，是《芙蓉鎮》王秋赦的榜樣。還有素芳跟她的笨老公栓栓的關係，當然還有為兒子為土地操心的梁三老漢。

小說第一部的結局，互助組稻田大豐收，「政治鏈」取代「經濟鏈」，走個人致富道路的郭振山也受到了黨內批評。王佐民書記看到有少數新中農黨員精神惶惑，所以他宣佈：「所有沾染了農民自發思想的黨員，只要在這次運動中表現很好，過去的不光彩思想，就不準備翻騰了。」

> 聽到過去不光彩的思想不被翻騰了，郭振山就感到慶幸。郭振山仍然是五村的總領導人。為了我們的共同事業，只要自己認識了錯誤，只要他的活動，基本上對人民有利，那就好了。

「為了我們的共同事業」，這段文字很像領導口吻，也是敍事者無意之中「暴露身分」—— 小說作者雖然多年和農民一起生活，但畢竟身分還是縣委常委。

感謝柳青用《創業史》寫了大量不同政治光譜的農民形象，寫了大量非常現實主義的鄉村細節，給我們保留了一份文學版的五十年代中國農村實錄，其中當然也實錄了那個時代的夢幻與虛假。

注

1 柳青：《創業史》（北京：中國青年出版社，1960 年）。除特別注明，以下小說引文均引自這個版本。

2 見洪子誠為 2009 年嶺南大學中文系召開的「中國當代文學六十年」學術研討會所寫的發言稿，轉引自許子東〈四部當代文學史〉，收入王德威、陳思和、許子東主編《一九四九以後》（香港：牛津大學出版社，2010 年），頁 88。

3 楊輝：〈總體性與社會主義文學傳統〉，《唐弢青年文學研究獎論文集》（武漢：長江文藝出版社，2020 年），頁 307-309。

4 嚴家炎：〈談梁三老漢的形象〉，《文學評論》，1961 年第三期。

5 同注 4。

6 見陳忠實：《吟誦關中》（重慶：重慶出版社，2008 年）。

1961

《紅岩》

羅廣斌
楊益言

發行一千萬冊的監獄文學

《紅旗譜》、《紅日》和《創業史》，每種印數在二百萬以上，但《紅岩》的累積印數至2019年已經達到一千萬冊。[1] 無論在當時還是今天，《紅岩》的知名度都高於同時代的其他作品。論題材，農民革命和解放戰爭都很重要，為甚麼新中國的讀者們特別記得渣滓洞、白公館裏的烈士？關鍵還是在文學本身 :《紅岩》有幾個比較知名的人物形象，比故事情節和歷史背景更重要。文學的目的不僅在於寫時代，更在於寫人。當然，巨大的銷量也因為《紅岩》至今還是中宣部、教育部和團中央推薦的一百種優秀圖書之一，被列入中小學生必讀書目。

《紅岩》開始部分像是諜戰文學，軍統人員滲透到一個地下黨備用聯絡站，破獲部分線索，甫志高、許雲峰等人被捕。第二部分寫山區華鎣山遊擊隊，關聯人物是江姐與甫志高。但小說最主要的篇幅，是監獄文學，寫被捕的地下黨員受審、受刑，以及在獄中怎麼繼續革命鬥爭。

二十世紀中國小說中，很少有監獄文學。監獄文學也是一種類型文學,《紅岩》也可以從監獄文學的文類角度重新閱讀。

一、第一男主角 —— 許雲峰

和其他紅色經典中的賈湘農、盧嘉川、江華一樣,許雲峰也必須是工人出身。小說寫他曾在長江兵工總廠當過幾年鉗工,幾乎認識全廠的工人,這是強調無產階級的領導地位。刻印《挺進報》的成崗也是廠長,以前是許雲峰的交通員。軍統的黎紀綱、鄭克昌能夠偵查到沙坪壩書店,當然是因為書店負責人甫志高貪圖成績,年輕店員余新江缺乏經驗,但作為直接上司——重慶市委的工運書記許雲峰其實也有疏忽的責任。

在小說裏,許雲峰的形象突然高大起來,是與市委領導在茶館接頭。發現甫志高帶人進來搜捕,他主動打招呼,自投羅網以幫助上級脱身。這既是政治家的職業道德,也是為了信仰的自我犧牲(否則兩個人至少可以爭取共同撤退)。許雲峰被審訊的兩場戲,都是《紅岩》中的劇情高潮。第一幕,軍統的頭目徐鵬飛不對許雲峰用刑,卻讓他眼睜睜看着他的下級成崗、劉思揚夫婦受重刑,甚至假槍斃。徐鵬飛的原型叫徐遠舉,是黃埔七期學員,當時擔任保密局西南特區區長。他對許雲峰說:「太殘酷了吧?看着自己人身受毒刑,你能無動於衷?」「在這種情況下,就是不考慮自己,也要及早救救你的同志的生命!」這的確是一種比較嚴酷的考驗,很多人或者可以忍受自己身上的痛苦,但是忍受不了親人同志為自己受苦。但許雲峰高調回答:「人民革命的勝利，是要千百萬人的犧牲去換取的！為了勝利而承擔這種犧牲，是我們共產黨人最大的驕傲和愉快！」另一幕，是軍統毛人鳳局長設宴，假裝與許雲峰拍照言歡，因為 1949 年解放軍逼近長江，李宗仁當「總統」，要營造國共和談氣氛。為了拍照，毛人鳳也使用一個非常厲害的勸降理由：「根據共產黨的規定，從被捕那天起，你已經脫黨了。你現在不是共產黨員，共產黨也不需要你去維護它的利益！你和我們的關係，不是兩個政黨之間的關係，而是你個人和政府之間的關係。個人服從政府，絲毫也不違反你們崇拜的所謂民主集中制的原則」。被捕不僅等於脫黨，而且有很多人出獄以後，獄中這一段有沒有悔過，怎麼表現，都要成為被審查的歷史。可是在宴會上，許雲峰又有一段充滿了時代特色的經典臺詞——

> 「開口階級鬥爭，閉口武裝暴動！」毛人鳳突然逼上前去，粗短的手臂全力揮動着：「你們那一套馬列主義的階級鬥爭學説早已陳腐不堪。馬克思死了多少年了？列寧死了多少年了……」「可是斯大林還活着。」許雲峰突然打斷毛人鳳的話：「斯大林繼承了馬克思列寧的事業，在全世界建成了第一個社會主義國家，你們聽了他的名字，都渾身發抖！」「許先生，你説得真好。」毛人鳳粗短的脖子晃了晃，意味深長地問道：「可是現在，我問你：除了馬、恩、列、斯，你們還有誰呀？」「毛澤東！」許雲峰舉起手來，指着突然後退一步的毛人鳳大聲説道：「正是毛澤東，他把馬列主義的普遍真理和中國革命的具體實踐相結合，極大地豐富

> 了馬列主義，使無產階級的革命學說更加光輝燦爛，光照全球！馬列主義永遠不會過時！用馬列主義、毛澤東思想武裝起來的中國人民和中國共產黨所向無敵，必然消滅一切反動派，包括你們這羣美帝國主義豢養的特務！」[2]

整段對白，前面「粗短的手臂」、「粗短的脖子」以及斯大林等等都是鋪墊，講到毛澤東才是目的。北大教授李楊說：「在人們的意識深處，說《紅岩》是一部以歷史敘事為目標的『小說』，反倒不如說《紅岩》是一部關於人的信仰的啟示錄更為準確。」[3]這是精闢之論。作為歷史細節看，受審者在這種場合還要一字不差背誦文件或社論文字，好像有點誇張乃至失真。但作為一種生死關頭的信念表達，確實可能令讀者熱淚盈眶。信徒寧可被火焚燒，也不放棄自己的信仰——即使後人並不一定相信這位信徒為之獻身的宗教派別，卻也可能被信徒的犧牲精神所感動。後人如果繼承了許雲峰他們的革命成果，卻將私利或者小集團利益置於民族、國家、人民利益之上，那真是愧對《紅岩》先烈的鮮血和初心。

《紅岩》後半段，許雲峰淡出，轉到白公館，被單獨關在一個地洞裏。他極艱難地為難友們開通地道，自己卻來不及逃走。現實當中，許雲峰有很多原型，包括羅世文、許曉軒，更接近的是許建業，重慶市委委員，負責工運工作。不過史實中的許建業，在監獄當中曾經被一個送信人騙了，無意中暴露了一些地下工作的機密。當然，像這樣的缺點，在小說裏就不會再描寫了。

二、最著名的叛徒 —— 甫志高

《紅岩》中另一個全國有名的人物就是甫志高。《青春之歌》裏也有一個叛徒 —— 戴愉（「金魚眼睛」），他叛變以後還繼續活動，冒充地下黨書記，騙取林道靜閨蜜王曉燕的愛情。甫志高比戴愉更加有名，因為他出賣了更加有名的許雲峰和江姐。甫志高的故事其實是由三個階段組成，但是小說只寫第一、第三段，完全略去第二段。

第一段是沙坪壩諜戰，甫志高有野心，想在解放前夕積累一些工作成績，所以輕信了裝作進步青年的軍統人員，導致地下聯絡站暴露。許雲峰發現後，指令甫志高即刻離城下鄉。但甫志高不捨得和妻子不告而別，家庭人情超過了組織紀律，結果就在回家時被捕，被捕時還在努力維護他的妻子。

第二段，甫志高怎麼受審、受刑，據徐遠舉說，任達哉（甫志高的原型）是不堪毒刑拷打，所以就招供了。[4] 毒刑拷打這一段，小說完全不寫，被捕之後再出場，就看到他帶着特務去抓許雲峰了。

第三段，甫志高帶着特務抓許雲峰，後來又抓江姐。甫志高之所以變成一個著名的叛徒典型，就是因為省略了他的第二段。要是廣大讀者、觀眾看到甫志高也坐老虎凳、釘竹籤，是不是會損害作品的革命教育的總體效果呢？

三、「十七年文學」最光輝的人物形象 —— 江姐

當然《紅岩》中最成功的藝術形象，甚至可以說整個「十七年文學」中最光輝的人物形象就是江姐。

江姐一共有三場戲，一場都不能少。第一場是在縣城門上看到丈夫首級被懸掛着，接下來描寫她控制情緒，雙槍老太婆三番兩次撒謊，想暫時隱瞞和安慰江姐，這段文字極富人情味。當然，丈夫犧牲，更堅定了江姐的意志，「節烈」這兩個字，在革命的意義上，和在傳統女性道德意義上，基本重合。

和小說濃墨重彩渲染的男主角許雲峰受審的場面相比，江姐受審的一場戲更加真實也更加經典。原因之一是對白，許雲峰長篇大論講馬克思列寧斯大林毛澤東，講國際共運的光明前景，江姐的回答卻極簡單，經過那個年代的國人卻都記得——「上級的姓名、住址，我知道。下級的姓名、住址，我也知道……這些都是我們黨的秘密，你們休想從我口裏得到任何材料！」原因之二是江姐被釘竹籤，這是一個普通人都可以感受想像的但又極其特別的痛苦。為了堅持信仰而承受肉體痛苦，普通人很難做到，因而令人欽佩感動。還有原因之三：受害者、犧牲者是個女人。在革命歷史故事中，很多最經典的舞臺場面、核心唱段，都是一個醜惡的老男人在審問年輕美麗的女共產黨人，都是南霸天、彭霸天、徐鵬飛、嚴醉等在誘騙欺負吳瓊花、韓英或者江姐……在作家編劇和讀者觀眾的無意識中，「紅色經典」也隱含性別鬥爭。

江姐的第三場戲，就是獄中繡紅旗。知道軍隊要打過來了，

新中國已經要成立了，國旗也有了，但是江姐她們不知道國旗是甚麼樣子，她們知道自己很可能看不到。歌劇《江姐》除了《紅梅讚》以外，還有一首犧牲之前的詠嘆調（《五洲人民齊歡笑》），「不要用哭聲告別，不要把眼淚輕拋」，後面有三段重複的「到明天」：第一段是「到明天山城解放紅日高照，請代我向黨來彙報，就說我永遠是黨的女兒」；第二段，「到明天家鄉解放紅日高照，請代我向同志們來問好，就說在建設祖國的大道上，我的心永遠和戰友在一道，我祝同志們身體永康健，為革命多多立功勞」；但是最感人的是第三段，唱腔從激昂變得溫柔，說「到明天全國解放紅日高照，請代我把孩子來照料，告訴他勝利得來不容易，別把這戰鬥的歲月輕忘掉。告訴他當好革命的接班人，莫辜負人民的期望黨的教導」。

所以，江姐最後最放心不下、最牽心掛肚的，是她的小孩。江姐的原型江竹筠和彭詠梧的兒子叫彭雲，八十年代首批出國，後來在美國馬里蘭大學教書，即使身在異鄉，相信他也會記得母親的遺願。

四、「十七年文學」的基本特點

《紅岩》中還有很多人物，着墨不多，形象鮮明，比如小蘿蔔頭、瘋子華子良。整個長篇的敘事角度，偏向青年革命者的視線，開始是余新江、陳松林、成崗，後來是成瑤、孫明霞、劉思揚。也都是「士」不忍見到「官」一直欺壓「民」，所以要反抗，不惜犧牲。小說作者羅廣斌 1924 年生於重慶，他的哥哥是國民黨軍第十六兵團司令官羅廣文。羅廣斌曾是楊振寧的學生，1948 年被囚禁在渣滓洞、白公館，他也是出身地主家庭，家境優越，這些都非常像小說中的劉思揚。關於羅廣斌的被捕，有材料說是重慶市委副書記冉益智出賣，又有說是市委書記劉國定找出來的，[5] 可見當時背叛、招供的情況不少，級別也很高，並不像小說裏那樣，只有一個中下級的甫志高。羅廣斌入黨介紹人是江竹筠。羅廣斌被捕後，因為兄長打招呼，徐遠舉也並不傷害他的性命。1949 年 11 月 27 日，發生了大屠殺，羅廣斌倖免於難。1949 年 12 月 25 日，羅廣斌就向組織上交了幾萬字的《重慶黨組織破壞經過和獄中情形的報告》（簡稱「獄中八條」），這就是小說《紅岩》的史實基礎。

1950 年，從事共青團工作的羅廣斌與楊益言、劉德彬合作創作了一個報告文學作品，叫《聖潔的血花》。1958 年，三人又在《紅旗飄飄》第六集上合作發表革命回憶錄《在烈火中永生》。1961 年，四十一萬字的《紅岩》出版，整個成書過程，前後有十年以上，是一個典型的集體創作過程，由重慶市委宣傳部領導，中國青年出版社主持多次大改，這本書後來果然成了該社的鎮社之寶，再版五十一次，發行近千萬冊。這本書的作者還調到北京學習，甚至還可以查看國家的機密檔案，包括當初國民黨要犯的招供。在複雜的集體創作過程當中，出版社起了非常重要的作用，他們根據意識形態的形勢，調整文學創作的規範，實際上也鑄就了「三紅」共同享有的「十七年文學」的基本特點：第一，就是在歷史上的農村階級鬥爭、監獄文學、戰爭故事中，貫穿五十年代反右後期的意識形態。第二，人物必須紅黑分明，英雄不可有錯誤，反派不能被原諒，儘量少或者沒有中間人物，基本上沒有人物性格轉化。第三，英雄也可有感情戲，敵人也不必臉譜化，愛情一般不應是主線，情節緊張，語言通俗。

所以集體創作機制的成果，具有很強的宣傳功能，「三紅」在那時不僅是美學欣賞，而且是廣大青年的思想教材和歷史課本。從文學上看，作品大於作家。真人真事、個人經歷雖然非常新鮮，但經過出版機器加工以後，就會形成比較統一的規範、品格。在文學史上，梁斌、楊沫、羅廣斌、吳強等等，每個人都只有一部作品出名。總體上，五十年代，著名作品有，偉大作家少。

羅廣斌在「一一・二七」中美合作所大屠殺前逃脫，後來也變成一個歷史疑點。1967 年 2 月，羅墜樓身亡，年僅四十三歲。

注

1 參見周曉風：〈三九嚴寒何所懼，一片丹心向陽開〉，《光明日報》，2019 年 7 月 12 日第十四版。

2 羅廣斌、楊益言：《紅岩》（北京：中國青年出版社，1961 年初版）。以下小說引文同。

3 李楊：《50-70 年代中國文學經典再解讀》（北京：北京大學出版社，2018 年），頁 162。

4 參見曹德權：《紅岩大揭密》（北京：中國文聯出版社，1999 年），頁 77-78。

5 參見厲華主編：《紅岩檔案解密》（北京：中國青年出版社，2008 年），頁 222-224；曹德權：《紅岩大揭密》（北京：中國文聯出版社，1999 年），頁 87-94。

1966.8.23

老舍自殺前一天

延續「重讀二十世紀中國小說」的慣例，記錄六十年代某位作家的一天 —— 1966 年 8 月 23 日的老舍。但我們沒法閱讀他的日記，因為這一天他沒有寫，我們只能依靠其他非虛構的材料 —— 採訪、回憶、檔案等等。

回顧 1966 年 8 月 23 日老舍的一天，不僅因為這一天發生的事情，能夠代表那個特殊時代中國作家面臨的極端處境，也因為在操作層面，我在 2016 年直接參與過一個直播節目，和當年北京文聯的革命造反組織負責人葛獻挺老先生，還有年輕作家蔣方舟，一起回到五十年前的現場，試圖重組 8 月 23 日老舍最後一天的言論、行動，並且試圖猜測他的情感、思想。所以令我對這一天發生的事情多了一些具體的了解。

不少日本作家曾以「老舍之死」為題目創作小說，共同參與解說這個二十世紀中國小說史上的謎團。

一、積極參與運動的老舍

1966 年 8 月 23 日早上，老舍離開了家，去往北京市文聯。蔣方舟在直播以後寫了篇文章：「這一天文聯有『文化大革命』的活動，和老舍沒甚麼關係。他本來可以不去，但『文革』開始不久後，他曾說：『沒有我，我也要參加，完了以後，我知道文化大革命怎麼回事，我好寫。』他曾經想過要把『文革』搬上螢幕。」[1]

這一天距離「五・一六」只有三個月 —— 一般認為中共中央的《五・一六通知》標誌文化大革命正式開始。不過《通知》當時並沒有馬上公佈。不用說政治頭腦簡單的老舍，就是運動的積極參與者，甚至發動者，也未必知道文化大革命究竟會怎麼發展，後果如何，將來在歷史上會留下甚麼記錄。一般文學史，都把批判《海瑞罷官》和 1966 年林彪、江青合作的《部隊文藝工作座談會紀要》看作是運動的序曲，既然名稱叫「文化大革命」，當然應該從文化入手。這場為期十年的政治運動，後來十一屆三中全會稱之為「十年浩劫」，近年又有說法叫「艱辛探索」，其實當年正式的名稱是「無產階級文化大革命」。

老舍是 1949 年以後，政治上表現最好、創作也最有成績的老作家。在茅盾、巴金、曹禺，甚至郭沫若都寫不出很多作品的時代，只有老舍，先是《龍鬚溝》，後是《茶館》，不僅趕上偉大時代，而且創造了自己新的藝術高峰。在「反胡風」、「反右」，以及六十年代初的各種批判運動中，老舍都經歷了風浪，站穩了立場，積累了經驗。所以，大概 1966 年 8 月 23 日早上，老舍想的是又要面臨一次新的風浪和考驗，他不能錯過，他對自己對革命都充滿信心。

據巴金回憶，1966 年夏天，在北京人民大會堂參加一個活動，他和老舍遠遠打了招呼，沒機會談話，只聽老舍說，「請告訴朋友們，我沒有問題」。[2] 這是他們最後一次見面。

老舍積極參加運動，也因為他當時的創作不太受重視。話劇劇本不被採用，文聯下鄉也不找他。老舍說：「他們不曉得我有用，我是有用的，我會寫單弦、快板……」[3] 我們知道老舍最後一部作品就是快板書《陳各莊上養豬多》[4]。

二、被批鬥的老舍

老舍衣着整齊，手提皮包，到了北京文聯，卻碰到一羣北京女八中的學生。這些學生是誰叫來的？後來很多調查都找不到紀錄。已知的情況是，北京國子監文廟當時有個印刷學校，學校裏的紅衛兵要燒掉一些京劇戲服、道具，破四舊。

據葛獻挺老先生說，紅衛兵的頭頭叫余華 —— 當然不是寫《活着》的余華 —— 他說就這麼光燒「四舊」不夠革命氣氛，應該讓一些黑幫權威來跪着，看這個舊世界被燒毀。這個主張得到了紅衛兵們的支持，可是怎麼找文藝界黑幫權威呢？當然就去北京文聯。

大概文聯的造反派人不夠多，蕭軍這些老黑幫又很倔強，所以就去找來女八中的同學們，這些中學生是國慶在天安門廣場跳孔雀舞的，平時要文聯派老師教她們怎麼跳舞，所以現在文聯有革命需要，當然就過來支持，紮小辮、穿涼鞋，十三、四歲。先押上車的有蕭軍，後來又有駱賓基、端木蕻良，當然還有其他人（要是蕭紅看到 1966 年這個場面，不知甚麼感想）。

這世界上的事，很多是偶然的巧合。老舍到文聯，開始沒人注意，說是有個門房，對那些女中學生說：「你們想找權威，瞧，那個衣冠整齊的，才是最有名的權威。」紅衛兵圍過去問：「你是不是反動作家老舍？」老舍如果機靈，完全可以搖頭，他完全可以說自己不是反動作家。可他點點頭，說：「我是老舍。」那好，就上車吧。上了車，老舍還是一頭霧水，問同車的一位姓王的作家，說：「去哪？怎麼回事？」

到了國子監文廟的大院，這個院子的牆邊是歷代的石碑，院子中間火光熊熊，火堆四周跪了不少名人，有作家、有名角、有導演。印刷學校的紅衛兵就用木刀、竹劍、藤條、皮帶，輪番地打，甚至也有女八中的學生參與在裏邊。紮着小辮、穿着涼鞋。

老舍 8 月還穿着西裝，也跪下了。先問一圈：甚麼出生？再問一圈：甚麼職務？第三輪問：工資多少？打！

陳懷皚是電影《青春之歌》的導演，曾經塑造過像戀愛一樣革命的林道靜，這時已被打得流血，拉到一邊。電影《霸王別姬》當中有一場戲 —— 張豐毅、鞏俐、張國榮，跪在燒京劇道具的熊熊大火前，互相對罵。即便不是陳懷皚參與指導這個經典的文革場面，至少也有他個人的真實經驗，滲透在他兒子陳凱歌導演的作品中。最精彩的象徵常常就是最純粹的寫實。

老舍在五十和六十年代的各種運動中，從未被批鬥，更沒有被打過。不管當時傷勢如何，這打擊恐怕不僅是在肉體上。

但事情還沒有完，8 月 23 日，漫長的一天，老舍等人又被造反派帶回文聯繼續批鬥。批鬥當中發生了兩件事，一是作家草明，當場揭發老舍曾經拿美金做稿費，引起了批鬥羣眾的極大憤怒：甚麼？你拿美金？！

其實仔細想想，老舍四十年代在美國訪學，接了周恩來的信，才在解放時趕回北京。他的被修改結尾的《駱駝祥子》在美國出版，版稅當然是美金，否則怎麼辦？那時還沒人民幣，總不見得拿國民政府的金圓券？

第二件事是批鬥時羣情激奮，給老舍掛了個反革命的紙牌，老舍把這個紙牌摘下來，扔在地上，據說是碰到了紅衛兵的腳。這大概也是老舍才會有的反應。很多名人、高官、權貴被批鬥，大都是老老實實掛着牌，有的被揪頭髮，有的倒着手臂。只有像老舍這樣堅信自己是革命者，而且從來沒被批鬥的文人，居然把自己身上的牌子摘下來丟掉。這是反抗紅衛兵，那還了得？於是批鬥會場大亂，紅衛兵、造反派衝上來，要圍毆老舍。北京文聯革命造反組織當時的負責人浩然看到情況失控，老舍有生命危險，便馬上通知派出所。派出所別的事情不管，只管現行反革命，所以就用了這個罪名，警察把他帶走。浩然的意思是他救了老舍。

在派出所定罪「現行反革命」後，老舍被放回家，警察叫他第二天來報到。於是，這天早上出去時，衣冠楚楚，準備參加文化大革命，現在晚上回來，變成「現行反革命」。

老舍的夫人胡絜青回憶，當晚她替老舍護理傷口，好言安慰，也無事。[5] 但第二天一早，胡絜青有事先出去了，等她回來，發現老舍不見了。派出所也沒有，文聯沒有，到處不見蹤影。

老舍 1931 年齊魯大學教書時和胡絜青結婚。抗戰時他負責中華全國文藝界抗敵協會的工作。周恩來派的秘書叫趙清閣，據說老舍和趙有一段戀情。從美國講學回來，有人說也是因為趙清閣寫信。所以後來老舍和胡絜青夫妻感情方面上可能一直有問題。[6] 葛獻挺說，1966 年那個時候，老舍常常一個人住文聯辦公室。所以 8 月 23 日晚上是怎麼過的？我們不清楚。但是第二天，老舍剛剛做「現行反革命」，馬上要去派出所報到，他夫人卻有事離開了，實在不明白。要是知道後來發生的事，大約胡絜青也不走了。我後來受香港的陳炳良教授之託，還在北京看望過一次胡絜青，看上去是很有風度、涵養的一個知識分子女性。

從老舍的家到最後發現屍體的太平湖，路很遠，怎麼走去的？為甚麼走到那裏？真的隨身帶着毛主席詩詞嗎？這些都是謎。據說老舍臨出門，見到四歲的孫女，說：「跟爺爺說，爺爺再見。」小姑娘說：「爺爺再見。」發現老舍屍體的不止一個人，究竟他一個人在太平湖邊上停留了多久？也不知道。

直播節目時，我們去了太平湖，當年是個護城湖，現在是一個車輛維修廠，地點還在。問正在下棋的當地住戶們，回答說知道老舍曾經在這裏自殺。具體哪裏？沒有湖了。他們繼續下棋。

三、他們對老舍之死怎麼說？

傅光明、鄭實採寫了一本《老舍之死口述實錄》，[7] 裏面摘錄了很多人對老舍之死的看法，引用幾段，括弧裏是我的看法。

胡絜青：周總理跺着腳說：「把老舍先生弄到這步田地，叫我怎麼向國際社會交待啊！」（一個作家之死，首先是一個國家形象問題。）

舒乙：他的死是絕對必然。我特別可憐我父親，他這麼一個人，最後的下場是這樣，實在讓人無法接受。

楊沫：這8月23日的一日一夜，將「永載史冊」。（這句話比《青春之歌》當中的任何一句話都更加實在。）

王松聲：我親耳聽到老舍問我：「松聲，這怎麼回事？」（這是在北京文聯被拉上車的時候，老舍問的話，他那時真的不知道是怎麼回事，也不知道他的生命已經只有最後一天。）

葛獻挺：他沒死在孔廟，是我下令把他趕快提前送回來的。（可是送回文聯以後，又送去了派出所，最後是太平湖。這位八十多歲的前造反派頭頭，現在看上去很精神，和子女一起住在海外。）

端木蕻良：老舍之死是「文革」中一個悲哀的插曲。（只是插曲。）

曹菲亞：老舍當時為甚麼不躲開，現在也覺得是個謎。（不是不躲開，而是自己擠進去。在象徵意義上，擠進去的又何止老舍一個人呢？到現在也覺得是個謎。）

草明：自殺的好多，不過是他有名氣。（8月23日揭發老舍拿美金做稿費，後來到胡絜青那裏道歉，似乎並無懺悔之意。）

林斤瀾：老舍對政治完全外行，對制度的思考並不多。（也許是正惟其如此，老舍的作品才有獨特的價值。）

浩然：老舍打了紅衛兵，是反革命，把他抓起來。（但他後來解釋說，他是為了救老舍。）

還有幾個人，柯興、馬聯玉、宋海波、張啟潤、李牲等等，大概都是當事人、紅衛兵或者文聯的人吧，他們的回答是：

「我也壓根兒就不是造反派！」

「我當時非常恐慌。」

「誰叫來的紅衛兵，至今是個謎。」

「對於老舍之死，我無愧於心。」

「沒有人把老舍當作主要攻擊對象。」

總之，沒有人錯。

陳天戈：我們始終跪在火堆邊，前後有六個小時。（這也是現場的受害者。）

黎丁：講起「文化大革命」開始了，他（老舍）是很興奮的樣子，很激動。

盛占利：一般死人是橫着漂的，我看見老舍是立着漂的。好像腳底墜了東西。然後有郝希如、韓文元、白鶴羣、朱軍四個人，分別說老舍屍體是他們打撈的，他們所說的都在不同的時間、地方。

「**她**」：女八中的紅衛兵是我帶隊去的文聯。自始至終，我沒有打過老舍一下。

張芳祿：老舍用紅磚在太平湖北岸的乒乓球枱子上寫滿了字。（就是在臨死前，不知道用了多少時間。）

冰心：我總覺得他一定會跳水死。

于是之：老舍投湖是他本身靈魂的昇華。

曹禺：老舍先生不是自盡，是逼死的呀！

從維熙：自殺需要勇氣，自殺是另外一種勇敢，老舍先生就是這樣。

蕭乾：被逼得自盡的，與他殺有何區別！

施蟄存：為了迎合政治的需要改作品，就去掉了一個作家的身分。

柯靈：老舍先生的死可以看作是一個作家人格的體現。

黃裳：老舍解放後一直是一帆風順。

王元化：假設老舍活到今天，他會對自己一生有一個非常清醒的認識。（這話有很多潛臺詞，因為老舍一生也經歷了所謂世界觀的轉變。或者說，老舍臨死都沒有對自己的一生有一個非常清醒的認識？王元化還是樂觀的，我們現在對自己的一生，我們對二十世紀中國小說的全部過程，有沒有一個非常清醒的認識呢？）

蘇叔陽：他熱愛的文化被摧毀了，還不准講理，只有死了。（好像老舍是某種文化的陪葬，聽上去像是王國維投湖一樣。）

楊義：自殺是一種抗議，沉默地活下來也是一種抗議。

王蒙：老舍一輩子沒受過這樣的侮辱，他無法咽下這口氣。（只有忍受過更多侮辱的人才會有這樣的理解。）

嚴家炎：老舍之死我認為激憤是主要的，悲觀絕望也有些。

鄧友梅：連老舍都這樣了，除去緊跟江青的人，文化界留不下甚麼人。（言下之意是老舍已經夠聽話的了，這樣聽話的人都不容。）

季羡林：老舍的人格是站得住的，要不，也不會去投太平湖。

余秋雨：老舍之死和他天真、純淨的思維有關。（言下之意，要「活着」，思維就不可以天真、純淨，或者說要成熟、複雜、世故一些？魯迅早就說過，「我真覺得不是巧人，在中國是很難存活的。」）

……

這麼多作家的短短評語，既看出老舍之死的深刻影響，也反射出文學圈、學術界種種政治、文學與人生觀。

1966 年 8 月 23 日，也是二十世紀中國小說的一個轉捩點，特別是當代文學的一個轉捩點 —— 之前是越來越天真、純淨、虛幻的追求，之後才有逐漸誠實、成熟、複雜的反思。

注

1 蔣方舟 2016 年 8 月 24 日發表在私人微博帳號的文章：〈五十年前的這一天〉。

2 巴金：〈懷念老舍同志〉，香港：《大公報》，1979 年 12 月 25-26 日。

3 陳徒手：《人有病，天知否：1949 年後中國文壇紀實》（修訂版）（北京：生活・讀書・新知三聯書店，2013 年），頁 139。

4 1966 年春，老舍前往北京郊區順義縣以養豬而聞名的陳各莊與當地農民一起生活，隨後創作出快板書《陳各莊上養豬多》，發表在《北京文藝》，1966 年第四期。該篇亦成為老舍公開發表的絕筆之作。

5 傅光明、鄭實：《老舍之死口述實錄》（上海：復旦大學出版社，2009 年），頁 3-7。

6 傅光明：《書信世界裏的趙清閣與舒慶春》（上海：復旦大學出版社，2012 年）。

7 傅光明、鄭實：《老舍之死口述實錄》（上海：復旦大學出版社，2009 年）。

哪部作品可以代表一九六六至一九七六年？

一、哪一部作品可以代表「十年」中國文學？

重讀二十世紀中國小說，回顧百年的中國故事，任何一個階段都不能忽略。但是在為 1966 至 1976 年這「十年」選擇代表作時，卻碰到了困難。

老作家姚雪垠的《李自成》，本來是重要文學現象，「五四」以來，直到「十七年」，中國小說中歷來很發達的文類「歷史演義」，一直相對空白。但「十年」當中，幾乎所有知名作家都無法寫作，唯姚雪垠獲特許可以寫長篇。小說裏的李自成越來越「高大全」，農民領袖夫人變得越來越像江青。先不說藝術方面的缺陷，別人都停筆，只有一個作家能寫，好像高速公路上只有一輛車能走，這樣概括這條路的風景，不大合適。

「十年」期間最著名的作家是浩然（北京文聯批鬥老舍時的造反派頭頭），《艷陽天》最多人閱讀，但小說寫在「十年」之前。新作《金光大道》倒是文革產品，為了體現「高、大、全」的創作方針，男主角索性改名高大泉。可惜《金光大道》在浩然來說，也是有失水平，所以不宜作為這個時代的代表。

「文革」初金敬邁長篇《歐陽海之歌》風行一時，作品歌頌一位像雷鋒、王傑一樣的戰士，緊要關頭推開鐵路上的一匹馬，拯救了列車，犧牲了自己。英雄在火車頭前推馬的瞬間，小說寫了很多頁，一直不推，反反覆覆，古今中外，撫今追昔。不久《歐陽海之歌》和作者也被批判了，所以也無法算那個時代的代表。

最能代表「十年」文學成就的，當然是八部革命樣板戲：京劇《紅燈記》、《沙家浜》、《智取威虎山》、《海港》、《奇襲白虎團》，芭蕾舞劇《紅色娘子軍》、《白毛女》，交響音樂《沙家浜》。但樣板戲是京劇或舞劇，不是小說。其中《智取威虎山》是從小說改編而來，我們已經讀了《林海雪原》。

「十年」期間，風起雲湧，也有一些全新的小說，例如《虹南作戰史》[1]、《牛田洋》[2]等，真正的寫作組創作。「十七年」的集體創作，是一個作家根據自己親身經歷寫成初稿，出版社安排編輯或別的作家一起修改或者重寫。「十年」中的集體創作，從一開始就是成立寫作組，組員成分有比例規定，必須有工農兵代表，也有作家和領導。從主題到人物、情節、語言，大家一起商量討論，並聽取領導包括最高領導的指示。不僅創作，連文學研究也必須集體進行。唯一的魯迅研究，作者石一歌，其實是十一個人。

當然，在文學史上看，這樣的寫作是教訓多於成績，所以也不能說是「十年」文學的精華。

「十年」中還有一些地下寫作、手抄本，當時不能發表，之後才見天日。比方說趙振開（北島）的中篇〈波動〉，用不同人物的視角講高幹子弟戀愛。還有通俗文學性質的《少女之心》、《第二次握手》等等。較有藝術價值的是早期的朦朧詩人——郭路生（食指）、北島等等。還有一些小說如《公開的情書》、《晚霞消失的時候》，我們會放在下一個階段閱讀。雖然「十年」裏好作品不多，但是故事很多，這是上世紀「中國故事」最豐富最複雜的一個時期，所以後來描寫這「十年」的好作品，非常之多。

二、學術界對「十年」中國小說的探討

學界比較流行的幾本當代文學史，都沒有忽略、迴避這「十年」中國小說的「艱辛探索」，不過探討的角度和重點有所不同。洪子誠《中國當代文學史》影響最大，其特點是比較注意「十年」與「十七年」的連續性——這個文學史書寫策略，當時揭示了文化災難與當代文學機制的因果關係，後來又符合將「前三十年」視為整體的意識形態話語。「走向『文革文學』」這一章，從1958年的文學運動講起，先是毛澤東提出「革命現實主義和革命浪漫主義相結合」，之後郭沫若、周揚又提出共產主義的文學藝術，主張文藝也要「大躍進」等等。幾年後，「大躍進」受挫。六十年代初，國家實施一系列調整政策，包括文藝界，所以服務對象上，以最廣大的人民羣眾代替工農兵，中間人物論、真實性都得到了強調。不過調整時間不久，1962年秋又提出「千萬不要忘記階級鬥爭」，形勢迅速變化，毛澤東批評說：「許多部門至今還是『死人』統治着……許多共產黨人熱心提倡封建主義和資

本主義的藝術，卻不熱心提倡社會主義的藝術。」六十年代初，已有一批小說、電影受到批判，電影有《北國江南》、《林家鋪子》、《兵臨城下》、《早春二月》，小說有《保衛延安》、《劉志丹》、《三家巷》等等。

到了關鍵的1966年，〈林彪同志委託江青同志召開的部隊文藝工作座談會紀要〉發表（簡稱〈紀要〉），給「三紅一創」等作品下了判詞：「十幾年來，真正歌頌工農兵的英雄人物，為工農兵服務的好的或者基本上好的作品也有，但是不多；不少是中間狀態的作品；還有一批是反黨反社會主義的毒草。」[3] 從羅廣斌自殺，柳青、曲波、吳強、楊沫都被批鬥的形勢看，這些「紅色經典」也屬於「反黨」、「反社會主義」，或者最多是中間狀態。〈紀要〉明確標示了一個文藝新時代，當時最通俗的說法就是「從《國際歌》到革命樣板戲，這中間一百多年是一個空白」。（我們已經讀了幾十部二十世紀中國小說，除了魯迅小說以外，其它都在空白期，我們一直在讀空白。）

洪子誠的研究，文字平實，資料嚴密，少講觀點，多用證據。所以，現在雖然北京學界有一些研究當代文學的新人，企圖「超克」八十年代文藝思潮，努力發掘「社會主義文學」或「人民文藝」的歷史意義甚至藝術價值，某些觀點上已經幾乎走向洪子誠的對立面，但仍然沒有人公開批判《中國當代文學史》。大概一則是師道尊嚴，二則現在都是用話語理論做個案研究，個別觀點可能吸引眼球配合形勢，但還是很難挑戰洪子誠一代學者對史料的大規模掌控能力。當然也因為這些史料掌控後面，有幾代國人的真實生活經驗。

洪子誠對「十年艱辛探索」很少直接評判，主要只是陳列事實——

> 從1966年7月開始，全國的文學刊物，除《解放軍文藝》(1968年11月到1972年4月也曾一度停止出版)外，都被迫停刊，這包括由中國作協和上海作協分會主辦的幾份最有影響的刊物：《文藝報》、《人民文學》、《詩刊》、《收穫》、《上海文學》等。[4]

從1895年，報紙刊物成為文學主要載體以來，這是中國文學第一次全面失去最基本的物質存在方式。即使從當代文學生產機制的角度看，這也是一種例外或發展。

不少省市的文學期刊，在1972年前後陸續復刊，但《詩刊》、《人民文學》、《文藝報》、《上海文學》、《文學評論》、《收穫》等則遲至1976年以後才得以恢復。例外中的例外，是「十年」當中也有一個新的文學期刊，就是1974年1月在上海創刊的《朝霞》。[5]文學存在方式改變，知名寫作者減少。後來第四次文代會，宣讀過「十年」當中受迫害去世作家的名單——鄧拓、葉以羣、老舍、傅雷、周作人、司馬文森、楊朔、麗尼、李廣田、田漢、吳晗、趙樹理、蕭也牧、聞捷、邵荃麟、侯金鏡、王任叔(巴人)、魏金枝、豐子愷、孟超等。這份名單至少還漏掉了陳夢家、羅廣斌等人。活着的作家，有發表資格的極少，如郭沫若、浩然、胡萬春等等。1972年以後，可以發表作品的人數有所增加，如李瑛、賀敬之、顧工、草明、張永枚、瑪拉沁夫、茹志鵑、臧克家、姚雪垠等。也有一些年輕人在那個階段開始寫作：莫應豐、張長弓、王小鷹、諶容、劉心武、徐剛、鄭萬隆、張抗抗等，不過他們在文革後出名，不太願意提及早期的作品。

回看當代文學生產機制的幾個特點，一是作家幹部化，二是優渥的稿費制度，三是評論引導和集體創作。在「十年」中，絕大部分作家失去了幹部身分，有的甚至連生活、生存的權利都受到威脅。稿費待遇也消失了。當時的青年作家發表作品，因為反對資產階級法權，所以放棄稿費。於是，當代文學生產機制損壞了三分之二，這是「十年」和「十七年」的不同。但是，再仔細觀察，當時能參與寫作組或樣板戲劇組的人，其實等同具有高於一般幹部的身分，因此也享有高於一般作家的待遇。上海的樣板戲劇組，出入漂亮西式洋房，老人新人不同身分，軍大衣一披，人們都要刮目相看。而集體創作，從作家與出版社合作，發展為工農兵寫作班子。所以當代文學生產機制，在「十年」中看上去崩潰，核心要素還在，只是縮小了範圍。

作家身分、發表陣地、文學環境出現了劇變，但「十年」與「十七年」的精神聯繫仍在，批鬥羅廣斌、曲波、楊沫的紅衛兵們可能之前也受過《紅岩》、《林海雪原》、《青春之歌》的教育。「『文革』期間被稱為『樣板』的作品，許多是對五、六十年代或延安時期作品的修改或移植。『文革』期間創作的小說、詩、戲劇，其藝術經驗，也主要來自五、六十年代。」[6]「十七年」經典是善惡分明、英雄完美、反派醜惡、改造中間人物、情節緊張、語言通俗、主題鮮明等等。到了革命樣板戲，那就是善惡決然分明，英雄絕對完美，反派醜惡臉譜，不可以有中間人物，但情節還是要緊張，語言還是要通俗，主題更加鮮明。如果「十七年」文學創作要考慮生活「看上去怎樣」、「實際怎樣」和「應該怎樣」，「十年」只需要考慮「應該怎樣」。以前是文藝為政治鬥爭服務，「十年」中文藝就是政治鬥爭。

三、留戀樣板戲，他們在留戀甚麼？

「樣板」一詞，出自於 1965 年 3 月 16 號《解放日報》評論員文章，毛澤東在 1964 年 7 月 17 號觀看了京劇《紅燈記》，之後該劇在上海連演四十場，場場爆滿，評論說「看過這齣戲的人，深為他們那種戰鬥的政治熱情和革命的藝術力量所鼓舞，眾口一詞，連連稱道：『好戲！好戲！』認為這是京劇現代化的一個樣板。」猶如言論的真理價值與說話者的政治地位成正比，觀劇的領導人級別也會影響一個劇碼甚至劇種的興衰。其實樣板戲都有曲折的改編歷史，比如《紅燈記》，源自長影故事片《自有後來人》，1963 年上海愛華滬劇團改成滬劇《紅燈記》，之後才由中國京劇院改編成京劇。又如《沙家浜》，原名《蘆蕩火種》，取材於崔左夫的回憶錄《血染着的姓名 —— 三十六個病員的鬥爭紀實》。五十年代末改變成滬劇《碧水紅旗》，後來更名為《蘆蕩火種》。改成《沙家浜》則是 1964 年毛澤東的建議，「蘆蕩裏都是水，革命火種怎麼能燎原呢？」[7] 既講究物理，也顧及風水。基本上，樣板戲的內容是革命歷史小說的延續，其生產過程則是當代文學生產機制向舉國體制方向發展，集合全國上下老中青各界精英，有很多京戲名角、音樂家和作家參與。《沙家浜》的臺詞，汪曾祺參與執筆，精敲細打。每個樣板戲，都是政治任務，都是國家工程，所以數量很少。每年 5 月 23 日（〈講話〉發表的紀念日），人們就盼望有新的樣板戲出來。可是去年八九個英雄人物在海報上是直排的，到了今年的 5 月 23 日，還是九個英雄頭像，只是改成橫排。至於八十年代之後人們對樣板戲的感受，其實是和「十年」當中的個人具體處境經驗有關。上海前宣傳部長王元化，對文革後一度各種演唱會總是要以「甘灑熱血寫春秋」，或者「臨行喝媽一碗酒」全場合唱結尾很不滿意。他說聽到這些音樂，就想起當年被張春橋關在勞改營裏。我嘗試解釋，會不會是有些人當初就是在排練阿慶嫂、刁德一和胡傳魁的「智鬥」唱段悄悄談戀愛呢？會不會有人在《紅色娘子軍》、《白毛女》的舞姿前，第一次領悟青春的感覺？很多人喜歡樣板戲，貌似留戀「十年」，其實是留戀自己的青春。

四、其他學者對「十年」文學的評價

陳思和主編《中國當代文學史教程》，比較注意「十年」當中一般民眾的審美需求怎麼曲折體現。雖然「革命樣板戲」是主流政治意識形態對知識分子和民間文化傳統摧毀、壓制、改造和利用在文藝領域中的典型體現，但陳思和認為：「真正決定樣板戲的藝術價值的，仍然是民間文化中的某種隱性結構。如《沙家浜》的角色原型，直接來自民間文學中非常廣泛的「一女三男」的角色模型。」[8] 我們重讀二十世紀小說，已經為陳思和說法提出更多旁證：《死水微瀾》、《紅旗譜》、《青春之歌》等「紅色經典」

裏都有「一女三男」模式的演變。陳思和又注意到「《紅燈記》和《智取威虎山》則暗含了另一個『隱性結構』—— 道魔鬥法。」意思是羣眾喜歡看鳩山、李玉和、小爐匠、楊子榮之間魔高一尺，道高一丈的這種鬥智過程。在《林海雪原》時我們也見過楊子榮的「匪氣」暗合和民間俠義審美趣味，「民間隱性結構典型地體現了民間文化無孔不入的生命力」。

陳思和主編的教程，還特別討論「十年」中老作家們的秘密寫作 —— 豐子愷寫了《緣緣堂續筆》，詩人牛漢寫了《半棵樹》，穆旦晚年的詩作更引人注目。年輕一代的地下創作，北島的《波動》是重要的代表作，不過它真正公開發表，是到 1981 年。當然，在前三十年秘密寫作的「抽屜文學」，在八十年代以後才和讀者見面，究竟屬於文學史的哪個階段，也值得討論。

陳曉明的《中國當代文學主潮》除了和其他文學史一樣概述「文革」的過程並論述「十年」中主要作品以及樣板戲之功過外，特別提出一個「紅衛兵文學」的概念，而且評論了《朝霞》上的一些作品。陳曉明認為「紅衛兵文藝」的高潮發生在 1967 年夏到 1968 年秋，開始是「清華井岡山」等大學學生組織排演各種歌舞晚會，又編輯了《寫在火紅的戰旗上 —— 紅衛兵詩選》，還創辦了不少紅衛兵小報。

陳曉明選了幾句詩 ——「『大旗，你在我們心中飄揚了多久多久！苦澀的汗把旗上每一根纖維浸透』。現在讀起來，有人也許會覺得這些詩歌誇張、空洞，熱烈得莫名其妙，仇恨也令人難以理解，但在那個時期，這些讓紅衛兵熱淚盈眶的詩句，洋溢着那個時期的英雄主義激情。」[9]

青年學生熱淚盈眶的詩句，英雄主義的激情犧牲，二十世紀中國小說裏見過多次了，而且還在不斷地見證。可惜迄今為止，還沒有一部長篇來反省 1966 年的「青春之歌」。

陳曉明解讀《朝霞》小說，認為有兩點值得注意：其一，表現了以「紅衛兵文化」為主體的中國青年革命文學；第二，在文學史上首次集中肯定性、理想性地表現了工人階級形象。[10] 這些小說包括〈初試鋒芒〉、〈紅衛兵戰旗〉、〈一篇揭矛盾的報告〉、〈佈告〉、〈長江後浪推前浪〉、〈十年樹人〉等。「紅衛兵文化」、工人階級形象，都是極有意思的題目，但是單靠《朝霞》上的文本來做材料是顯然不夠的，期望有更多這方面的學術研究，不僅為了難以忘卻的過去，也是準備正在到來的明天。

直到今天（2021 年）為止，還沒有看到全面肯定「十年」期間文學的學術研究，也還沒有見到完全讚揚「十年」的長篇小說（即使當時，這樣的作品也不多）。日後會不會有，難說。

最後概括，要在「十年」當中找一篇或一部能夠列入《重讀二十世紀中國小說》藝術水平的作品，實在很難，但也不能說這就是空白的十年。雖然作品少，但是故事多，後來幾十年，甚至更久的歷史時期，中國文學都在不斷書寫這「十年」。

注

1 上海縣《虹南作戰史》寫作組:《虹南作戰史》(上海:上海人民出版社,1972年)。

2 南哨:《牛田洋》(上海:上海人民出版社,1972年)。

3 洪子誠:《中國當代文學史》(北京:北京大學出版社,1999年),頁182-183。

4 同注3,頁185-186。

5 《朝霞》是1973年由上海人民出版社推出的四種「上海文藝叢刊」中的一種,之後又陸續出版八種(也有收藏者稱應該為九種),開本為三十二開。1974年起叢刊名改為《朝霞》叢刊。同年1月又以「朝霞」為名推出《朝霞》月刊,開本為十六開,每月20日出。內容以短篇小說為主,兼及散文、詩歌、報告文學、文藝評論等。《朝霞》月刊共出刊三十三期,起訖時間為1974年1月至1976年9月。參見謝泳:〈《朝霞》雜誌研究〉,《南方文壇》,2006年第四期。

6 同注3,頁188。

7 轉引自楊鼎川:《狂亂的文學年代》(濟南:山東教育出版社,1998年),頁39-40。

8 陳思和:《中國當代文學史教程》(上海:復旦大學出版社,2008年),頁168。

9 陳曉明:《中國當代文學主潮》(北京:北京大學出版社,2009年),頁231。

10 同注9,頁233。

1977-

1977

〈班主任〉 劉心武

〈傷痕〉 盧新華

傷痕文學的淚點

閻連科為《重讀二十世紀中國小說》(音頻版)寫過一段言過其實的推薦:「終於有人以其天賦的才華和力量，去推開長河的浪濁，劈剝出一條新的、更清晰的河道，讓百年作品、百年史文，從那河道上部流來，重新為讀者建立起一個無盡帆船的風光。」

知道這是作家誇張溢美，還是當作鼓勵和目標。因為事實上，沿河而下，看過了上游的風光，穿越了中間的艱辛，實在有助於重新理解最近幾十年的當代文學的江河氣勢。

一、〈班主任〉:文學史上的轉捩點

從 1976 年秋天起，差不多整整一年，國家政治發生了巨大變化，期刊小說卻換湯不換藥。換湯，就是反派身分不同了。《朝霞》作品寫工人階級主人公與鄧小平「復辟還鄉團」作鬥爭。到了 1977 年，復刊後主流刊物上的小說裏還是工人階級主角，換成和江青、張春橋「四人幫」作鬥爭。不換藥，就是寫作模式不換。還是善惡分明，還是階級鬥爭，沒有中間人物，沒有男女感情。除了反派身分以外，甚麼都沒有變。

就在這時，讀到1977年第十一期《人民文學》上發表的〈班主任〉。四十年後重新閱讀，很難想像這麼粗糙、冗長，充滿說教的一篇概念化的小說，怎麼會成為公認的文學史的轉捩點。

小說一共四個人物，情節頗簡單——光明中學初三三班班主任張俊石老師，要接受一個剛從公安局拘留所放出來的小流氓學生宋寶琦，犯甚麼罪不清楚。面對專政威力與政策感召，宋渾身冒汗，嘴唇哆嗦，坦白交代，並且揭發檢舉了首犯的關鍵罪行。因為情節較輕而坦白揭發，加上還不足十六歲，公安局便將他教育釋放。小說主人公和敍述角度應該是班主任張俊石，三十多歲，中等身材，衣着樸實，嘴唇厚，卻言語熱情，基本上有點劉心武的自畫像——作家也是中學老師，文革後期就已經開始發表小說。接收「小流氓」後，同事尹老師感覺不安，班上共青團支部書記謝惠敏倒是不怕。她晃晃小短辮說：「我怕甚麼？這是階級鬥爭，他敢犯狂，我們就跟他鬥。」班上另一團員石紅，因為看小說《牛虻》和謝惠敏有了爭論。之後張老師做家訪，知道宋寶琦的工人父親沉迷於撲克，母親放任獨生子，家裏雖然談不上整潔乾淨，但毛主席、周恩來畫像掛得端端正正。張老師困惑：「宋寶琦的確有嚴重的資產階級思想，但究竟是哪一些資產階級思想呢？」小說就在這思考中結束，最後說：「請抱着解決實際問題、治療我們祖國健壯軀體上的局部癰疽的態度，同我們的張老師一起，來考慮考慮如何教育、轉變宋寶琦這類青少年。」

最後這段話當時被認為是呼應了〈狂人日記〉的「救救孩子」。其實有兩點很不一樣：第一，先講明祖國「健壯軀體」，眼前是局部小毛病；第二，毛病主要是小流氓宋寶琦。

但是，恐怕劉心武也沒想到，作品發表以後，人們發現要救的遠不是小流氓宋寶琦，而是小說中的團支書謝惠敏。

我在 1987 年《文藝理論研究》上發表過一篇關於劉心武小說的論文，轉抄其中一段：

> 〈班主任〉中對張老師的讚頌對石紅的表揚對宋寶琦的教訓，均屬常識範圍且均未跳出「十七年」模式，惟獨花在謝惠敏形象上的甚至多少有點漫不經心的筆墨，卻終於第一次劃出了（但遠未劃清）「傷痕文學」與「文革」文學及「十七年文學」之間的界限。甚麼是「謝惠敏性格」的實質呢？僅僅是「思想僵化」，「中了四人幫的毒害而不自覺」嗎？為了保護農民的莊稼，因而不准別的同學帶走一束麥子；對黃色書籍警惕性很高以致把《牛虻》也「錯劃」進去；艱苦樸素到了天熱也不肯穿裙子的地步……所有這些謝惠敏式的行為，如果放在五十年代「青春萬歲」的背景下或六十年代中學生齊抄《雷鋒日記》的時候，又會得到怎樣的評價呢？——雖然對這個問題的嚴重性挑戰性劉心武當時還沒有足夠重視（插在小說裏的議論還只是將謝的性格扭曲視為「四人幫」時期的特定產物），但形象本身的血肉感及細節把握的分寸感，事實上卻已經為無數熱情追求政治進步的五、六十年代的青年樹了一面反思的鏡子，照出了他們成長道路

> 上的某一側面：謝惠敏的錯誤究竟是錯聽了「四人幫」的話呢，還是錯在不該只聽別人的話而自己不思考？謝惠敏的悲劇究竟是工作不踏實革命不堅決為人不樸實呢，還是缺乏獨立的人生意識，把自己思想乃至革命的權利都「上繳」了進而一切聽從別人的安排？[1]

這是三十多年前寫的評論，重抄一遍，好像回到八十年代現場。小說寫謝惠敏主要三件事，一是下鄉勞動時不准同學折麥子，當時張老師稱讚：這個僅僅只有三個月團齡的支部書記，正用全部純潔而高尚的感情，在維護「絕不能讓貧下中農損失一粒麥子」的信念——她的身上，有着多麼可貴的閃光素質啊。二是謝惠敏個子高但不會打球，夏天再熱也不穿裙，同學如果穿小碎花短袖襯衫，她覺得是「沾染了資產階級的作風」。三是她沒有看過《牛虻》，「見裏頭有外國男女講戀愛的插圖，不禁驚叫起來：『唉呀，真黃，明天得狠批這本黃書。』」。這個反應的使得張老師皺起了眉頭，進而聯想到「光有樸素的無產階級感情就容易陷於輕信和盲從」。

珍惜農民莊稼是尊重工農；不運動不穿裙，說明生活樸素；批評同學花裙、仇恨《牛虻》「黃書」，有點文化狹隘、政治盲從。三點都是「十年」（甚至「十七年」）青年教育的成果。劉心武欣賞她的工農崇拜，可惜她的生活狀態，批判她的思想盲從。今天，我們再回頭看，謝惠敏究竟有甚麼錯？以致於這個作家無心插柳的人物，標誌了當代文學史的轉折？已是新時代，還是老問題：「謝惠敏的錯誤究竟是錯聽了『四人幫』的話呢，還是錯在不該只聽別人的話？」

〈班主任〉其實是用文學方式談論政治問題，僅就文學形式而言，遠遠還沒有回到三、四十年代中國小說的水平。劉心武在八十年代寫過不少小說，有的像〈班主任〉一樣，用教師教育學生的態度討論青年信仰問題，比方說〈醒來吧，弟弟〉、〈愛情的位置〉，後者反響極大，主要因為標題。另一類寫北京市民的日常生活，如〈立體交叉橋〉、《鐘鼓樓》，有傳統的京味，比較細緻，而且延續了關心底層的文學傳統。

二、〈傷痕〉：形式上幼稚，涉及的問題卻很大

〈班主任〉發表大半年以後，另外有個短篇，形式技巧更加幼稚，涉及的問題、引起的反響卻更大，那就是盧新華 1978 年 8 月 11 日在《文匯報》上整版發表的短篇小說〈傷痕〉。

〈傷痕〉情節更簡單。小說開始已是 1978 年春天，女知青王曉華坐火車回上海，「遠的近的，紅的白的，五彩繽紛的燈火在窗外時隱時現」，[2] 曉華回憶九年前，她學校還未畢業，就報名上山下鄉，因為她母親被打成「叛徒」。她怎麼也想像不到，革命多年的媽媽，竟會是一個從敵人的狗洞裏爬出來的戴愉式的人物。而戴愉，她看過《青春之歌》—— 那是一副多麼醜惡的嘴臉啊！

這段文字標識了「十年」和「十七年」的文本符號關係，也清晰展示了現實與文學的互相滲透。

因為媽媽，曉華受到歧視和冷遇。沒見曉華回憶媽媽怎麼

被批鬥，怎麼被關押，她咬牙切齒的是自己當不了紅衛兵。在當年下鄉的火車上，十六歲的小姑娘認識了容貌清秀的男知青蘇小林。之後八年遼寧農村插隊，小說寫得很簡單。這種插隊或農場生活後來在史鐵生、阿城、陳村、張承志甚至劉慈欣等人筆下，都是極其豐富的中國故事，但在盧新華筆下，八年生活基本上就兩三件事。一是連續幾年王曉華申請入團不成功，因為母親的問題。二是她和蘇小林的純潔戀愛也有挫折，某天偷看小蘇的日記，說縣委為了提拔蘇小林，要他中斷和王曉華的戀愛。三是曉華在小學教書，也一直被人歧視。三件事合起來就是一件事：一旦家庭出身有了問題——就是「地富反壞右」、叛徒、內奸、特務、工賊、反動學術權威、走資派等等「黑N類」，子女的政治前途就立刻受影響，跌入政治鄙視鏈之底端。

轉眼八年過去了，粉碎「四人幫」後，某日王曉華接到媽媽來信，說冤案已經昭雪，真相已經大白，原來不是「叛徒」。媽媽重新當了領導，但是生病了，這就回到了小說的開端。信是1977年2月來的，南下的火車是1978年春天，中間有一年的耽誤，搞不清楚怎麼回事。小說中類似破綻不少。曉華回到上海，先說是搬了家，找到新地址，王校長已住院。這八年中間她一次也沒回去過？而且誰是「王校長」？母親跟女兒同姓？爸爸在哪裏？她們都姓王？算了，別問，這些都不重要。重要的是，趕到醫院，母親當天上午去世了。

> 她發瘋似地奔到二號房間，砰地一下推開門。一屋的人都猛然回過頭來。她也不管這是些甚麼人，便用力撥開人

羣，擠到病床前，抖着雙手揭起了蓋在媽媽頭上的白巾。

啊！這就是媽媽——已經分別了九年的媽媽！

啊！這就是媽媽——現在永遠分別了的媽媽！

她的瘦削，青紫的臉裹在花白的頭髮裏，額上深深的皺紋中隱映着一條條傷疤，而眼睛卻還一動不動地安然半睜着，彷彿在等待着甚麼。

「媽媽！媽媽！媽媽……」她用一陣撕裂肺腑的叫喊，呼喚着那久已沒有呼喚的稱呼：「媽媽！你看看吧，看看吧，我回來了——媽媽……」

她猛烈地搖撼着媽媽的肩膀，可是，再也沒有任何回答。[3]

王曉華或者盧新華，《青春之歌》讀多了，文風非常相似。在病房眼淚哭乾時，突然看見蘇小林。小說結尾，兩人走到外灘，小林給曉華看媽媽臨終寫的日記——「雖然孩子的身上沒有像我挨過那麼多『四人幫』的皮鞭，但我知道，孩子心上的傷痕也許比我還深得多。因此，我更盼望孩子能早點回來。我知道，我已經撐不了幾天了，但我還想努力再多撐幾天，一定等到孩子回來……」

這不僅是點題，而且後來「傷痕」成了一個文學運動的代號。小說最早貼在復旦大學一年級壁報上，後來《人民文學》退稿，再後來《文匯報》全文刊出。當時《文匯報》一天才四至八版，〈傷痕〉佔了其中一個整版，十分引人注目。發表以後，報社收到了一千多封來信。那不是網絡時代，這麼多讀者來信不容易。其中不知有沒有編輯製造的。之後，報紙又發表了大量評論。陳荒煤說：「從作品總的傾向來看，它能夠激起廣大羣眾對林彪、『四人幫』仇恨的原因。這應該說是一個好的作品。」[4] 但是，當時批判林彪、「四人幫」的作品已經很多，為甚麼〈傷痕〉能夠特別切中時代的淚點？

一個重要原因就是「血統論」。當代中國文學，「血統論」以正反不同形態一直存在。正面人物如賈湘農、沈振新、許雲峰、盧嘉川、江華，大部分英雄都是工人出身，農民出身的都少，更不要說剝削階級了。反面人物如馮老蘭父子，《青春之歌》中的地主一家三代（包括小孩）等等，也是血統遺傳。林道靜要切斷和地主父親的關係（有農民母親的階級基因），劉思揚必須造家庭的反，王曉華因母親是叛徒，不能入團，不能戀愛。「十七年文學」和「十年文學」，都在無形當中或正或反地強調階級鬥爭與家族血統的關係。紅衛兵運動發起人張承志也說紅衛兵「好的方面是反一切體制，壞的地方是『血統論』」。[5] 問題的嚴重性是當時的人們沒有足夠意識的，「老子革命兒接班，老子反動兒造反」或者還是階級鬥爭，「老子英雄兒好漢，老子反動兒混蛋」，必須代代相傳的世襲的階級鬥爭，在某種意義上已接近變相的「種族」鬥爭 —— 社會成員不是因為自己的立場行為表現，而是因為自己不能選擇的生理條件、家族血脈而被鬥爭。

小說並沒有進一步寫，假如叛徒是真的？假如王曉華母親真是一個地主、資本家、刑事犯等等，那麼她女兒的命運應該怎麼樣？

文 汇 报

伤 痕

1978 年《文匯報》刊登〈傷痕〉。

幾十年過去了，「官二代」、「富二代」等符號仍然在中國的現實及文學中到處存在，說明家庭背景（家族血統）始終還在社會上升階梯或人才選拔機制中具有一定的影響。「假如王曉華的母親真有歷史問題……」〈傷痕〉當時不會馬上進入這一步的反思。「傷痕文學」最重要的特徵是擊中時代淚點，一連串的呼喊就是淚點。「傷痕」作為文學現象，也是作者、評論者和讀者無意間共同創造。

在政治倫理、職業倫理和家庭倫理三者關係之中，從三十年代的《家》，到五十年代的《青春之歌》、《紅岩》等等，政治倫理常常會戰勝家庭倫理，職業倫理則被忽略。〈傷痕〉無意當中是一個轉捩點，小說哭訴家庭倫理被政治倫理扼殺，實際上預示了家庭倫理會在後來幾十年的中國（至少在文學中）超越政治倫理。當然，在這過程當中，職業倫理依然不受重視。

回頭看傷痕文學的兩篇代表作，藝術成就並未超越「十七年」，之所以能夠「劃時代」，關鍵還是無意中觸及了當代中國政治文化中的兩個關鍵問題，兩個至今仍有現實意義的關鍵問題：一是革命教育是否等於培養「馴服工具」，二是革命傳統是否依靠「血統」傳承。

注

1 許子東：〈劉心武論 ——《新時期小說主流》之一章〉，《文藝理論研究》，1987 年 4 月，頁 60。這個「新時期小說主流」研究計劃雖有國家教委資助，後來一直沒有完成。

2 原稿這句是除夕的夜裏窗外「墨一般漆黑」，發表時修改。

3 盧新華：〈傷痕〉，1978 年 8 月 11 日發表於上海《文匯報》。後收入盧新華：《傷痕》（北京：中國文學出版社，1993 年）。以下小說引文同。

4 盧新華、劉心武、張潔等：《〈傷痕〉及其它短篇小說和評論選》（北京：北京出版社，1978 年），頁 260-265。

5 張承志：〈草原上的獨騎與聖戰者〉，梁麗芳：《從紅衛兵到作家》（臺北：萬象圖書股份有限公司，1993 年），頁 193。

1979

〈李順大造屋〉
〈陳奐生上城〉

高曉聲

卑微的農民和好心的幹部

一、〈李順大造屋〉：這個農民典型嗎？

「五四」作家，夏志清說，留日的比較激進，留英美的比較溫和。[1] 五十年代則有延安作家和國統區作家之分，後者的藝術修養高，前者的創作成果多。到了八十年代，作家也可分為「五七作家羣」（1957 年被錯劃右派，文革後重新寫作的王蒙、李國文、張賢亮、高曉聲、韋君宜、宗璞、陸文夫等等）和「知青作家羣」（韓少功、阿城、賈平凹、王安憶、張承志、史鐵生、陳村、葉辛等等）。激進保守傾向是思想不同，延安和國統是背景差異，但「文革」後的兩類作家，雖有年齡距離，卻都是先下鄉，再回城。特殊時代給了這些不同的作家以相同的機會（你別無選擇），必須從社會底層（具體的衣食住行，怎麼「活着」）來觀察講述中國故事。「五四」文學的兩條主線，農民和知識分子，在六十至七十年代的社會與八十年代的文學中自然重合。

高曉聲（1928-1999）是「五七」類作家中的佼佼者。他是江蘇武進人，童年在農村長大，家境清貧，中學曾付不起學費，後來讀了兩年上海的法學院。五十年代初參加「探求者」文學社團，後被錯劃成右派。從 1958 年起，在農村生活二十多年。時間比柳青更長，而且不像柳青那樣有一個縣委常委身分。

老實巴交的農民李順大，理想是自己有房。他二十八歲，土改分到六畝地，立志要建三間屋。小說寫他「粗黑的短髮，黑紅的臉膛，中長身材，背闊胸寬，儼然一座鐵塔。一家四口（自己、妻子、妹妹、兒子）倒有三個勞動力……」[2]

這很像《駱駝祥子》的開局：貧苦人，有正當人生目標，相信勞動創造幸福。李順大想蓋屋還有特別的原因，他爹媽當年窮得只能住在船上，大雪天把船壓沉，他們進村求助，村民以為是強盜，都不開門，所以活活凍死。以前抗日、內戰，在舊社會造不起房，現在翻身了。李順大認為靠了共產黨，靠了人民政府，才有可能使雄心壯志變成現實。在他看來，搞社會主義就是「樓上樓下，電燈電話」，主要也就是造房子。

有鄉親嘲笑李順大好高騖遠，「在眾多的議論面前，李順大總是笑笑說：『總不比愚公移山難。』他說話的時候，厚嘴唇牽動着笨重的大鼻子，顯得很吃力。因此，那說出的簡單的話，給人的印象，倒是很有分量的。」

為了造房子，他家用最原始的方法積累每一分錢。農活中一有空閒，李順大就去賣糖，回收廢品再賣錢。他的兒子長到七歲，卻不知道糖是甜的還是鹹的，偶然偷嚐了一次，還被他娘打屁股，被說敗家精，三家屋都要被你吃光了。李順大的妹妹又勤勞又漂亮，也有心晚點出嫁，為了幫哥哥掙錢造屋。這樣一直忙到1957年底，他們真的買回來了三間青磚瓦房的全部建築材料。但1958年，公社化了。

> 有一夜李順大一覺醒來，忽然聽說天下已經大同，再不分你的我的了。解放八年來，羣眾手裏確實是有點東西了。例如李順大不是就有三間屋的建築材料嗎？那麼，何妨把大家的東西都歸攏來加快我們的建設呢？我們的建設完全是為了大家，大家自必全力支援這個建設。任何個人的打算都沒有必要，將來大家的生活都會一樣美滿。那點少得可憐的私有財產算得了甚麼，把它投入偉大的事業才是光榮的行為。不要有甚麼顧慮，統統歸公使用，這是大家大事，誰也不欺。這種理論，毫無疑問出自公心。李順大看看想想，頓覺七竅齊開，一身輕快。雖然自己的磚頭被拿去造煉鐵爐，自己的木料被拿去製推土車，最後，剩下的瓦片也上了集體豬舍的屋頂，他也曾肉痛得簌簌流淚。但想到將來的幸福又感到異常的快慰。……不管集體要甚麼，他都樂意拿出來。……

這段文字，貌似是李順大的角度，也可以讀出一點敘事者的調侃和嘲諷。但緊接着一句很重要，完全跳出主人公的口吻，像是作家的議論：「後來是沒有本錢再玩下去了，才回過頭來重新搞社會主義。自家人拆爛污，說多了也沒意思。」

這裏有兩點值得注意，一是高曉聲顯然認為，六十年代初農村政策調整才是真正的社會主義，大躍進是在「玩」；二是作家採取「自家人」的理解態度，是惋惜、痛心，而不是「傷口上撒鹽」。這是〈李順大造屋〉能夠在 1979 年《人民文學》雜誌發頭條，而且獲得全國短篇小說獎的關鍵原因。

錯誤和教訓，看你站在甚麼立場上說。比方說自己家、國有問題，自己人說可以，別人罵就不行，高曉聲在寫小說時非常清楚國情和國人心態。當然這也是八十年代。在這之前，可能別人罵不怪（反正是敵對勢力），自家人卻不能批評。你看《創業史》、《艷陽天》，怎麼書寫同一時期的農民生活？

大躍進失敗後，黨有退賠政策，但公社也窮，十賠九不足，這時小說裏出現了一個幹部形象（基層官員）：

> 區委書記劉清同志，一個作風正派、威信很高的領導人，特地跑來探望他，同他促膝談心，說明他的東西，並不是哪個貪污掉的，也不是誰同他有仇故意搞光的。黨和政府的出發點都是很好的，純粹是為了加快實現社會主義建設，讓大家早點過幸福生活。為了這個目的，國家和集體投入的財物比他李順大投入的大了不知多少倍，因此，受到的損失也無法估計。現在，黨和政府不管本身損失多大，還是決定對私人的損失進行退賠。除了共產黨，誰會這樣做？歷史上從來沒有過。只有共產黨，才對我們農民這樣關心。
>
> ……李順大的感情是容易激動的，得到劉清同志的教導和具體的幫助，他的眼淚，早就泊落泊落流了出來，二話沒說，嗚咽着滿口答應了。

結果有些可退賠的建材，李順大也放棄了。從 1962 到 1965 年，幾年苦幹奮鬥，李順大又積累了一些造房的錢，這次他打定主意不買材料，先存錢。但是接下來，就是十年「艱辛探索」了。也不是李順大要探索，他一直是「跟跟派」：「可是文化大革命開始以後，他就跟不上了。要想跟也不知道去跟誰，東南西北都有人在喊：『唯我正確！』究竟誰對誰錯，誰好誰壞，誰真誰假，誰紅誰黑，他頭腦裏轟轟響，亂了套，只得蹲下來，賴着不跟了。」

這段話多少有點作家借農民之口發自己牢騷。「他看到那洶洶的氣勢，和五八年的更不相同，五八年不過是弄壞點東西罷了，這一次倒是要弄壞點人了，動不動就性命交關。」有個公社磚瓦廠的文革主任，問李順大要錢，說要代買一萬塊磚 —— 很像《駱駝祥子》裏邊的孫偵探。李順大借出了錢，第二個月就被專政機關請去了 —— 要他交待幾件事：一，你是哪裏人？老家是甚麼成分？二，你當過三次反動兵，快把槍交出來。三、交待反動言行（例如他說過「樓房不及平房適用，電話壞了修不起」的話，就是惡毒攻擊社會主義）。最後磚瓦廠文革主任把李順大救了出來，當然，作為報答，那二百多塊磚錢，也就不提了。

就在這時，李順大重遇勞改當中的劉書記，兩個人面對面一起流淚。但是李順大還是想蓋屋，還是在努力，他漸漸就知道了，買材料要開後門，開後門要送禮。等到了 1977 年，他就知道去求重新做官的劉書記了……最後這個房子有沒有造成？他最後有沒有成功利用和書記的關係？餘下來的故事，就要路遙、余華、閻連科他們接着寫了，小說獲獎，高曉聲出名，來上海作協開會。有記者問，您的小說寫了一個老實忠厚的農民，辛苦三十年仍然蓋不了自己的房子，這是否寫出了幾十年來中國農民生活的典型狀態？

高曉聲馬上否認：「我不知道甚麼典型不典型，我就是寫村裏的一個鄰居，真人真事，不信你們可以去調查。」高曉聲此言可以作為錢谷融 1957 年「典型」論的一個生動注腳。

嚴格說來，〈李順大造屋〉其實也有些概念化和「主題先行」。主題就是各種政治運動對中國農民生存狀態的傷害。不過和「十七年文學」的主題先行不同：楊沫梁斌柳青浩然是要用生活細節儘量體現主題概念，高曉聲茹志鵑古華周克芹等是要用生活細節儘量隱蔽主題概念。

〈李順大造屋〉除了寫幾十年政治實驗對普通農民生態的影響外，小說還觸及農民和幹部的複雜關係。從農民的角度，好像是被誘導、哄騙甚至欺負。從幹部的角度，則是真誠關心和同舟共濟。這種令人哭笑不得的官民關係，在高曉聲另外一篇更加出名的短篇〈陳奐生上城〉裏，有更精彩的發揮。

二、〈陳奐生上城〉：新時期的農民與幹部關係

李順大造屋三十年，陳奐生已活在「新時期」；李順大歷經種種政治風波，陳奐生卻只做一件日常小事；李順大活得垂頭喪氣，陳奐生卻感覺十分幸福。小說一開始，「陳奐生肚裏吃得飽，身上穿得新，手裏提着一個裝滿東西的乾乾淨淨的旅行包，……一路如遊春看風光。他到城裏去幹啥？他到城裏去做

買賣。稻子收好了，麥壟種完了，公糧餘糧賣掉了，口糧柴草分到了，乘這個空當，出門活動活動，賺幾個活錢買零碎。自由市場開放了，他又不投機倒把，賣一點農副產品，冠冕堂皇。他去賣甚麼？賣油繩。……」[3] 賣油繩大約能賺三塊錢，陳奐生想給自己買頂帽子。這個小說開局既寫1979年社會氣氛，自由市場開放，農民生活轉好。又以歌頌的筆調道出悲涼事實——這個農民幾十年來買不起一頂帽子。對比《平凡的世界》和〈插隊的故事〉裏很多農民做小生意都被批「走資本主義道路」，人們才能體會陳奐生上城的幸福。

賣油繩是在車站附近擺攤，摸準了旅客人流的規律，油繩倒是順利賣完了，點錢少了三角錢，還不知道被哪個人貪污走了，他歎了一口氣，自認晦氣。

但真正的麻煩是他累了一天，到了深夜，突然渾身無力，雙腿發軟，就在車站候車室病倒了。這時正好以前認識的縣委吳楚書記經過，關心問候，這個農民怎麼半夜病倒在車站，那怎麼行，就叫司機送陳奐生到機關門診室。醫生說沒大病。百忙之中吳書記又指示，「還有十三分鐘了，先送我上車站，再送他上招待所，給他一個單獨房間，就說是我的朋友……」

病倒，看醫生，住招待所，這些經過陳奐生都是次日才回想起來，他「聽見自己的心撲撲跳得比打鐘還響，合上的眼皮，流出晶瑩的淚珠，在眼角膛裏停留片刻，便一條線掛下來了。這個吳書記真是大好人，竟看得起他陳奐生，把他當朋友，一旦有難，能挺身而出，拔刀相助，救了他一條性命，實在難得。陳奐生想，他和吳楚之間，其實也談不上交情，不過認識罷了。要說有甚麼私人交往，平生只有一次。記得秋天吳楚在大隊蹲點，有一天突然闖到他家來吃了一頓便飯，……還帶來了一斤塊塊糖，給孩子們吃。細算起來，等於兩頓半飯錢。那還算甚麼交情呢！說來說去，是吳書記做了官不曾忘記老百姓。」

接下來一段，是小說真正的高潮——既不是動作，也不是對話，而是描寫一個房間。

> 原來這房裏的一切，都新堂堂、亮澄澄，平頂（天花板）白得耀眼，四周的牆，用青漆漆了一人高，再往上就刷刷白，地板暗紅閃光，照出人影子來；紫檀色五斗櫥，嫩黃色寫字臺，更有兩張出奇的矮凳，比太師椅還大，裏外包着皮，也叫不出它的名字來。再看床上，墊的是花床單，蓋的是新被子，雪白的被底，嶄新的綢面，呱呱叫三層新。陳奐生不由自主地立刻在被窩裏縮成一團，他知道自己身上（特別是腳）不大乾淨，生怕弄髒了被子……隨即悄悄起身，悄悄穿好了衣服，不敢弄出一點聲音來，好像做了偷兒，被人發現就會抓住似的。他下了床，把鞋子拎在手裏，光着腳跑出去；又眷顧着那兩張大皮椅，走近去摸一摸，輕輕捺了捺，知道裏邊有彈簧，卻不敢坐，怕壓癟了彈不飽。然後才真的悄悄開門，走出去了。

這段文字，「怕壓癟了彈不飽」，當時成為很多作家議論的話題。

房間是好，但肯定貴，陳奐生馬上想離開。他走到櫃檯處，朝裏面正在看報的大姑娘說：「同志，算帳。」「幾號房間？」那大姑娘戀着報紙說，並未看他。「幾號不知道。我住在最東那一間。」那姑娘連忙丟了報紙，朝他看看，甜甜地笑着說：「是吳書記汽車送來的？你身體好了嗎？」「不要緊，我要回去了。」「何必急，你和吳書記是老戰友嗎？你現在在哪裏工作？……」大姑娘一面軟款款地尋話說，一面就把開好的發票交給他。笑得甜極了。陳奐生看看她，真是絕色！

但是，接到發票，低頭一看，陳奐生便像給火鉗燙着了手。他認識那幾個字，卻不肯相信。「多少？」他忍不住問，渾身燥熱起來。「五元。」「一夜天？」他冒汗了。「是一夜五元。」

回到四十多年前，五塊大概相當於今天的一百塊，或者五百塊，要看甚麼情況。反正對一個農民來說，你看他忙了一整天，賣這麼多東西，走幾十里地，才賺三塊錢，所以五塊這個數字是太大了。

陳奐生的心，忐忑忐忑大跳。「我的天！」他想，「我還怕困掉一頂帽子，誰知竟要兩頂！」

「你的病還沒有好，還正在出汗呢！」大姑娘驚怪地說。

千不該，萬不該，陳奐生竟說了一句這樣的外行語：「我是半夜裏來的呀！」

大姑娘立刻看出他不是一個人物（「人物」比「人」重要；「人物」就是「人」加上「物」？）。她不笑了，話也不甜了。陳奐生只好付錢，賣油繩的錢幾乎都要付出去了，再回房間時，往彈簧太師椅上一坐，管它，坐癟了也不關我事，出了五塊錢呢！

當年我們參加筆會，作家們在酒店裏都跳在沙發上，重複陳奐生的話。後來凡住高級酒店，總想起陳奐生。由此想到文學，要寫階級，也會穿越階級。

陳奐生再回房間也睡不着了，把各種設備享用一番，被子也不怕弄髒了。最後，陳奐生想起了吳書記 —— 這個好人，大概只想到關心他，不曾想到他這個老百姓經不起這樣高級的關心。不過人家忙着趕火車，哪能想得周全！千怪萬怪，只怪自己傷了風，才走不動，才碰着吳書記，才住招待所，才把油繩的利潤用光，連本錢也蝕掉一塊多……那麼，帽子還買不買呢？他一狠心：買，不買還要倒楣的！所以離城時用盡全力，買了帽子，回來路上也不難過，因為終於有件事可以跟鄉親們吹吹了！你們坐過有彈簧的太師椅嗎？

這個短篇又獲全國短篇小說大獎，讀完令人感覺十分複雜，五味雜陳 —— 農民是這個社會的主人公，生活慾望竟如此卑微；幹部真心實意為人民服務，卻好心辦壞事，害了弱勢羣體；羞辱、損失又可以重新演變為光榮和幸運；而且在藝術上，我們看到了怎麼樣能用歌頌、歡快的筆調寫出沉重、淒涼的內容。

二十世紀中國小說除了一直以農民和知識分子為主要人物外，官員形象也從晚清延續到當代。如果說在晚清小說裏的官員形象大都負面（是社會腐敗的主要原因），五四小說有意無意「忽視」官員形象，那麼在 1942 年以後官員（幹部）形象重回小說舞臺則承擔雙重敘事功能，負面角色繼續負責社會腐敗，正面人物努力解救社會災難。在五十年代以後，當代文學中官員（幹部）形象又有兩個重要發展：一是好幹部或偶然或必然的逐步演變為講究權術世故的官僚主義者（如劉世吾等），二是一些幹部常常好心辦壞事，既關心農民又傷害農民——〈陳奐生上城〉就是第二類當代官員故事的一個早期樣本，後來余華《活着》、閻連科《受活》等名篇都延續高曉聲這一書寫策略，而且把這類「好心辦壞事」的幹部傳統寫得更具體更複雜。也因為官員（幹部）形象在當代中國故事裏的重要性，幹部與農民，幹部與知識分子，也就和知識分子與農民的關係一樣，是二十世紀中國小說的三大主題線索。梁生寶和書記們的激動握手，陳奐生上城跳「太師椅」等等，都可以從這條農民—幹部關係的文學線索上重新閱讀。

二十世紀中國小說史，不應該遺忘高曉聲。百年中國故事，也不可沒有李順大、陳奐生。沒有李順大、陳奐生的故事，前面的「三紅一創」，後面的《平凡的世界》和《古船》等等，都不大容易看得明白。

注

1　夏志清著、劉紹銘等譯：《中國現代小說史》（香港：中文大學出版社，2016年），頁17。

2　高曉聲：〈李順大造屋〉，《雨花》1979年第七期。以下小說引文同。

3　高曉聲：〈陳奐生上城〉首次發表於《人民文學》1980年第二期。以下小說引文同。

1979
〈百合花〉
〈剪輯錯了的故事〉
茹志鵑

「三紅」與「一創」的拼貼

在讀 1979 年的短篇〈剪輯錯了的故事〉之前，我們需要先讀茹志鵑 1958 年發表的〈百合花〉。兩篇都是她的代表作，一篇是「紅色經典」，抒情、崇高、純潔；一篇是反思文學，「意識流」、尖銳、犀利。放在一起重讀，頗能顯示「十七年」與「新時期文學」的複雜關係。

茹志鵑，杭州人，生於上海，家境貧困，十八歲跟隨哥哥參加新四軍，在文工團工作。她的背景和梁斌、柳青、曲波等人一樣：先參加革命，後從事創作。1947 年入黨，1955 年轉業，到《文藝月報》做編輯（即後來的《上海文學》）。八十年代，她是上海作協的副主席，當時主席是巴金。

一、〈百合花〉：三個人誰是主角？

〈百合花〉小說六千多字，寫了三個人物，都沒有名字。第一人稱敘事者，是文工團女幹部。前兩千字講通訊員帶「我」到前沿包紮所。「我」腳受傷，走不快，通訊員不時要停下來等。「我」觀察小通訊員是高挑的個子，塊頭不大，厚實實的肩膀，十分年輕、稚氣的圓臉，頂多十八歲。休息時問話，原來還是同鄉——浙江天目山人。再問他有沒有娶媳婦，通訊員飛紅了臉，走路沒出汗，說幾句話倒緊張得滿頭是汗。

中間一段寫前沿衞生站，為救傷病員向百姓借被子。「我」是女幹部，很快借到三條，可是小通訊員卻空手無收穫，嘴裏直怪老百姓死封建，好像跟甚麼人吵了架。「我」怕他得罪鄉親們，就去剛才碰壁的那家問情況。一個靜靜的院子，出來一個年輕媳婦，小說描寫「這媳婦長得很好看，高高的鼻樑，彎彎的眉，額前一溜蓬鬆鬆的瀏海。穿的雖是粗布，倒都是新的。」「我」向鄉親道歉，新媳婦也沒生氣，反而忍住笑，可能剛才跟小通訊員有點誤會，轉身進去抱了被子出來。一看，「我」就明白了她剛才為甚麼不肯借——這原來是一條裏外全新的新花被子，被面是假洋緞的，棗紅底，上面撒滿白色百合花。這是人家新婚被子，所以「我」把小通訊員批評了一頓：你看看，你還罵人家死封建，人家是新婚被子。

「新婚被子」在西方學院理論中，可能會被分析出「初夜」儀式等象徵含義。不過五十年代讀者純樸，否則小說不會入選中學教材。

小說第三部分寫「我」在包紮所救傷患，前方打仗，氣氛緊張，不斷有傷兵下來，新媳婦也在幫忙。到了半夜，又來了新傷患，擔架隊的人說，求求你們一定要救活他：「『這都是為了我們……』那個擔架員負罪地說道，『我們十多副擔架擠在一個小巷子裏，準備往前運動，這位同志走在我們後面，可誰知道狗日的反動派不知從哪個屋頂上撂下顆手榴彈來，手榴彈就在我們人縫裏冒着煙亂轉，這時這位同志叫我們快趴下，他自己就一下撲在那個東西上了……』」[1]

就在這時，新媳婦驚叫一聲——她看見這個新傷患就是小通訊員。可是小通訊員救不回來了。小說結尾，「衛生員讓人抬了一口棺材來，動手揭掉他身上的被子，要把他放進棺材去。新媳婦這時臉發白，劈手奪過被子，狠狠地瞪了他們一眼。自己動手把半條被子平展展地鋪在棺材底，半條蓋在他身上。衛生員為難地說：『被子……是借老百姓的。』『是我的——』她氣洶洶地嚷了半句，就扭過臉去。在月光下，我看見她眼裏晶瑩發亮，我也看見那條棗紅底色上灑滿白色百合花的被子，這象徵純潔與感情的花，蓋上了這位平常的、拖毛竹的青年人的臉。」

前面淡淡積蓄的抒情，就在最後這一筆爆發。〈百合花〉發表後，當時已經不寫小說的茅盾十分稱讚，說「〈百合花〉可以說是在結構上最細緻、嚴密，同時也是最富有節奏感的。它的人物描寫也有特點，是由淡而濃，好比一個人迎面而來，越近越看得清，最後，不但讓我們看清了他的外形，也看到了他的內心」。[2]

〈百合花〉體現了革命歷史小說在藝術技巧上的努力追求，不過在六十年代初，姚文元等人還是批評這篇小說沒有寫重大題材和英雄人物。

二、〈剪輯錯了的故事〉:「三紅」與「一創」的拼貼

回顧 1958 年的〈百合花〉，才能理解《人民文學》1979 年第二期發表的〈剪輯錯了的故事〉。小說第一段，〈拍大腿唱小調，但總有點寂寥〉，講的也是 1958 年。周圍的公社、大隊，前腳後腳都放出了畝產一萬二、一萬三千斤的高產衛星。這時甘木公社的甘書記在一大隊放一顆畝產一萬六千斤的大衛星。報告送到省裏、中央，當然風光，甘書記也升官為縣委副書記。

高產就是將十幾畝的稻子硬搬到一畝地裏。一時風光，「隨着高產，便來了個按產徵購」，接下來一大隊就要多交很多公糧。也是黨員的農民老壽（浙江話「壽」的諧音，就是有點傻乎乎的意思）想不通了，說這麼交糧以後，農民一天只有八兩（舊制八兩，等於半斤），不夠吃了。交糧時，他到縣委找甘書記。老壽還沒開口，甘書記就語重心長:「不是我一見面就批評你們。你們的眼光太淺了，整天盯着幾顆糧食。現在的形勢是一天等於二十年，要跑步進入共產主義的時候，一步差勁，就要落後。你們老同志更應該聽黨的話，想想過去戰爭年代，那時候，咱算過七大兩、八大兩嗎……」[3]

老壽想想 —— 甘書記的話句句在理，過去真的沒計較過七大兩、八大兩，為了將來能過上好日子，餓肚子也沒叫苦的。交糧以後，坐空車回村，老壽有點朦朧起來了。小說第二段，標題有點長，叫〈老甘不一定就是甘書記，也不一定就不是甘書記，不過老壽還是這個老壽〉。意思是「官」可能有變，「民」還是「民」。故事場景，突然從 1958 年回到了 1947 年冬天，這是一

個時空倒敘，或者說是整段拼貼的「意識流」，等於從《創業史》合作社的發展前景，突然回到《紅日》沂蒙山歲月。1947 年也正是茹志鵑在軍中入黨的年份。國共正在內戰，土改還沒開始。還鄉團領着一個團的國民黨兵到了鎮上，老壽就給老甘報了信，老甘要帶隊伍轉移，說之後再打回來。但是轉移要帶點糧食，老壽的老婆是個苦死累死也不討饒的女人，嘴裏發着牢騷，還是把家裏僅有的一袋高粱麵拿了出來，「摔到老壽懷裏，說道：『就這點高粱麵了，這天寒地凍，咱不吃，叫孩子也不吃？你看着辦吧！』『有難處，這不假啊！』老壽仍舊兩眼瞅着地上，說道：『可是我是個在黨的人。再說我們冷了，餓了，在家還能烤烤火，摘把野菜。老甘他們走出這麼遠去，還不知睡哪裏，吃甚麼呢！這不都是為了咱……』『唉！裝吧裝吧！囉嗦個啥！我才說了兩句，你就說了一大套，誰不知道革命就是為了咱窮老百姓呀！』」

全部高粱麵也只裝了三個乾糧袋，最後老壽兩公婆就把烙好的餅切成了條條，裝進了第四個乾糧袋，給老甘的時候還表示歉意，說三袋是高粱麵，一袋是做好的餅。老甘說：「老壽，你放心。哪裏有老百姓就餓不着咱們。你們這點心，我帶去防個急用。」然後，「老甘緊緊捏了捏老壽的手就走了」。

小說第三段，又回到 1958 年。老壽交糧後從縣裏回來，沒法向鄉親們交代，一頭鑽進梨園。原來今年梨是大年，「大夥兒可是指望着它，過冬的口糧，過年的新衣裳，都在這樹上長着呢」。老壽一邊用紙包住梨，防小蟲，一邊心裏又發愁：「他說不出，但總覺得現在的革命，不像過去那麼真刀真槍，幹部和老百姓的情分，也沒過去那樣實心實意。現在好像摻了假，革命有點像變戲法，畝產一萬二，一萬四，自己大隊變出了一個一萬六。為甚麼變戲法？變給誰看呢？……說起來也丟人，種地的人心裏都有數，可是裝得真像有那麼一回事，還一層層向上報喜。看來戲法還是變給上面看的，這，這革命為了誰呀！……」

老壽，一個普通農民黨員在果園包梨時的這段牢騷獨白，卻道出一個中國革命的關鍵問題：不僅是質疑革命如同變戲法，更重要的是戲法變給誰看？「還一層層向上報喜。看來戲法還是變給上面看的，這，這革命為了誰呀！……」看來老壽，還有茹志鵑，相信革命應該為了老百姓，幹部眼睛理應向下，看到艱難「活着」的人民。而老甘，還有其他官員，卻一層層向上看，表面上相信上面代表更廣大人民，實際上可能是趨利避害或習慣使然。

我們這時才意識到〈百合花〉的主題，既不只是敍事者的細膩的女性視角，也不僅是歌頌戰士勇敢或感激百姓奉獻，〈百合花〉的核心，就是民眾與革命的關係，一種能用「新婚被子」來象徵來紀念的抒情關係。〈剪輯錯了的故事〉延伸着這一主題，將《紅旗譜》、《紅日》歌頌的民眾與革命關係，放在《創業史》合作社及大躍進時間背景下（用高曉聲的白描法）比較拷問。「三紅」與「一創」的剪輯拼貼並置，製造了 1979 年反思文學的深刻。

「顛倒了，倒過來了……」老壽捏着早已熄滅的旱煙杆，喃喃着。這不，做工作不是真正為了老百姓，反要老百姓花了功夫，變着法兒讓領導聽着開心，看着滿意。老百姓高興不高興，沒人問了。老壽一想到這裏，心裏頓時害怕起來，嚇得手腳都涼了。可不得了，咱這不是有點反領導的意思了嗎？……甘書記勸我要聽黨的話，難道自己真的跟黨有了二心？「殺了頭也不能有這個心啊！」老壽陡地站了起來，當即離了窩棚，當即走出梨園，當即找到支部書記老韓的家裏，他要原原本本，向黨反映自己的思想。

老壽去找村支書老韓，不料甘書記也在。老壽還沒檢討，老韓已經尷尬地傳達了甘書記的最新指示：以糧為綱，砍掉梨園。

「毀了！這下全毀了！」老壽腿一軟，坐到了地上。他恨不得在地上打滾，可是他連打滾的力氣都沒了。老韓說：「這事是上面有文的。」老壽說：「上面的文也得聽聽老百姓的。」老壽真的急了。

接下來第四段，〈「大地啊！母親」不是詩人創造的〉。時間又回到 1949 年，淮海戰役，百萬大軍捷報頻傳，老壽見到了副區長老甘，不敢認了，老甘「瘦落了形，眼窩塌下去了，腮幫子凹下去了，一臉黑茬茬的絡腮鬍子，圍着一張乾裂的嘴，裂開的血口子都發了黑」。甘區長一進門就召集開會，動員鄉親，部隊要柴草。老壽很不含糊，就把自己家門口六棵棗樹全部砍了，合成七擔柴。老甘緊緊捏着老壽的膀子，眼裏轉着淚花，說：「將來我們點燈不用油，耕地不用牛，當然也有各種各樣的果園。不過現在，你還是留兩棵給孩子們解解饞吧！」說話間，鄉親們挑的挑，扛的扛，都來了。大木櫃，石榴樹，舊水車，洋槐樹，一個老大爺帶了兩個孩子，抬來了一副板，老大爺擠到老甘面前說：「咱沒樹，我有副壽材板，可行？」老甘沒有說話，他環顧着大家，又仔細地看着一件件的東西，最後說道：「老少爺們，革命的衣食父母，你們對革命的貢獻，黨是不會忘記的。」

第五段，還是 1958 年，題目是〈一味的梨呀！梨呀！哪像個革命的樣子〉。甘書記下來蹲點，帶人要砍梨園，老壽求他們：「再等二十天，只要二十天，梨熟了再砍，啊？等梨下來了就砍，啊？麥子先下在樹行間，不耽誤啊！」「不行！」甘書記面容嚴肅，說道：「我們現在不是鬧生產，這是鬧革命！需要的時候，命都要豁上，你還是梨呀，梨呀！還是一個黨員，像話嗎？」

「不是鬧生產，是鬧革命」，這句話我們在梁生寶和楊書記那裏也聽過，當時的困惑：到底是為了革命而打糧食，還是為了打糧食而革命？

老壽執迷不悟，最後被「搬了石頭」（撤銷生產隊隊委、梨園負責人的職務）。甘書記卻搖頭歎惜道：「可見這場革命考人。他要向右倒，想拉也拉不住啊！」

小說第一、三、五段，就是《創業史》以後的背景 —— 人民公社、大躍進；第二、四段，寫的是「三紅」，尤其是《紅日》當中的軍民魚水情。把《創業史》和「三紅」剪輯在一起，居然就有了這麼多時空錯亂、因果顛倒的歷史畫面。既是革命主體的「意識流」反思中國道路，也是農民集體記憶對戰爭往事的神奇穿越。小說最後第六段從現實主義走向魔幻，出現了一場虛構的反侵略戰爭。老壽又在找老甘，「告辭了鄉親，直往西邊的大山奔去。山哪！好高哦！老壽卻頭也不抬，只顧一步一步往上攀」。一片蒼茫大地，到哪裏去找老甘呢？「老甘哪！回來呀！咱有話對你說，咱有事跟你商量！」「回來呀！跟咱同患難的人！回來呀！為咱受煎熬的人！回來啊！咱們黨的光榮！回來啊！咱們勝利的保證！」老壽嘶聲地喊着……

這是民眾對黨的呼喚，也是茹志娟對她 1947 年入黨信念的「不忘初心」。可是老甘聽不見，沒找到。老壽回到村裏，糧倉中彈，打仗了，附近又有敵人的傘兵。就在這時老甘回來了，老壽反而不接受領導了，有文也不聽，不給吃的，周圍又響起了槍聲。

第七段——〈這不是結尾〉。又是 1958 年，鄉親們在慶祝煉出了鋼鐵，老壽顫巍巍地走出村去。小說最後一句是「結尾於一九七九年元月，老壽老甘重逢之時，互訴衷腸之際」。

三、「自家人」的反思

茹志鵑的小說提出這樣一個尖銳的問題：1947 年的軍民血肉關係怎麼會演變成 1958 年的幹羣緊張矛盾？這篇小說的技巧看似簡單，將「三紅」和「一創」穿越並置——看運濤、江濤、沈振新、許雲峰的浴血奮戰，如何走向梁三老漢，老壽和李順大的農村生活？可以說，材料都是別人的，茹志鵑憑她 1947 年的入黨信念，依據 1958 年寫〈百合花〉的忠誠敏感，將這些文學／現實材料重新剪輯、拼貼，就使人們不僅看到幾十年的傷痕，也使人們反思這些傷痕是怎麼來的。

這裏的兩個「人們」，有微妙的區別。傷痕是他人造成，反思卻是自己有責。「傷痕文學」作為七十年代末的一種文學現象，以〈班主任〉、〈傷痕〉為代表，一開始就引來爭議。因為幾十年來習慣了文學必然歌頌，只能歡笑，突然要寫悲劇，可以哭泣，這就形成了當代文學的一個轉折。「傷痕文學」這個概念是旅美華裔學者許芥昱「在美國加州三藩市州立大學中共文學討論會的講話」最早使用。以一部藝術成就不高的小說篇名，概括一個時期的文學趨勢。對「傷痕文學」可有狹義和廣義的理解，狹義的「傷痕文學」，特指七十年代末一些以批判災難後果、控訴人民生活苦難的作品。除了〈班主任〉、〈傷痕〉，還有宗福先的《於無聲處》、古華的《芙蓉鎮》、張賢亮的〈靈與肉〉、宗璞的〈我是誰〉、馮驥才的〈啊！〉、從維熙的〈大牆下的紅玉蘭〉、莫應豐的《將軍吟》、戴厚英的《人啊，人！》等等。廣義的「傷痕文學」，海外學界使用較多，大致包括 1978 至 1985 年間的文學，也稱之為「解凍文學」、「暴露文學」，即包括所謂「反思文學」。

「傷痕文學」和「反思文學」確有微妙的區別。第一，除了在概念名稱上，「傷痕」寫病痛、症狀；「反思」查病因、後遺症。第二，「傷痕文學」側重農民、學生受害角度；「反思文學」有些官員幹部的檢討懺悔成分。兩類文學的共通點，就是高曉聲〈李順大造屋〉當中一句插話——「自家人拆爛污，說多了也沒意思」。「自家人」立場十分重要。〈剪輯錯了的故事〉就是典型的以自己人的態度，來檢討 1958 年和 1947 年的時代關係。茹志鵑既寫了經得起考驗的紅色經典，又在文革後留下「反思文學」的尖銳批判。這是一個跨越兩個歷史時期的作家，這是一位「穿着軍裝走進新時代的女戰士」。後來，她的女兒王安憶走得更遠了。王安憶最近有篇回憶她母親的文章，標題是〈他們的人性比我們深刻得多……〉。[4]

注

1 茹志鵑：〈百合花〉，《延河》，1958 年第三期。以下引文同。

2 茅盾：〈談最近的短篇小說〉，《人民文學》，1958 年第六期。

3 茹志鵑：〈剪輯錯了的故事〉，《人民文學》，1979 年第二期。以下引文同。

4 子張：〈「他們的人性比我們深刻得多……」── 王安憶說母親茹志鵑〉，《文滙報》（上海），2019 年 11 月 21 日。

1979

〈愛，是不能忘記的〉 張潔

〈揮不斷的紅絲線〉 張弦

七十年代末的愛情小說

隔了大約二、三十年的空白，終於，愛情故事重新出現在中國小說之中。其標誌是發表於《北京文學》1979 年第十一期上的張潔短篇〈愛，是不能忘記的〉。

五十年代也有小說寫愛情，代表作如《青春之歌》，戀愛對象不僅是異性，主要是革命。《創業史》女主角改霞，戀愛也是政治標準第一，非黨員不嫁。這種「戀愛革命」的故事「十年」之中也不見了。樣板戲中，《智取威虎山》裏少劍波的主角地位及愛情線索都消失了。《沙家浜》中阿慶嫂可能與幾個男人都有「戲」，但決不能是「情戲」（阿慶也不知在哪裏）。本來《白毛女》頗有點暗合傳統的王子拯救落難仙女的古典芭蕾情節模式，但解說詞特意說明：大春和喜兒產生了深厚的階級感情……

禁慾太久導致讀者市場饑荒，一度愛情兩字要在標題上包裝。1978 年劉心武的〈愛情的位置〉，收到很多讀者來信。具有轟動社會效應且可以進入文學史的是張潔的〈愛，是不能忘記的〉和張弦的〈被愛情遺忘的角落〉。這一時期書寫愛情小說頗有成就的還有張抗抗（〈北極光〉）、張辛欣（〈在同一地平線上〉）……（寫愛情小說的作家大都姓張，當然只是巧合。之後我們還會看到，張賢亮、張承志、張瑋等男作家怎麼書寫不同的中國愛情故事。）

一、〈愛，是不能忘記的〉

〈愛，是不能忘記的〉的第一人稱敘事者是個三十歲還在猶豫是否結婚的都市女性，男友據說很帥，像希臘雕塑擲鐵餅者，有顏值有體型，但是很少說話，不知道是不愛說話，還是無話可說。女主角問他：你為甚麼愛我？男友掙扎了很久，憋了一句說：因為你好。女的不大滿意，想起母親去世時的遺言：「我看你就是獨身生活下去，也比糊裏糊塗地嫁出去要好得多」。

她母親很早就離婚了，前夫也很帥，但年輕時大家不知道自己要甚麼，所以是個錯誤的婚姻。母親說：「我只能是一個痛苦的理想主義者。」之後她母親其實也愛過一個人，最後留下一本筆記本，題字「愛，是不能忘記的」，零星雜亂地記錄了敘事者母親一生的苦戀。苦戀對象是一位高幹。有次聽音樂會，小姑娘偶然見過：「一輛黑色的小轎車悄無聲息地停在人行道旁邊。從車上走下來一個滿頭白髮、穿着一套黑色毛呢中山裝的、上了年紀的男人。那頭白髮生得堂皇而又氣派！他給人一種嚴謹的、一絲不苟的、脫俗的、明澄得像水晶一樣的印象。特別是他的眼睛，十分冷峻地閃着寒光，當他急速地瞥向甚麼東西的時候，會讓人聯想起閃電或是舞動着的劍影。要使這樣一對冰冷的眼睛充滿柔情，那必定得是特別強大的愛情，而且得為了一個確實值得愛的女人才行。」[1]

象徵「特別強大的愛情」的，就是高幹送給母親的一套幾十本《契訶夫全集》，女人一生視為最珍貴的禮物，臨死都要求跟她一起燒掉。母親和這個高幹，幾十年在一起的時間不超過二十四小時。音樂會之前，高幹跟小女孩握過手，小女孩和她母親兩個人的手都冰涼發抖。母親是個作家，喜歡雙簧管，女兒說她長得不漂亮 —— 張潔小說裏，顏值不是重要因素。

高幹以前做地下工作，娶了一位因為救他而犧牲的老工人的女兒，所以他的家庭婚姻捆綁着政治道德，無法改變。而迷戀他的「母親」，「為了看一眼他乘的那輛小車、以及從汽車的後窗裏看一眼他的後腦勺，她怎樣煞費苦心地計算過他上下班可能經過那條馬路的時間；每當他在臺上做報告，她坐在台下，隔着距離、煙霧、昏暗的燈光，竄動的人頭，看着他那模糊不清的面孔，她便覺得心裏好像有甚麼東西凝固了，淚水會不由地充滿她的眼眶。為了把自己的淚水瞞住別人，她使勁地咽下它們。逢到他咳嗽得講不下去，她就會揪心地想到為甚麼沒人阻止他吸煙？擔心他又會犯了氣管炎。她不明白為甚麼他離她那麼近而又那麼遙遠？」

這些心理細節寫得十分細膩真實，或者真有其事？我們唯讀文本，不談作者。可是，難得在機關大院裏碰了面，他們又在竭力地躲避着對方，匆匆地點個頭便趕緊地走開去……她一定死死地掙扎過，因為她寫道：「我們曾經相約：讓我們互相忘記。可是我欺騙了你，我沒有忘記。我想，你也同樣沒有忘記。我們不過是在互相欺騙着，把我們的苦楚深深地隱藏着。」

女兒後來想起，「每每母親從外地出差回來，她從不讓我去車站接她，她一定願意自己孤零零地站在月臺上，享受他去接她的那種幻覺。她，頭髮都白了的、可憐的媽媽，簡直就像個癡情的女孩子。」

女孩子可以唱《On My Own》(音樂劇《悲慘世界》(*Les Misérables*) 插曲)，美夢之後告訴自己一切都是幻覺。可這已是一個頭髮花白的母親，這樣苦戀幾十年，是否只是一廂情願？這是不幸，還是幸福？

關鍵是高幹心裏怎麼想？他有沒有想過要不惜代價掙脫政治和道德束縛？或者他也和女人一樣銘心刻骨地苦戀，而無法擺脫家庭（長期精神出軌）？又或者他只是喜歡、享受有人崇拜他，有人愛他（在政治前途與家庭穩定之外的一種精神補償）？我們再推想，假如女兒有能力、有機會去偵探高幹的私生活和隱秘心思，她要不要、該不該去了解那些真相？她應不應該去提醒她的母親？或者再說下去，一個人的愛與回報有多大關係？

小說裏，高幹在 1969 年死於非命，因為得罪了當時的理論權威（或指張春橋、姚文元)，女人自覺為他戴了黑紗。年近五十，頭髮突然全白，之後她在筆記本裏記載：「我獨自一人，走在我們唯一一次曾經一同走過的那條柏油小路上。聽着我一個人的腳步聲在沉寂的夜色裏響着、響着……我每每在這小路上徘徊、流連，那一次也沒有像現在這樣使我肝腸寸斷。那時，你雖然也不在我身邊，但我知道，你還在這個世界上，我便覺得你在伴隨着我，而今，你的的確確不在了，我真不能相信！我走到了小路的盡頭，又折回去，重新開始，再走一遍。……除了我們自己，大概這個世界上沒有一個活着的人會相信我們連手也沒有握過一次！更不要說到其它！」

1992 年，在〈愛，是不能忘記的〉發表十幾年後，美國作家羅伯特・詹姆斯・沃勒（Robert James Waller）發表中篇小說《廊橋遺夢》（*The Bridges of Madison County*），後來改編成英文同名電影（中文名為《麥迪遜之橋》）。奇連・伊士活（Clint Eastwood）做導演，而且和梅麗・史翠普（Meryl Streep）兩個人主演，情節非常像張潔的小說。男女主角見面只有四天，然後終生苦戀。故事也是從下一代的角度，子女找遺物時一步步發現，伴隨下一代對上一代苦戀方式的評價。

不同的是，《廊橋遺夢》男女主角至少還有過一夜情，有過四天銘心刻骨，而〈愛，是不能忘記的〉連手都沒有握過，男主角到底是情聖還是……最後讀者也只看到一張模糊不清的面孔。

張潔這個短篇在七十年代末引起強烈的社會反響，既因為標題上開宗明義呼喚「愛」，強調了婚姻、家庭、人生都不能沒有「愛」，也因為小說中，家庭和愛情處在矛盾對立狀態。曾因批判胡適而出名的評論家李希凡提出疑問：「我們的法律、道德、輿論，究竟應當怎樣對待這種『呼喚』與『被呼喚』的愛侶們呢？」[2]

小說中這一句是整篇的高潮：「我是一個信仰唯物主義的人。現在我卻希冀着天國，倘若真有所謂天國，我知道，你一定在那裏等待着我。」李希凡說：「我們只能勸慰那些已經不該相互呼喚愛情的相互呼喚者，如果因此而會影響到一個不應該被背棄的人的生活，那麼，還是傾聽一下這樣的『道德』呼喚，而割捨我們的那種愛情『呼喚』吧！因為『倘若真有所謂天國』，我們也得去見馬克思，我們不能背棄革命的道德，革命的情誼！」[3]

當初小說裏高幹大概也是提早就聽到了李希凡的警告，所以最終都堅持着革命道德去見馬克思。張潔後來寫過不少作品，中篇〈方舟〉分析女性命運，更加複雜。長篇《沉重的翅膀》、《無字》則是全方位解剖社會的寫實小說，兩次獲茅盾文學獎，是獲獎最多的作家之一。

二、〈掙不斷的紅絲線〉

張弦原名張新華，五十年代就開始創作。最出名的小說是〈被愛情遺忘的角落〉，自己改編成電影，獲得金雞獎編劇獎。之前有個短篇〈記憶〉，講放映員一時疏忽，倒放了有領袖形象的影片，因此獲罪，小說獲當時的全國優秀短篇獎。〈掙不斷的紅絲線〉和〈愛，是不能忘記的〉有些相似，都寫女性知識分子和老革命幹部的感情關係，但是小說的格局、意旨、主題、技巧完全不同。

小說一開始寫轎車別墅，都是身分的象徵：「司機輕輕地一按喇叭，莊嚴的鐵門打開了。於是，車輪就沙沙地滾動在兩旁有整齊的冬青的、潔淨的水泥路面上。繞過花壇，在一座精巧的小樓前，轎車停了下來。這小樓同相鄰的幾幢一樣，深隱在法國梧桐的濃蔭之中。月光在它褐色的牆和紅色的尖頂上，投下昏黃的斑點。」[4]

這麼隆重的開場，原來只是引子。女主角傅玉潔，下了車進洋房，見到了二十多年沒見的馬大姐，一個擁抱，故事就回到戰爭年代。少女時代傅玉潔無憂無慮，剛離開教會女中就被火熱的學生運動吸引，迎接解放軍進城，三百人大合唱《解放軍的天是明朗的天》。她寫信通知做銀行襄理的父親，「我要走自己的路！！！」，然後報名參軍，加入部隊文工團。演出辛苦，紀律批評，傅玉潔都不介意，只是有一件事讓她為難：組織股長馬秀花找到她，說齊副師長「相中了」她。十七歲的小傅一呆，嚇哭了。

「嗨！哭個啥？革命軍人嘛……難為情？怕醜？嗨，這光明正大的事嘛！」馬股長很嚴肅地幫她分析——「老齊作戰勇敢、堅決，立過兩次二等功——這你是知道的。今年三十三歲，年紀是大了點。可你想想，他二十歲上就參加了部隊，打鬼子，打老蔣，把青春都獻給革命啦！咱還能嫌人家老嘛？嫌他沒文化，就更不應啦！舊社會唸得起書的都是啥出身？他沒文化，正說明苦大仇深，立場堅定……」小傅的頭垂到胸前，兩手搓揉着手絹。「嫌老齊長相不俊？小傅，對這個問題，也要有正確的觀點。甚麼美，甚麼醜，不同階級有不同的看法。他臉黑，那是風吹的，日頭曬的，戰火硝煙熏的！咱無產階級看來，就是美！那些地主、資本家用勞苦大眾的血汗養得白白胖胖的，才最醜不過的啦！……小傅，我知道你們知識分子，講究個甚麼愛呀情呀的，其實呀，都是些小資產階級的調調兒！毛主席早就講過，世上沒有無緣無故的愛。一個人愛誰，恨啥，都是他的立場、觀點所決定的……」

傅玉潔跑回宿舍，蒙着被子哭。想想齊副師長真是好領導，她就是無法想像跟他摟抱，貼着面頰。她覺得自己思想感情有問題，就和同房女生汪婉芬商量，汪說，你不妨接觸一下。於是就在齊副師長辦公室見了一次面，半個小時，男的就說兩句話——「小傅，咱們都是革命同志，對我有甚麼意見可以提嘛！」「你有甚麼看法和要求，大膽地講嘛！」

後來王安憶中篇〈小城之戀〉，寫兩個文工團員陷入性愛肉搏戰了，但是口頭表達第一句也是：「你對我有甚麼意見」？顯示在愛情領域，時代特徵一度就是集體失語：會做，不會說。

同房汪婉芬聽說小傅談得很好，就說願她成功，「否則馬股長就要找我了」。這個消息使小傅十分不快（這麼容易就被替代）。加上文工團裏有個中文系畢業的蘇駿，說領導老批小資產階級思想，可是老革命自己又不找農村姑娘，偏找小資產階級小姐，為甚麼呢？這句也給了小傅拒絕的理由和勇氣。整個過程寫得比較婉轉，也不傷感情。

之後傅玉潔退伍當了老師，嫁給了轉業做編輯的蘇駿。這個時期他們在一起的生活，周圍就是貝多芬、舒曼、遊艇、園林。「大雪紛飛的假日，如果沒有賞梅的豪興，便圍着炭盆，一個用渾厚的低音朗誦《葉甫蓋尼・奧涅金》，另一個織着毛衣，不時發出柔聲的歎息。」

過了幾年，蘇駿戴上了右派帽子，傅玉潔開始並沒有灰心，她期盼丈夫總有「摘帽」的一天。而且他們還有女兒叫左英，因為他爸爸恨死了「右」字了，所以給女兒起名叫左英。「大躍進」時，傅玉潔對前景還抱着希望，但是「摘帽」以後的蘇駿卻讓傅玉潔徹底失望了。他不能再當老師了，只能做雜務。他修長的身材佝僂了；眼睛裏再沒有笑意和神采，變得憂鬱而迷茫；瀟灑的風度不見了，開朗的性格不見了，精闢而風趣的言談不見了。他按時聽中央台的新聞廣播，專注地看省報社論。擔心地尋找着有甚麼搞運動的跡象。任何風吹草動，丈夫就非常驚慌。家裏要聽個唱片，他也要關起門來，並且轉換成革命歌曲。更讓傅玉潔受不了的是，學校副書記的兒子打了左英，蘇駿還給人家去賠不是。

傅玉潔的工作倒很有成績，受人尊敬，可是丈夫在外拖煤球，在家裏喝酒，還說要自殺。傅玉潔一氣之下說那我們分手，丈夫就跪在她面前請求寬恕。小說寫：正是這一跪，把傅玉潔對丈夫的最後一點眷戀擊碎了。大概打她一個耳光，也好過下跪……當然這種細節，也和「地域文化」有關，在有的地方打個耳光就把人打跑了，下跪可能管用；在有的地方打個耳光管用，下跪反而把女人給跪走了。總之文革來臨時，他們離婚了。

離婚以後有個工宣隊隊長，老纏着傅玉潔，要她去當秘書。拒絕以後，她的房子就被強佔了。所以等到接到馬秀花（現在市委書記的太太）電話時，傅玉潔在學校裏也是每天打雜，整日受氣，做總務管理。

現在又回到小說開篇的洋樓，原來這是市委領導的家。主人馬秀花就怪小傅，你當初就走錯一步啊！後來小汪（汪婉芬）嫁了齊副師長，這些年一直幸福，一直升到副師級了。

傅玉潔無語。

「可是真不幸，小汪得了白血病，頂多還有一個月。」轉了半天，才回到正題，馬秀花說老齊也到這個城市來做市長了——「小傅，老齊一直惦記着你哪……他可關心人啦……」她的眼光意味深長地注視着傅玉潔，「這樣吧，你去洗個澡，回頭咱們在我房間裏再細細地聊！」

浴室很漂亮，白瓷磚一塵不染，牆上有大鏡子，空氣中充滿了香味。張弦安排飽經生活與愛情磨難的女主角在這裏入浴，別有用意。「她不敢看鏡子裏自己的裸露的身子，趕快跳進寬闊的浴盆，溫暖的水浸泡着她的全身，蓮蓬頭沖刷着她的頭髮，每一個毛孔都沉醉在這奇妙無比的享受之中……啊，平時到女浴室去洗澡，是怎樣的情景啊？排着長隊等了又等，然後在鬧哄哄的、散發出陰溝氣味的淋浴間裏，噴到身上的水時冷時熱，說不定會突然中斷……」

她明白了馬秀花要和她說甚麼，莫非又要重演當年那熱心的安排……哦，如果真是這樣，如果真能成功，那麼我的一切苦難、一切厄運，一切窘境和煩惱，不就頃刻之間雪解冰消了嗎……

她向鏡子裏的女人偷偷地瞄了一眼。健康的膚色，勻稱的線條……哦，青春尚未完全消逝，她還應該有權利去重新開始生活！

讀者替她算一算，當年十七歲，二十幾年後，現在四十出頭，完全可以風韻猶存、性感動人。事實果真如此發展了，她和老齊低調結婚。那天夜裏，老齊說：

「婚姻是前生注定的，月下老人在上一輩子就用紅絲線拴好了。小傅，咱們倆不也早就拴上紅絲線了嗎？」

「是的，那是根掙不斷的紅絲線！」

紅絲線固然代表傳統因緣，但紅色是否也象徵某種政治因素？張潔和張弦兩部小說，結束了二、三十年的空白，重新把愛情作為文學主題。但弔詭的是，兩位追求戀愛自由的女主角，她們的對象卻都是老幹部，貌似延續着《青春之歌》戀愛革命的模式？好像都在「戀愛革命」，林道靜是一個革命戀人犧牲了，再愛一個他的同志，張潔的主人公是苦戀已婚高幹而不成，張弦的女主角則是想逃離高幹權勢而不得。《青春之歌》的戀愛對象是革命。〈愛，是不能忘記的〉和〈掙不斷的紅絲線〉則寫戀愛與革命（道德或權勢）之間的矛盾。但是無論如何，令人驚訝的是，愛情故事始終和革命和權力有關。

張潔筆下的老幹部嚴肅、令人尊敬，張弦筆下的齊師長（齊市長）隨和、鍥而不捨，他們之間的主要差別是一套《契可夫全集》。將幹部（官員）看不看文學書，作為衡量其境界、價值的主要標準，這種寫法在之前和以後的中國小說裏常常出現，也是人文知識分子的一種一廂情願的自戀。

張弦小說結尾處，女兒左英來信說，要回到父親那裏，「我要走自己的路」，下面打着三個驚嘆號，這就是傅玉潔的當年了。從小說發表又過了幾十年了，現在她的女兒左英不知怎麼樣了，會不會也後悔她自己走的路？她的掙不斷的「紅絲線」，又是甚麼呢？

注

1　張潔：〈愛，是不能忘記的〉，《北京文學》1979 年第十一期。以下小說引文同。

2　李希凡：〈「倘若真有所謂天國……」〉，《文藝報》1980 年 5 月。

3　同注 2。

4　張弦：〈掙不斷的紅絲線〉，《上海文學》1981 年 6 月號。以下小說引文同。

1979 〈喬廠長上任記〉 蔣子龍

改革文學與官場鬥爭

蔣子龍的小說〈喬廠長上任記〉，在當代文學史敘述中被視為「改革文學」的代表作。在整個重讀二十世紀中國小說的過程中，我們可能會錯過很多小說，尤其九十年代以後，有不少作品無論藝術品質或者內容深度都不在〈喬廠長上任記〉之下，但為甚麼一定要讀這篇小說？至少三個理由：

第一，這個中篇發表於《人民文學》1979 年第七期，和盧新華、高曉聲、茹志鵑等人的小說幾乎是同一時段出現 —— 也就是說新時期文學中所謂的「傷痕文學」、「反思文學」、「改革文學」，並不是一個遞進的邏輯發展，而是差不多同時出現，見證七十年代末當代文學的多元方向。第二，如果純粹着眼於藝術性，我們可能會先讀林斤瀾、宗璞、馮驥才、陳村、蘇童、阿來等等，但是〈喬廠長上任記〉無論作為罕見的城市工業題材，還是「改革文學」的代表，在「中國故事」裏都是不可或缺的一環。而且，這篇小說還描寫新時期的官場鬥爭。第三，在 2019 年人民大會堂慶祝改革開放的大會上，四十年間一共只表彰了兩位作家，一位是已經去世的路遙，另外一位就是〈喬廠長上任記〉的作者蔣子龍。

一、從第四次文代會到劇本創作座談會

七十年來作協有兩次會議最為重要。一次是1949年建立文聯，第二次是1979年秋天的第四次文代會。據與會者回憶，鄧小平在報告中講：作家想寫甚麼就寫甚麼，想怎麼寫就怎麼寫，不要横加干涉。說到這裏，全場爆發經久不息的雷鳴般的掌聲。華東師大老教授許傑、徐中玉等開會回來十分激動，一再轉述「不要横加干涉」這句話。經歷了反右、「文革」幾十年劫難的老知識分子，由衷地相信鄧小平的聲音，真心覺得進入了新時期。

也在第四次文代會上，周揚向一些「右派作家」——丁玲、艾青、蕭軍、王蒙等等道歉，可是回應並不強烈。主持第四次文代會的還是茅盾。剛剛發表了〈喬廠長上任記〉的蔣子龍在會議上是大家矚目的新人。

現在回頭看，從1977年底〈班主任〉發表，到1980年2月北京召開「劇本創作座談會」，這兩、三年間是作家、政府和民眾關係最和諧的一個特殊時期。

作家要解放思想，政府要撥亂反正，民眾要改革開放。二十世紀中國文學從來沒有出現過文學、政治與大眾三者這麼密切合作的一個時期。比如〈李順大造屋〉，作家在為農民申訴，政府在檢討農村政策，民眾也找到了苦難記憶共鳴。在某種意義上，這真正是文藝為工農兵服務。作家出於真心，寫自己血肉

經歷。〈剪輯錯了的故事〉的作者1947年參加革命，赤膽忠心，因為堅信黨必須為老百姓服務，所以才對1958年的情況痛心疾首。第四次文代會和鄧小平的「不橫加干涉」的說法，記錄了這一個文學、政治與民眾的黃金蜜月期。

當然，換個角度看，作家的個人政見如果與官方意識形態或者與大眾審美要求中間有矛盾分歧，也很正常。從古至今，許多偉大的作品就是在這種矛盾關係當中產生的。所以1980年2月的「劇本創作座談會」就構成了一個轉折。胡耀邦在會上講話，提出了「社會效果說」。劇本創作座談會後不久，北京召開了紀念魯迅百年誕辰大會，我在人民大會堂親眼目睹胡耀邦總書記激情洋溢的講話。「社會效果」說，意思是作品可能有些越界，但作家動機是好的。或者倒過來說，單有好動機還不夠，還要注意效果，這是委婉的批評。當時被點名批評的小說有寫將軍和女護士關係的〈飛天〉。有寫知青為了回城，不擇手段走後門，甚至出賣身體的徐明旭的〈調動〉。小說裏的名言，幹部說「研究研究」，就是「煙酒煙酒」。(與時俱進，現在「煙酒」也不管用。)劇本《在社會檔案裏》，也涉及幹部子弟，比較敏感。沙葉新劇本《假如我是真的》，根據真實案例。一個北方來的年輕人，說自己是李達大將的兒子，在上海受到各級幹部的歡迎，一直到市委領導。最後騙子被抓時，說「假如我是真的呢？」問題非常尖銳。

這幾部作品是「文革」以後第一批被批判的作品。「社會效果說」使得作家們忽然明白，文學與政治與大眾的矛盾關係是常態，一直需要調整磨合，也一直會有衝突或者妥協。「劇本創作座談會」以後，中國作家的寫作策略出現了大致三個方向的分化：一是繼續「為政治的文學」，以筆為槍，堅持表達自己的政治信念。比如劉賓雁的報告文學，戴厚英長篇《人啊，人！》、白樺劇本《苦戀》等。被批判的效果卻和五、六十年代不同。以前受批判者痛苦動搖，八十年代受批判後，知名度和批判程度成正比。二是「為人生的文學」。用很多不同寫法——意識流、幽默反諷、變換敘事方法等等，首先追求文學性，反思過去，正視現實。王蒙、張賢亮、茹志鵑，還有年輕一代的韓少功、張煒、張承志等都大致上使用這種寫作策略。第三個方向，仍借用五四的說法，「為藝術的藝術」，貌似主要關心怎麼寫，而不大關心寫甚麼，也不大在乎文學和社會、政治的關係。比如說汪曾祺、史鐵生、阿城、早期的余華等等。

當然三者之間的界限不一定分明，常常被評論混淆，或者作家主動混淆。

二、〈喬廠長上任記〉:「以筆當槍」的代表

回顧時代背景，〈喬廠長上任記〉其實是上述第一類「以筆為槍」當中罕見的成功範例。這類作品，很多都被批評，蔣子龍之所以成功，因為小說既呼應政府提倡的政治改革，也抒發作家自己的政治觀念——正好也是改革。仔細閱讀，小說主人公其實是以「前三十年」的革命邏輯來從事後來的改革開放事業。或者說，是以「十七年」的文學方法來書寫新時期的中國故事。

晚清寫官場，都是幕後交易。從〈華威先生〉以後，當代小

說中的官場故事則主要是開會，或者說從開會寫起，〈喬廠長上任記〉一開始是機電局黨委會，「四人幫」倒臺兩年，1978 年已經過了六個月了，電機廠兩年六個月沒有完成任務。

「日本日立公司電機廠，五千五百人，年產一千百萬千瓦：咱們廠，八千九百人，年產一百二十萬千瓦。」生產落後，電廠是老大難。黨委會開會，討論派誰去當廠長？這時機電局電器公司的經理喬光樸自告奮勇。公司經理是個肥缺，工作輕鬆，所以喬光樸要去電廠，大家都很驚訝。而且他立下軍令狀，「我去後如果電機廠仍不能完成國家計劃，我請求撤銷我黨內外一切職務」。[1] 這個舉動讓黨委會上的眾人吃驚。

喬光樸這時候已經五十三歲了，小說寫他「這是一張有着礦石般顏色和獵人般粗獷特徵的臉：石岸般突出的眉弓，餓虎般深藏的雙眼；顴骨略高的雙頰，肌厚肉重的闊臉；這一切簡直就是力量的化身」。

「十七年小說」的讀者都知道，凡這樣的面容長相，一定是正面英雄人物。他的行動也是如此，用一種革命精神去從事經濟生產，用軍事術語來從事政治活動。「軍令狀」、「第一炮」、「爆炸了一顆手榴彈」、「要完成任務」等等話語，講的其實是發電。

喬光樸當廠長有個條件，就是要已經在養雞餵鴨的退休幹部石敢來擔任黨委書記。任命其實還沒提出，他已經違反程序，私下通知石敢，叫他趕到黨委會，然後當面要叫他接受。1958 年喬光樸留蘇回國，做過重型電機廠廠長，石敢當時是黨委書記。兩人「文革」當中一起挨鬥時，喬廠長肚子裏邊暗唱京戲，渡過了次次難關。石敢摔下批鬥台，自己咬斷了半條舌頭。在喬光樸的熱情鼓舞下，號稱身體思想都已經殘廢了的石敢居然也同意再次出山。總之，廠長職務調動，被描寫成大膽的革命姿態、突然的軍事行動，甚至有點像英雄入世、大俠出山。

以革命軍事術語描寫工業經濟活動當然並非蔣子龍個人愛好，以政治、戰爭語言指揮民眾日常生產生活也是某種時代特徵，甚至也是具有巨大社會動員能力的政經融合軍民一體的某種體制特點。所以喬廠長的故事很有代表性。

喬光樸 1957 年留蘇時認識女留學生童貞。童貞回國後也在電機廠，但當時喬光樸已婚，童貞的外甥郗望北特別保護小姨，不讓她被人欺負，所以童貞和喬光樸有心卻無事。現在浩劫過去了，喬廠長妻子也去世了。大家於是懷疑他自告奮勇再去當廠長，也許因為昔日舊夢？喬廠長一上任就去找四十來歲的童貞，第一句話就問：「童貞，你為甚麼不結婚？」童貞反問說：「你說呢？」第二句話，他就說：「我幹嘛要裝假。童貞，我們結婚吧，明天或者後天，怎麼樣？」小說寫童貞等這句話等了快二十年了，所以就同意了。但她一想到要回廠，閒言碎語殺死人，就和廠長說晚一些時候再結婚。

單看這個開局，喬廠長的相貌和言行讀者都很熟悉，如果許雲峰或者朱老忠或者梁生寶到了電機廠危難時刻，他們也會立下軍令狀，自告奮勇，也會以革命姿態解決經濟問題，以軍事術語形容革命工作。但是接下來喬廠長上任後面對的情況，就跟「十七年文學」不同了。

處在對立面的原電機廠一把手冀申倒是想當公司經理——這個輕快的肥缺。冀申在「文革」當中做過幹校副校長，保護了一些老幹部，所以積累了很多人脈關係。另外一個領導是以前的造反派頭頭，童貞的外甥郗望北。後來冀申果然一直在底層官場與喬廠長作對，最後不合手續地調去了外貿局。郗望北經過了一番考驗，倒成了喬廠長的得力助手，當了副廠長。（即使在1979年，小說裏同情前造反派也比批判醜化要多，值得注意。）

石敢書記深入了解電機廠的情況，發現運動之後人心已不單純（難道「十年」之前或之中人心就單純？）改革來臨時，可能賞罰分明甚至裁員，隨時會導致新的羣眾運動和黨內鬥爭。可是喬光樸一意孤行，一到場就宣佈自己婚事，觀察一段時間以後就全場考核，所有業務不達標的都成為編外人員，叫服務大隊。

這樣的改革結果引起民憤，黨委就收到一大堆控告信，從生活作風到工作方法——新婚妻子童貞任副總工程師，童貞姪子做副廠長。這些控告信當然都是針對着喬廠長。而且喬廠長發現他要增產，外面的電力部門也不支持，因為他們想多買進口設備。廠外社交比廠內工作更困難。總而言之，雖然他的現代化治廠方針初步奏效，電機廠生產可能向上，但是得罪了很多幹部羣眾，收到了很多實名舉報。

想想如果在現實當中，還不用說「文革」剛結束，就是在改革開放四十年後，這樣的廠長是甚麼命運呢？

好在從一開始就信任喬廠長的機電局長霍大道（看名字就像個好人）來到電機廠，堅決挺喬。晚清官場小說，貪官要做壞事，因為上面有人。新時期的「官場小說」，好官要做事，上面也要有人。同級同層是第一戰場，上上下下是第二戰場。霍大道對喬廠長說：「昨天我接到部長的電話，他對你在電機廠的搞法很感興趣，還叫我告訴你，不妨把手腳放開一點，各種辦法都可『試一試，積累點經驗，存點問題，明年春天我們到國外去轉一圈。中國現代化這個題目還得我們中國人自己做，但考察一下先進國家的做法還是有好處的……』」

接下來是小說的光明結尾，霍局長、喬廠長、石敢書記三個人就坐下來喝茶、唱京戲了。

三、官員間的矛盾如何解決？

1979 年，「文革」剛結束不久，在城市工業領域幹部集團內部，蔣子龍小說已經展示了改革開放所面臨的種種困難，阻力不僅來自於黨內派別，也來自於羣眾幹部關係。結尾雖然是急剎車，虛了一點，但喬光樸的處境好像比二十年前去敲區委書記大門的林震要更光明一些。

官民關係是二十世紀中國小說（尤期是早期和晚期）的一條主要線索，晚清主要寫官府壓迫民眾，五四探討官民之間的國民性共通點，1942 年及五十年代以後，小說要表現官員如何代表、帶領民眾，同時改造較落後的民眾。到了「文革」後，反省官民矛盾的小說主題，又向兩個方向發展：一是直接正視官民矛盾，例如〈李順大造屋〉、〈剪輯錯了的故事〉，同期還有小說《許茂和他的女兒們》等；二是分析官員之間的矛盾 —— 哪些官員是否及怎樣代表民眾。〈喬廠長上任記〉屬於第二種寫法，同類作品還有莫應豐的《將軍吟》、從維熙的《大牆下的紅玉蘭》、李國文的《花園街五號》、張潔的《沉重的翅膀》等等。王蒙〈組織部來了個年輕人〉其實是這類作品超越時代的先聲。其情節框架都是同一級別裏必有正反人物糾纏爭鬥，伴隨着政治鬥爭當中的緋聞、私事和歷史舊帳。這種鬥爭往下延伸，就會依靠不同的羣眾基礎，往上延伸也總有不同的派系力量支持。規律是下面羣眾好人多，級別最高的領導總是支持正面人物。

假如主人公政治忠誠、勇敢、智慧，可偏偏上級領導不支持你，卻重用你的反對派，或者對矛盾衝突，就是不表態。比方說小說中如果（如果！）霍局長不再欣賞喬光樸，再比如說他更上級的部長突然換人了，你再也找不到其他級別更高的幹部了，怎麼辦呢？

好在當代文學還有集體創作機制，有出版社、審查機關把關。新時期的官場鬥爭，反派角色的身分級別是有限制的，喬廠長必定有霍局長支持。否則老是要面對茹志鵑筆下農民老壽的尖銳提問，大家為難。

注

1　蔣子龍：〈喬廠長上任記〉，《人民文學》1979 年第七期，以下小說引文同。

1980

〈受戒〉〈大淖記事〉

汪曾祺

禮失求諸野

和張愛玲同年出生的汪曾祺，在七十年代末八十年代初的文壇，顯然成了異數。汪曾祺既不屬於當時兩個最活躍的作家羣體——「五七戰士」（平反「右派」）和知青一代，也和柳青、梁斌、柳青、羅廣斌、吳強等五十年代作家截然不同。在〈受戒〉之前，汪曾祺已經寫了三十多年了。「十七年」中，大部分「從舊社會過來」的作家基本都停筆，文革後老作家們雖獲平反，但除了巴金的散文有影響以外，其他人也都少有新作——除了汪曾祺和楊絳。楊絳《洗澡》獨樹一幟，主要是選題精彩，與文學潮流關連不大。汪曾祺短篇獨具一格，卻對後來尋根文學和文化小說產生深遠影響。當時人們覺得汪曾祺像「出土文物」，拉開時間距離看，他卻是八十年代「為藝術而藝術」的一個代表，更被譽為「抒情的人道主義者，中國最後一個純粹的文人，中國最後一個士大夫。」[1]

汪曾祺 1920 年出生在江蘇高郵，出生時家裏有田二千多畝，藥店兩家，房屋上千間，是非常富有的大地主。他從小既讀桐城派古文，也看屠格涅夫小說。十九歲考進西南聯大，中文老師有聞一多、朱自清、沈從文等等。汪曾祺很早就開始接觸存在主義等西方學說。1944 年的小說〈復仇〉，主角是和尚，文字學《野草》，有一種刻意的詩體追求。五十年代，汪曾祺在武漢、北京教書，做編輯。1958 年因為他所在的單位《民間文學》右派指標有餘，所以把他錯劃進去了。摘帽後到北京京劇團。文革期間參加樣板戲《沙家浜》的編劇。汪曾祺是唯一直接參與樣板戲創作的當代知名作家。一般認為，阿慶嫂、胡傳魁、刁德一三人鬥智一段，是所有八個樣板戲當中最受羣眾喜愛的段落之一，這裏就有汪曾祺的修改創作。

> 壘起七星灶，銅壺煮三江。擺開八仙桌，招待十六方。來的都是客，全憑嘴一張。相逢開口笑，過後莫思量。人一走，茶就涼……有甚麼周詳不周詳！

原來的滬劇本，是「擺出八仙桌，招待十六方，砌起七星爐，全靠嘴一張。來者是客勤招待，照應兩字談不上」。汪曾祺後來說，核心是「人一走，茶就涼」，沒有這一句，前面都是數字堆砌、廢話，等於零，有了這句「人一走，茶就涼」，前面的堆砌就都有意思了。[2] 他後來在小說裏也很講究堆砌的技巧。

汪曾祺早年小說〈羊舍一夕〉，手稿全以毛筆書寫。和沈從文的〈會明〉相似，寫勞動者的快樂、樸素。不過他的早期小說，如〈復仇〉等，相當程度上是在 1980 年 10 月〈受戒〉發表後，重新被人回顧重視。所以，雖然汪曾祺是一個老作家，文學道路跨越四十年，但在文學史上，他主要是一個八十年代的作家，他作品的意義、影響首先屬於八十年代。

從小說內容看，汪曾祺著名的〈受戒〉和〈大淖記事〉卻又和八十年代初文壇潮流有很大反差。重讀二十世紀小說，百年時間，近九十多部名作，竟有十二部（篇）都出現在 1979 至 1981 三年之間 —— 不僅時間上是個井噴期，內容上也都有相近的社會政治興趣：或揭開血統論傷痕，或哭訴農民困苦，或對照跨時代幹羣關係，或想像改革中的官場鬥爭，即使寫愛情，也放不下對革命（幹部）的苦戀或屈服，再往後，我們還會讀到社會政治鬥爭更廣泛更尖銳的《芙蓉鎮》、〈綠化樹〉、《古船》……汪曾祺插在八十年代的這些沉重的中國故事裏，近看完全格格不入，遠看但又十分和諧。

一、〈受戒〉：新和尚與小女孩的愛情

〈受戒〉篇尾標注寫作時間是 1980 年 8 月 12 日，同時又說明在寫四十三年前的一個夢，那就要回到 1937 年，作家十七歲。〈受戒〉當中男女主角明子和小英子的年齡都很模糊，基本上是少男少女。汪曾祺的小說貌似脫離時代潮流，同時又拓展當代文學的題材空間，最突出的主角是個和尚。民國時期有許地山探索多種宗教之間的關係，以後我們還會讀到張承志對伊斯蘭教的政治熱情，但總體來說，1949 年以後涉及宗教的小說不多。從《紅旗譜》到《白鹿原》，中國文學的主流毫無疑問是寫農民，寫鄉土，在農民鄉土當中寫民族史詩。汪曾祺也寫農民和

鄉土，可是他尋找的不是史詩，是底層世俗的充實與空靈，是一種男女情愛當中的「佛系」風景。雖不在主流，不是粗獷的史詩，卻是「為藝術而藝術」的精品。

汪曾祺最令人矚目的是他的文字與文體，他自己說自己是個文體家。陳思和主編的《中國當代文學史教程》裏說：「這種順其自然的閒話文體表面上看來不像小說筆法，卻盡到了小說敘事話語的功能。正是這種隨意漫談，自然地營造了小說的虛構世界。這個世界中人的生活方式是世俗的，然而又是率性自然的，它充滿了人間的煙火氣，同時又有一種超功利的瀟灑與美。」[3] 洪子誠也認為汪曾祺「在『散文化』小說的展開中，讓敘述者的情致，自然地融貫、浸潤在色調平淡的描述中。文字則簡潔、質樸，但不缺乏幽默和典雅」。[4] 為了證明他們說得都對，我想更加具體地觀察，汪曾祺的文字到底是怎麼順其自然、隨意漫談，到底是如何色調平淡、簡潔質樸。

第一，汪曾祺喜歡用簡單的數字來寫景敘事。比如寫廟：「過穿堂，是一個不小的天井，種着兩棵白果樹。天井兩邊各有三間廂房。走過天井，便是大殿，供着三世佛。佛像連龕才四尺來高。大殿東邊是方丈，西邊是庫房。大殿東側，有一個小小的六角門，白門綠字，刻着一副對聯：一花一世界，三藐三菩提。」[5]

汪曾祺應該不是故意要編排數字遊戲，但僅僅這一小段，讀者看到一個、兩棵、兩邊、三間，三世、四尺、六角門。

於是想起了汪曾祺崇拜的沈從文，〈邊城〉的開篇是：「由四川過湖南去，靠東有一條官路。這官路將近湘西邊境到了一個地方名為『茶峒』的小山城時，有一小溪，溪邊有座白色小塔，塔下住了一戶單獨的人家。這人家只一個老人，一個女孩子，一隻黃狗。」[6]

沈從文是「五個一」，一小溪，一戶人家，一個老人，一個女孩子，一隻黃狗。而汪曾祺是一、兩、兩、三、三、四、六。都是中國畫境界，似乎簡樸而笨拙，但那是一種故意的笨拙。中國式的抒情傳統，常常尚簡約，不鋪張。

再讀汪曾祺：「進門有一個狹長的天井，幾塊假山石，幾盆花，有三間小房。

小和尚的日子清閒得很。一早起來，開山門，掃地。……然後，挑水，餵豬」。寫小英子的父親趙大伯能幹：不但田裏場上樣樣精通，還會罩魚、洗磨、鑿礱、修水車、修船、砌牆、燒磚、箍桶、劈篾、絞麻繩。他不咳嗽，不腰疼，結結實實，像一棵榆樹。」

這是汪曾祺在簡單數字之外的第二個文字特點，不厭其煩地排比，堆砌短句。同樣喜歡排比，王蒙是出了名的長句，汪曾祺是非常精彩的短句。

寫趙大伯的女兒能幹：「她一天不閑着。煮豬食，餵豬，醃鹹菜，—— 她醃的鹹蘿蔔乾非常好吃，舂粉子，磨小豆腐，編蓑衣，織蘆篚。」一樣一樣，細細叨叨，句式極簡，難字不少。又寫小明子畫畫：「鳳仙花、石竹子、水蓼、淡竹葉，天竺果子、臘梅花，他都能畫。」

余光中曾經批評戴望舒《雨巷》形容詞太多。[7] 聞一多的《死水》較多用動詞形容，「綠成翡翠」、「鏽出幾瓣桃花」「織一層羅綺」、「蒸出些雲霞」，效果果然更強烈。在汪曾祺的短句裏，有些是動詞加名詞：修水車、修船、砌牆、燒磚。有時候乾脆就是名詞的堆砌：鳳仙花、石竹子、水蓼、淡竹葉、天竺果子、臘梅花。

以名詞堆砌完成敍事，同時也構成意象，學術一點的說法，這叫「詩畫同源」，通俗一點的解釋，袁枚說是「大巧之樸」。[8]

除了簡單數字和短句堆砌，汪曾祺文體的第三個特點是，通篇囉哩囉嗦只是鋪墊，關鍵動作極其簡練。

〈受戒〉的故事，先說小明子要跟和尚舅舅出家，又寫廟旁小英子一家普通農家生態，為大英子繡花，找明子來畫畫，明了怎麼認趙大娘做乾媽，明子跟小英子一起勞動，也不多說話。

終於有一天，小說寫明海看見小英子的腳印：「明海看着她的腳印，傻了。五個小小的趾頭，腳掌平平的，腳跟細細的，腳弓部分缺了一塊。明海身上有一種從來沒有過的感覺，他覺得心裏癢癢的。這一串美麗的腳印把小和尚的心搞亂了。」

通過一個女孩的腳印，寫小和尚的性心理。後來王安憶在中篇〈小城之戀〉裏也有類似筆法。男主人公聽隔壁女生洗澡，洗完以後跑去看地上，周圍是濕的，中間有兩個乾的腳印，他就從腳印開始往上幻想……[9]

〈受戒〉的高潮是受戒的過程，事先女孩問，不受戒不行嗎？明子說不行。事後，女孩問疼不疼？明子說疼。小和尚回家的船上，小英子終於說你不要當方丈 —— 這是和尚將來的美好前景 —— 然後就趴在明子耳朵邊上小聲說，我做你老婆，你要不要？明子眼睛鼓得大大的，最後說要。

英子跳到中艙，兩隻槳飛快地划起來，划進了蘆花蕩。接下來就是小說著名的結尾，還是由一連串名詞、動詞加形容詞，混合堆砌而成：「蘆花才吐新穗。紫灰色的蘆穗，發着銀光，軟軟的，滑溜溜的，像一串絲線。有的地方結了蒲棒，通紅的，像一枝一枝小蠟燭。青浮萍，紫浮萍。長腳蚊子，水蜘蛛。野菱角開着四瓣的小白花。驚起一隻青樁（一種水鳥），擦着蘆穗，撲魯魯飛遠了。」

小女孩把新和尚帶到蘆葦蕩裏邊，讀者就看到這麼一片風景。汪曾祺不寫時代政治，只畫希臘小廟般的人性。故事結構近於沈從文，文筆技巧更像周作人：一種刻意的漫不經心，一種由細節堆成的沖淡。

二、〈大淖記事〉：錫匠與靚女的愛情

〈大淖記事〉延續了〈受戒〉的主題，寫地方風土人情更加詳細，但不如〈受戒〉空靈。有一段文字常常被人引用。

> 這裏人家的婚嫁極少明媒正娶，花轎吹鼓手是掙不着他們的錢的。媳婦，多是自己跑來的；姑娘，一般是自己找人。他們在男女關係上是比較隨便的。姑娘在家生私孩子；一個媳婦，在丈夫之外，再「靠」一個，不是稀奇事。
>
> 這裏的女人和男人好，還是惱，只有一個標準：情願。有的姑娘、媳婦相與了一個男人，自然也跟他要錢買花戴，但是有的不但不要他們的錢，反而把錢給他花，叫做「倒

貼」。因此，街裏的人說「風氣不好」。到底是哪裏的風氣更好一些呢？難說。[10]

汪曾祺這段夾敍夾議，與其說是對地方鄉土人倫的寫實，不如說更像挑戰現行道德規範的烏托邦想像。這種道德規範可以是傳統禮教，或者資本主義婚姻制度，或者是無產階級家庭道德等等，總之是一種烏托邦式的反叛。從沈從文起，不少作家願意這樣理解某些鄉土民俗 —— 但是我注意到很少有女作家認真描寫過這種鄉土民間的「性解放」，雖然這種「性解放」好像也包含某種女性解放的意識。在現實中，大部分還是男人的夢。

〈大淖記事〉寫當地生活了兩幫人，一邊是很多錫匠。「香爐、蠟臺、痰盂、茶葉罐、水壺、茶壺、酒壺，甚至尿壺，都是錫的。」又看到作家的名詞堆砌技巧。老錫匠的姪兒名字叫十一子：「他長得挺拔廝稱，肩寬腰細，唇紅齒白，濃眉大眼，頭戴遮陽草帽，青鞋淨襪，全身衣服整齊合體。天熱的時候，敞開衣扣，露出扇面也似的胸脯，五寸寬的雪白的板帶煞得很緊。走起路來，高抬腳，輕着地，麻溜利索。」

大淖另一邊，大部分是挑夫，不僅男人，女人也會挑。有個挑夫娶了一個大戶人家逃出來的丫鬟蓮子，次年生了個女兒叫巧雲。可是母親蓮子不久自由戀愛，跟了一個過路戲班子的小生跑了。巧雲長到十五歲，長成了一朵花。「她上街買東西，甭管是買肉、買菜，打油、打酒，撕布、量頭繩，買梳頭油、雪花膏，買石鹼、漿塊，同樣的錢，她買回來，分量都比別人多，東西都比別人的好。」排比的結果說明靚女總是討人喜歡。但不久，巧雲的父親跌傷，家裏要靠女兒養。接下來「巧雲織席，十一子化錫，正好做伴。」到此為止，故事就很像一個中國民間故事了。

沒想到接下去更像了。出現了一個壞人，保安隊的劉號長，搶佔巧雲。巧雲又委屈又氣憤，主動找十一子。事情傳出去後，劉號長帶人趕走小錫匠，要他告饒認錯，小錫匠骨頭硬，牙關緊，不低頭，小說寫小錫匠被他們打死了，簡單的一句話。

打死了？故事就這麼完了？不會，原來巧雲弄來了尿鹼湯，灌進十一子喉嚨，把帥哥救活了。錫匠們在縣裏遊行三日，縣長也沒鎮壓，還被迫處罰了劉號長。小說結尾是一個女人養着兩個男的，挑夫殘疾、小錫匠重傷。最後一句卻比〈邊城〉光明多了：「十一子的傷會好麼？會。當然會！」

〈大淖記事〉的文筆還是樸素流動，沖淡美麗，但整個故事比起空靈的〈受戒〉，有點向《劉三姐》方向靠攏了。因為小說裏出現了絕對的壞人，比較符合一般民眾的閱讀期待。即便如此，汪曾祺還是代表了八十年代中國抒情小說的藝術水平，他的成就是周作人散文風格和沈從文鄉土夢幻在 1949 年以後的某種復活。周作人本來提倡「人的文學」，沈從文寫〈邊城〉也有意抗衡三十年代左傾潮流，抒情傳統發展演變到「文革」後，汪曾祺的「禮失求諸野」便成了當代的「為藝術而藝術」。當然，只要是藝術，總包含人生。汪曾祺的清淡文筆雖然少有人能習，但歌頌鄉土民俗，描寫鄉女多情、性風俗開放等等，在後來像〈紅高粱〉、《白鹿原》等等有意無意尋根的作品裏，都有各種衍生和影響。汪曾祺喜歡和年輕的作家評論家在一起，當時的新一代作家也很難得在「老作家」中找到這麼真心實意的一個知音。我們以後會討論汪曾祺對莫言對阿城的評論和支持，就像五四時期周作人為〈沉淪〉辯護一樣重要。近年，也有「新時代」評論家，在汪曾祺坎坷的文學道路和「艱辛探索」過程中，又看到「十七年」、「十年」與「新時期」「互不否定」的某種可能，所以現在汪曾祺是一個可以從各種角度都得到理解推崇的作家。

注

1 〈中國最後一個士大夫早已遠去〉，搜狐網紀念汪曾祺逝世十五週年專欄題目，2014年10月2日。

2 汪曾祺：〈關於沙家浜〉，選自季紅真主編、趙坤主編：《汪曾祺全集・十談藝卷》（北京：人民文學出版社，2019年），頁164。

3 陳思和主編：《中國當代文學史教程》（上海：復旦大學出版社，1999年），頁248。

4 洪子誠：《中國當代文學史》（北京：北京大學出版社，1999年），頁332。

5 汪曾祺：〈受戒〉，《北京文學》1980年10月，以下小說引文同。

6 沈從文：《邊城》（臺北：金楓出版社，1998年），頁36。

7 余光中曾經批評戴望舒《雨巷》「兩段十二行中，唯一真實具象的東西是那把『油紙傘』其餘只是一大堆形容詞，一大堆軟弱而低沉的形容詞。」余光中：〈評戴望舒的詩〉，選自《青青邊愁》（北京：國際文化出版公司，2014年），頁166。

8 （清）袁枚著：《隨園詩話》第五卷（杭州：浙江古籍出版社，2011年），頁90。

9 王安憶：《小城之戀》（北京：中國電影出版社，2004年）。

10 汪曾祺：〈大淖記事〉，《北京文學》1981年第四期，以下小說引文同。

1981

《晚霞消失的時候》

禮平

紅衛兵的愛情、抄家與懺悔

有兩部小說，都以紅衛兵為主角，「十年」期間寫成，「文革」之後才出版。劉青峰的《公開的情書》是由四十三封信組成的小說，寫於 1972 年，七年以後由北京時代文藝出版社出版，描寫運動期間四個年輕人真真、老久、老嘎、老邪門之間的感情關係。這些人名已經透露出北京大院文化玩世不恭的嚴肅反叛氣息。劉青峰和金觀濤後來在香港中文大學主編《二十一世紀》期刊，文革研究的影響比她早期創作還要大。另外一本風格類似的手抄本就是禮平的《晚霞消失的時候》，是「十年」背景的知識分子「戀愛革命」小說。「戀愛」作為名詞，即革命當中的畸形戀愛；作為動詞，就是愛上革命的意思。不過和《青春之歌》不同。林道靜戀愛革命是一見鍾情、一心一意、飛蛾撲火、絕不後悔，而《公開的情書》和《晚霞消失的時候》雖然也是「戀愛革命」，「戀愛」也是動詞，但後來同時一直在懷疑和後悔自己的「戀愛革命」。

一、特殊時期，兩個青少年的懵懂愛情

《晚霞消失的時候》初稿寫於 1976 年，後來做了幾次修改，1981 年 1 月在北京《十月》正式發表。小說分春夏冬秋四章，很有規律（後來《芙蓉鎮》也寫四季，無意識中強調時代的循環）。第一章，「我」是一個幹部家庭出身不服嚴父管教的中學生，大清早跑到花園角落裏痛苦復習俄文，巧遇一個正在唸莎士比亞原文的清純美麗的女生。兩人之間有一些言語誤會，男生還幾乎摔下山坡。但是彼此印象很好，一見鍾情。

他們的談話內容主要有三點：第一，男生說學俄文像學豬語，不喜歡，所以效果不好，女生卻給他背誦普希金的長詩《漁夫和金魚》，非常之美。第二，少女不滿男生嘴裏停不了的粗話，說這個是野蠻，男生居然引經據典，證明野蠻有時也推動歷史進步，講的例子讓女生困惑。第三，男生說莎士比亞是資產階級的作家（男版的謝惠敏？），女生卻引了恩格斯的話激辯，「資產階級的偉大人物並不僅僅屬於他自己的階級，他們屬於整個人類」。男生問，在哪讀的？女生說在《自然辯證法・導言》裏。

這些中學生對話，現在聽上去有點做作，其實不一定。我自己的書櫃裏還保留着中學時候讀過的《反杜林論》，裏邊劃滿條條杠杠。回想那個時代，一些現在不可思議的細節也可能真實。

當然，比談話內容更重要的，是兩個青少年馬上有化學反應。臨分手時，女生匆匆看了「我」一眼，「那一瞥留給我的印

象是永遠難忘的。那是一閃而過的注視。她的眼睛在一瞬間閃動了一個明亮的火花，這火花從此便埋藏在了我的心底深處，再也沒有熄滅掉！」兩個人趕回去上課了，沒有留下聯繫方式，男生手裏留着那本莎士比亞，裏邊有張紙條，寫着這個女生的名字 —— 南珊。

二、「紅衛兵」抄到了暗戀對象的家

第二章還是青少年文體，還是寫幼稚、激情、衝動，但性質內容完全不同了。1966 年夏天，紅衛兵運動開始：「僅僅幾天的時間，學校裏突然變得面目全非。一向乾乾淨淨的牆壁上貼滿了大字報，到處擁擠着看大字報的人羣。教室裏再也無法上課了，桌椅被亂七八糟地堆在一起，骯裏骯髒的屋子變成了各種集會的場所。學生們三五成羣地聚在一起，教室裏、走廊中、操場上、柳蔭下、校牆邊，到處是議論着和爭吵着的人們。」[1]

這種混亂很快就從學校波及到社會。一批又一批穿着軍裝、戴着袖章的學生幾乎同時出現在街頭。這些紅衛兵以一種不可阻擋的神氣和勁頭，取消了各種古舊的路標，拆毀了公園裏奇形怪狀的花卉和欄杆。砸掉了部分商店的霓虹燈……

這類描寫以後在不同作品裏會反覆出現，但禮平這篇寫在文革剛剛結束時，應該比較有現場感。

「我」（李淮平）可能因為出生好，成了紅衛兵頭頭。「沒有明確的動機，也沒有明確的目標，只要是破壞某種陳舊的東西，幹甚麼都行」。這天校內紅衛兵討論下一步抄家行動。抄誰呢？

他們找到一個政協的舊將領。有人反對，說違背黨的政策。更多人支持，說政策是變的。

「我」的態度是甚麼呢？「楚軒吾為國民黨高級將領，追隨反動軍隊征戰多年，血債累累，但解放後一直受到寬大處理，從未嚴格審查。我們認為，歷史上的重大反革命分子，不應長期逍遙法外。因此，為維護無產階級鐵打江山，應對其徹底改造，予以查抄。」這番話贏得了廣大紅衛兵戰友的歡呼支持，當晚李淮平學校的紅衛兵，還有別的學校的紅衛兵一起行動。

「我們紅衛兵究竟是幹甚麼的？我要說：我們紅衛兵是造反的……剛才有人說：我們蠻橫！會傷了好人！請問：革命難道不是暴烈的行動嗎？暴烈的行動難道能夠是不蠻橫的嗎？至於甚麼好人，對不起，在馬克思主義的辭典裏沒有這樣的詞彙。」和第一章不肯學俄語，見了女生臉紅的李淮平比，其實還是幼稚，但是換了一種粗暴的形式。

一卡車中學生來到了僻靜的靈隱胡同七十三號，敲開了門，也不顧驚恐的女傭，眾人直衝四合院北房客廳，看見兩個老人在微弱燈光中看電視。瘦小的老太太驚慌地站起身來。啪嗒一聲，電燈開關被拉開了。四支日光燈管在頭頂的天花板上一齊閃了幾下。頓時把雪亮的燈光射向整個屋子，刺得人睜不開眼。「……一個紅衛兵走到電視跟前，一把拉掉了天線，螢光屏閃了一下就滅掉了。我以不可抗拒的威嚴口氣問道：『誰是楚軒吾？』老人慢慢站起來，轉過身看看這突然出現的滿屋子的紅衛兵。冷靜地答道：『我就是。』……我緊緊盯着這個略微矮胖的老人。他前額寬闊，眉毛很濃。眼睛不大，卻炯炯有神。」

這樣的相貌描寫，不像在寫負面人物。

「『楚軒吾，我們是紅衛兵。你要明白，你在歷史上是有罪的，因而我們有權力對你進行審查和改造！我先告訴你：今天你要老老實實將你的歷史問題交代清楚，同時，對你解放後的問題也要老實交代。否則一切後果由你自己負責。別動！』我喝住老太太，『還有，為了審查你改造自新的情況，我們現在決定對你的老窩進行查抄。你們要老老實實對待 —— 聽清了沒有。』老太太這時再也抑制不住了。她叫起來：『你們要幹甚麼呀？我的天……』『安靜點，不會出甚麼事……』楚軒吾安慰她。『少廢話！』我厲聲喝道，『把她帶走，先押起來！』同時把手一揮：『抄！』一聲令下，所有的紅衛兵馬上散開了。一時所有的房間都大放光明，照得院子一片通亮。各房間裏，開始傳出乒乒乓乓砸門撬鎖和翻箱倒櫃的聲音。」

八十年代的小說很多寫文革，但是精細複製抄家過程的卻極少，主要是都用事後批判的角度寫。抄家應該是「十年」當中的一個重要環節，在寫實層面，見證個人財產及私隱缺乏法律保護，受到實際破壞；在象徵層面，更代表了家庭倫理如何被政治道德破壞。

「我」叫人把客廳裏的傢俱全部搬空，只留下寫字檯和三把椅子。然後叫楚軒吾站在客廳中間，由「我」當主審，「我」的朋友和另外一個紅衛兵當記錄，擺出法庭的模樣對他開始了審訊。

於是抄家就進入第二階段 —— 審問，姓名、年齡、籍貫、過去甚麼職務等等，1949 年以後是政協委員等等，然後要交代解放前的官職。

小說裏和現實中的紅衛兵都看多了「十七年文學」，一再查問有沒有反動地契和變天帳，或者國民黨狗牙旗、蔣介石狗像等等。最關鍵的問題是這個國民黨的軍長，當初是被俘，還是投降或起義。講到這個問題，小說突然轉換成了一個倒敘的角度，從「我」的浮躁激情，轉為楚軒吾的沉痛回憶。設想整個抄家的氣氛，楚軒吾大段抒情回憶其實不大可能。被抄家已慌亂，怎能坐定下來回憶抒情？抄家的紅衛兵更沒可能有耐心聽他深情回憶。但是手抄本時代，讀者要求不高，紅衛兵也找不到自己的筆調，行動與文字都抄「革命歷史小說」。

> 一九四八年初冬，我們國民黨剛剛在東北戰場上慘敗，已經元氣大傷，所以對於華東戰場非常憂慮……蔣介石對於國共兩黨軍事力量對比已經發生的深刻變化嚴重估計不足，所以堅決反對放棄徐州，妄圖依仗華東的幾個精鋭兵團，在隴海鐵路上擺開戰場，與解放軍進行中國歷史上最大的一場決戰！……空前規模的淮海戰役就這樣開始了。

淮海戰役，國軍應稱「徐蚌會戰」（後來王安憶的《長恨歌》裏也寫 1948 年上海的報紙上報導「淮海戰役」）。作者禮平是幹部家庭出身，1948 年出生在戰爭中的張家口，在北京四中經歷過紅衛兵運動，後來也當兵多年，基本上只知道淮海戰役，不知道「徐蚌會戰」。

也可能楚將軍到政協以後，整個話語系統都改變了。他的整個戰爭回憶聽上去很像《紅日》的口吻，同一個戰場，同一個時間。史實中的黃伯韜是被擊斃的，楚軒吾把他改成自殺，實踐蔣介石主張的「玉碎」精神。楚軒吾自己投降，證人是華東野戰軍第五縱隊的參謀長李聚興，一個他衷心佩服的解放軍高級軍官。

說到這裏，紅衛兵李淮平就驚訝了，李聚興就是他父親（手抄本也要「無巧不成書」）。更偶然的是，那天早上花園裏見到的俄文、英文都很好的南珊，他一刻也忘不了的女孩子，就是楚將軍的孫女。換句話說，紅衛兵主角抄了夢中情人的家，而他們兩個人的父親和外祖父從前是戰場上的對手。

李淮平硬着頭皮審問了楚軒吾，也審問了南珊和她弟弟。身旁的紅衛兵咆哮：「你必須唾棄你的外祖父！你必須鄙棄你亡命國外的父母！你必須拋棄你這個罪孽深重的家庭！否則，你，你弟弟，在這個社會中都永遠也不會找到出路！」

歷史上的紅衛兵運動有五個特點，《晚霞消失的時候》寫出了三個：一，強調血統；二，崇拜統帥；三，使用暴力（包括語言暴力）。至於另外兩個特點（用完即棄與「精神長存」）則是禮平等紅衛兵當時看不到的。

三、火車上的人生思辨

第三章〈冬〉，兩年多以後的冬天，1968 年底，知青開始下鄉。「我」到東站為一些朋友送行，車站上播放雄壯歌曲，鑼鼓聲、廣播聲、口號聲、人羣中的呼喚聲、談笑聲混合在一起，簡直就是一片狂濤巨浪。好不容易從車尾混上了車，艱難地穿過了幾個車廂，還沒找到自己的朋友，卻在一個車廂意外看見了楚軒吾，原來老人是來給南珊和她弟弟送行的。

第二章已經有老人的大段歷史倒敘，這一章更妙，寫李淮平坐在車廂的一角，公然偷聽自己喜歡的女孩子和她的家人的詳細談話。

火車誤點，所以臨別對話時間充裕，內容也很深刻。先是老人不放心，交代下鄉以後的生活種種，然後就講到讀書：「我的孩子，讀書是件好事。但讀得過了量卻讓人擔心。……如果你由於書看得太深太多而學得只會以理性的眼光來看待人類生活的一切。那你無疑已經成為一個心地冷酷的人。這種人往往會把自己的理念看得高於一切，他把自己的理念看成老百姓的上帝，人人都不過是他對世界秩序進行邏輯演算的籌碼而已」。

前兩章是模擬的戀愛和革命，後兩章是模擬羅丹雕刻的沉思。兩種手抄本筆調都記錄那個時代青年人的幼稚與認真。南珊認真回答外公的心靈拷問，先承認自己從小自卑，在幼稚園就被人在衣服後面畫了青天白日，又慢慢在磨難當中找回自信，還替爺爺去反思當初怎麼會相信德國理論追隨國民黨。整個談話又像心理課，又像做政審，旁邊偷聽的李淮平發出他的感歎：「楚軒吾是一個深刻的矛盾。這矛盾表現為一種淳厚正直的個人品質與他那段罪孽深重的政治歷史的尖銳對立。」紅衛兵漸漸發現：楚不是壞人，卻做過壞事，現在這善與惡一向鮮明的界限開始變得模糊了。

禮平此書在文革後期流行，說明這種界限模糊也發生在當時無數青年讀者心裏。雖然沒有結論，但李淮平此時已意識到，

「那次抄家，早已使紅衛兵丟盡了臉，而我們投身的這場文化革命，也必將因此而在歷史面前無法交代」。

小說當然可以有思辨，只是這些思辨發生在馬上要開的火車上，不太自然。小說還倒敘「我」和高幹父親的談話。李淮平的父親認為紅衛兵丟了他的臉，但不久以後他自己也被審查，所以也沒有辦法向投誠的楚將軍道歉。

政治和人生思辨還不夠，南珊又向老人承認自己已信耶和華。而且兩年前愛上了一個男生，第二次見面時候令她失望等等。「我」在對面偷聽得很激動、很興奮，也很惆悵，因為火車馬上要開走了。

四、「我們之間的一切都已經過去」

小說第四章題為〈秋〉，已經十二年以後，海軍某艦航海長李淮平登泰山。在某種意義上，這一章才是小說結構的中心，之前三章初戀、抄家、送別好像是為了泰山哲學宗教綜合論壇做鋪墊。

上山途中，「我」認識一個老人，年邁體健，知識廣博，是山上的住持和尚。兩人一路討論哲學如何被科學替代，科學取代不了宗教等等玄而又玄的話題。到了山頂，配合着雲雨、日出的大自然奇觀，「我」又碰到了一隊外國遊客，其中有個外國上尉也加入到這場泰山之巔的東西宗教討論。

當然，最令主人公驚訝（讀者卻一點也不奇怪）的是遊客團女翻譯就是已近中年的南珊。眾人見一對男女激動重逢，便都讓開了，讓李淮平和南珊重敍舊情。

可是男女主角卻沒法很好交流，思路、感情都錯位，男的為抄家的事情懺悔，說：「從那天以後，我的心再沒有一天平靜過，真的，沒有一天……」女的說：「從那天以後，我的心卻像燃燒過的灰一樣的平靜。」這段對白可以概括他們的第四次見面，一邊是醒悟與轉折，一邊是幻滅與達觀。關於國共紛爭、關於「文革」功過、關於民族歷史、關於愛情人生，兩個人都想超越經歷過的過程，最後卻不在一個點上。

南珊很感謝李淮平初次見面時關於野蠻與文明的議論，李淮平卻早已忘了說過甚麼。南珊對這個問題苦苦思索了十五年，還是找不到答案，她說：「遠不是一切問題都能最後講清楚。尤其是當我們試圖用好和壞這樣的概念去解釋歷史的時候，我們可能永遠也找不到答案。」找不到答案不代表「十年」中沒有紅衛兵們在「艱辛思考」。當李維平講到「愛情」時，南珊的回答是「我們」之間的一切都已經過去。所以第四章是小說結構的高潮，景色奇幻、理論繁複、思辨嚴肅、領悟透徹，但整個小說的意義仍然是記載一羣人找不到意義的探索過程。

以幼稚做作的戀愛為線索，串起國共是非、「文革」功過、抄家細節、下鄉戲份。禮平自己後來說：「如果說我寫《晚霞消失的時候》，寄託了某種思考的話，那便是集中在對於『文化大革命』及其『紅衛兵運動』的反省。」這是一部較早反省紅衛兵運動的小說，在寫實層面，記錄了年輕人名義上延續國共鬥爭的慣性思維（實際上可能有反官僚主義，爭取平等機會，或者維護或者反對階級血統論等等動機），然後在和平年代繼續實行暴力。但是在象徵層面上，又試圖把男女主人公懸空在泰山之巔，放在古今宗教、中外哲學、千年民族、百年政治的煙雨雲霧之中。顯然，這一代人天真嚴肅的思辨姿態遠比他們認真幼稚的思辨成果要重要得多。[2]

注

1 禮平：《晚霞消失的時候》，原載北京《十月》1981 年 1 月，單行本由中國青年出版社在 1981 年 3 月首次出版。《晚霞消失的時候》，引文來自中國青年出版社，2011 版，下同。

2 1983 年 9 月 27 日和 28 日的上海《文匯報》連載了理論家王若水的長篇批評文章〈南珊的哲學〉，認為小說的歷史態度是拋卻是非善惡的不可知論。他同時批評了楚軒吾形象的拔高與抽象人性的表達，以及小說通過南珊和長老所表現出的宗教傾向。

1981 《芙蓉鎮》

古華

一本書了解「十年」

一、「傷痕文學」的代表作

幾十上百年後，假如有人想只看一本書而了解史無前例的「十年」(1966-1976)，如果還一定要我現在推薦，我大概會推薦他看《芙蓉鎮》。雖然我認為，通過這本書認識文革，並不靠譜。

因為三個原因，我們說《芙蓉鎮》是「傷痕文學」的代表作。第一，這是一部長篇。〈班主任〉、〈傷痕〉、〈李順大造屋〉和〈剪輯錯了的故事〉都是短篇，管中窺豹。《芙蓉鎮》原原本本描寫一個鄉鎮上七八家農民和幹部家庭的顛來倒去的「十年」生活，比較接近全程記錄。第二，《芙蓉鎮》不僅寫「十年」，而且有很大篇幅描寫「四清」，是當代文學中罕見的描述「四清」運動的小說，因此也寫出了「十年」的部分前因。第三，《芙蓉鎮》出版以後獲獎暢銷，[1] 改編電影也引起巨大反響甚至爭議。「說明中國大陸人數眾多的讀者觀眾有意無意地接受歡迎這一種對文革的解釋，這一種講述故事的方法，這一種災難發生與解脫的線性秩序。」[2]

換言之，《芙蓉鎮》能否概括「十年」的真實歷史另當別論，至少，小說中的敘事模式和意義結構非常契合八十年代初中國民眾對剛剛過去不久的「十年文革」的集體記憶和公眾想像。

阿多諾（Theodor Adorno）說過一句名言：奧斯維辛以後就再也沒有詩歌了。我以為八十年代的中國作家一度也覺得「十年」以後無法寫作，除非你先寫「十年」的故事。

二、小鎮上的「艱辛探索」

《芙蓉鎮》也是四章，起承轉合，夏秋冬春，以四季循環概括動亂的前因後果。小說第一章〈山鎮風俗畫〉，介紹風土人情。八十年代初湖南作家成羣，號稱湘軍——韓少功、徐曉鶴、何立偉、古華等，都喜歡寫鄉情民俗，這和沈從文當時重新「出土」有一定的關係。

> 芙蓉鎮坐落在湘、粵、桂三省交界的峽谷平壩裏，古來為商旅歇宿、豪傑聚義、兵家必爭的關隘要地。有一溪一河兩條水路繞着鎮子流過，流出鎮口裏把路遠就匯合了，因而三面環水，是個狹長半島似的地形……芙蓉鎮街面不大。十幾家鋪子、幾十户住家緊緊夾着一條青石板街。這麼一個地方，如果有人吵架是滿街都聽得見，一家有好吃的東西，也會拿給大家分享，民風鄉情淳樸。[3]

除了介紹鄉情民俗，還要簡述社會變遷：「這個地方曾經一度集市發達，有過萬人集的歷史。1958 年，大家都忙着煉鋼鐵了，批判資本主義，所以芙蓉鎮就由三天一圩，改為一星期一圩。可是據說由於老天爺不作美，田、土、山場不景氣，加上帝修反搗蛋，共產主義天堂的門檻太高，沒躍進去不打緊，還一跤子從半天雲裏跌下來，結結實實落到了貧瘠窮困的人間土地上，過上了公共食堂大鍋青菜湯的苦日子，半月圩上賣的淨是糠粑、苦珠、蕨粉、葛根、土茯苓。直到前年 —— 公元一九六一年的下半年，又改成了五天圩，芙蓉鎮上又開始恢復生氣了。」

在這麼一個時空背景下，我們認識了小說女主角 —— 芙蓉鎮上賣豆腐的美女胡玉音。「黑眉大眼面如滿月，胸脯豐滿，體態動情。鎮糧站主任谷燕山打了個比方：『芙蓉姐的肉色潔白細嫩得和她所賣的米豆腐一個樣。』」。

這話換個語境會有性騷擾嫌疑，雖然說話的人，後來小說交代是個戰爭中受傷的性無能老幹部。在 1963 年的湘西小鎮上，領導幹部這樣誇獎女人皮膚，等於給這家豆腐店加了政治保險。「芙蓉姐子」不久就靠賣豆腐賺的錢，在鎮上蓋起了新房子，眾人祝賀羨慕。景象很像柳青筆下的富裕中農郭世富十年前的蓋房上樑。一是 1953 年，一是 1963 年。更重要的不同是寫作出版時間，一是 1959 年，一是 1981 年。當年鼓吹「紅牛黑牛，能曳犁的都是好牛」的富裕中農，是承包耕種國民黨師長的土地而致富，而胡玉音卻是自己勞動，賣豆腐致富。同樣在鄉村經濟鄙視鏈上端，一個是吝嗇的老農，一個是白嫩的鄉女。更不一樣的是，《創業史》裏黨員梁生寶，一心要消滅私有制，挑戰郭世富；《芙蓉鎮》裏支書黎滿庚，卻是女主角昔日情人。因為胡玉音的母親是妓女，所以領導干預，沒讓他們結婚，但現在認了乾哥，其實也是胡玉音的政治後臺。

客觀來看，在小說開局，胡玉音在鎮上真有旁人羨慕的經濟優勢，也有旁人沒有的政治保護傘，唯一不足的是老公黎桂桂是個屠夫，而且兩人沒有孩子。這是通俗政治小說的伏筆——災難前的生活缺陷，可以鋪墊災難後的圓滿幸福。

《芙蓉鎮》作為「傷痕文學」故事情節複雜，作為「反思文學」價值觀簡單，還是善惡分明，壞人迫害好人。好壞怎麼分？首先以貌取人，「芙蓉姐子」「胸脯豐滿」，「膚色如米豆腐般白嫩」，大家都喜歡她。對比女的反派——工作組長李國香，照着鏡子，說是眼睛佈滿了紅絲，色澤濁黃，臉蛋也是皮肉鬆弛，枯澀發黃，談戀愛到處碰壁。要是這兩個女人的外貌倒過來的話，讀者該怎麼辦？

又如谷燕山，小說直言他為人忠厚樸實。黎滿庚根正苗正，一表人才，思想單純，作風正派。後來造反的王秋赦，則嘴巴貪吃，見到胡玉音老公就拍肩說，「兄弟！怎麼搞的？你和弟嫂成親七、八年了，弟嫂還像個黃花女，沒有裝起窯？要不要請個師傅，做個娃娃包皮靠！」一看就是鄉土油膩男。所以小說人物的善惡，已由相貌決定，不用讀者糾結。但是更重要的還是觀察他們的行為是否符合當時的革命道德。

小說的第二章第三節，〈女人的帳〉，十分關鍵。在電影裏也是波瀾不驚，但又驚心動魄。李國香找到胡玉音的家裏，給她算帳——

> 從一九六一年下半年起，芙蓉鎮開始改半月圩為五天圩。這就是講，一月六圩……到今年二月底止，一共是兩年零九個月……也就是說，一共是三十三個月份，正好，逢了一百九十八圩……你每圩都做了大約五十斤大米的米豆腐賣……你一圩賣掉的是五百碗，也就是五十塊錢，有多無少。一月六圩，你的月收入為三百元。三百元中，我們替你留有餘地，除掉一百元的成本花銷，不算少了吧？你每月還純收入兩百元！順便提一句，你的收入達到了一位省級首長的水平。一年十二個月，你每年純收入二千四百元！兩年零九個月，累計純收入六千六百元！

是的，工作組長李國香性心理扭曲，嫉妒美女，但是在桌面上算的帳，讓讀者看到六十年代中期農村的貧富懸殊，卻是事實。即使放在今天，如果小鎮上有這麼一個美麗的「豆腐西施」暴發蓋房，眾人是不是難免也會羨慕嫉妒恨？尤其是在暴發過程當中，又有官員（舊情人）保護，又有糧站主任廉價賣稻穀。會不會也有人想要舉報「權色貪腐」？

於是，客觀上小說就寫出了「四清」的歷史背景。「四清」前期是「清工分，清帳目，清倉庫和清財物」，後期是「清思想，清政治，清組織和清經濟」。《芙蓉鎮》發生的事情，客觀上——超出古華的願望——寫出了「文革」之火後來能夠點燃的乾柴基礎。說不好聽，就是一種被誤導的仇富心理，說好聽、美化一點，就是一種被壓抑的弱勢羣體求平等的願望。

「經濟清查」怎麼轉化或者說被利用到政治鬥爭？《芙蓉鎮》

第二章提供了一個相當典型的實例，可供政治家參考。李國香在小說裏是少數，她能夠戰勝多數，戰略戰術上有幾個要點。第一是上級支持。當時的政策，「千萬不要忘記階級鬥爭」，還有縣委楊書記對她非常「知音」，有裙帶關係。第二，李國香也需要下面有人支援。怎麼找法？訣竅是到鄙視鏈最底端去找積極分子。小說裏邊就是那個土改以來好吃懶做的無賴漢王秋赦，一來因為懶惰或無能造成結果赤貧，這樣的「弱者」最喜歡要重新分割成果的運動和革命。二來在政治運作上扶植低端，較容易培養親信。「官場」裏打破常規提拔下屬，有時也是同樣道理，提拔能力比較強的，眾望所歸，就算提拔了，人家也不一定感激上司（覺得理所當然，因為有才能）。這時如果提拔大家覺得最差的、最被人看不起的，反而會得到忠心耿耿的回報，同時有助於改變原來的人事秩序格局。

王秋赦住在吊腳樓，生態心態全是阿 Q 的正宗遺傳。阿城後來為謝晉的電影改編做編劇，大大地突出了王秋赦這個角色的社會意義。

第三，李國香的戰術能夠以少勝多，還在於她擅用經濟和女人這兩個罪名來打政治仗。經濟和女人相加，必然引起羣眾不滿。小說主觀上批判李國香、王秋赦少數壞人迫害了胡玉音、支書、谷燕山等多數好人，客觀上也證明這種政治鬥爭方式有長久的民意和社會土壤。

小說第二章第四節〈雞與猴〉，寫在集市戲臺上召開羣眾大會。象徵政治鬥爭如唱戲，黨內權力鬥爭也要讓廣大羣眾當看客。王秋赦等民兵代表武裝力量，明靶是右派秦書田，目標是通過批判剛剛發財的胡玉音，打擊坐在羣眾席上的支書黎滿庚和糧站主任。結果「男女關係」加「政治保護」加「經濟不平等」，三合一的鬥爭方式大獲全勝。胡玉音走投無路，會後慌忙就把自己存的千元儲蓄交給黎書記幫她保管，可是黎書記吃醋的老婆「五爪辣」就以幾個孩子的名義吵鬧、警告，逼得黎滿庚向領導自首。維護了紀律和黨性，背叛了道德與愛情。

回顧六十年代中國革命，階級鬥爭「擴大化」是最明顯的特徵。階級矛盾其實一直存在，問題是用經濟或法律方式協調，還是轉換為集團（甚至個人）的政治鬥爭。「擴大化」也分為四個方向：一從「地富」擴大到富裕中農、資本家、小業主（胡玉音就成了「新富農」）。二是「反壞」（反革命和壞分子）從刑事犯罪擴大為羣眾專政對象。三是新增思想言論罪「右派分子」，罪行比刑事犯更嚴重（所以秦書田要求改右派為亂搞男女關係的「壞分子」）。四是新增「黨內走資本主義道路的當權派」，即小說中工作組要打擊的真正目標支書黎滿庚和幹部谷燕山 —— 以一章小說情節，一場農村戲臺上的鬥爭會，概括數十年階級鬥爭擴大化的全貌，這是《芙蓉鎮》的社會學意義。

胡玉音被打成新富農以後，她的屠夫老公暴力抗爭，結果被專政力量消滅。於是寡婦女主角一下降到了政治鄙視鏈最底層，和右派秦書田天天一起打掃青石板街。

知識分子在農村的改造是八十年代小說的一個重大主題，其作品的數量可跟「十七年」的革命歷史小說相比，但《芙蓉鎮》裏還是以民眾胡玉音的受難為主，讀書人秦書田裝瘋賣傻，只想把右派身分改為壞分子（黑色幽默）。

小說四章，開端、災難、拯救、結局，第三章總是轉折。這種轉折以後在王蒙、張賢亮、張承志等很多作家筆下都會看到，但《芙蓉鎮》的特色，非常「狗血」，就是通過捉姦、偷情而互相拯救。

原來「文革」初期，李國香一度也被批，不久又重新做官。造反派頭頭王秋赦，就要求她原諒，原諒原諒就原諒上了床。秦書田清晨和胡玉音一起掃街，發現了李國香和王秋赦的姦情，他們用了一堆稀傢伙（髒東西）做埋伏，捉姦過程寫得很詳細——

> 他們臉塊對着臉塊，眼睛對着眼睛，第一次挨得這麼近。秦書田個頭高，半蹲下身子。胡玉音把腮巴靠在他的肩膀上，朝同一個方向看着。他們是在觀察王秋赦中計，樣子非常狼狽。胡玉音竟像個小女孩似地拍着雙手，格格地輕輕笑了起來。秦書田連忙捂住她的嘴巴，捉住她的手，瞪了她一眼。秦書田的手熱乎乎的，不覺的有一股暖流傳到了胡玉音的身上，心上。

這是秦書田第一次接觸這個女人的手，共同捉姦過程成了他們戀情的觸發點。象徵意義上，這也是民眾和讀書人聯合對付當時的官員。

秦書田與胡玉音關係的真正突破，在小說裏某天夜晚，雷鳴電閃，狂風大作，兩人掃街，衣服全濕，到一客棧，房裏一片漆黑，兩人各自脫衣服，然後突然想起對方沒穿衣服，伸手不見五指之中，「愛情的枯樹遇上風雨還會萌生出新枝嫩葉」。

改編電影時問題來了：兩個人各自脫衣服，不大自然；而且一片漆黑，拍出來也看不見。所以謝晉片中設計的是秦書田去探望病中的劉曉慶（胡玉音的飾演者），女的盛了碗米豆腐，男的低頭吃，女的深情看，音樂起，男的忽然醒悟了，伸手抓住對方的手，下面省略號……

由食物導致「性」的突破，我們以後還會在張賢亮〈綠化樹〉、王安憶〈小城之戀〉、《長恨歌》等小說中看到很多類似的中國故事。

小說結尾，雲開霧散，黎書記、谷燕山高升，多數好人似乎都有好報，尤其是女主角，這是最容易讓觀眾、讀者進行「無意識內模仿」的投射對象。

三、關於災難的美好故事

《芙蓉鎮》受到讀者普遍好評，一是因為描寫「十年」歷史過程故事比較完整，甚至寫到了運動前的「四清」；二是能將複雜的政治鬥爭簡化為善惡分明的道德對抗。少數壞人迫害多數好人的情節敍事，很契合「文革」後民眾的心理宣洩需要。小說能夠幫助剛剛經過「十年」的國人從糾結的災難記憶中儘快走出來。因為「十年」之中，很多人被整，但更多人以各種方式參與過整人（後來也有別的描寫整人者心理的文革故事，讓人糾結自省，難以擺脫）。《芙蓉鎮》讓人們自然而然認同才子美女主角，確定他們（自己）只是好人受害，對於災難沒有責任，所以也不需要懺悔，比較容易獲得解脫。同時，「壞事變成好事」的意義結構又符合官員和知識分子的美好願望：相信「十年」教訓帶來後來的改革成就。具體到女主角身上，運動以後，依然美麗，依然開豆腐店，依然生意好，依然有政治保護傘，而且屠夫老公換成了文化館長，而且還有了一個叫谷軍的男孩，真是不要太美滿！至於反派，李國香繼續升官，因為上面楊書記在保護她。王秋赦卻發瘋了，惡有惡報。暗示了竊國者比竊珠寶者結局反而要好，連做反派也是底層最倒楣。王秋赦瘋了以後一路高喊：「五、六年又來一次啊——！」因為這個令人害怕的呼喊，同名電影差一點沒能公映，直到胡耀邦總書記特別批准。

說到底，這部長篇社會學意義大於藝術價值，是當時國人對「四清」和「文革」的有選擇的集體記憶和公眾想像。記憶主要是前兩章，想像主要是後兩章。這種有選擇的記憶和一廂情願的想像，滲透了國人想趕緊解釋並擺脫、忘卻這段災難歷史的集體無意識。歸根結底，《芙蓉鎮》是一個關於災難的美好故事。

至於想忘卻想擺脫「十年」記憶，是否真的意味「十年」已經遠去？這又是另一個問題了。

注

1　九十年代初在臺北開會碰到古華，說他的小說很暢銷，作家非常得意：「嗯，銷量排第二，第一是《第二次握手》。」

2　參見許子東：《為了忘卻的集體記憶——解讀 50 篇文革小說》（北京：三聯書店，2000 年），頁 171-172。

3　古華：《芙蓉鎮》（北京：人民文學出版社，1981 年）。以下引文同。

〈飛過藍天〉 韓少功

〈這是一片神奇的土地〉 梁曉聲

〈綠夜〉 張承志

1981

知青文學三階段

一、知青文學的意義

知青文學是二十世紀中國文學當中一個很特別、很有成就的文類，一個在別的國家、地區罕見的文類。上世紀一些最優異的作品，如阿城〈棋王〉、史鐵生〈插隊的故事〉、張承志〈黑駿馬〉、王小波《黃金時代》等，都出自知青作家筆下。幾十年來，知青作家在所有中國知名作家中的比例，遠超過知青在全國人口中的比例。五四以來，新文學數量最多、寫得最出色的就是農民和知識分子，尤其是年輕知識分子。這兩類形象，直到知青文學，才有可能真正生活在一起，天天在一起勞動、歡樂、苦悶、掙扎。兩者之間產生了化學作用，催生了一種新的文學形態。而且，幾十年後，有知青經歷背景的中高層領導，在全國各級幹部中的比例，可能也超過知青在全國人口中的比例。換言之，有關知青的文學，在某種意義上，居然是晚清、五四以來「士 - 農 - 官」三種人物形象的一次既偶然又必然的重疊。當然，青年知識分子當初能和農民同框，需要一場史無前例的社會運動做背景。上山下鄉最初在五十年代中期出現，具有理想主義實驗成分。毛澤東在 1955 年《中國農村的社會主義高潮》一書中，為一篇叫〈在一個鄉裏進行合作化規劃的經驗〉的文章寫按語：

> 組織中學生和高小畢業生參加合作化的工作，值得特別注意。一切可以到農村中去工作的這樣的知識分子，應當高興地到那裏去。農村是一個廣闊的天地，在那裏是可以大有作為的。

最後這句話後來人人會背，當時樣板人物是邢燕子，她和王鐵人、陳永貴、雷鋒一樣，成了「十七年」中人人都要學習的英雄人物。但是具有社會學意義的上山下鄉，是到 1968 年才大規模展開。關於「十年文革」，現在海內外學術界可以從繼續革命理想方面研究，也可以從黨內鬥爭權謀角度分析。知青上山下鄉運動也是這樣，一方面貫穿着努力縮小三大差別的烏托邦革命精神，同時也有消解紅衛兵運動後遺症，處理老三屆城市失業問題的政治策略考量。進入 1967 、 1968 年，紅衛兵運動已到尾聲，大字報、破四舊、抄家、造反奪權等「歷史作用」已完成，工宣隊、軍宣隊接管了學校，可是幾百萬中學畢業生怎麼辦？工廠也不招人，大學也關門，所以就有一個解決城市青年就業的問題。不過作為知青當事人，當時只看到理想精神旗幟，看不見城市失業問題背景。

上山下鄉作為國策，出發點就是城市青年自願到條件艱苦的農村去鍛煉自己。現在回想，這是一種「被迫的自願」——沒有其他選擇的自願。自願和被迫的混合，其實常常存在，上山下鄉只是一個典型例子。

1968 年 12 月 22 日，毛澤東發佈最高指示：「知識青年到農村去接受貧下中農的再教育，很有必要……各地農村的同志應當歡迎他們去。」於是一場有史以來規模最大的從城市到農村的人口遷徙工程在全國範圍內展開，這是近代史上罕見的一場「反向都市化」的人口移動。

上山下鄉的確造就了一代作家，催生了一個文類。在其他領域，商界、藝術界、甚至政界，都有很多卓有成就的昔日知青。但同樣不可否認的歷史事實是，一代城市青年，被剝奪接受正常教育的機會，離鄉背井。有相當數量的知青，一生道路徹底改變，即使日後有機會回城，大概率也在社會競爭中處於弱勢地位。

知青文學和知青運動同時存在，最初必須是歌頌上山下鄉才能發表。不許批評的稱讚，只能是虛假。文學理論講真善美，真絕對是第一位的，即使達不到真實，也至少要真誠，離開了真，善、美就是惡、醜。1978 年以前的知青文學裏，也有處於地下狀態的朦朧詩（食指、北島等人的作品），阿城、馬原都說他們最早的小說是鄉下時寫的手抄本。當然，這只是作家回憶，人們看到文本是很晚的事情。

在七十年代末八十年代初，知青小說大量出現，且有階段性的變化。簡單概括，第一個階段是在鄉下，想回城；第二個階段是在城裏，懷念鄉下；第三個階段是再到鄉下，夢境破滅，無路可走。

二、〈飛過藍天〉：在鄉下，想回城的知青

「文革」後第一個階段知青小說的主題是哭訴 —— 終於可以抱怨下鄉是受難了，終於可以爭取回城，並感嘆青春被浪費了。文字比較精緻的有陳村的〈當我 22 歲的時候〉、〈我曾經在這裏生活〉。陳村擅長寫優美的短句，一種有節制的青春輓歌。故事比較淒慘「狗血」的是孔捷生〈在小河那邊〉，男知青下鄉糊裏糊塗睡了自己的妹妹，有點抄襲莫泊桑小說的情節。反響很大的是竹林的長篇《生活的路》，寫女知青為了回城，跟鄉村幹部睡覺。還有葉辛的《蹉跎歲月》，後來改編成電視劇，知青幾百萬，受影響的家人加起來就有幾千萬了，所以有社會共鳴。

韓少功的〈飛過藍天〉寫一隻鴿子，但有人名，晶晶；小說又寫了一個知青，名字卻叫麻雀。麻雀是晶晶的主人，非常愛他的鴿子，可是為了調回城市，招工師傅喜歡鴿子，他就把鴿子裝在紙盒裏，送給了招工的人。臨別他用剪刀給紙盒挖了兩個透氣窗，看到鴿子眼睛裏亮晶晶 —— 讀者知道這是眼淚。韓少功在文字細節上十分精緻細膩。但是送禮還是白送，公社推薦一環過不了，結果麻雀就只能繼續在鄉村偷懶、頹廢。另一邊廂，晶晶坐火車到了北方，突然從紙盒裏逃脫，一頭撲進了無邊無際的開闊、自由的天空 —— 廣闊天地，大有作為 —— 憑着本能的

記憶，晶晶一路向南飛，朝着它主人的方向。

六年前剛下鄉時，麻雀也充滿火熱幻想。他是瞞着母親轉戶口，揣着詩集溜進下鄉行列。他渴望在瀑布下洗澡，在山頂上放歌。但是幾年後，同學們都招工走了，他的改天換地夢想也漸漸破滅了。他只能在鄉村耍賴：放牛，丟了牛；打牌，鑽桌子；今天隊裏派他去打鳥，好吧，去吧，轉了半天，終於打下一隻——

……一躍而起，跑過一個草坡，看到了包穀地裏的屍體。

這原來是一隻鴿子。它軟軟地躺在草叢中，半閉着眼皮，胸脯流着血。不過它太瘦了，簡直像一包殼，也太髒了，全身都是泥灰。實在是讓人敗興。它是誰家的鴿子？大概飛了很遠很遠的路吧？大概是失羣和迷路了吧？

突然，他眨眨眼，驚得臉色突變。……[1]

麻雀「捧着逐漸冷卻的鴿子，帶血的手指在哆嗦。」「不可想像，藍天這麼大，路途這麼遠，遙遙千里雲和月，它從未經歷過這麼遠的放飛訓練，居然成功地飛回來了。當他酒酣昏睡時，它卻在風雨中搏擊前進，噴吐着滿嘴的血腥氣味向他一步步接近……」[2]

小說的前提也是哭訴知青厄運，寫鄉下受苦，想招工回城，先否定上山下鄉的政治意義。但小說又不僅寫知青苦難頹唐，還通過飛過藍天的鴿子來呼喚青年人風雨搏擊。社會處境雖苦，奮鬥還是神聖。韓少功這個短篇在 1981 年獲全國優秀短篇小說獎，同時強調知青既是社會犧牲品，又是時代弄潮兒。

三、〈這是一片神奇的土地〉：在城裏，懷念鄉下的知青

韓少功〈飛過藍天〉寫想回城而不得，同期王安憶〈本次列車終點〉更現實地描寫知青回城後的困境。很不容易從新疆回到上海，卻發現城市空間狹小無處容身，家裏人口眾多，工作生活乏味。「本次列車終點」標誌知青文學回程夢的終點，也是新的煩惱的起點。知青一代，沒文憑缺技能，成為社會競爭當中的弱者（作家和領導例外）。所以知青小說的第二階段就是寫人已回城，卻想鄉下。在無聊的城市環境中重新懷念留在廣闊天地裏的青春歲月。比如孔捷生〈南方的岸〉、梁曉聲〈今夜有暴風雪〉、張承志的〈北方的河〉、〈黑駿馬〉。其中梁曉聲〈這是一片神奇的土地〉，是這一時期知青文學的代表作。

梁曉聲 1949 年出生於哈爾濱，原名梁紹生。他做過知青，1974 年作為工農兵大學生到復旦上學（工農兵大學生敘述文革，感情態度與同時代其他作家有所不同）。除了知青小說以外，梁曉聲還寫過《一個紅衛兵的自白》[3] 等作品，是一個非常勤奮而且與時俱進的作家。短篇〈這是一片神奇的土地〉，原載《北方文學》1982 年第八期，寫東北生產建設兵團一個先遣小隊，屯墾戍邊開發一個號稱「鬼沼」的「滿蓋荒原」。這是一個死寂的沼澤地帶，先遣小隊十幾個人，由連隊副指導員李曉燕帶領，第一人稱的「我」則暗戀這美麗又剛強的副指導員。後來李曉燕在開荒

成功之際連續發高燒，昏迷不醒。另一個女知青梁姍姍為了尋找食物，在「鬼沼」裏沒了頂。男主角的「情敵」、「摩爾人」王志剛，也在和狼羣搏鬥中犧牲。所以「滿蓋荒原」被征服時，知青們立下了一塊墓碑：墾荒者李曉燕和她的戰友王志剛、梁姍姍長眠於此。

在梁曉聲筆下，知青歲月和「革命歷史小說」氣息相通：這是一種犧牲，但是光榮神聖，「求仁得仁」，我們絕不後悔，因為這是一片神奇的土地。梁曉聲基本上是用「十七年」的英雄主義筆調，來書寫「文革」當中的故事。小說也獲得優秀短篇小說獎，說明已經回城的幾百萬知青，並不願意完全否定留在身後的苦難記憶。

從文字上看，〈這是一片神奇的土地〉也延續《青春之歌》的「多麼」文體——

> 哦！我們這些年輕人！
> 我們是多麼珍重責任感啊！
> 我們是多麼容易激動和被感動啊！[4]

在文學中，知青比較多情，容易感動。在現實中，由於個體經濟開始出現，加上計劃生育政策，七十年代末幾百萬知青回到大城市，並沒有造成太大的人口壓力和社會問題。

四、〈綠夜〉：再回鄉下，夢境破滅的知青

在城市平庸現實包圍下，知青不僅重新想像和歌頌農村歲

月，甚至也有人真的回鄉尋找舊夢。一個小說中的案例，就是張承志的〈綠夜〉。

> 他終於登山了那座小山。他抬起頭來，深深地吸了一口氣，向遠方望去。明亮而濃鬱的綠色令人目眩。左右前後，天地之間都是這綠的流動。它飽含着苦澀、親切和捉摸不定的一股憂鬱。這漫無際涯的綠色，一直遠伸到天邊淡藍的地平線，從那兒靜靜地等着他、望着他，一點點地在他心裏勾起滋味萬千的回憶。[5]

「明亮而濃鬱」、「苦澀、親切和捉摸不定的一股憂鬱」，張承志的文字有點像路翎的筆法（當然他們的傾向非常不同）。主角就是一個離開草原回到北京，又對大城市生活感到窒息，所以重新回鄉尋夢的男人。離開草原已經八年了，他對城市生活的概括是：「冬天運蜂窩煤、儲存大白菜，夏天嗡嗡而來的成團蚊蠅，簡易樓下日夜轟鳴的加工廠，買豆腐時排的長隊……」疲憊與疲勞中，他總是懷念青春、回味昨天、幻想綠色、渴求夢境。現在他回來了，穿着風衣站在草原上，周圍都是綠色，他老記着他走時小奧雲娜才八歲。

蒙古姑娘小奧雲娜在張承志筆下，不僅是個人物，而且是一個意象，是性靈的綠色，是大地的精英。正因為她的純真，小奧運娜才標誌着他的夢。沒想到再見的時候，蒙古少女已經長成，她已經不再是主人公的天使了：「沒有羊角似的翹小辮，沒有兩個酒渦。她皮膚粗糙，眼神冷淡……蓬鬆的長髮低垂在沾滿油污、奶漬和稀牛糞的藍布袍上。」[6]眼前的少女和他的記憶相去太遠。在古老的勞動節奏裏，她坦然、麻木，連半醉的瘸子的調戲，她也不生氣。男主人公在城裏這麼多年，一直把小女孩作為一個夢存在。現在看到這個長到十幾歲的蒙古少女，在非常粗糙的環境下生活，衣服亂七八糟。於是，主人公慌了、失望了：「生活露出平凡單調的骨架。草原褪盡了如夢的輕紗。」這種情緒轉折纖細而又驚心動魄，雖然主人公已經意識到他尋找的已不復存在，震動之餘，他還是留下來，在草原上住了一些時日，注視着奧雲娜，反省自己。

終於在古老、神聖的生活旋律中，在廣袤的綠色和如水的星夜中，他平靜了、感悟了，他做出了反省：「表弟錯了。佟乙己錯了。他自己也錯了。只有奧雲娜是對的。」[7]表弟和佟乙己是兩個看不起鄉下生活的城裏人。抒情主人公最後告別草原時，感到了自己的心從來沒有這樣濕潤、溫柔、豐富和充滿了活力，這也很像張承志後來的追尋，總是尋找對錯。以後會有專章討論。

小說後半部的奧雲娜的形象太意念化了，最後一段筆調有點虛，但總體上〈綠夜〉非常嚴肅。同樣是延續英雄主義精神，張承志的抒情超越了很多同代人。

簡單來說，〈飛過藍天〉是承認知青走向頹唐，〈這是一片神奇的土地〉是虛構昨日的英雄主義，〈綠夜〉則是解構自己的夢，也正視夢醒之後的自己。這是八十年代初知青小說的三個階段，基本上都是知識青年的情緒紀錄。農民都是虛的，鄉村只是背景。到這時為止，知青小說中真正的傑作還沒有出現。

注

1 韓少功：〈飛過藍天〉，《中國青年》1981 年第十三期；《飛過藍天》（長沙：湖南人民出版社，1983 年）。

2 同注 1。

3 梁曉聲：《一個紅衛兵的自白》，《北方文學》1982 年第八期；中國社會科學院文學研究所當代文學研究室編：《中國短篇小說百年精華（下）（當代卷）》（香港：三聯書店，2005 年）。

4 同注 3。

5 張承志：〈綠夜〉，《十月》1982 年第二期；《騎手為甚麼歌唱母親》（上海：東方出版社，2014 年）。

6 同注 5。

7 同注 5。

1984

〈棋王〉

阿城

革命時代的儒道互補

一、〈棋王〉的第一個層次：民以食為天

〈棋王〉原載《上海文藝》1984 年第七期。阿城後來說他是在雲南做知青時寫的，不經意被人傳了出去。某日，一個好友向他推薦說，這個手抄本好像還不錯，可以看看。阿城拿來一看：怎麼像是我寫的 —— 當然，這是阿城的神聊，十分有趣，僅供參考。在北京的作家圈，阿城出了名地會講故事。這倒有旁證，鄭萬隆說他們聽阿城講過「棋王」的故事，講完以後大家說這倒可以寫小說，於是就有了發表在《上海文學》的這個中篇。

〈棋王〉既不是寫知青對命運的自艾自憐，也不是寫知青對理想的神奇美化，而是首先把知青的特殊境遇與農民的日常生態，在「民以食為天」這個道理上聯繫起來，從而反襯了強調精神力量的「十年」政治環境的荒謬與失敗。

上海《文匯報》1984 年 7 月 25 日發表許子東〈《棋王》過眼錄〉，可能是第一篇評論〈棋王〉的文章：

在踏上「征途」的月臺上，並沒有着意渲染口號聲和哭聲；農場裏伙食清苦，油星寶貴，也聽不見知青們如何抱怨苦嘆。在那奇特的年代，青年人有多少奇特的雄心和奇特的遭遇，然而阿城，至少在〈棋王〉裏，卻既不激昂，也不呻吟，既不憤怒，也不戲謔。烈日、臭汗、餓鬼、香煙、粗話、破夢⋯⋯城市學生與鄉村現實的種種不協調，都脱離一切語氣詞、感嘆號而平淡無奇地呈現。文雅的學生殺蛇待客，可憐巴巴地珍藏醬油餅，再講講海味作精神聚餐⋯⋯種種本來可以用來自憐或者哭喊的細節，作者卻寫得若無其事，不厭其煩，甚至還有點津津樂道、帶着欣賞的意味⋯⋯[1]

〈棋王〉的第一段第一句，後來被評論家李劼稱為當代小說的最佳開局：「車站是亂得不能再亂，成千上萬的人都在說話。喇叭裏放着一首又一首的語錄歌兒，唱得大家心更慌。」[2]（既是高度象徵，又是高度寫實）。

第一人稱「我」，決定下鄉去建設兵團，「此去的地方按月有二十幾元工資，我便很嚮往，爭了要去，居然就批准了。歡喜是不用說的，更重要的是，每月二十幾元，一個人如何用得完？」香港的大學生現在已讀不出這一段文字的諷刺意味，也許日後內地的學生也會以為當年北京知青去雲南建設兵團是件幸福的事情。

車廂靠月臺一邊擠滿了知青，在和家人道別，「另一面的窗子朝南，冬日的陽光斜射進來，冷清清地照在北邊兒眾多的屁股上。」（陽光和屁股，這又是寫實，又是象徵）。就在冷清的車廂南面，「我」碰到了男主角王一生。兩人都沒甚麼家人來送，王一生說：「我他媽要誰送？去的是有飯吃的地方，鬧得這麼哭哭啼啼的。來，你先走。」他擺下來，要下棋了。

這個歷史環節，我有親身經歷。1970 年 4 月 1 日早上 11:08，當滿載下鄉知青的列車在上海北站啟動那一刻，喇叭裏響起了莊嚴的《東方紅》樂曲，伴隨着整個月臺一大片哭喊聲。我當時卻沒哭，因為我母親不哭。她說：「我送你兩個哥哥去北京，去別的地方讀書，我從來沒哭過。」多年後才知道 4 月 1 日是愚人節，中學同學們現在每年紀念。

小說一面介紹王一生癡迷下棋，在下鄉火車的混亂環境下還要下棋，但同時又花了同等分量的筆墨寫他對於「食」的虔誠。有同學問：「你下棋可以不吃飯？」王一生想了想，又搖搖頭，說我可不是這樣。「我」告訴王一生，說曾經一天沒吃東西。王一生便仔細盤問細節：後來甚麼時候吃東西的？吃的是甚麼？第二天又吃了甚麼？他對吃飯有一種類似於科學研究的態度。小說裏寫他在火車上吃盒飯一段，堪稱經典：

> 聽見前面大家拿吃時鋁盒的碰撞聲，他常常閉上眼，嘴巴緊緊收着，倒好像有些噁心。拿到飯後，馬上就開始吃，吃得很快，喉節一縮一縮的，臉上繃滿了筋。常常突然停下來，很小心地將嘴邊或下巴上的飯粒兒和湯水油花兒用整個兒食指抹進嘴裏。若飯粒兒落在衣服上，就馬上一按，拈進嘴裏。若一個沒按住，飯粒兒由衣服上掉下地，他也立刻雙腳不再移動，轉了上身找。吃完以後，他把兩隻筷子吮

> 淨，拿水把飯盒沖滿，先將上面一層油花吸淨，然後就帶着安全到達彼岸的神色小口小口的呷。……喉節慢慢地移下來，眼睛裏有了淚花。他對吃是虔誠的，而且很精細。

這段描寫，文字本身好，場景也精彩，最簡單的事情可以寫出最複雜的意思。

王一生覺得傑克·倫敦的《熱愛生命》寫的是「餓」，巴爾扎克的《邦斯舅舅》裏寫的是「饞」。前者是莊嚴的生存需要，後者是奢侈的享受，甚至浪費。

因為在火車上下棋聊天，「我」和王一生交了朋友。下鄉後，王一生來做客，小說這樣寫他的形象：「說着就在床上坐下，彎過手臂，去撓背後，肋骨一根根動着。我拿出煙來請他抽。他很老練地敲出一支，舔了一頭兒，倒過來叼着。我先給他點了，自己也點上。他支起肩深吸進去，慢慢地吐出來，渾身蕩一下，笑了，說：『真不錯。』」

平淡樸素文字中，「支」、「蕩」這些動詞，極其有力。

小說又寫知青們殺蛇，歡天喜地地聚餐，家境較富有的上海知青腳卵，拿出一點珍藏的固體醬油，大家都十分享受。〈棋王〉對知青的困苦生活，一點都沒有抱怨，反而苦中作樂。和高曉聲寫李順大、陳奐生異曲同工，都是寫實加調侃，用一種對「食」的認真態度，將知青和農民的命運聯繫在一起。〈棋王〉暗示，知青沒必要發那麼多牢騷，農民一輩子都在鄉下，怎麼生活？「民以食為天」是比「一不怕苦，二不怕死」更加重要的真理。

二、〈棋王〉的第二個層次：棋與人生

「食」是小說的第一個層次。第二個層次則是棋與生的複雜關係，也就是精神與物質在人生當中的關係。很驚訝一個中篇小說敢觸碰這麼大的題目。王一生一方面否認下棋可以不吃飯，似乎物質生存第一位，但他又再三強調，「人生何以解憂？唯有象棋」，所以外號「棋呆子」。「我」問王一生，你有甚麼憂？他說：「沒有甚麼憂，沒有。『憂』這玩意兒，是他媽文人的佐料兒。我們這種人，沒有甚麼憂，頂多有些不痛快。何以解不痛快？唯有象棋。」既否認有「憂」，又需要下棋，下棋代表精神宣洩、文化追求、心理慾望。「傷痕—反思文學」，一般主人公落難，都有女人（異性）相救，如《芙蓉鎮》、〈綠化樹〉等。〈棋王〉裏也有拯救者，「我」的拯救者就是奇人王一生，王一生的拯救者就是一個撿爛紙的老頭。他靠撿破舊的大字報（注意這個象徵意義）為生，在小說裏擔任「智慧老人」的角色。老頭不僅教下棋，還講陰陽之道，說陰陽之氣相游相交，初不可太盛，太盛則折，太弱則瀉。若對手盛，則以柔化之。可要在化的同時，造成克勢。柔不是弱，是容，是收，是含……

如此這般，房中術知識變成棋藝乃至人生哲學。老頭傳給王一生最重要的祖傳秘方其實是「為棋不為生」——「為棋是養性，生會壞性，所以生不可太盛」。

大概我們每個人，至少讀書人，都有自己的「棋」——學術是棋，文學是棋，音樂、繪畫、建築等等藝術追求，都是我們要獻身的「棋」。一般說來，專業成績自然會帶來社會名聲以

及生活水平的提高，可是那個撿破紙的老頭告誡我們「為棋不為生」—— 創作、學術、藝術等等，目的是養性，如果只為稻粱謀，一味追求銷量、獲獎、知名度、明星效應等等，那就會「壞性」。怎麼做到「為棋不為生」呢？王一生的回答就是，生不可太盛。

「為棋不為生」，這不是對農民的要求，而是回到士的反省。〈棋王〉的理想境界是：社會（農民）要「民以食為天」，個人（幹部 / 知識分子）需「為棋不為生」。或者，一以貫之也好，自己不求享樂，也要求別人艱苦樸素。倒過來也行，自己追求世俗快樂，也贊成社會物質繁榮。最糟糕的情況是要求別人（百姓）注重精神力量，「為棋不為生」，自己或家人卻「官以貪為先」。這種情況，我們不僅在李伯元的小說裏見過。

三、〈棋王〉的第三個層次：儒道文化

但小說除了講究吃法、鑽研棋道以外，還有第三個層面。〈棋王〉是整個當代文學中較早重寫中國文化傳統的小說。

小說中的道家色彩很早就被王蒙等很多作家、評論家注意。[3] 不用說王一生瘦弱潦倒又怡然自得的山野形象，其貌不揚又才藝過人的江湖風度，還有陰柔陽剛去化之道。退一步海闊天空的道家傳統，在「文革」動亂中，正可以給人一些避世方法。其實，儒家精神在〈棋王〉中更不可忽視。王一生人生態度的核心是由他母親一幅無字棋所構成的。因此他不願腳卵犧牲家傳棋具，為他爭取比賽資格。因此他不為名利，九人大戰最後進入了武俠般的超拔境界。

> 王一生孤身一人坐在大屋子中央，瞪眼看着我們，雙手支在膝上，鐵鑄一個細樹樁，似無所見，似無所聞。高高的一盞電燈，暗暗地照在他臉上，眼睛深陷進去，黑黑的似俯視大千世界，茫茫宇宙。那生命像聚在一頭亂髮中，久久不散，又慢慢彌漫開來，灼得人臉熱。……
>
> 人漸漸散了，王一生還有一些木。我忽然覺出左手還攥着那個棋子，就張了手給王一生看。王一生呆呆地盯着，似乎不認得，可喉嚨裏就有了響聲，猛然「哇」地一聲兒吐出一些黏液，嗚嗚地說：「媽，兒今天……媽——」

幾十年來，能夠這樣呼喚「媽，兒今天……媽——」的小說，為數不多。

小說最後試圖得出一個儒道互動的結論：「不做俗人，哪兒會知道這般樂趣？家破人亡，平了頭每日荷鋤，卻自有真人生在裏面，識到了，即是幸，即是福。衣食是本，自有人類，就是每日在忙這個。可囿在其中，終於還不太像人。倦意漸漸上來，就擁了幕布，沉沉睡去。」

這是〈棋王〉現在的結尾。據說曾有一稿，結局是王一生最後向官場世俗低頭，加入了地區象棋隊，吃得白白胖胖，說吃得這麼好，還下棋幹啥。如果那樣寫，太叫人悲觀了。

另外兩個短篇，〈孩子王〉是寫動亂時期知青教書，沒書可教，最後教字典。晚清流行的口號，「漢字不滅，中國必亡」，〈孩子王〉想證明，漢字不滅，中國就不會亡。〈樹王〉則寫知青主人公反對為發展生產砍掉大樹，不只是超前環保意識，更是自然與人的傳統觀念古今相通。這兩個短篇從不同方面分別補充了儒家精神「漢字不滅」與道家傳統「天人合一」。顯示即使在「文革」當中，儒家、道家還是延續在中國社會底層。

〈棋王〉的文學史意義，一是不僅在政治傾向上，而且在文學方法上都超越了「十七年」。大部分「傷痕 - 反思文學」，首先是撥亂反正，柳青歌頌合作化消滅私有制，高曉聲、茹志鵑正視幾十年農民災難，政治觀念「互相否定」(《創業史》提前批評了「紅牛黑牛論」)，關注社會問題的方法卻不無相通之處。梁曉聲的《青春之歌》文體，或喬廠長的戰鬥精神軍事術語，更是「十七年」筆法書寫改革開放的明顯例證。直到 1984 年阿城的〈棋王〉，文學焦點才擺脫了直接的社會政治視野，不再描寫怎樣革命為甚麼革命或革命的方向正確錯誤等等，而是詳細描寫革命之中普通人的吃飯下棋，描寫儒家道家傳統命脈如何在當代革命之中繼續生存掙扎。當然，廣義而論，也是在寫真實的革命和革命中的真實。

〈棋王〉的文學史意義，還在於其文字結構，既不同於四十年代以來的令人激動的革命浪漫主義，也有別於五四以來的歐化文藝腔。作品並不滿足於回歸五四，而且還企圖至少在文字上銜接明清筆記和舊白話小說。可以稍微舉幾個例子：在火車上周圍一片哭聲，「我實在沒心思下棋，而且心裏有些酸，就硬硬地說：『我不下了。這是甚麼時候！』他很驚愕地看着我，忽然像明白了，身子軟下去，不再說話」。記得巴金小說人物說話時常常皺緊眉頭表情豐富，《財主底兒女們》則會「憂鬱而又快樂地」笑着說。阿城的人物說話，也寫肢體，但沒有表情動作，也沒有文雅複雜的形容詞，只是「硬硬地說」，「身子軟下去」。一硬一軟，意境全出。

再如腳卵拿出家傳象棋，「王一生大約從來沒有見過這麼精彩的棋具，很小心地摸，又緊一緊手臉」。「緊一緊手臉」也是用動詞形容表情。「喝得滿屋喉嚨響」—— 這是《水滸傳》裏的句子，小說裏出現了不止一次。「我」給王一生送行，看他的背影：「王一生整了整書包帶兒，就急急地順公路走了，腳下揚起細土，衣裳晃來晃去，褲管兒前後蕩着，像是沒有屁股。」最後一句是大雅之俗，「像是沒有屁股」活化出王一生現代濟公一樣的背影。

因為〈棋王〉大寫吃的莊嚴，又崇拜棋的神聖，「文革」背景下出現了最新的儒道互補，文字又是經得起推敲的當代白話，所以小說出版以後，在臺灣和海外華人文化圈幾十年來一直是課堂內外的中文範本。朱天文認為，上個世紀八十年代，〈棋王〉橫空出世，震動所有華人能閱讀的地區。

她說：「阿城達到的高度 —— 腦啡。」[4] 汪曾祺也在一篇題〈人之所以為人〉的評論中寫道：「讀了阿城的小說，我覺得，這樣的小說我寫不出來。我相信，不但是我，很多人都寫不出來。這樣就很好。這樣就增加了一篇新的小說，給小說的這個概念帶進了一點新的東西。否則，多寫一篇，少寫一篇；寫，或不寫，差不多。」[5] 汪曾祺也正是在「禮失求諸野」的主題背景之下，與阿城找到了共同語言。

〈棋王〉起點很高，後來甚至作家自己也難以為續。小說發表後，1984 年底有一批國內新銳的作家評論家在杭州召開了一次後來被認為引發「尋根文學」的重要研討會，經過這次會議的醞釀、催化，〈棋王〉也就被追認為「尋根文學」的第一批代表作。在文學史上，正是在〈棋王〉（還有〈紅高粱〉）之後，當代文學才出現了一批可以在藝術上與三、四十年代對話的小說。

注

1 許子東：〈《棋王》過眼錄〉，上海《文匯報》1984 年 7 月 25 日。

2 阿城：〈棋王〉，《上海文學》1984 年第七期。以下小說引文同。李劼：〈論中國當代新潮小說的語言結構〉，《文學評論》，1988 年第五期。

3 如王蒙：〈且說《棋王》〉，《文藝報》，1984 年第十期；蘇丁、仲呈祥：〈《棋王》與道家美學〉，《當代作家評論》，1985 年第三期。

4 在臺北新地文學出版社 1986 年版的《棋王、樹王、孩子王》上，刊有〈「棋王樹王孩子王」的資料檔案 —— 一本純正文學作品短期轟傳海內外的簡報〉，介紹了「小說在華文世界的傳佈概況」。

5 汪曾祺：〈人之所以為人 —— 讀《棋王》筆記〉，選自季紅真主編、趙坤談藝卷主編：《汪曾祺全集 九・談藝卷》（北京：人民文學出版社，2019 年），頁 324。

1984 杭州會議與韓少功的一天

依照本書慣例，我們要關注八十年代一個作家的一天：韓少功在 1984 年 12 月 14 日。這次不是依據他的日記，那一整天我和他在一起開會，參與目睹了所謂「尋根文學」的發端。而尋根文學正是八十年代最重要的文學現象。

洪子誠的《中國當代文學史》對「杭州會議」有如下記載：「在 1983 年到 1984 年間，以『知青作家』為主的一些中、青年作家，如韓少功、李陀、鄭義、阿城、李杭育、鄭萬隆、李慶西等，圍繞文學『尋根』問題，交換過意見，召開過座談會。」[1] 陳思和是與會者，他主編的《中國當代文學史教程》記錄得更詳細一些：「1984 年 12 月（12 日到 16 日），在《上海文學》雜誌社與杭州《西湖》雜誌社等文化單位在杭州舉辦座談會上，許多青年作家和評論家討論近期出現的創作現象時提出了文化尋根的問題。此後韓少功在〈文學的『根』〉一文中，第一次明確闡述了『尋根文學』的立場，認為文學的根應該深植於民族文化的土壤裏，這種文化尋根是審美意識中潛在歷史因素的覺醒，也是釋放現代觀念的能量來重鑄和鍍亮民族自我形象的努力。阿城、鄭萬隆、鄭義、李杭育等作家對這一主張也做了各自的闡述，由此開始形成了自覺的『尋根文學』潮流。」[2]

陳曉明教授晚近出版的《中國當代文學主潮》，也記錄了「杭州會議」的歷史意義：「釀就『尋根』的契機可以追溯到 1984 年 12 月在杭州西湖邊一所療養院裏的聚會，隨後（1985 年）有各種關於『尋根』的言論見諸報端。韓少功的〈文學的『根』〉，鄭萬隆的〈我的根〉，李杭育〈理一理我們的根〉，阿城〈文化制約着人類〉等等。」[3]

陳思和主編的《中國當代文學史教程》插圖。

從五十年代起，當代文學生產機制本來就有「計劃文學」的性質，常常希望通過會議引導文學創作傾向的變化，但「杭州會議」有些不同。一是此會不在北京召開，也不是中央策劃，發起方是《上海文學》和《西湖》雜誌社及浙江文藝出版社。二是此會確實引發了一個重要的文學潮流，而不像其他更大規模更高級別的會議只是調整文藝政策。所以「杭州會議」後來被各種文學史所記載，背後有一些微妙的歷史原因。

陳曉明的觀察是：「八十年代中期，雖然意識形態領域反反覆覆進行着各種鬥爭，但關於人道主義和主體論以及異化問題的討論，使知識分子的思想與主導意識形態構成一種緊張關係，若隱若現的碰撞似乎預示着內在更深刻的分歧。」[4]

與其說是知識分子的思想與主導意識形態構成緊張關係，不如說是主導意識形態內部存在不同觀點的分歧矛盾——八十年代，晚年周揚重新從馬克思主義的角度討論人道主義問題，同時期胡喬木等人則比較堅持延安意識形態的傳統。

當時比較寬容的思想解放背景，促使文藝界有更多理論探索的可能性。

馮牧主編的北京《文藝報》比較代表陳曉明所說的「主導意識形態」，李子雲主持的《上海文學》「理論批評版」以及劉再復主編的北京的《文學評論》，更傾向於思想解放。不過，丁帆和許志英主編的《中國新時期小說主潮》，將馮牧、唐因、唐達成、王蒙（時任《人民文學》主編）都列在周揚、張光年、夏衍為首的「惜春派」——意思是珍惜文藝界的春天。另外一邊被稱為「偏『左』派」，有胡喬木、王任重、林默涵、賀敬之、劉白羽等。

今天回頭看，雙方都有自己的信念和理據，正是這種有矛盾有爭論的意識形態背景，促進了八十年代中期文學和理論的繁榮。

除了人道主義爭論背景，當時文藝界還爭議幾個現代派「小風箏」—— 幾篇比較欣賞西方現代派技巧的文章，發表在《上海文學》上，引起了北京《文藝報》批評。這些大小論爭和五、六十年代很不一樣，不是完全一面倒，也不全是自上而下，中間有很多偶然性。比如《上海文學》本是地方文學刊物，小說影響遠不如《人民文學》或《收穫》。但主持「理論批評版」的李子雲是一個很有政治遠見和學術情懷的編輯，以前是夏衍的秘書。所以《上海文學》十分引人注目地發表了一系列關於現代派的文章，引起爭論，還邀請巴金、夏衍等前輩作家撰文聲援。就是在這麼一種微妙的京派、海派的文藝論爭形勢下，1984 年 12 月的杭州議會，客觀上是在《文藝報》的指導方向之外，開啟了當代文學一個新的發展潮流。

一、杭州會議的開會情況

我們可以從文藝生產場域、意識形態操作的角度來討論尋根文學的背景。

參加會議的有北京來的阿城、陳建功、鄭萬隆、李陀、黃子平、季紅真；上海的周介人、陳村、曹冠龍、陳思和、蔡翔、程德培、吳亮、南帆、許子東等；魯樞元和韓少功是京滬以外的作家、評論家；東道主是浙江文藝出版社的李慶西（新人文論叢書的編輯）；主持人就是王安憶的母親茹志鵑和李子雲。

這不是一次正式的學術會議或常規的作協會議，沒有預定的日程（至少就我這個與會者當時所知），沒有事先安排的發言題目，沒有發言時間限制和專家講評，沒有領導講話也沒有與會者提交論文，卻是我參加過最有學術氣氛的一次會議。會議在杭州的一家部隊療養院連續開了三天。就在西湖邊上，也沒安排遊覽，很少有傳媒關注。蔡翔後來回憶，說到會時，沒有安排誰住哪裏，療養院裏邊有單人房、雙人房、三人房，與會者進去隨便住。結果大家都先搶三人房，最後來的人才住單間（現在情況正好相反，或者看級別）。不知社會進步了，還是文化退步了？

會議通常由周介人（《上海文學》編輯）負責串場。大家沒有預定次序，隨意發言，或長或短，可以打斷，卻都認真嚴肅。討論的問題，有時很大，比方禪宗、現代派等，有時很小，某小說細節，如阿城的發言，通常是講故事說段子，還很幽默，引起哄堂大笑。

從 1984 年當代文學的發展趨勢看，茹志鵑、李子雲構思此會，應該要討論兩個大問題：第一，怎麼處理文學和政治的關係；第二，討論文學創作和西方現代派的關係。結果出乎會議主辦方的意料，第一個問題居然完全沒討論；第二個問題的意見也基本一致，也沒有太多爭論。

「三紅」描寫農民在黨指引下反抗地主，或者華東野戰軍戰勝張靈甫，或者重慶革命烈士道德高尚，《創業史》要農民消除私有制，宣傳合作化政策 —— 這些當然都是文學直接為政治服務。但 1978 年以後，〈李順大造屋〉同情農民幾十年生活困苦、

〈剪輯錯了的故事〉反思大躍進、《芙蓉鎮》描述「四清」與「文革」動亂過程，是否也在為改革開放的政治服務？不也是回應或契合了十一屆三中全會以後的政治大環境？《上海文學》最早刊出理論文章，質疑文藝是否應該成為階級鬥爭的工具，可是這樣的質疑本身也是思想解放的先鋒。

當然，改革開放前後文學和政治的關係有重要變化。「傷痕 - 反思文學」中的政治，可以從作家個人信仰出發，和以前從特定時期政策政令出發有極重要的區別。但是，對於參加「杭州會議」的這些年輕新銳作家來說，他們並不太思考如何繼續為狹義或廣義的政治服務，而是在想小說還應該或可以有怎麼樣的發展空間。關於文學和政治關係，到會作家好像基本已有共識，所以一下子跨越了（實際也是迴避了）這個關鍵話題。既然要少寫政治，又要面對社會，那另一選擇就是多寫「文化」。開會第一天，大家就談論幾個月前發表的〈棋王〉。文化自然有東西之分，西方現代派文學雖有很多吸引人之處，但不可簡單效法，尤其不能只從文字語言上去學習。各位如果不精通英文、法文、德文、俄文——這是當代作家和五四一代相比明顯的弱項——學習現代派，其實學的是翻譯腔，學的不是海明威、卡夫卡，而是李文俊、袁可嘉。而小說最重要的因素語言，必須從中國文字源流上尋找，這就是阿城和賈平凹的《商州初錄》在會上受到關注的主要原因。換言之，1984 年底，部分新銳中國作家意識到當代小說不僅應和「政治」保持距離（保持距離也是一種政治策略），也應和「西方現代派」保持距離——當然，從後來文學史發展來看，「尋根文學」也是調整文學與政治關係的一種策略，而且文學尋根和現代派技巧也完全可以融合（比如〈爸爸爸〉、〈紅高粱〉等等）。

二、既懂文學，又懂政治的韓少功

在這一批五十後知青作家中，韓少功比較有明確政治抱負、理想主義色彩，而且也有自覺的理論追求。他既懂文學，又懂政治，說起來是茅盾、王蒙之後的第三代了。當然，歷史條件不同，個人的處境也不一樣。

韓少功出生於長沙，初中畢業以後下鄉插隊。他現在還是一面在海口做海南省文聯主席，另外一年有半年住在湖南某個鄉村，像一個永遠的知青。他的早期作品的〈月蘭〉、〈回聲〉，就有對文革參與者造反派的一定理解。之前我們讀過〈飛過藍天〉，看到他又想寫知青苦難，又要寫知青理想。在杭州會議上，他比較沉默，看得出他有很多想法，很緊張地思考着。會議的明星，是阿城、李陀、黃子平等等。

記得是會議的第三天，晚飯以後沿着西湖散步，那時阿城喝醉了，要朋友們幫忙抬回去。我問韓少功對會上大家發言有甚麼想法，他猶豫了一下，說不管他們怎麼說，我回去要拿點乾貨出來。也許沒有用「乾貨」這個詞，我的記憶不一定可靠，但大致是這個意思。

後來我才知道，他的思考就是在《作家》上發表的〈文學的「根」〉這篇文章，所以嚴格說來「尋根文學」的口號是由這篇文章提出來的，但我記得在杭州會議上並沒有明確地使用「尋根文學」這個概念。

我在 1988 年寫過一篇論文，叫〈尋根文學中的賈平凹和阿城〉，裏面這樣概括：「尋根文學」大致有三個不同路向：一是在「文革」後重新認識和整理民族文化支柱或檢討當代革命對中國傳統文化的傷害，代表作家是賈平凹和阿城。二是挖掘當代政治動亂在傳統文化民族心理上的深層根源，最典型的作品是韓少功的〈爸爸爸〉和王安憶的《小鮑莊》。三是社會現代化的「危機」中尋找「種族之根」或「道德之氣」，以解救當代（城市）文化的墮落及人的精神價值困境，鄭萬隆、李杭育以及某種程度上的莫言、張承志等，都比較接近於這個傾向。」[5]

我在另一篇論文〈《爸爸爸》與《小鮑莊》〉裏專門討論了韓少功：「從外表上看，韓少功像個優秀的青年團幹部——衣着嚴肅，談吐沉穩，待人（尤其在老一輩面前）謙和方正，總是微笑而又認真地聽別人講述哪怕是他不感興趣的話題，給人以踏實甚至『聽話』的感覺，絕無張承志的孤傲，張辛欣的靈敏，也不像阿城般灑脫，莫言般木訥（1985 年前後，韓少功以專業作家身分，還真的兼任過湖南某自治州的團委副書記）。只有細讀韓少功作品或與他深交，才會感覺到他在保爾·柯察金式的外表下的「于連氣質」和躁動不安的傑克·倫敦式的靈魂。」[6] 我一直認為保爾·柯察金（《鋼鐵是怎樣煉成的》）、于連（《紅與黑》），馬丁·伊登（傑克·倫敦半自傳體小說《馬丁·伊登》主人公）對中國當代文學產生過重大的影響。

〈爸爸爸〉有點像拉美魔幻現實主義，主人公丙崽只會說兩句話，好，就叫人家「爸爸爸」；不好，就是「X 他媽」。

在阿城大講其「故事」的杭州座談會上，向來控制局面的韓少功基本上只做聽眾，聽同行們大談直覺、非理性、神秘主義、民俗與現代派的關係等等。韓少功並非一個被動的聽者，所有從旁而來的刺激和啟發（如果確有這種刺激和啟發的話），在他那裏都會圍繞着一個焦點而起作用。這個焦點在我看來，就是他對「文革」或中國革命的性質、起因、意義的持續思考，古怪晦澀驚世駭俗的〈爸爸爸〉無疑也是這種思考的延續、深化和「變形」。

〈爸爸爸〉也是對「文革」根源的「艱辛探索」—— 學生狂熱和三十年代租界撒傳單的熱情有關係嗎？平民造反和阿Q的夢有異同嗎？近代以來的改革者為甚麼都像仁寶那樣不戰而敗呢？

這當然有點簡單粗暴地概括〈爸爸爸〉的複雜主題，但是，造反、權鬥、文字獄、抄家、遊街、示眾，哪一項能跟我們的傳統文化心理，甚至集體無意識脫離關係呢？卡夫卡式的變形技巧，把〈爸爸爸〉變得令人聯想到拉美的現代派，不過老作家，像康濯他們，還說〈爸爸爸〉是革命現實主義。

值得注意的是，韓少功近年又改寫〈爸爸爸〉，對民族文化心理的苛刻批判又多加了一些複雜的同情。

從1985年到現在，三十多年過去了，韓少功始終是一線作家，獲得過茅盾文學獎、美國第二屆紐曼華語文學獎、法國文化部頒發的「法蘭西文藝騎士勳章」等。其他重要的作品，還有《馬橋詞典》、《日夜書》等。他不僅寫小說，還寫理論文章，也翻譯過米蘭・昆德拉的小說，很有國際視野。在我看來偏重理性的創作態度是韓少功的特色，是他的優點，當然，有時候也可能是某種局限。

注

1 洪子誠：《中國當代文學史》第二十一章第一節（北京：北京大學出版社，1999年），頁321。
2 陳思和主編：《中國當代文學史教程》（上海：復旦大學出版社，1999年），頁279。
3 陳曉明：《中國當代文學主潮》（北京：北京大學出版社，2014年），頁328。
4 同注3，頁325。
5 許子東：〈尋根文學中的賈平凹與阿城〉，《嶺南學院中文系系刊》，1996年3月），頁81-91。
6 許子東：〈《爸爸爸》與《小鮑莊》〉，《嶺南學院中文系系刊》，1997年4月），頁55-66。

1984 張賢亮

〈綠化樹〉

〈男人的一半是女人〉

知識分子的苦難歷程

1984 年第二期北京《十月》期刊發表了張賢亮的中篇小說〈綠化樹〉，1985 年中國文聯出版公司出版了〈男人的一半是女人〉。張賢亮這兩部小說是「傷痕 - 反思文學」中最重要最有藝術分量的作品。

張賢亮（1936-2014），生於南京，十九歲從北京移居寧夏。1957 年因為發表了詩歌《大風歌》被劃分為「右派分子」，在農場勞動改造前後二十二年。七十年代末，他重新創作，短篇〈邢老漢和狗的故事〉很受圈內好評。〈靈與肉〉因為貫穿「狗不嫌家貧，子不嫌母醜」的感謝苦難的姿態，被謝晉改編成電影《牧馬人》，一度很受注目（2020 年中央電視臺還在播放題為〈靈與肉〉的電視連續劇，劇情與小說原作已有很大出入）。但張賢亮真正的代表作是〈綠化樹〉和〈男人的一半是女人〉。這兩部小說也是中國「集中營文學」或者說「勞改文學」的代表作。

孔子曰「食、色，性也」，張賢亮小說也有分工：〈綠化樹〉寫吃、寫飢餓；〈男人的一半是女人〉寫性，也是飢餓。

〈綠化樹〉一開篇，一個二十五歲的年輕右派，一米七八高，體重八十八斤，瘦皮猴，坐了大車跨過一座橋，從一個勞改農場轉到旁邊另一個農場繼續勞動改造。雖然都是西北高原，都是田野荒涼，村落殘舊，但對主人公章永璘來說，這是他重獲自由的一天。

> 太陽暖融融的。西山腳下又像往日好天氣時一樣，升騰起一片霧靄，把鋸齒形的山巒塗抹上異常柔和的乳白色。天上沒有雲，藍色的穹窿覆蓋着一望無際的田野。而天的藍色又極有層次，從頭頂開始，逐漸淡下來，淡下來，到天邊與地平線接壤的部分，就成了一片淡淡的青煙。
>
> 在天底下，裸露的田野黃得耀眼。這時，我身上酥酥地癢起來了。蝨子感覺到了熱氣，開始從衣縫裏歡快地爬出來。蝨子在不咬人的時候，倒不失為一種可愛的動物，它使我不感到那麼孤獨與貧窮——還有種活生生的東西在撫摸我！我身上還養着點甚麼！[1]

這段文字，直到「裸露的田野黃得耀眼」，看上去是一幅有層次、有色彩的油畫，張賢亮的文筆有點受俄羅斯文學的影響。但是，突然「我身上酥酥地癢起來了」，黑色幽默瞬間解構了十九世紀的油畫。這段文字可以概括張賢亮小說的基本格局——看似莊嚴抒情，研讀《資本論》，謳歌苦難歷程（小說前言直接引用阿・托爾斯泰（Alexei Nikolayevich Tolstoy）《苦難的歷程》（*The Road to Calvary*）序文），又在細節、文筆中調侃解構這種苦難的讚歌。如果套用張愛玲的句型，那就是「生活像一片廣闊的田野，身上爬着了蝨子」。

一、飢餓與智慧、計謀、知識及生存策略的關係

〈綠化樹〉寫「吃」分三個階段，先寫飢餓與智慧、計謀、知識、生存策略的關係；然後寫「吃」或者飢餓與人格尊嚴的關係；再往後就是「吃」與愛情的關係。

勞改制度曾是當代中國法治或專政史上的一個重要組成部分。〈綠化樹〉男主角章永璘回想自己在勞改農場，一見到炊事員，便會謙卑地、討好地笑着，炊事員如果罵他「你這狗日的」，他覺得「親昵的語氣使我受寵若驚」。自 1959 年春天伙房不做乾飯，只熬稀粥以後（紀錄時代），勞改農場興起用大盆打飯的風氣。因為炊事員舀湯速度快，用小口飯具湯汁就會滴回到桶裏，無疑是個損失。用敞口飯具，臉盆太大，磕磕碰碰的不好往窗裏送，稀飯沾得滿臉盆都是，得不償失。所以必須是比臉盆小、而又比飯碗大的兒童洗臉用具。那時很多犯人想盡方法，叫家裏人帶兒童臉盆進來，而章永璘有創意思維，他用一個五磅裝的美國「克林」奶粉罐頭筒 —— 特別說明：「這是我從資產階級家庭繼承下來的一筆財產。我用鐵絲牢牢地在上面繞了一圈，擰成一個手柄，把它改裝成帶把的搪瓷缸，卻比一般搪瓷缸大得多。它的口徑雖然只有飯碗那麼大，飯瓢外面瀝瀝拉拉的湯汁雖然犧牲了，但由於它的深度，由於用同等材料做成的容器以筒狀容器的容量為最大這個物理和幾何原理，

總使炊事員看起來給我舀的飯要比給別人的少，所以每次舀飯時都要給我添一點。而這『一點』，就比灑在外面的多得多。」章永璘為此專門做了測驗，每次比用兒童臉盆的人多一百立方厘米。

如果說這就是「集中營文學」，那麼中國特色就是無罪冤枉的犯人並不憤怒或憂愁或絕望，而是聰明、犬儒、忍耐，且得其樂。這是個人怯懦？是國情特殊？還是民族韌性？

為了抵抗飢餓，男主角要用盡計謀、知識、策略。到了農場，他可以自食其力了，可是趕集時他又忍不住用欺詐的方法和老鄉做買賣。但得意洋洋計謀得逞後，回家路上掉進冰河，騙來的黃蘿蔔丟了一半。小說寫勞改農場炊事員最後一次多給了他兩個黑饃饃，他不捨得吃，像寶貝一樣地藏着，晚上和《資本論》一起放在枕頭邊。只要有這饃饃在，他就覺得不餓，心裏踏實。可是第二天，這兩個饃饃被老鼠偷走了。這時他感到了飢餓的恐懼。「飢餓會變成一種有重量、有體積的實體，在胃裏橫衝直撞；還會發出聲音，向全身的每一根神經呼喊：要吃！要吃！要吃！……」

在和飢餓的鬥爭過程中，主人公反省「我」究竟是怎樣的一個人，這就進入了飢餓的第二個層次，就是「吃」與人格、尊嚴的關係。

作為勞改犯，一方面，「輕蔑，我也忍受慣了，已經感覺不到人對我的輕蔑了」，所以被炊事員罵也很開心。勞改生活當中，只和外號「營業部主任」的另一「右派」較勁，就像阿Q，閒人打不過，就跟王胡、小D爭鬥。但飢餓不僅壓迫胃，也壓迫神經。晚上睡覺時，「我的另一面開始活動了……深夜，是我最清醒的時刻」。

> 白天，我被求生的本能所驅使，我諂媚，我討好，我妒忌，我耍各式各樣的小聰明……但在黑夜，白天的種種卑賤和邪惡念頭卻使自己吃驚，就像朵連格萊看到被靈貓施了魔法的畫像，看到了我靈魂被蒙上的灰塵；回憶在我的眼前默默地展開它的畫卷，我審視這一天的生活，帶着對自己深深的厭惡。我顫慄；我詛咒自己。
>
> 可怕的不是墮落，而是墮落的時候非常清醒。

假如王一生看到章永璘的反省，大概又會說「『憂』這玩意兒，是他媽文人的佐料兒。」張賢亮的小說裏，在勞改、老鼠、稗子麵、蝨子等細節之間，常常夾着普希金、道連·格雷、笛卡爾之類的文化符號。在極簡單的行李當中還有一套《資本論》，晚上當枕頭，白天真閱讀。《資本論》不僅是主人公及作家的護身符，也想證明「士」其實比「官」更懂革命經典。同樣面對精神物質雙重飢餓，〈棋王〉中有儒道互補，〈綠化樹〉裏有《資本論》。兩個作家在 1984 年便已分別預見了幾十年後教育部提倡的兩個意識形態藥方 —— 國學復興和「馬工程」。

二、「吃」與愛情的關係

〈綠化樹〉寫「吃」的第三個層面，也是貫穿全書的核心情節，就是「吃」與女人的關係。女主角外號「美國飯店」——「飯店」就是不少男人都能去的地方，「美國」代表着墮落、放蕩。可是馬纓花聽到這個外號也不生氣，好像只是個玩笑。她是一個二十多歲的單親媽咪，大家也追究孩子父親是誰，小孩兩歲。小說裏說她長得很漂亮，和男主角第一次見面，是一起在刨糞。男的刨糞，女的把糞砸碎，然後鋪到地裏去。

回想二十世紀中國小說裏有很多男女相會之處：涓生在會館房間裏給子君「上課」；郁達夫的男主角在貧民窟裏同情女工；倪煥之見路上走過來一美女，後來就成為他老婆；覺慧在自家花園亭子裏開玩笑說要娶鳴鳳；余永澤、林道靜在天安門金水橋邊一吻；老幹部和張潔的女主角，在音樂廳門口手都不敢握；還有齊副師長找文工團女生到辦公室，讓她提意見；還有秦書田、胡玉音兩個「牛鬼蛇神」，掃街時去捉姦，結果首次觸碰到對方的身體……

一路發展到〈綠化樹〉，匪夷所思（又十分現實），男女主角初次見面是在刨糞。之後，女人以請他幫修爐子為理由，找章永璘上她家。女人的家很溫馨，男主角一進去就想起《葉甫蓋尼·奧涅金》（*Eugene Onegin*）當中的詩句：「有個主婦，還有一罐牛肉白菜湯」。沒想到女人真從鍋裏拿出來一個白麵饃饃。男人驚起，推卻了一陣，發現女人是誠心要他吃——

> 「這確實是個死麵饃饃，面雪白雪白，她一定籮過兩道。因為是死麵饃饃，所以很結實，有半斤多重，硬度和彈性如同壘球一樣。我一點點地啃着、嚼着，啃着、嚼着……

儘量表現得很斯文。我已經有四年沒有吃過白麵做的麵食了——而我統共才活了二十五年。它宛如外面飄落的雪花，一進我的嘴就融化了。它沒有經過發酵，還飽含着小麥花的芬芳，飽含着夏日的陽光，飽含着高原的令人心醉的泥土氣，飽含着收割時的汗水，飽含着一切食物的原始的香味……忽然，我在上面發現了一個非常清晰的指紋印！它就印在白麵饃饃的表皮上，非常非常的清晰，從它的大小，我甚至能辨認出來它是個中指的指印。從紋路來看，它是一個「羅」，而不是「箕」，一圈一圈的，裏面小，向外漸漸地擴大，如同春日湖塘上小魚喋起的波紋。波紋又漸漸蕩漾開去，蕩漾開去……噗！我一顆清亮的淚水滴在手中的饃饃上了。……

她大概看見了那顆淚水。她不笑了，也不看我了，返身躺倒在炕上，摟着孩子，長嘆一聲：「唉——遭罪哩！」她的「唉」不是直線的，而是詠嘆調式的。表現力豐富，同情和愛惜多於憐憫。她的嘆息，打開了我淚水的閘門，在「營業部主任」作踐我時沒有流下的眼淚，這時無聲地向外洶湧。我的喉頭哽塞住了，手中的半個饃饃，怎麼也咽不下去。土房裏一時異常靜謐。屋外，雪花偶爾地在紙窗上飄灑那麼幾片；炕上，孩子輕輕地吧唧着小嘴。而在我心底，卻升起了威爾第《安魂曲》的宏大規律，尤其是《拯救我吧》那部分更迴旋不已。啊，拯救我吧！拯救我吧……

我猶豫了半天，還是把這一大段文字都抄了下來，因為這是二十世紀中國故事中不可刪節的一個片段。既說明食與色之寫實／隱喻關係，又顯示知識分子（壘球、威爾第歌劇）必須依靠來自勞動／人民的拯救（「飽含着高原的令人心醉的泥土氣，飽含着收割時的汗水」）。「一會兒，她在炕上，幽幽地對孩子說：『爾舍，你說：叔叔你放寬心，有我吃的就有你吃的。你說，你跟叔叔說：叔叔你放寬心，有我吃的就有你吃的……』」。「有我吃的就有你吃的」，這種愛情宣言，幾乎就是《鐵達尼號》（*Titanic*）裏「You jump, I jump」的中國版。

問題是馬纓花孤兒寡母，怎麼能保證有吃的？年輕農民海喜喜，很喜歡馬纓花，所以視「我」為情敵。「我」雖然瘦弱，但幹活聰明，後來和海喜喜比試了一回，並不輸人。勞動技能幫助「我」建立了信心。另外還有一個瘸子保管員，也經常向「美國飯店」提供糧食增援，但他看到馬纓花小心翼翼的。「美國飯店」的生態有點像芙蓉姐，瘸子保管員就像糧站站長，提供實際經濟支援；海喜喜好像屠夫黎桂桂一樣，體力好，人老實；但是鄉村美女最後都心向落難書生，秦書田或者章永璘——當然這是落難書生及文青讀者的白日夢。

再客觀一點旁觀，「美國飯店」同時歡迎海喜喜，招呼瘸子保管員並照顧章永璘（還不包括小說之前或之後的情節，小孩的父親等），《海上花列傳》、〈秋柳〉中的「青樓家庭化」到了革命時代悄悄轉變為溫馨良善的「家庭化青樓」。還是落難書生與紅塵女子的文學傳統，以前是于質夫以啟蒙同情名義想救海棠，現在是「綠化樹」以人民的名義拯救知識分子（真正字面意思上從啟蒙到「救亡」）。

吃了白饃饃以後，章永璘常常找理由來「美國飯店」。女人喜歡唱民歌，又有男人講故事。某天「我突然地張開兩臂把她摟進懷裏。我聽見她輕輕地呻吟了一聲，同時抬起頭，用一種迷亂的眼光尋找着我的眼睛。但是我沒敢讓她看，低下頭，把臉深深地埋在她脖子和肩胛的彎曲處。」為甚麼「我」沒敢正視女人的眼睛，或者害怕有任何承諾？「……不到一分鐘，她似乎覺得給我這些愛撫已經夠了，陡然果斷地掙脫了我的手臂，一隻手還像撣灰塵一般在胸前一拂，紅着臉，乜斜着惺忪迷離的眼睛看着我，用深情的語氣結結巴巴地說：『行了，行了……你別幹這個……幹這個傷身子骨，你還是好好地唸你的書吧！』」

寫〈綠化樹〉，張賢亮對於怎麼在苦難記憶中處理男女關係還有些猶豫。所以讓女人找了個傳統的理由，推開眼前的柔弱男人。後來男人真的（假的？）常到「美國飯店」來唸書。女人把有個男人在身旁正經讀書，當做由童年時的印象形成的一個憧憬，一個美麗的夢，一個中國婦女的古老的幻想（帶入史無前例的革命時代）。

「紅袖添香夜讀書」的過程，有時也出戲。男的動情說：「親愛的，我愛你！」女的說不好聽：「你要叫我『肉肉』。」「那你叫我甚麼？」「我叫你『狗狗』。」這個時候男人發現了距離，他想：「我能娶她作為妻子嗎？我愛她不愛她？在萬籟俱寂的深夜，我冷靜分析着自己的情感，在那輕柔似水、飄忽如夢的柔情下，原來不過是一種感恩，一種感激之情。」

三、一代人的集體無意識

小說結尾得很匆忙，讓男主人公很快解脫，並留下懷念。「情敵」海喜喜在逃亡前勸「我」和馬纓花結婚。管理村子的謝隊長假裝追趕，其實放走了海喜喜，他也勸「我」和馬纓花結婚。「我」毫無激情地把兩人的建議轉告女人。女人其實真愛章永璘，但也不願拒絕別的男人送的東西。她對章永璘表白：「要不，你現時就把它拿去吧，嗯，你要的話，現時就把它拿去吧。」「它」是指女人身體。男人退卻了：「我們還是等結婚以後吧。」女人說：「你放心吧！就是鋼刀把我頭砍斷，我血身子還陪着你哩！」

此時敘事者就感慨：「有甚麼優雅的海誓山盟比這句帶着荒原氣息的、血淋淋的語言更能表達真摯的、永久的愛情呢？」

〈綠化樹〉的結尾意味深長。先是男主角被「營業部主任」告發，調去別的勞改隊，告別馬纓花的時間也沒有。之後又重進勞改營，又坐監獄，二十年以後才擺脫厄運。「還是在那種多雪的春天，我和省文化廳的負責人及製片廠的同志，分乘兩輛『豐田』小轎車，帶着一部根據我寫的長篇小說拍攝的彩色寬銀幕影片，到這個農場來舉行答謝演出。」詢問之下，謝隊長找不到了；馬纓花一直沒有結婚，後來就去了青海，也再沒有蹤影。小說寫：「深夜，我還是從設備很好的招待所裏悄悄走出來。月色朦朧，夜涼如冰。我沒有驚動司機，獨自一人踏上了通往一隊的大路。」

這是「文革小說」常常出現的「重回故地」情節。

在這之後又加了一段，引起很多人爭議。「一九八三年六月，我出席在首都北京召開的一次共和國重要會議。軍樂隊奏起莊嚴的國歌，我同國家和黨的領導人，同來自全國各地各界有影響的人士一齊肅然起立，這時，我腦海裏驀然掠過了一個個我熟悉的形象。……他們，正是在祖國遍地生長着的『綠化樹』呀！那樹皮雖然粗糙、枝葉卻鬱鬱蔥蔥的『綠化樹』，才把祖國點綴得更加美麗！啊，我的遍佈於大江南北的、美麗而聖潔的『綠化樹』啊！」

作為小說看，結尾是「蛇足」。但洋洋得意感謝苦難，也正體現了「天降大任於斯人……」的中國士大夫心理，也是知識分子想像中的幹部（官員）心態，是「士」與「仕」的虛擬的相通之處。

落難以後，「文革小說」裏男女主人公都會被異性相救。但規律是，凡男主角敘事，最後救他的女人在幫他解脫災難以後都會自動消失，如〈綠化樹〉，如王蒙的〈蝴蝶〉等。反過來，如果第一主角是女的，男女之後會一直相守，比方說戴厚英的《人啊，人！》、古華的《芙蓉鎮》。這個現象能夠說明中國作家和讀者之間一種怎樣的集體無意識的默契？

張賢亮的文筆，有點俄羅斯荒涼風味，又常裝飾歐洲文化符號，還用《資本論》墊枕頭，但骨子裏還是充滿一種傳統士大夫的落難情懷，依然編織「紅袖添香夜讀書」的夢想。但是第二年，在〈男人的一半是女人〉裏，已經出名的作家迅速解構這種士大夫夢想。直面慘澹的人生，人的一半是吃，還有另一半也不可迴避。

四、勞改犯的田野偷窺

〈綠化樹〉中男女主人公初次見面是在田野裏刨糞，〈男人的一半是女人〉則是女人野地沐浴，男主角無意中偷窺。

在安排荷里活式的庸俗場景之前，小說做了兩層鋪墊。一是全面介紹勞改農場的環境、氣氛，讀來更符合「勞改文學」的特點。男主人公還是章永璘，告別馬纓花五六年後，文革已經爆發，到勞改農場是二進宮，有經驗，一來就是大組長，分管四個小組，六十四個犯人，今非昔比。小說形容當時的勞改農場比大革命風暴中的「外面」有諸多好處。比方在社會上，「右派」政治犯比刑事犯更被歧視，可是在勞改隊裏卻人盡其才，一個在外面成天打掃廁所的醫生，在勞改隊裏當上了內科主治大夫。小說裏有句話：「啊，在這個混亂的年代裏，勞改隊是天堂！」這是張賢亮一貫的筆法，使他的小說左派右派都能理解（也都能誤解）。可以說是寫實，勞改犯人不准唱語錄歌，後來自編的《勞改之歌》，苦中作樂；也可以說是「高級黑」，隊長罵「你這婊子兒」，大家聽得很親切。「你這婊子兒，把你送到勞改隊是你的造化！要不，現時你在外邊，還不跟那些人一樣，讓人往死裏整呀」。調侃、諷刺（而非憤怒或懺悔）是中國「勞改文學」的特色。

鋪墊第二層是勞改犯們的春夢，〈綠化樹〉裏基本被忽略，〈男人的一半是女人〉就大肆誇張渲染。男人憋得慌，就講甚麼地方有女鬼，女勞犯經過時，大家注意力高度集中。男主人公的詩在外面還在被批判，而他也跟別的勞改隊員一樣，在晚上夢見女人。「這年我三十一歲了，從我發育成熟直到現在，我從來沒有和女人的肉體有過實實在在的接觸。」和馬纓花那段，他不敢再回憶，想都不敢再想。正在這個時候，某一天一個偶然的機會，勞動之中，在蘆葦叢中，他突然看到了一個赤裸的女人。

> 她在洗澡。……兩腳踩着岸邊的一團水草，揮動着滾圓的胳臂，用窩成勺子狀的手掌撩起水灑在自己的脖子上、肩膀上、胸脯上，腰上，小腹上……她整個身軀豐滿圓潤，每一個部位都顯示出有韌性、有力度的柔軟。
>
> 陽光從兩堵綠色的高牆中間直射下來，她的肌膚像繃緊的綢緞似地給人一種舒適的滑爽感和半透明的絲質感。尤其是她不停地抖動着的兩肩和不停地顫動着的乳房，更閃耀着晶瑩而溫暖的光澤。而在高聳的乳房下面，是兩彎迷人的陰影。[2]

絲質感、陰影、光澤，像看羅浮宮的畫，哪有勞改犯田野偷窺的緊張慌亂？「她忘記了自己，我也忘記了自己。開始，我的眼睛總不自覺地朝她那個最隱秘的部位看。但一會兒，那整幅畫面上彷彿昇華出了一種甚麼東西打動了我。這裏有一種超脫了令人厭惡的生活，甚至超脫了整個塵世的神話般的氣氛，世界因為她而光彩起來……」

正在男主人看呆還要「昇華」時，女人轉過身來，一抬頭，突然發現了「我」。「女人沒有叫，也沒有跑，反而站在那裏。

她並不急於穿衣服，卻撂下手中的內褲，像是畏涼一樣，兩臂交叉地將兩手搭在兩肩上，正面向着我。」

這時男人基本上就猶豫了。「我心中湧起了一陣溫柔的憐憫，想佔有她的情慾滲進了企圖保護她的男性的激情。」——後來我們知道當時女人的想法，才會俯看男人有時是多麼自作多情。

聽到哨聲趕緊逃走。當晚睡不着，反省自己所受的各種文化，相信文明使「我」區別於動物，很為自己能克制而自豪。但是睜眼閉眼，只看見她那兩臂交叉地將兩手搭在兩肩的形象。

他們再次相遇是八年以後，1975 年，小說從這裏才正式開始。

八年中間，黃香久結了兩次婚，離了兩次婚，當年進勞改隊也是因為男女關係問題。章永璘則入獄兩次，出獄兩次，現在又到農場繼續勞動改造。

圍繞着男女主人公，小說裏出現了一批形形色色的生活在底層的人們。復員軍人「啞巴」，原是學習毛著積極分子，偶然撿到一大筆錢，被迫上交，做了英雄，人反而傻掉了。國民黨軍校畢業生周瑞成，被批鬥時主動交代了一些老同學的材料，大概得罪了誰，之後一直被卡在監獄和勞改隊，再申訴也沒有用。四十多歲就很蒼老的馬老婆子，十六歲拒絕了一個貧農團長，就被劃成地主，一直不能翻身，馬老婆子還很懷念貧農團長。小說裏還寫北京知青黑子，他老婆何麗芳主動挑逗章永璘。支書曹學義，是張賢亮筆下很罕見的一個負面幹部角色……

這些人物看上去都有原型，擠在〈男人的一半是女人〉裏邊，因為讀者們只關心男女主人公的那條「性」的線索，多少有點浪費了張賢亮的勞改資料儲備。也因為〈綠化樹〉出名太快，作家再也沒有沉下心來細寫他的「勞改文學」，這和莫言〈紅高粱〉沒寫成長篇一樣值得惋惜。

章永璘和黃香久的結婚，與其說是延續八年前叢林洗浴的春夢，不如說是殘酷的現實生活需要。男主角在和羅宗祺談心時已經清楚了，自己是為了有一個空間能夠寫東西而結婚的。「要在亂糟糟的九百六十萬平方公里中劃出幾平方公尺的清淨土地給自己」，「潛心地思索其他九百六十萬平方公里的前景」——「吃勞改隊的飯，操中南海的心」，這也是新時期知識分子文學的主旋律。

但另一方面，章永璘又對所謂的婚姻、愛情保留着浪漫的想像。倒是女主人公心口如一，毫不隱瞞，在一起就是過日子。小說寫求婚一段十分精彩。馬老婆子安排，把「我」和黃香久關進一個房子。黃香久在看一本書，那個男的以為有話說了，把書拿過來一看，是《實用電工手冊》。女的說是剪鞋樣用的。男的猶豫了半天，最後說：「馬老婆子跟你說了嗎？」女的說：「說過了。」「怎麼樣？」女的就說：「咱們為甚麼不自己談？」口氣好像是討論借錢一樣。然後就問清楚過往的歷史，女人就表示同意。

男人正想用點親密的舉動表示一下，沒想到女人馬上又問：「那麼你現在手頭有多少錢？」「我」說現在有七、八十塊。女的說：「你咋就存了這麼少錢？單身了這麼多年。」然後女人笑着告訴他：「我還存下錢來着呢」。

五、新婚之夜的意外

後來的問題，倒不是怎麼過日子。

兩間土房，經過「裝修」成了不錯的新房。新家一切很溫馨，只是男人在新婚之夜發現自己「不行」了。

「來吧。」她説。

我撩開被子，原來她這時和我在蘆葦蕩中見到的完全一樣……

這是一片滚燙的沼澤，我在這一片沼澤地裏滚爬；這是一座岩漿沸騰的火山，既壯觀又使我恐懼；這是一隻美麗的鸚鵡螺，它突然從室壁中伸出肉乎乎黏搭搭的觸手，有力地纏住我拖向海底；這是一塊附着在白珊瑚上的色彩絢麗的海綿，它拼命要吸乾我身上所有的水分，以至我幾乎虛脱；這是沙漠上的海市蜃樓；這是海市蜃樓中的綠洲；這是童話中巨人的花園；這是一個最古老的童話，而最古老的童話又是最新鮮的，最為可望而不可即的……

中國現當代文學中寫「性」的文字，各種「艱辛探索」。從郁達夫〈沉淪〉偷窺「那一雙雪樣的乳峰，那一雙肥白的大腿」，到張愛玲寫肥皂泡沫吸吮男人的手指；從王安憶〈小城之戀〉紅軍舞伴奏性愛搏鬥，到張賢亮《國家地理》雜誌一樣的床上風景畫面，後來還有王小波等直接使用連串動詞……到底哪一種新白話能夠銜接《金瓶梅》傳統同時又體現「現代性」？

張賢亮的性描寫成功與否再說，章永璘的新婚之夜肯定失敗。

男人說想喝水，女人說「你不行，事兒還多得很！」……男人說對不起，「這有啥對得起對不起的。下一次再試試。」幾天後，又「不行」。「『你是不是有病？』她嘆息了一聲，問我。『我不知道……我想，我大概是因為長期壓抑的緣故。』」男人解釋：壓抑是因為想問題太多。「那麼，你想問題幹啥？你看書幹啥？想啊看啊頂啥用？」「幹啥？」這個「幹」字用得妙。說來說去，提起了八年前的舊事，沒想到黃香久說：「你為啥還提過去？你這個廢人！半個人！」「八年前……哼哼！那天你要是撲上來，我馬上把你交給王隊長，讓你加刑！那時候，我正想立功哩！」

當代中國小說裏其實不止一次出現過男人性功能障礙的細節，《芙蓉鎮》裏有谷燕山，打仗留下殘疾；韓少功《馬橋詞典》裏的萬玉，鄉鎮風流，其實也是「半個人」。不過作為小說核心情節渲染，還是比較少見。當時有評論集《評〈男人的一半是女人〉》，彙集了批評界的各種不同意見：黃子平的文章題為〈正面展開靈與肉的搏鬥〉；周惟波的文章標題是〈章永璘是個偽君子〉；許子東的文章是〈在批評圍困下的《男人的一半是女人》〉……全書收了批評文章四十四篇，[3] 小說一度引起廣泛爭議。

張賢亮寫這些「床話」，似有真實體驗，稍後再討論。當然，象徵意義更加明顯：一個男人多年勞改，長期壓抑，導致功能障礙，於是被人看不起，家人看不起。自己也看不起，覺得成了一個廢人，成了「半個人」。這很像一個知識分子失去了思想和表達思想的能力。如果一代讀書人也因為多年被鬥、環境封閉、長期壓抑，導致思維能力障礙，他們不也是成為了廢人、「半個人」嗎？

六、被壓抑的，只有性嗎？

就在男主角發現自己是「半個人」以後，小說突然進入了魔幻現實主義的境界。

「我」騎的大青馬陷入了泥淖，突然說話了。先是指出：「你結婚一個多月已經分床睡了，所以你害怕晚上，害怕回家。」然後跟主人公說：「我是一匹騸馬（被切除了生殖器的馬）。為甚麼被騸呢？因為人類害怕馬比他們聰明，所以要把『我們』閹割了。」（害怕讀書人思考，所以才禁止他們思考？）大青馬的勸告是：「把你的知識和思想隱蔽起來吧，這樣你才能保全你的性命。」

魔幻只是片段，大部分篇幅還是寫實主義。男人依然「不行」，女人繼續失望，但也無法離婚，家庭變了「合作社」。這樣的婚姻給男主角帶來了巨大精神壓力，而精神壓力當然又會轉移到身體。「是生存？還是毀滅？」哈姆雷特的名言出現在中國無用讀書人口中極其反諷。某天村官曹學義給章永璘派了一個夜差，沒想到拖拉機出故障，「我」半夜回村報告，親眼見到曹書記走進了自己的家，而且馬上就熄了燈⋯⋯

男主角癱倒在地上，甚麼也沒做，只是和空氣當中的宋江對話，當然不敢殺「閻婆惜」。然後見到奧賽羅，也是一個殺妻的英雄。又見到孟子，重複一遍「天將降大任於斯人也……」；又有莊子跑來告訴他「退一步海闊天空」。最後見到了馬克思，講了一通東西方人生哲學的異同，居然還使男主人公恍然大悟，豁然開朗——就在書記進他房間，房間黑了燈的這段時間。

總而言之，小說家用了魔幻手法把自己的很多抽象思考硬塞在小說最關鍵的時空裏，再聯想男人與知識分子的象徵關係，就是說人民正在受欺凌，知識分子只是夢見偉大的古人。

黃香久發現丈夫發現了她和書記的曖昧關係，在家裏態度變溫柔了。不再責怪男人，甚至提議幫男人去看病，但是不願離婚。

接下來，終於男人出現了轉機。轉機來的有意思，村裏發大水，抗洪搶險，擋不住，眼看渠壩要垮，這時章永璘把自己當麻袋，勇敢下水堵缺口。鄉親們還以為是解放軍來救災。

這天晚上，女人也對他很好，「來，把臉貼在我胸口上」，結果就好了——

從「廢人」復原的過程也有明顯象徵意義。抗洪搶險當然是革命行動，「我」平常是勞改犯人，是敵人，在革命行動當中為民立功，所以恢復了男人，也是人民一分子的身分。

小說最後部分越寫越精彩，〈男人的一半是女人〉，前面是庸俗的引子，新婚之夜「不行」才進入正題，洪水搶險以後才進入高潮。寫夫妻吵架部分，可與《圍城》相比。但《圍城》只寫普通夫妻矛盾，張賢亮筆下的男女之爭，又有讀書人與民眾關係這一層政治隱喻。當男主角成為真正的「男人」之後，堅決要走，女人卻真心相愛，又帶着出軌的內疚，實在是傳統、賢慧、美德的當代扭曲版。

一般說來，小說總有敘事角度優勢，就是故事由誰講，讀者不自覺地會偏向誰。可這部小說到最後，讀者既理解「男人的一半是女人」，另一半想着憂國憂民，也同情「女人的全部是男人」，全身心是絕望的傳統溫情。

不過〈男人的一半是女人〉也有一個情節上的破綻。有次到臺灣開會，在阿里山賓館聽張賢亮「痛說革命家史」，講到他自己確實二十多歲沒接近過女人，一度以為自己「不行」，這時執教耶魯大學曾研究中國古代房中術的康正果教授突然提問：你說你二十多歲沒近過女人，因此後來覺得自己「不行」，很突然。但是，從十幾歲到二十歲，難道從來沒有任何自慰經驗？如果有過，那就應該知道自己不是不行；如果從來自慰都沒有過，那應該早就知道自己身體，何必後來失望、驚奇？

問得有理，張賢亮馬上顧左右而言他。

由作家的個人生理問題，想到小說中的象徵意義：如果知識分子一度因為政治壓力而失去了獨立思考的權利和能力，那是否也因為他們之前以為自己有的比如說三四十年代的左翼精神傳統，其實也從來都不是他們自己的獨立思考？

注

1 張賢亮：〈綠化樹〉，《十月》，1984 年第二期。以下小說引文同。

2 張賢亮：〈男人的一半是女人〉，首次發表於 1985 年第五期《收穫》；另結集《男人的一半是女人》（北京：作家出版社，2009 年），以下小說引文同。

3 《評〈男人的一半是女人〉》（銀川：寧夏人民出版社，1988 年）。

當代版「狂人日記」

在人們印象裏，1985 年標誌當代文學的轉折，其實應該是「1985 年前後」。〈棋王〉、〈綠化樹〉在 1984 年發表，〈紅高粱〉、《古船》、《平凡的世界》、〈插隊的故事〉均在 1986 年出版。我們選讀的百年中國小說，真正在 1985 年發表的，是《人民文學》第八期上的〈山上的小屋〉。1985 年的文學名聲其實是由「尋根文學」、新潮詩歌及理論探索共同造就。

〈山上的小屋〉引起注意首先是因為同行朋友們說「看不懂」。《人民文學》是主流文學期刊，雖不一定篇篇「主旋律」，至少也會把握「人民文藝」大方向，為甚麼會發表一篇令人「看不懂」的小說？當時主持《人民文學》的是王蒙。小說作者叫「殘雪」，沒聽說過，顯然是個化名。

1985 年，文學是社會大眾關注的焦點。全國至少有幾十種文學期刊，每種文學期刊都有幾萬到幾十萬的銷量，每期文學月刊或雙月刊至少有幾十萬字不同文體的作品。就是說每個月中國文學至少有幾億文字的「產量」，提供給上億文學讀者。作家創作大致有三個方向——繼續反思革命、開始文化尋根和實驗現代派技巧。王蒙、張賢亮、從維熙、鄧友梅、韋君宜等「中年作家」(當時大概都是四、五十歲),比較堅持回首革命道路,反思自己親身經歷的革命/被革命的過程。韓少功、王安憶、張承志、阿城、賈平凹、李杭育、鄭萬隆等知青一代作家,更願意往文化尋根的方向努力,梳理當代革命與民族傳統之間的複雜關係。另外還有一些作家,更受西方現代主義的影響,更注重技巧實驗、形式探索,文學史上稱之為「先鋒文學」,或者說「前衛文學」、「探索文學」。代表作家有馬原、殘雪,早年余華,還有洪峰、格非、孫甘露,某種程度上也包括宣洩青年憤世嫉俗情緒的劉索拉、徐星等。當時比較知名的評論家吳亮、李陀、黃子平、程德培等,積極與尋根文學、先鋒文學互動發展。「三個方向」中間當然有交叉有融和,比如王蒙既關心革命問題,也從事意識流實驗;馮驥才《神鞭》、鄧友梅《煙壺》也有文化尋根傾向;莫言小說,既鄉土又現代;殘雪、馬原等人的藝術技巧實驗,其實也在「艱辛探索」那魔幻的「十年」。

一、被翻動的抽屜

殘雪,原名鄧小華,湖南耒陽人,1953 年出生在長沙。發表小說之前,曾經做過裁縫個體戶。1988 年來香港開會,整天躲着中外記者,人家採訪問寫作目的,她說是為了賺錢,趁大家還沒識破,多賣幾本……弄得記者和會議主辦方都很尷尬。後來有次金庸到香港嶺南大學演講,最大的教室座無虛席。演講中金庸毫不掩飾他對文學史地位的一些疑慮，說不清楚像殘雪這樣的小說為甚麼是純文學？2019 年，諾貝爾文學獎要同時頒發兩個，發獎前突然傳出消息，殘雪在西方博彩公司預測中名列前茅。消息一時在網上廣泛傳播，很多人在問：誰是殘雪？

〈山上的小屋〉的第一句是，「在我家屋後的荒山上，有一座木板搭起來的小屋。」[1] 每一個字都淺白、簡單、明瞭，合成句子卻意義晦澀。魯迅、張愛玲的意象，既有寫實，又有象徵，比方說「藥」、「紅玫瑰和白玫瑰」，但「山上的小屋」貌似童話，其實不存在。

> 我每天都在家中清理抽屜。當我不清理抽屜的時候，我坐在圍椅裏，把手平放在膝頭上，聽見呼嘯聲。是北風在兇猛地抽打小屋杉木皮搭成的屋頂，狼的嗥叫在山谷裏迴蕩。
>
> 「抽屜永生永世也清理不好，哼。」媽媽說，朝我做出一個虛偽的笑容。

這是小說的第二、第三段，原文照抄。到此為止，小說四個主要人物中的三個，和一個重要道具都已經出場。

第一個人物當然是「我」，小說的敘事者；第二個人物就是做出虛偽笑容的媽媽；第三個是狼，之後會聯想到父親，第四個人物就是小妹，暫時還沒出現。小說開始階段是「我」和媽媽對立，對立的原因就是小說中最重要的道具 —— 抽屜。在寫實的意義上，抽屜常常用來放比較重要的個人文件或印章、信用卡、日記、書信、照片之類。象徵意義上，抽屜就是私人空間，是一個物質化的精神世界。現在媽媽怪女兒，你的抽屜「永生永世也清理不好」，既可以是批評女兒辦事缺乏條理，東西亂放亂扔，沒有秩序；也可能覺得女兒思考問題缺乏邏輯，沒有條理，大概是不成熟甚至精神憂鬱。「我」的確一直在整理自己的抽屜，或者說整理自己的腦子。同時「我」又聽到外面北風抽打小屋的木頂，還有狼叫，一種危機想像和環境災難。然而這種危機、災難環境，家裏其他人好像感受不到。

> 「所有的人的耳朵都出了毛病。」我憋着一口氣說下去，「月光下，有那麼多的小偷在我們這棟房子周圍徘徊。我打開燈，看見窗子上被人用手指捅出數不清的洞眼。隔壁房裏，你和父親的鼾聲格外沉重，震得瓶瓶罐罐在碗櫃裏跳躍起來。我蹬了一腳床板，側轉腫大的頭，聽見那個被反鎖在小屋裏的人暴怒地撞着木板門，聲音一直持續到天亮。」

殘雪的小說，很多篇都是相通的，在某種意義上，解讀了一篇，也就可以理解一個時期，認識一種風格。小說裏的「我」害怕有人偷窺，很像「狂人」覺得人家要吃他，是害怕自己的精神世界被人整理的一種生理表現。窗上的紙洞、屋外的小偷，可能都只是她的被迫害狂幻想。反鎖在小屋裏的人，遠在山上，怎麼聽得見他撞擊木板門？看來也是幻聽。但有一件事不是幻覺。「『每次你來我房裏找東西，總把我嚇得直哆嗦。』媽媽小心翼翼地盯着我，向門邊退去，我看見她一邊臉上的肉在可笑地驚跳。」媽媽有點心虛。她到女兒房間找甚麼東西，這是一個關鍵。

二、從〈狂人日記〉到〈山上的小屋〉，是誰生病了？

「有一天，我決定到山上去看個究竟。」

既然「我」老聽到山上小屋的聲音，想像着另外一個世界、另外的力量，「我」就去尋找。「風一停我就上山。」可見主人公有行動能力，也有行動自由。

「我爬了好久，太陽刺得我頭昏眼花。」（關於「太陽」，當然可以做多種解讀）。

「每一塊石子都閃動着白色的小火苗。」（頭昏眼花？）。「我咳着嗽，在山上輾轉。我眉毛上冒出的鹽汗滴到眼珠裏，我甚麼也看不見，甚麼也聽不見。我回家時在房門外站了一會，看見鏡子裏那個人鞋上沾滿了濕泥巴，眼圈周圍浮着兩大團紫暈。」

到目前為止，「山上的小屋」還是沒找到。

「這是一種病。」聽見家人們在黑咕隆咚的地方竊笑。

在二十世紀中國小說裏，主人公常常聽到類似竊笑，從〈狂人日記〉開始，你想找點別的甚麼，周圍的同胞同鄉同志都會來說你病了。「等我的眼睛適應了屋內的黑暗時，他們已經躲起來了 —— 他們一邊笑一邊躲。我發現他們趁我不在的時候把我的抽屜翻得亂七八糟，幾隻死蛾子、死蜻蜓全扔到了地上，他們很清楚那是我心愛的東西。」

這是小說的第一個高潮，第一次矛盾的正面爆發，抽屜的象徵意義於是充分顯現。主人公並沒抗議家人們變態或者搶劫。抽屜裏有甚麼是近在咫尺卻不知道的秘密？身體行動沒問題，看來病在腦子裏。病症、病因會不會在日記書信裏？在殘雪長大的年代，中學生的日記（和現在的微信微博一樣）都是隨時準備公開的，大家都要創造性地用一些金句，比如「對同志要像春天般溫暖」之類。如果來了火災、地震，你恐怕會不顧性命去救家人，為甚麼你的手機微信卻不能公開分享？難道有甚麼見不得人的秘密？於是家人們把「我」的抽屜翻得亂七八糟，完全可能出於關愛，出於關心，扔掉的是死蛾子、死蜻蜓 —— 只有小資情調的人才會刻意保留這種浪漫頹廢的紀念品。幫你整理一下抽屜，就等於幫你清洗一下大腦。

「『他們幫你重新清理了抽屜，你不在的時候。』小妹告訴我，目光直勾勾的，左邊的那隻眼變成了綠色。」

小妹是「我」、媽媽、父親之外的第四個人物。如果媽媽代表家長秩序，小妹本應也是弱勢受害者，但小說裏的小妹更像是一個告密者，一個打小報告的人 —— 她看「我」的時候眼睛發綠。殘雪作品的特點之一，就是喜歡用生理現象來描述心理症狀。「母親假裝甚麼也不知道，垂着眼。但是她正惡狠狠地盯着我的後腦勺，我感覺得出來。……每次她盯着我的後腦勺，我頭皮上被她盯的那塊地方就發麻，而且腫起來。」這種筆法，寫實與象徵一體，是殘雪的特長。

三、現代世界的預言

「吃飯的時候我對他們說：『在山上，有一座小屋。』」

簡單翻譯：在世上有一種理想。

他們全都埋着頭稀裏呼嚕地喝湯，大概誰也沒聽到我的話。

〈山上的小屋〉，四個實體人物，三個不難理解，「我」是被迫害者、反抗者。媽媽是壓迫者，是秩序規則的代言人。小妹身為受害者，卻膽怯害怕，告密做幫兇。只有父親這個角色比較複雜矛盾。一方面：「父親用一隻眼迅速地盯了我一下，我感覺到那是一隻熟悉的狼眼。我恍然大悟。原來父親每天夜裏變為狼羣中的一隻，繞着這棟房子奔跑，發出淒厲的嗥叫。」好像父親也是幫兇之一，主角是女性，更怕狼眼偷窺。但是另一方面，父親又對「我」表白：「那井底，有我掉下的一把剪刀。我在夢裏暗暗下定決心，要把它打撈上來。一醒來，我總發現自己搞錯了，原來並不曾掉下甚麼剪刀，你母親斷言我是搞錯了。我不死心，下一次又記起它。我躺着，會忽然覺得很遺憾，因為剪刀沉在井底生鏽，我為甚麼不去打撈。我為這件事苦惱了幾十年，臉上的皺紋如刀刻的一般。終於有一回，我到了井邊，試着放下吊桶去，繩子又重又滑，我的手一軟，木桶發出轟隆一聲巨響，散落在井中。我奔回屋裏，朝鏡子裏一瞥，左邊的鬢髮全白了。」

整篇小說很短，這段寓言卻很長，令人費解。「我掉在井底的剪刀」代表失落的理想？或是被遺忘的技能，被壓抑的志向？總之，為了打撈這把「剪刀」，這個男人苦惱了幾十年，最後還是不成功。聽了這段告白，「我的胃裏面結出了小小的冰塊」，甚麼事情讓主人公徹底心冷？這時抽屜的旋律又回來了。「我一直想把抽屜清理好，但媽媽老在暗中與我作對……小妹偷偷跑來告訴我，母親一直在打主意要弄斷我的胳膊，因為我開關抽屜的聲音使她發狂……『這樣的事，可不是偶然的。』小妹的目光永遠是直勾勾的，刺得我脖子上長出紅色的小疹子來。」又是親人目光刺出皮膚疾病。「比如說父親吧，我聽他說那把剪刀，怕說了有二十年了？不管甚麼事，都是由來已久的。」

由來已久便對嗎？主人公在這裏顯然跟「狂人」默默對話。

「我聽見有人在井邊搗鬼，打開隔壁房門——看見父親正在昏睡，一隻暴出青筋的手難受地摳緊了床沿，在夢中發出慘烈的呻吟。」讀到這裏，父親好像又是沒法擺脫記憶的受難者……山上的小屋裏有一個人在呻吟，這個人好像在呼應她的父親。然後就是小說最後一段：

> 那一天，我的確又上了山，我記得十分清楚。起先我坐在籐椅裏，把雙手平放在膝頭上，然後我打開門，走進白光裏面去。我爬上山，滿眼都是白石子的火焰，沒有山葡萄，也沒有小屋。

不管「小屋」是甚麼，山上沒有小屋。〈山上的小屋〉童話般的文字，只是山下的人們在困境中的絕望幻想。即使在微信、微博、Facebook、推特的世界裏，也依然會有「狂人」，覺得保衛自己的精神抽屜越來越困難。

在〈山上的小屋〉之前，殘雪已經寫過長篇《黃泥街》，用審醜意象的重複堆砌集合，比如泥巴、繩子、小蟲、皮膚病等等概括形容一個小鎮上的「十年」風景。八十年代後期，她又寫了〈蒼老的浮雲〉、《突圍表演》等中長篇。九十年代「先鋒小說」步入低潮，倒是殘雪，像吳亮說的「真正的先鋒一往無前」，堅持不懈解讀卡夫卡（Franz Kafka）、波赫士（Jorge Luis Borges），也不斷有新作探索，如《痕》、《新生活》、《斷垣殘壁裏的風景》。殘雪小說有很多英語、法語、日語的譯本，在國外成為漢學研究的重要課本。一方面，她的文字意象頗受翻譯小說影響，因此也比較容易為海外讀者理解接收。另一方面，她也的確是八十年代「先鋒文學」的寂寞堅守者，一直在中國文學的邊緣獨行。2019 年上了諾貝爾獎博彩公司的排名榜，或許也不完全是空穴來風，也不完全是幻想出來的「山上的小屋」。

注

1　殘雪：〈山上的小屋〉，《人民文學》1985 年第八期。以下小說引文同。

1986 史鐵生〈插隊的故事〉

最傑出的知青小說

一、最傑出的知青小說

有一些知青小說更加有名，但藝術上可能不如〈插隊的故事〉；也有藝術上同樣精湛的小說，但已不再是典型的知青文學。所以史鐵生的〈插隊的故事〉是最傑出的知青小說，沒有之一。

史鐵生，1951 年生於北京，1967 年清華附中畢業。1969 年，史鐵生去中國革命聖地延安插隊落戶，結果兩腿癱瘓回到北京。之後他在街道工廠工作，又患腎損傷、尿毒症等，一直坐在輪椅上寫作，代表作有〈我與地壇〉等。早期〈我的遙遠的清平灣〉（獲 1983 年全國優秀短篇小說獎）寫「我」在陝北一個叫清平灣的小山村插隊放牛，一起攔牛的白老漢，也叫破老漢，會唱民歌。這個農民抗戰時就入黨，隨軍打到廣州，但最後還是農民。因為沒有給大夫送十斤米或麵做禮物，他兒子的病就被耽誤了。後來「我」回城治病，破老漢還專門給知青捎去了十斤陝西糧票。同樣寫知青生活，史鐵生寫讀書人和農民在社會災難面前共同命運，互相支援。「士」與「農」在艱難困苦中和諧相處，「官」則基本缺席，化入背景（延安、糧票等）。記得有次和陳村議論一些知青文學及電視劇，有些不滿。陳村說：「甚麼故事都可以編，可這一段生活我們親身經歷，不應該亂寫。」其實陳村的這段話也不僅僅是講知青小說。

〈插隊的故事〉好在哪裏？

> 有人說，我們這些插過隊的人總好念叨那些隊的日子，不是因為別的，只是因為我們最好的年華是在插隊中度過的……[1]

這是小說的引言，摘自第二章裏一段對話。但作者自己對這段話並不滿意：「我感覺說這話的人沒插過隊，否則他不會說『只是因為』。使我們記住那些日子的原因太多了。我常默默地去想，終於想不清楚。」

很少有作家的隻言片語，不僅說出我的信念，還道出我的疑惑。

小說開始寫「去年我竟作夢似的回了趟陝北」，小說的第一人稱敘事者想回當年插隊的地方看看，已經快十年。因為殘腿，覺得不可能。因為寫小說出了名，就有作協安排，居然成行。整部小說從想回鄉到回憶鄉下生活到真的回鄉。

二、清醒抒情，坦然面對歷史

一般說來，小說一旦抒情，就會偏重感性，超越現實，融化理智。史鐵生創作的第一個特點就是清醒抒情。

梁曉聲謳歌「北大荒」：這是一片神奇的土地；張承志詠嘆「北方的河」，想念「綠色的夜」，一往情深；甚至平常不動聲色的王一生，九人大戰的時候也要大叫「媽，兒今天……媽——」。可是史鐵生的抒情小說，卻從不激動，十分節制清醒。「十幾年前我離開那兒的時候……村頭那面高高的土崖上，好像還有人站在那兒朝我們望……十幾年了，想回去看看，看看那塊地方，看看那兒的人，不為別的。」

在〈我的遙遠的清平灣〉裏有一段關於勞動的抒情文字，可以作為這種清醒抒情的範例：

> 和牛在一起，也可謂其樂無窮了，不然怎麼辦呢？方圓十幾里內看不見一個人，全是山。偶爾有攔羊的從山梁上走過，衝我吶喊兩聲。黑色的山羊在陡峭的岩壁上走，如走平地，遠遠看去像是懸掛着的棋盤；白色的綿羊走在下邊，是白棋子。山溝裏有泉水，渴了就喝，熱了就脫個精光，洗一通。那生活倒是自由自在，就是常常餓肚子。[2]

美麗的勞動圖景當中插進了「不然怎麼辦」或者「就是常常餓肚子」，使史鐵生的抒情小說充滿詩意又極其現實。

〈插隊的故事〉寫知青出發的火車開出北京，：「我心裏盼着天黑，盼着一種詩境的降臨。『在九曲黃河的上游，在西去列車的視窗，是大西北一個平靜的夏夜，是高原上月在中天的時候……』（這是賀敬之的詩，北島也會背誦。又是「十七年文學」和「文革後文學」的穿越與顛覆 —— 引者）還有甚麼塞外的風吧；滾滾的延河水啦；一羣青年人，姑娘和小夥子怎麼怎麼了吧；一條火龍般輝煌的列車，在深藍色的夜的天地間飛走，等等。還有隱約而快的手風琴聲，等等。想得呆，想得陶醉。嗐，你正經得承認詩的作用，尤其是對十六、七歲的人來說。尤其是那個時代的十六、七歲。」

請注意這兩個「尤其」。生在那個時代的十六、七歲，是一個苦難，還是一種幸福？

接着小說寫：「當然，發自心底想去插隊的人是極少數。像我這麼隨潮流，而又懷了一堆空設的詩意去插隊的就多些。更多數呢其實都不想去，不得不去罷了；不得不去便情願相信這事原是光榮壯烈的。其實能不去呢還是不去。今天有不少人說，那時多少多少萬知青『滿懷豪情壯志』，如何如何告別故鄉，奔赴甚麼甚麼地方。感情常常影響了記憶。冷靜下來便想起本不是那麼回事。」書名叫〈插隊的故事〉，有意無意，作家在為知青運動寫「史」。史鐵生小說的第二個特點，就是坦然地面對歷史：「延安對我確有吸引力。不過如果那時候說，也可以到儒勒・凡爾納的『神秘島』去插隊，我想我的積極性會更高。」圈內同行、圈外讀者都說史鐵生純潔、真誠，這是一個很好的例子。現在人們看了電影《戰狼 2》覺得自己特別愛國，有沒有想過觀看《阿凡達》又說明甚麼？今天譴責他人如此這般的時候，有沒有想過，假如你在他的位置上，可能又會怎麼想、怎麼說、怎麼做呢？史鐵生回首自己親身經歷的歷史，兩腿傷殘，心靈健全，記住昔日的天真浪漫，也不忘其中的艱辛殘酷。當代小說家裏，史鐵生的心態真是坦蕩透明。

三、知青小說寫農民

在清醒抒情和不迴避歷史的同時，〈插隊的故事〉與其他知青文學的另一個區別，就是史鐵生既寫知青的境遇感受，又花了更多的筆墨描寫農民生態心態。

之前梁曉聲、韓少功、阿城等人主要都在寫知青，但是史鐵生不是。小說裏有不少可以獨立成篇章的農民故事，比之前之後的農村題材小說還要具體真實。比如「我」住的窯洞旁邊，有個農民叫「疤子」，兒子叫明娃。「疤子那年三十七歲，看上去像有五十。疤子是不大會發愁的人，或者也會，只是旁人看不出。他生來好像只為做兩件事，一是受苦，一是抽煙，兩件事都做得愉快。疤子婆姨三十五歲，已經有七個兒子。除去明娃，個個都活蹦蹦的，結實着哩。冬天的早晨，雪剛停，五元兒、六元兒站在窯前撒尿，光着屁股在雪地裏跳，在雪地裏嚷，在雪地上尿出一排排小洞。晚上，一條炕上睡一排，一個比一個短一截，橫蓋一條被。這時候明娃媽就坐到炕裏去，開始紡線或者織布。油燈又跳又搖，冒着黑煙。疤子或者一心抽煙，或者邊抽煙邊響起鼾聲。」

兩個人在討論要不要賣了玉米換紅薯，為了留錢給明娃看病。同一時間在隔壁的窯洞裏，知青們在拉小提琴，討論蘇聯社會主義經濟問題。半夜，知青起來撒尿，明娃媽還在織布。明娃知道母親好心，但堅持說「不要叫我大炭窯上去」。因為挖煤下窯等於搏命，生死難卜，非常辛苦危險。說是凡下窯的人欠了債，人家就不催要了，「不然就是逼人去死」。可是小說寫：「不去又怎麼辦？明娃媽停下手裏的事。賣豬、賣雞蛋、賣青油，直能賣多少？治病的錢多會兒能攢夠？」小說中的知青講起明娃、隨隨這些農民家事情，就像自己的事情一樣。隨隨家是全村數得着的窮戶。隨隨的大是個瞎子。三歲害了場大病，就瞎了眼。六十年，他沒走出過清平灣。之前一直跟哥嫂過，四十六歲時好意收養了一個孤兒，就是隨隨。老人瞎眼，但是鍘草從來不誤事，努力地受苦（幹活），勉強生存。可是隨隨討不起女人。當地的婚俗是很早訂婚，男家要付很多錢，比方說明娃家裏這麼窮，還湊了六百塊，給明娃找了一個叫碧蓮的十七歲女孩。隨隨家是完全沒辦法了。

但是隨隨長成一個漂亮小夥子，放羊的時候跟鄰村一個揀菜的叫英娥的女子，兩個人在山裏對唱山歌：「梳頭中間親了個口，你要甚麼哥哥也有。不愛你東來不愛你西，單愛上哥哥的二十一。……三十三顆蕎麥九十九道棱，妹子雖好是人家的人。蛤蟆口灶火燒乾柴，越燒越熱離不開。……」寫到這裏，知青敍事者出場了——

> 好了，我的想像過於浪漫了。事實上也許完全不像我想像的這樣。事實上我們到了清平灣的時候，隨隨和英娥

的羅曼史已告結束。英娥已經嫁人了，嫁了一個難看的老實人，她一度想自殺，後來生了兩個娃娃，也就不吵了。隨隨還是光棍一條。

窮是十分普遍，有對老人住在高山上的窯洞，因為以前是紅軍，現在沒有勞力，所以破格允許養雞、養豬，生活得不錯。其他人不能養雞、養豬。農民栓兒力氣大，技藝高，偷偷離鄉做鐵匠活，不久就被綁了大繩抓回來了 —— 走資本主義道路。

四、「革命」的知青與「愚昧」的農民

張富貴原是個大隊書記，因反對大隊分紅而被降職；知青們都覺得大隊分紅比小隊分紅更進步。大隊分紅就是幾百上千個人在一起結算，小隊分紅可能就是幾十上百個人一起結算。理論上大隊分紅是「從小集體到大集體再到全民所有制」，知青們都覺得這是正確的大方向，於是去找張富貴，想爭取他革命。小說寫，「我們自信比梁生寶和蕭長春水平高」（又出現前後三十年文本互涉）。

張富貴不在窯裏，窯裏坐着他大，懷月兒的爺爺。

「您說，大隊分紅好，還是小隊分紅好？」

懷月兒爺爺囉囉唆唆半天講不清楚。窯裏有豬，在灶台邊上蹭癢，上面睡了一隻貓，家裏幾乎上是一無所有。

「那您說，是小隊分紅好呢？還是單幹好？」

> 我們想引導他憶苦思甜。似乎只要證明了小隊分紅比單幹好，就自然證明了大隊分紅更具優越性。
>
> 懷月兒爺爺愣了一下，把臉湊近些，壓低聲音問：「能哩？」頗為懷疑地看我們每一個人。「甚麼能哩？」
>
> 「球，誰解不下這事？不是不敢言傳？眾人心裏明格楚楚兒價。小隊分紅好，可還是不頂單幹。」
>
> 大家又互相看，都沒敢輕易相信自己聽見了甚麼。懷月兒爺爺是徹底的貧農，烈屬，有三個兒子，一個死在青化砭，一個死在沙家店。

這一段知青老農的對話，和之前寫農民的小說不大一樣。〈綠化樹〉裏有農民，但主要為了解救讀書人受難而存在。李順大幾十年造不了屋，但是沒有單幹思想。再早一點，蕭長春、梁生寶，都是合作化先鋒、農村新人。

史鐵生小說裏有一句話，「當知青到黃土高原上，知道當地小麥畝產才七、八十斤時，同學們都傻了眼。不知是這些老鄉在騙我們，還是臨來時學校的工宣隊騙了我們。」二十世紀中國小說的讀者們，大概也會提出這樣的疑問：蕭長春和疤子隨隨，誰的故事更真實？梁生寶和〈插隊的故事〉裏的老鄉，究竟誰在騙我們？

也許，柳青和史鐵生都是真誠寫實的，寬容一點說，只是五十年代與八十年代的不同；苛刻一點論，或是幹部身分（縣委常委）與普通知青視角不同？

又或者，從 1953 年梁生寶買稻種到 1969 年史鐵生下鄉延安，農民生活越來越苦了？怎麼會呢？

〈插隊的故事〉不僅寫知青心態，同時寫農民生態，常常將兩者並置，意味深長。剛下鄉時，好像是文明和原始對比——村子裏的小孩不請自來，擠在知青窯洞裏，看到半導體也非常好奇。然後寫農村婚俗，男方要花很多錢，女方也不覺得這是買賣。發展下去，如上所述，知青覺得自己是梁生寶蕭長春，卻沒法說服烈屬貧農放棄單幹夢想。還有一個細節更加耐人尋味：知青們砍柴砍不動，燒不着火，就到山上破廟去砍木的門檻，挖菩薩的木頭的心來燒飯。與此同時，愚昧虔誠的鄉民們卻還在努力修補和使用這個破廟，在那裏燒香、磕頭、祈禱。

小說從開始的城鄉差別，慢慢寫到在窯洞油燈前，在莊稼的地裏，在洪水前面知青和農民的共同命運。「五四」以來知識分子和農民兩條文學主線，終於在當代知青小說，特別是〈插隊的故事〉裏真正同框。真正同框的意思，就是閏土不必叫「我」老爺，梁生寶見到縣委常委柳青也不必那麼激動，海喜喜也不能隨意教訓章永璘……結尾處，作家毫不迴避讀者可能有的疑問——「有人會說我：『既然對那兒如此情深，又何必委屈到北京來呢？用你的北京戶口換個陝西戶口還不容易嗎？』更難聽的話我就不重複了。拍拍良心，也真是無言以對，沒話可說。說我的腿癱了，要不然我就回去，或者要不然我當初就不會離開？鬼都不信。」

推想開去，回首當代中國革命，種種艱辛殘酷，無法否認。否則為甚麼後來要改革呢？好，現在既然改革成功了，為甚麼又要懷念革命呢？用史鐵生的說法，「拍拍良心，也真是無言以對」。

但是，再次回鄉那天——「汽車沿着山道顛簸，山轉路迴，心便一陣陣緊，忽然眼前一亮：那面高高的黃土崖出現在眼前，崖畔上站滿了眺望的人羣……」

注

1 史鐵生：〈插隊的故事〉，《鍾山》1986 年第一期；後收入《插隊的故事》（北京：求真出版社，2011 年）。以下小說引文同。

2 史鐵生：〈我的遙遠的清平灣〉，《青年文學》1983 年第一期。

1986
《古船》
張煒

「民族心史的一塊厚重碑石」

〈紅高粱〉的突破，主要在形式語言上，用「洋腔洋調」謳歌土得掉渣的東北高密鄉，以現代派手法改寫「革命歷史小說」。《古船》的突破，主要在內容人物上，最早書寫「家族史」（後來才有《白鹿原》），最早重寫「土改」（至今仍是爭議話題）。

現代文學很少「家族史」，《家》、《子夜》寫家族，但沒有時代變化（當時覺得批判現實就能把握未來）。《死水微瀾》有時代變遷但沒有家族。《財主底兒女們》有現代文學中罕見的「家族史」，但只有一個家族，逐漸分化。五十年代「家族史」是《紅旗譜》，家族與階級與政黨邏輯關係清晰（甚至過於清晰）。讀過《紅旗譜》才會明白《古船》在寫甚麼。

2017 年長江文藝出版社的《古船》封底有三個作家的推薦。公劉說：「這是迄今為止我所接觸到的反映變革陣痛中的十億人生活真實面貌的傑作。」陳思和說：「《古船》當之無愧為當代長篇創作的一部傑構。」雷達說：「環顧文壇，能以如此氣魄雄心探究民族靈魂歷程（主要是中國農民的）、能以如此強烈激情擁抱現實經濟改革，又能達到如此歷史深度的長篇巨製，實屬罕見。所以，我把它稱作民族心史的一塊厚重碑石。」

「民族心史」、「厚重碑石」，措辭分量很重。私底下，九十年代中王蒙來香港談起張煒。在當時有關「人文精神論爭」中，王蒙和張煒不在一個陣營，但他也說張煒的小說好。稱讚跟自己觀點不完全一致的作家作品，這是真正的稱讚。

《古船》用山東北部窪狸鎮上隋、趙、李三個家族之間幾十年的恩怨情仇，貫穿了土改、大躍進、文革和改革開放初期四個歷史階段的階級關係、社會秩序的複雜變化，小說甚至也觸及了改革以後的所謂中國方向的問題。

一、用家族鬥爭的線索貫穿中國現代史

隋家父親隋迎之，出場篇幅很少，可是他的身分重要。隋家祖上是大戶，不僅是窪狸鎮，遠近好幾個縣都有隋家產業，最主要是粉絲工業（背景可能是龍口粉絲）。（一部小說寫出一個行業，以後還會看到王安憶的《天香》等）。土改時，隋迎之主動上交自己很多產業，說隋家欠了天下人的債。他的政治身分被定為開明士紳，屬於統戰範圍內的地主或資本家。土改開批鬥會，他還想是不是應該站上臺去，但人家把他勸下來，因為他是開明士紳。某日民兵頭頭趙多多來串門，問隋迎之老婆茴子借雞油擦槍，當時隋迎之不在。趙多多把槍越擦越亮，最後站起來要走時，順便將油碗扣在了茴子聳着的胸脯上，茴子轉身摸剪刀，趙多多早已跑了——窮人要搶地主老婆的情結由來已久，

但這種方式這個細節，令人難忘。之後農會開會，辯論隋迎之算不算開明士紳，隋迎之被叫到會上。剛辯論了一會兒，趙多多就以手代槍，嘴裏發出「砰」的一聲，用食指觸了一下隋迎之的腦門。隋迎之卻像真的被槍擊中一樣，倒了下去，氣息全無，救回以後也元氣大傷。之後某天，他騎了一匹老紅馬，走到高粱地裏，吐血身亡。這就是《古船》的敘事風格，事件情節荒誕離譜，敘事口吻若無其事。

隋迎之的弟弟隋不召，是個半神奇半瘋癲的人物，整天說他上了鄭和的船，要光復古中華國威，窪狸鎮也有輝煌歷史。因為他半癡半醉，神神叨叨，也沒甚麼財產，所以歷次運動也傷害不了他。在「文革」當中，他還能同時跟很多不同派別的組織聯絡。隋不召活了很久，小說結尾時，因為救科學迷李知常，被實驗機器攪進去。死的時候，鎮上的人們很敬重他。同樣神神叨叨，曾經很漂亮的巫婆張王氏是他最知心的人。《古船》的家族史滲透了很多鄉俗、神話、巫術和古怪傳統，頗似《百年孤獨》(*One Hundred Years of Solitude*)的風格技巧。在某種意義上，《古船》也可以改用路翎小說的書名——《財主底兒女們》。

小說主角之一是隋迎之的次子見素。七十年代末，見素三十多歲，血氣方剛，浪漫衝動，很有女人緣。他特別不服氣老趙家的多多承包粉絲工廠，欺負很多女工，又佔了地方經濟很多便宜。所以他一直暗暗算帳，圖謀奪回當地的經濟大權，甚至詛咒或者說間接造成了粉絲廠的「倒缸」——化學因素導致材料出問題，一種重大的生產事故，當地人視之為災難。

《古船》的第十五章是一個轉折，見素和趙多多競爭承包粉絲廠。結果見素失敗，表面是招標差錢，實際是趙家和地方幹部利益相通。之後見素到城裏做生意，認識了縣長姪女，丟棄了對他很癡情的鄉間女工。其實見素在城裏小生意也不成功，最後是大病一場，回鄉後終於和他的哥哥隋抱樸溝通和好。

第一男主角隋抱樸是隋迎之長子，比弟弟年長十來歲，親眼見過土改以來自己家族不斷地受打擊、受摧殘的衰落過程。抱樸與見素分別代表了改革開放以後中國農村新興力量的兩個側面：見素血性、激進、實力、機智；抱樸誠實、穩健、多慮、忠厚。弟弟整天圖謀要奪回祖傳的粉絲工業，抱樸卻一直枯坐在老磨坊裏，靜靜地觀察鎮上風雲。晚上一直研讀一本薄薄的小書——《共產黨宣言》。章永璘拿本《資本論》，基本上是墊枕頭，做符號，抱樸卻真的是逐段逐句閱讀，還要和別人分享體會。小說裏有很多對《共產黨宣言》觀點的闡發，包括資產階級怎麼在過去百年裏創造了人類有史以來都沒有過的巨大的經濟社會成就，包括基督教的一些禁慾主義怎麼壓抑人的慾望，看上去跟社會主義的宣傳非常相似，等等。兄弟倆都有些概念化：見素只想發展資本主義，復興家族榮耀；抱樸卻不忘社會主義初心，考慮公平扶貧等問題。他問弟弟你要是承包粉絲廠，能保證鎮上的窮人能過得好嗎？看上去，抱樸有點繼承梁生寶傳統，這在文革後文學中也很少見。見素看到工廠「倒缸」，幸災樂禍；抱樸卻跑去為仇家「扶缸」（救災）。如果說見素是以惡抗惡的于連，抱樸就是學習道德清高的列夫・托爾斯泰。

二、隋家與趙家

隋迎之老婆茴子，在丈夫死後堅決不肯搬出他家大宅，最後放火燒屋自焚。

茴子自焚的時候，民兵隊長趙多多破門而入，撕掉了茴子的衣服，在快死的女人身上撒尿，少年抱樸目睹了這一切。隋家的女兒含章，十分美麗，皮膚白到透明，可她在「文革」當中卻做了趙家四爺爺的乾女兒。

四爺爺，原名趙炳，他是鎮上幾十年來最有實權的人物。隋家女兒含章名義上是他乾女兒，實際是情婦，或者說是被長期姦淫。隋家人並不知道實情。含章這樣做，是換取四爺爺保護隋家兩兄弟，不至於被迫害到死。

趙家的兩個主要人物——趙多多和四爺爺，是《古船》最鮮活生動、最令人印象深刻的兩個人物，從人物塑造來說，他們遠比整天關在磨坊裏讀《共產黨宣言》的抱樸，或者是努力經商、憤世忌俗的見素來得更加深刻。

我們已經驚奇地見識過，趙多多借油擦槍，最後把這個碗扣在女主人胸部；以手當槍，「打死」了開明地主。作品裏還有很多性暴力細節，隨手調戲女工，差不多每個女工都被他摸來摸去；專政對象的女人們，很多被他姦淫等等。

不過小說精彩之處不是寫趙多多無惡不作，而是寫他本是窮人孩子，並不是一開始就好色好鬥。小時候，孩子餓了甚麼東西都吃，田鼠、花蛇、刺蝟、癩蛤蟆、蚯蚓。第十八章寫趙多多到地主家去撿殺豬以後丟棄的垃圾，結果，地主家的黃狗咬得他身上流血。這個時候，有人就教他用繩子、鐵鈎去抓黃狗。

> 他照着做了，果然就鈎到了黃狗。牠在繩子的一端滾動、哀叫，就是掙不脱帶倒刺的鐵鈎。鮮血一滴滴灑到土裏，老黃狗絞擰着那條繩子。他看着老黃狗掙扎，兩手亂抖，最後「哇」地大叫一聲鬆了繩子，頭也不回地跑了。
>
> 這年裏他好幾次差點餓死在亂草堆裏。一個雪天，有人掏出兩個銅板，讓他去幹掉老黃狗。他實在餓壞了，就再一次用鐵鈎鈎到了牠。這次無論它怎樣哀叫翻滾他都不鬆手了，直咬着牙把牠牽到河灘上……
>
> 後來他才知道給銅板的人是土匪，那些人當夜就摸進去綁了黃狗的主人，把他拉到野地裏用香頭去觸，最後還割下他一個耳朵。[1]

地主的狗咬窮人孩子的腿，這是非常有象徵意義的革命教育故事，比如劉文彩、雷鋒的故事。張煒寫了又一個地主的狗和窮人孩子的故事。孩子開始沒有忍心殺掉狗，但在土匪教唆下把狗殺掉了，那家主人也被綁了。這是一個窮人孩子後來一步一步變成鄉間惡霸過程當中的關鍵一環 —— 兒時受不了黃狗掙扎，長大卻能在大火中的地主老婆身上撒尿。

張煒後來解釋自己的小說：「出身貧苦的人一定要是好人、革命者、勇敢的人嗎？你也知道不一定。窮人的打鬥都一定是有理有利，是符合大多數人的利益的嗎？你知道也不一定。」[2]《古船》就是寫這種「不一定」，而在「前三十年文學」當中，窮人與好人與革命的關係，基本上是「一定」的。

小說裏寫得更出色的一個反派形象是四爺爺：「四爺爺原是個窮孩子，可是自小敏悟過人，長脖吳的父親與他父親有舊交，就出錢讓他和自己的兒子一塊上學堂。從學堂裏出來，趙炳就做了書房先生。」長脖吳是一個小學校長，小說裏一直是趙家的座上客。「土改複查之後，趙炳一直當高頂街的頭兒，名聲上下都響。」下面老百姓服他，上面幹部也欣賞他。

都是趙家人，趙多多是霸道武夫，趙炳是掌權文人。「四爺爺」這個稱呼非常奇特，給趙炳一個文雅舊派長輩的形象。小說第十二章，細細描述渲染寫這個鄉鎮太上皇的氣度、學養、舉動、儀容。他在自己的大院裏，一邊讓神奇巫女張王氏給他按摩，鬆體寬心；又和小學吳校長講詩書茶禮，很有文化。一會兒，隋家的乾女兒來了，吳校長就跑到隔壁房邊，朗朗地讀書——就在讀書聲的伴奏下，四爺爺把美麗的乾女兒含章捧在腿上慢慢把玩⋯⋯

這樣描寫一個儒雅的當代惡霸，細節到底是不是可信，很難說，但是藝術效果確實精彩，象徵意義也非常複雜。

到了七十年代末，四爺爺其實也就是六十來歲，但是鎮上幹部，要緊的事情一定要來聽他的意見，小事他還懶得管。有一次調查組來了，書記、主任就來找他，四爺爺請張王氏掌廚，他自己遲到，怎麼把上面幹部在氣勢上搞定，小說裏有很精彩細節。在「文革」中趙炳也受到打擊。當時趙多多是造反隊司令，把四爺爺救出來。同時四爺爺還運用權力保護隋家人。

二十世紀小說中官員與民眾關係有幾次大的變化：晚清主

要寫「官壓迫民」;「五四」寫官民身分不同但「國民性」相通;延安文學時期寫「民反抗官」(或「好官解救人民」);到了八十年代的《古船》,則出現了主奴關係可以轉換的情況,窮人也可以翻身做惡霸,財主的兒女們也可能艱難地活着,苦苦地掙扎。

隋家、趙家以外,還有個李家也是鎮上的大戶。隋家是富人倒楣,趙家是窮人掌權,李家過去也是資本家,後來一直關心科技生產。李其生在大躍進當中挖出了地下古船。兒子李知常,也是科學狂,一直研究變速輪。輪子會使得粉絲工廠更加賺錢,但他不知道在隋趙兩家的爭鬥當中應該站在哪一邊。同時他又一直非常癡情地愛着隋含章。

小說裏的其他女性都是配角。抱樸最早娶了家裏的女工桂桂,桂桂病死後抱樸和小葵私通,在田野裏非常激情。但是小葵的老公後來死於礦難,抱樸又自責,又懷疑小葵的小孩是不是他的。若干年一直猶豫着不敢接近小葵,小葵最後失望,嫁給了另外一個農民。《共產黨宣言》教導抱樸憂鄉憂民,卻沒教會他怎麼對待女人。小說最後,張煒安排了一個美麗女工鬧鬧,癡情地愛着抱樸。英雄事業成功,總得有美人相愛。見素很晚才知母親死況,起意要殺趙多多。結果趙多多自己撞車而死。抱樸自然接收了粉絲工廠(也掌握了小鎮的前途)……

三、誇張、魔幻、神奇、荒誕的小說

《古船》情節非常荒誕、魔幻,既是全知角度,有時又裝糊塗。因為是長篇,所以也是當時回顧五、六十年代歷次社會災難最詳細（有些也是最誇張）的文學作品。第九章寫「大躍進」，第十八章寫土改，二十三章寫「文革」，時序上有意混亂，前後穿插，故意剪輯成錯的故事。其中寫「大躍進」這一章，主要突出數字效果。

> 省裏領導連夜開會，決定地瓜每畝必須種六千三百四十多株；玉米每畝必須種四千五百至八千六百三十棵；豆子必須播下四萬八千九百七十多粒。數碼印成了紅的顏色，印在了省報上。開始人們都不明白為甚麼數碼還要印成紅的？後來才知道那可是一個了不起的先兆。那是血的顏色，它預言了圍繞着這些數碼會出人命。

有個老漢覺得不應該下種這麼多，就偷偷地倒掉了一半，結果被民兵發現暴打，投井自殺。就此鎮上的人明白為甚麼報上的數碼要印成紅的。接下來就是「高產衛星」、「大煉鋼鐵」，煉鋼需要用一種鍋，這鍋需要陶瓷，於是大家都要獻碗。瓷器用盡，鎮長又引導鎮上人行路低頭，留意揀取泥土裏的所有碎瓷片。後來井底的瓷片也給掏上來。路上遠遠地有個甚麼在陽光下發亮，大家認為是瓷片，就飛一般跑上去爭搶。久而久之，那些骨骼發育還沒有成熟的孩子，由於長期低頭尋覓瓷片，就再也抬不挺頭顱了。後來若干年過去，人們遇見不能昂首挺胸的人，還說他必定是窪狸鎮人。

誇張、魔幻、神奇、荒唐，像開玩笑，不能細想。

「大躍進」之後就是大饑荒。「整個窪狸鎮都在尋找吃的東西。一些青嫩的野菜早被搶光，接下去又收集樹葉。麻雀吃不到東西，死在路邊和溝汊旁，人們也把它收起來。河汊的淤泥被掘過十次以上，大家都同時記起了泥鰍。秋初有蟬從樹上掉下來，有人拾到直接放進嘴巴。」

「文革」故事比「大躍進」更誇張，首先也還是強調數字。汪曾祺寫「禮失求諸野」，強調數字的少；張煒寫「禮失無法求諸野」，強調數字的多。「短短五十多天裏，鎮子的政權就變動了二十多次。最早奪得窪狸鎮大權的是『井岡山兵團』，後來是『無敵戰鬥隊』，再後來是『激三流戰鬥隊』，接上又是『革命聯總』、『五二三一聯總指』等等。」

《古船》寫「文革」，有些牽涉暴力與「性」的細節過於荒誕，缺乏節制。比如批判縣長周子夫，說他吹牛皮。怎麼批判他吹牛皮？紅衛兵割下了一頭母牛的外生殖器，塞到他嘴裏，然後遊街，羣眾在旁議論，太對不起那畜生了，那是頭好牛。又如隋家兄弟被光光地吊起來，有人用柳條從頭到腳細細地抽，身上某些部位就被「特別關照」。還有個地主婆，造反派頭頭威脅說要殺她們的母親，結果三個女兒就分別被糟蹋，大姐後來吊死。再有慶祝遊行時，鄰街屋頂上有人澆大糞。吳校長寫給領導的致敬信，因此也臭氣難除等等……

有一度，「文革」像個垃圾桶，甚麼髒東西都丟在裏邊。

四、「我僅僅是在寫土改嗎？」

《古船》寫大躍進、三年饑荒或者「文革」，再怎麼誇張，再怎麼荒誕，也沒人批評，但是一寫到土改，情況就不一樣了。

張煒後來解釋，在寫《古船》前，他翻閱了幾十上百萬字的相關歷史材料。小說十八章，詳細寫土改的情況，1947 年國共還在內戰之中。地主富農的浮財拿出來分給農民了。可是有些農民不敢收，半夜偷偷又把東西送回給老東家。

趙炳當時教書，就給幹部建議，哪一家地主富農回收了浮財，就關地窖。然後再開大會，深入發動羣眾，不僅要翻身，而且要「翻心」——「翻心」是丁玲、周立波、趙樹理寫土改文學的主題。

張煒在寫土改時，其實小心謹慎，頗講策略。策略之一，被民兵羣眾打死的地主都確實有罪，或者是在批鬥當中有反抗。有一個叫麻臉的，不肯交出銀元，就被趙多多用煙頭燙了，之後麻臉就撲向民兵，最後被砍。還有一個叫面臉——說他臉很大，被揭露他曾叫丫鬟幫他穿褲子，就引起了民憤。還有一個名叫驢，他的小老婆和長工勾搭，他就切了長工的一個睪丸。這些地主，民憤極大，所以開了殺戒。策略之二，小說特地把土改中批鬥地主和之後地主還鄉團血洗村莊作對比，還鄉團的暴力厲害得多，他們將幾十個幹部羣眾用鐵絲穿鎖骨穿在一起。這是《林海雪原》的情節，一模一樣，不知道有沒有參考，還是「英雄所見略同」。穿了鎖骨的人被全部活埋，說明國民黨反動派對翻身農民的血腥報復，比土改當中的暴力傾向更嚴重，暴力不對等。策略之三，土改出現暴力過火的時候，共產黨幹部王隊長堅決反對，他卻被批成是「富農路線」。王隊長說，發動的是羣眾的階級覺悟，不是發動一部分人的獸性。雖然這句話不大像 1947 年的農村語言，但道理是對的。所以，後來濟南開會，有人批評小說當中的土改描寫，張煒就說「農民的過火行為，黨也是反對的，黨都反對，你也應該表示反對；至於土改運動當中『左的政策』在當時就批判了的，當時就批判了的，現在反而不能批判了嗎？最後問一句：我僅僅是在寫土改嗎？」[3]

《古船》並不僅僅寫土改，還寫土改之後的幾十年，甚至改革開放之後中國農村的未來方向。小說當中還有一個重要人物，一個神秘兮兮的老中醫郭運。在這個鎮上能夠透視全局的，看上去是貧苦出身的惡霸四爺爺，或者研讀馬列的地主兒子隋抱樸，其實卻是一個拿着《天問》的中醫郭運。只是《天問》和《共產黨宣言》如何結合起來來指導窪狸鎮人們的未來呢？讀者們可能到最後仍然充滿了疑問。

注

1 張煒：《古船》，《當代》雜誌，1986 年。《古船》單行本（北京：人民文學出版社，1987 年）。以下小说引文同。

2 張煒：〈在《古船》研討會上的發言〉（濟南，1986 年 10 月），見張煒：《古船》（附錄）（武漢：長江文藝出版社，2017 年），頁 337。

3 同注 2，頁 336-337。

1986

〈紅高粱〉

莫言

當代文學的世界意義

其實莫言在獲得諾貝爾文學獎之前，已經被評論界認為是 1978 年（或者 1949 年）以來最優秀的中國作家之一。描寫土改的《生死疲勞》曾獲第二屆「紅樓夢獎」（世界華文長篇小說獎），莫言自己最喜歡的是《豐乳肥臀》。而諾貝爾評獎委員會在宣佈得獎消息時，特別提到《天堂蒜薹之歌》，一部尖銳批判現實的作品。莫言的小說，有不同風格探索不同藝術成就。我個人還是認為〈紅高粱〉是他的代表作。唯一不滿的是篇幅太短了。

1985 年中國作協召開新人新作〈透明的紅蘿蔔〉討論會，會上莫言的軍官身分一再被介紹，他坐在一邊，幾乎一言不發（我當時想：怪不得筆名叫「莫言」）。〈透明的紅蘿蔔〉故事十分寫實，偶爾又寫特異感官 —— 農村小男孩能把紅蘿蔔看成有着金色外殼包着銀色液體的透明物體。小說裏的鐵匠和石匠，同時喜歡一個叫菊子的姑娘。當時《百年孤獨》獲獎不久，中國當代小說作家突然發現現代主義的魔幻和現實主義的鄉土也有結合的可能。曾鎮南稱讚小說寫實，舉例說生產隊長罵小男孩，「你跑哪兒去了，你跑阿爾巴尼亞去啦？」很能體現文革的歷史環境和細節氛圍。李陀等人也發言了，印象最深的是汪曾祺的提問：小說裏明明石匠對小男孩好，鐵匠對他不好，為甚麼最後兩人打架，小男孩反而去幫鐵匠？大家一時不知怎麼回答時，汪曾祺說應該是小男孩偷戀菊子，少年性心理無意識。對照〈受戒〉，可見汪曾祺對鄉村男孩性心理的興趣一直十分前衛，莫言還是謙虛微笑，坐在旁邊。

那是 1985 年。

一、影響中國新時期小說發展的三大因素

1985 年中國小說的發展受到至少三種因素的制約，或者說有三種潮流在互動。第一還是和政治的關係。作家要反思文革，批判現實；你干預生活，生活也要干預你——從「社會效果說」，到「清除精神污染」。所以作家們要堅持自己對社會的觀察，也都必須要有調節與政治關係的不同策略。莫言是軍人、黨員，深知行規，所以〈紅高粱〉悄悄地跳過了文革和「十七年」，寫到了更早的抗戰歷史。第二個潮流是文化尋根。要和政治拉開距離，於是寫文化。賈平凹、阿城尋找文化傳統；韓少功、王安憶等人挖掘國民性病根；張承志、莫言就迷戀鄉土、地域、民俗、歷史等等。莫言把高密東北鄉給寫活了、寫神了，尋根努力也有意無意呼應了中斷已久的俠義文學傳統。第三個因素是現代派影響。十九世紀歐洲文學的影響，早已滲透五四以後的幾乎所有作品（也許除了「十年」以外）。但二十世紀現代主義

文學，諸如卡夫卡、沙特、卡繆、海明威，當時代表另一種吸引力。尤其是加西亞・馬奎斯，的確給中國作家帶來了一個啟示，原來覺得現代主義是寫歐洲國家的人性異化、孤獨隔膜、他人即地獄等等，沒想到也可以來寫民族寓言，寫鄉土，寫家族史，魔幻也可以寫革命現實。

莫言幾乎是本能地將上述三種因素協調綜合，〈紅高粱〉的文學史意義，就是最早將文化尋根和現代派技巧結合起來重新書寫「革命歷史小說」。

二、〈紅高粱〉中的現代派技巧

〈紅高粱〉中的現代派技巧，具體來說就是後設的敍事技巧和暴力審醜美學。我曾有專文討論〈紅高粱〉的兩種後設敍述。[1] 一種是敍述時間上的後設。簡單說敍事者，包括讀者，早就知道故事的結局，然後回述當年的事情。一般小說有點像現場直播的球賽 —— 故事順着時間發展，讀者不知下一分鐘會發生甚麼。但是〈紅高粱〉裏有個細節，戴鳳蓮出嫁坐轎，路遇土匪，轎夫余占鼇等把土匪趕跑以後，男主角就去掀轎子的布簾，碰了一下新娘子的腳。這不僅是不禮貌，基本上屬於「性騷擾」。就在讀者緊張期待故事會怎麼發展時，小說突然插了一句：「余占鼇就是因為握了一下我奶奶的腳喚醒了他心中偉大的創造新生活的靈感，從此徹底改變了他的一生，也徹底改變了我奶奶的一生。」[2] 這就等於足球將進未進之際，突然有旁白說「這場比賽的勝負，就在這一瞬間決定了」。甚至這一屆世界盃的進程，就此

被改變了 —— 這等於是從現場直播變成錄影重播。雖然觀眾讀者，一般喜歡現場直播，即時目睹事件發展。但「錄影重播」也有特別效果。所有的歷史研究都是「錄影重播」。重播的時候，才看得清楚比賽（事件）當中，哪些事情看上去熱鬧，其實無關緊要。哪些時候以為不重要，其實是關鍵時刻。在這種關鍵時候，就會出現馬奎斯的著名句型，「多年以後……」

生活當中人們每天每月碰到很多事情，再爭取一下？還是放棄？這時多麼希望有個事後的聲音角度，告訴我「多年以後……」人生就是沒有「多年以後」，所以要靠小說給予虛擬的機會。後來很多當代中國小說家都使用這種馬奎斯的「多年以後」敍事策略，目的就是要描寫順時態中的「後見之明」。提前出現的結局會迫使讀者從關心「後來怎麼了」轉到「怎麼會這樣」。（就像本書所要討論的：中國怎麼會走到今天？）〈紅高粱〉一方面是強調小說敍事的後設角度，強調「多年以後」，比如說「我」還到家鄉去查縣誌、訪老人等寫作過程；另一方面，「後設角度」還直接體現在人物稱呼上，男女主角大部分時間不叫余占鼇、戴鳳蓮，而是「我奶奶」、「我爺爺」。既突出了敍事者與歷史人物的血緣關係，又將「奶奶」之類的鄉土符號和諸如「個性解放」等現代語言巧妙並置。小說裏的典型句式是「她老人家（我奶奶）不僅僅是抗日英雄，也是個性解放的先驅，婦女自立的典範」。季紅真認為，這是家族、宗法、鄉土語言和現代城市語法觀念的混合。小說裏也有很多性感場面，也因「我奶奶」這個稱呼使人感到多了鄉土氣味，少了色情意味。「奶奶一把撕開胸衣，露出粉團一樣的胸脯」。「奶」是一個性器官，重疊兩字又變成一個家人的稱呼。

小說還有一段鄉土文字的現代語法，令臺灣的周英雄等教授非常困惑：

> 高密東北鄉無疑是地球上最美麗最醜陋、最超脫最世俗、最聖潔最齷齪、最英雄好漢最王八蛋、最能喝酒最能愛的地方。
>
> 謹以此文召喚那些遊蕩在我的故鄉無邊無際的通紅的高粱地裏的英魂和冤魂。我是你們的不肖子孫，我願扒出我的被醬油醃透了的心，切碎，放在三個碗裏，擺在高粱地裏。伏惟尚饗！尚饗！

革命者，不是應該與時俱進，一代更比一代強嗎？甚麼原因造成了「種的退化」？

〈紅高粱〉接受現代派影響的另一特徵是暴力審美。〈紅高粱〉裏面寫羅漢大爺被剝皮那一段，令讀者印象深刻。[3]〈紅高粱〉以後，尋根派的小說常有撒尿之類的動作，也不忌諱暴力血肉細節。一般說來，通俗文學常常寫海灘、月亮、玫瑰、燭光，「嚴肅文學」則渲染各種刑法暴力，如莫言《檀香刑》、余華〈現實一種〉、〈一九八六年〉。〈紅高粱〉有撒尿釀酒的情節，余華《兄弟》對廁所風景有大段描寫。

三、〈紅高粱〉為何救活了革命歷史題材？

〈紅高粱〉寫醜，寫暴力，用現代派的手法尋根，卻寫出了陌生化的抗日小說。雷達曾撰文稱讚〈紅高粱〉：「它與以往我們的革命戰爭文學都不相像……在審美方式上它是一次具有革命性的更新」。[4]「革命歷史題材」中，抗日本來應該是重頭戲，時間上前後八年。可是在二十世紀上百篇中國小說名作裏，描寫抗日的作品不多，這個現象值得研究。最早《生死場》大部分寫農村苦難女人不幸，很少寫到抗戰，打仗也沒有勝利。抗日時期，延安或國統區，直接寫抗日也非常之少。〈我在霞村的時候〉，後來張愛玲的〈色戒〉，都沒有直接描寫戰場。1949 年以後，寫革命歷史小說，「三紅」(《紅旗譜》、《紅日》、《紅岩》) 全部寫國共鬥爭。是巧合？還是有必然的因素？從藝術上看，正反派太絕對，人性解剖就難以複雜深刻。寫階級矛盾，還有灰色地帶，比方說開明士紳，國共之間有分有合。一到抗日題材，民族矛盾，非人即鬼，故事只能側重於寫抗爭的手段工具，比如《鐵道遊擊隊》、《地雷戰》、《地道戰》，往革命通俗文學方向發展。最成功的文學片段在汪曾祺寫的《沙家浜》裏，但不是小說，改成樣板戲時，也必須以郭建光武裝鬥爭為主線。直到今天，抗日戲依然是影視螢幕當中主要的填充材料，但是也依然要靠「手撕鬼子」之類的特殊手段才能吸引觀眾。在抗日題材方面的任何突破，比如姜文的《鬼子來了》，陸川的《南京！南京！》，還有張軍釗的《一個和八個》等等，都非常艱難。

回顧抗戰文學背景之後，再看看〈紅高粱〉怎麼救活了革命歷史題材？

在《紅旗譜》等「紅色經典」裏，中國農村的階級鬥爭模式，主要是窮富與國共。再細一點，則有六種力量 —— 窮人、富人、祠堂、學校（常常是地下黨教員），還有國民黨、共產黨。〈紅高粱〉裏除了這六種力量以外，加了（或者說還原了）第七種土匪，「我」爺爺余占鼇等。

在〈紅高粱〉當中，傳統抗日主力，無論國共都變成了配角，抗日主力居然是土匪和他帶領的普通民眾。國民黨冷支隊長有兵力，可是打完伏擊戰以後才趕到收軍火，坐享現成。有個長得很秀氣的任副官，小說中的「我父親」猜他八成是個共產黨。任副官教兄弟們唱革命歌曲，成功訓練了余司令土匪大隊的紀律性。余占鼇的叔叔強姦婦女，余占鼇就逼迫叔叔，要把他槍斃掉 —— 這種共產黨馴化改造土匪隊伍的情節在很多文學作品裏出現過。改造是有成效的，這個兼有書生氣、英雄氣的任副官，象徵意義上又代表知識分子，又代表共產黨，卻被自己的勃朗寧手槍擦槍走火打死了 —— 不知是否隱喻共產黨無敵，卻會被內鬥所害？

余司令的隊伍能夠在〈紅高粱〉當中成為抗日英雄，淺一點說，就是抗日題材一向黑白分明，缺少人物性格矛盾，一向只在手段上做文章，所以現在土匪參加甚至領導抗日，余占鼇的性格身分處境比較複雜。深一點講，五四以來，晚清俠義文學傳統在中國大陸失落很久了。「五四」文學本身也並不包含還珠樓主、王度廬等人的文學。五、六十年代金庸、梁羽生的新派武俠也進不了中國內地，所以民眾只能在楊子榮、阿慶嫂他們身上點滴回味昔日的江湖氣味。

莫言能夠理直氣壯把家鄉的先輩謳歌成那麼英雄的王八蛋，或者那麼王八蛋的英雄，在潛意識的層面是有山東豪傑水滸底氣。晚清文學狎邪、科幻、俠義、譴責四大類，五四以後似乎只有譴責現實類在發展。其實我們看到，狎邪文學仍然暗暗存在並演化（從青樓家庭化到家庭青樓化），而俠義傳統的復興，〈紅高粱〉功不可沒。這才是莫言對傳統文學的真正傳承。俠義精神的復活，加上後設敘事技巧，再加上對城市的道德批判，就有了政治反省、文化尋根和西方現代派技巧有三者碰撞結合的客觀效果。

但這不一定是作家的主觀把控。作家本人其實更多是從他六十年代初的兒時飢餓記憶出發，借點西方技巧，考量中國政治，又歌頌家鄉土地。兒時飢餓記憶，是莫言創作的真正動力。

四、諾貝爾文學獎與當代文學的世界意義

2012 年諾貝爾文學獎公佈之前夕，有傳媒採訪，問莫言獲獎的可能性。我當時說莫言會獲獎，原因是比較符合世界文學（主要是歐洲文學界）對當代中國作家的主要期待。這些期待分別是：一，寫鄉土；二，寫革命；三，現代派技巧；四，不同政見；五，中國文學傳統；六，有好的翻譯。

這些期待或者說條件，一部分是總結前一位華文作家獲獎原因，一部分是評獎委員會委員馬悅然教授訪問香港嶺南大學時我們也有相關討論。一二三項關於鄉土尋根、改寫革命歷史題材和運用一些現代小說技巧，前面已經討論。第四項，所謂

批判政府本不是莫言的「強項」，不過他的長篇《蛙》，批判「一孩」政策，也是表達政見。第五，莫言的小說是否繼承中國文學傳統？本來評論界只看到他明顯受到南美魔幻現實主義的影響，但是後來《生死疲勞》用了章回體，蒲松齡也是山東人，所以和中國文學傳統也有關係（評委會沒有特別注意莫言現象與《水滸》俠義傳統的聯繫）。第六項，很明顯，要感謝葛浩文、陳安娜等出色的漢學家（以及漢學家背後的華人伴侶）。

當然，六個因素云云，只是開玩笑，沒有作家能夠照着不同的配方或需求來創作。只是從〈紅高粱〉等作品看，莫言在當代文學史上的確重要，當代中國小說的世界意義，首先在於一，現代主義技巧，二，描寫中國鄉土大地，三，獨特的革命歷程。

注

1 許子東：〈當代小說中的現代史：論《紅旗譜》、《靈旗》、《大年》和《白鹿原》〉，收入《許子東講稿第二卷 —— 張愛玲・郁達夫・香港文學》（北京：人民文學出版社，2011 年），頁 268-289。

2 莫言：〈紅高粱〉，《人民文學》1986 年第三期；後收入《紅高粱》（北京：作家出版社，2012 年）。以下小說引文同。

3 在 1988 年訪日期間，曾有日本漢學家，包括左傾立場的日共黨員對我說，日本並沒有剝皮凌遲這樣一種刑罰。

4 雷達：〈靈性啟動歷史〉，《上海文學》，1987 年第一期。

1986

路遙

《平凡的世界》

改變青年三觀的中國故事

《平凡的世界》共三部，從1985年寫到1988年，大約每年寫一部。最初發表在1986年12月《花城》。1991年《平凡的世界》獲得第三屆茅盾文學獎。如果從文藝社會學角度特別關心「小說中的中國」，《平凡的世界》應該是二十世紀中國故事裏非常重要的一章。

路遙（1949—1992）本名王衛國，陝北榆林清澗縣人，出生於貧困農民家庭。當代作家真的農民家庭出生，為數不多。七歲時路遙過繼給伯父，也是農民。他讀過縣立中學，之後回鄉務農。1973年進入延安大學中文系（工農兵學員）。1982年發表了一部中篇小說〈人生〉，後來被改編成電影。〈人生〉男主角高加林在農村姑娘劉巧珍和城市姑娘黃亞萍之間的艱難的感情選擇——該不該為了進城拋棄癡情的鄉下姑娘，一度引起社會爭議。在「尋根文學」和「先鋒小說」形成熱潮的1985年前後，路遙埋頭寫《平凡的世界》，他的寫實主義當時並沒有受到文壇的特別關注。作家英年早逝，生前曾與習近平有私人交往。[1] 近年來，《平凡的世界》持續熱銷，成為最受評論家關注的幾部當代小說之一。這裏有哪些偶然的人事因素，有哪些是文學史意義上的必然性，值得討論。

一、《平凡的世界》近年熱銷的兩個原因

洪子誠的《中國當代文學史》資料很全，論述八十年代後期小說時，列舉了先鋒派的莫言、馬原、格非、孫甘露、蘇童、余華、殘雪等等，同時也討論池莉、方方、劉恆、劉震雲的「新寫實主義」，另有一個章節「其他重要作家」，包括阿城、史鐵生、韓少功、張煒、張承志等作家。近年有研究者注意到，洪子誠似乎沒有特別論述《平凡的世界》。努力「超克」八十年代文學批評的一些年輕學者，可能覺得「忽略」《平凡的世界》是文學史的疏漏。其實任何文學史也難面面俱到，夏志清後來也承認他沒有討論蕭紅、端木蕻良是一個缺憾。而且在八十年代中後期，《平凡的世界》的確並非文壇關注的焦點。在各種當代文學的會議上，當時比較活躍的評論家，很少特別討論路遙的作品。陳思和主編的《中國當代文學史教程》同樣也沒有專門評論《平凡的世界》。

為甚麼《平凡的世界》在八十年代中後期並未引起文壇足夠關注，卻在二、三十年後，越來越引起了青年讀者（也包括專業評論家）的關注？我認為至少有兩個原因：第一是中國文學讀者人口的變化。1985 年前後，程德培講過一句非常精闢的話：當代小說不是城裏人下鄉，就是鄉下人進城。「城裏人下鄉」即知

青小說，韓少功、王安憶、阿城、張承志、史鐵生等等，作品中的鄉村，其實是知識分子考驗、歷練自己靈魂感情的一個背景。其中只有極少數人，比如史鐵生，會關注農民的生態，但關注的主體還是知青的心態。所謂「鄉下人進城」，指的是莫言、賈平凹、路遙等人的作品。莫言像沈從文一樣美化鄉村批判城市，賈平凹是努力發掘鄉土傳統當中的善惡，其中大概只有路遙，真正從字面上來描寫「鄉下人進城」。

《平凡的世界》第一部，寫到主人公孫少平要離開縣城回鄉時，他說：「老實說，你（指縣城）也沒有能拍打淨我身上的黃土；但我身上也的確烙下了你的印記。可以這樣說，我還沒有能變成一個純粹的城裏人，但也不完全是一個鄉巴佬了。」[2] 路遙的這段話可以形容他的人物與讀者。在過去幾十年，中國社會的最大變化，中國在世界上崛起的關鍵，就是幾億農村人口急速向城市轉移，就是「鄉下人」（中性概念）或主動或被動地「進城」。〈插隊的故事〉寫過黃土高原農民生態，一家人很多小孩睡在一個破窯洞裏，男女婚嫁有很多買賣的習俗，在貧困的土地上唱着浪漫的山歌，做點小生意要被當作資本主義批鬥等等。路遙小說也有同樣的細節，但是史鐵生是「知青看農民」，同情的是農民的「生態」。可是路遙卻是「農民做知青」，理解的是農民的「心態」。

孫少平說：「最叫人痛苦的事，你出生於一個農民家庭，但又想掙脫這樣的家庭，掙脫不了，又想掙脫……」這話差不多可以概括這部小說，以及整個中國故事的主題。八十年代中後期，當代小說的讀者羣，主要是城市裏中學以上的文化人口；到了二十一世紀，大量鄉鎮青年也已中學畢業，也已進入城市，成為新時代文學人口的主流。在這種情況下，「鄉下人進城」就比「城裏人下鄉」能夠獲得更多讀者的共鳴。這是《平凡的世界》，還有余華的《活着》等作品近年持續熱銷並影響青年人三觀的一個可能的解釋。

當然路遙和余華還是不同，余華是策略調整，路遙是別無選擇。

除了文學人口的變化以外，第二個原因是八十年代文學，首先強調「新時期」否定「文革」。但是《平凡的世界》卻突出七十年代中後期中國政治生態的微妙延續性。中間當然有斷裂 —— 從革命到改革，但斷裂之中又有體制、人事和政治文化的延伸。偏偏這兩個歷史時期的複雜關係，近年來是中國文學界 —— 恐怕也不止文學界 —— 的一個熱門話題，所以人們突然發現，《平凡的世界》描寫的正是「革命」與「改革」的交接部位。這個交接期，在其他作品裏是一個相對的空檔，比較難以訴說。《晚霞消失的時候》、《芙蓉鎮》、《古船》都從「十年」直接跳到八十年代。路遙小說，卻非常寫實非常平靜地敘述「革命」後期普通農民的生態、心態，然後一步一步、一天一天描寫他們從集體生產體制走向承包制單幹的詳細過程。所以《平凡的世界》記錄了二十世紀「中國故事」的一個重要轉捩點。

二、《平凡的世界》裏的三類農民

「平凡的世界」，一半在寫黃土高原上的一個雙水村。和《創業史》一樣，村裏的人也可分成三類：貧窮農民、想發財的村幹部，還有地主和中農的後代們。貧窮農民如孫少安、孫少平一家，父親孫玉厚老實巴交，辛苦耕作、艱難生活。祖母病在炕上，全家擠一個破窯洞，小妹妹蘭香借宿他人家裏。少平在縣裏讀中學，只能吃最差的黑麵饃，很為自己的窮困而羞愧，卻愛上了漂亮的地主女兒郝紅梅。姐姐嫁了一個不務正業的王滿銀，因為倒買幾塊錢的老鼠藥被批為走資本主義道路，要到建築工地勞改。少安只好求兒時朋友田潤葉，潤葉的叔叔是縣革委副主任田福軍，隨即批條放了他姐夫。男主角孫少安，相貌英俊，心胸開闊，為人正直，近年有評論認為孫少安和梁生寶一樣，屬於「社會主義文學」的「新人」。[3] 但「新人」拯救姐夫的方法，也還是走同學關係（幹部子女）的後門。非常現實主義。總之孫少安一家代表了勤勞、刻苦、老實的農民，在小說第一部裏，他們生活艱辛、悲慘。

第二類人物是村幹部，以大隊書記田滿堂和副手孫玉亭為代表。孫玉亭是孫少安的叔叔，同樣吊兒郎當，姐夫倒賣老鼠藥，玉亭忙着革命宣傳，整天抓階級鬥爭，要大家學《水滸》。田福堂從五十年代合作化起就是雙水村的頭號實權人物，對村裏情況瞭若指掌。第一部結尾，田福堂想學陳永貴，炸山築壩造良田，結果炸了很多私人窯洞及學校，一事無成。

雙水村的第三類農民，大都姓金，有的是地主或中農出身。俊山、俊文、俊武、俊斌等等，窯洞好，實力強，為人低調。田福堂把一隊隊長孫少安、二隊隊長金俊武都看作是競爭對手。

對照《平凡的世界》與《創業史》的人物分類法，很有意思。相同之處，都是貧苦農民、基層幹部和富農中農（及後代）三大類，貪苦農民都是正面主角「時代新人」，還都「偶然」認識上面領導。不同之處，一是梁生寶要搞合作化，孫少安要承包單幹。二是柳青筆下富農中農是反派，路遙小說裏村幹部才是負面角色。階級鬥爭悄悄轉化為幹羣矛盾。

很少有作品細寫文革後期的農村生態，《平凡的世界》第一部提醒讀者注意以下幾種情況。第一，即使「革」到大家都赤貧，窮富仍有差異，幹部仍有好處。田福堂的弟弟田福軍在縣委做事，哥哥借光。從 1953 年到 1976 年，富裕中農各家光景也還是比赤貧農戶好。小說突出孫少安一家的貧窮慘況，顯示再徹底的「革命」也救不了窮人。

第二，生產大隊之間為了搶水可以互相破壞。為了集體利益，犯法也符合村民道德。金俊斌在搶水戰鬥當中被洪水沖走，算是付出代價。俊斌死後他老婆偷人，導致了王姓、金姓、田姓三族農民械鬥。二十年代許傑小說〈慘霧〉中的械鬥情節，居然在「文革」當中依然存在。雙水村的家族之爭，雖然不如《古船》那麼壁壘分明，但還是有跡可循。路遙小說裏，中國農村的宗族鄉俗，在紅彤彤的七十年代，仍然沒有完全消失。

第三，「文革」期間，婚姻還是買賣，討老婆還是要錢。少安後來找到不要彩禮的媳婦，因為他的相貌人品。但是辦婚事，錢、糧、窯洞都沒有，結果都有人幫忙，還是和他的隊長身分有關。

第四，《平凡的世界》與其他鄉土文學的最大不同在於，小說不僅寫窮富差異，不僅寫原始械鬥，不僅寫婚戀習俗，不僅寫傳統殘餘，而且特別強調農民，尤其是年輕的農民想離開鄉村，或者想改變鄉村，或者逃離鄉村。小說既寫費孝通意義上的中國鄉村秩序的崩潰，也寫這種鄉村秩序的變形轉移。

三、歷史轉折期的「官場」

路遙的小說除了寫鄉村裏的各類農民以外，還寫了生產隊、大隊、公社、縣委，乃至地委、省委甚至中央的幹部，有名有姓至少十幾人，有虛實政績，有仕途變遷，有家族背景，有官員心理。在本書重讀範圍內，《平凡的世界》是晚清以來最詳細的「官場小說」。李伯元也寫知縣、臬司、藩台、巡撫，直至軍機處中堂，但同一層級裏沒有本質矛盾和政治鬥爭，各級官員面貌雷同，皆以貪腐為剛需。〈組織部來了個年輕人〉以後，每個層級都有不同幹部形象，林震、韓常新、劉世吾、區委書記……〈喬廠長上任記〉裏則有經理、廠長、機電局乃至部長。同一級裏不同政治路線不同幹部品格「忠 - 奸對立」時，便在名義上往下靠羣眾基礎，實質上往上尋領導支持。《平凡的世界》大致也是這種格局，但因為時代背景不是靜態，而是 1976 前後政治路線轉變時期，所以寫出了是一個特殊時期的革命「官場」轉變。一時無法確定聽誰正確跟誰可靠，政治路線與幹部品格之間有關連但又不一定。如果說《老殘遊記》時期官員形象最差，《創業史》裏幹部形象最好，那麼《平凡的世界》寫「官場」，既不是直接諷刺也不是簡單歌頌。

小說第一部，雙水村裏「抓革命」的是大隊書記田福堂，委員孫玉亭；「促生產」的是田海民、金俊山。公社一級，革委會副主任徐治功動不動就抓人，批判農民走資；注重生產的是白明川。全書重點在縣一級，「革命派」是縣革委會主任馮世寬以及副主任李登雲和馬國雄，「生產派」就是副主任田福軍和張有智。再上去到地區一級，只見到一個領導苗凱，也是「革命派」……可見規律是，到 1975 年，從上至下每一級的一把手都要抓階級鬥爭，副手則負責經濟民生。

這種每級官員必有「忠 - 奸對立」的敘事模式，究竟是中國政治生態的某種真實寫照，還是作家和讀者們對中國特色權力制衡模式的某種期盼與想像？或者至少，是中國民眾傳統審美趣味的一種延伸。

這部百萬字的長篇小說，既寫雙水村幾家農民的卑微命運，又寫公社、縣、地、省甚至中央層層級級的政治路線鬥爭，可是農民與「官場」怎麼聯繫呢？在社會學意義，可分析城、鄉、鎮層級關係；在政治學意義上，可研究官民之間利害關係；但在小說情節上，小說卻主要通過青年讀者最感興趣的男女感情線索 —— 主要是少安、少平兩兄弟的愛情線索，來聯繫雙水村農民與中國各級官場。

田福堂女兒田潤葉已經獲得城市公家人身分，在縣城教書，住在二叔 —— 縣革委副書記田福軍家裏。副書記李登雲的兒子拼命追潤葉，可是潤葉一心喜歡青梅竹馬的孫少安。孫少安反覆猶豫，終於覺得農民與公家人之間有距離，他不想高攀，便拒絕了潤葉，自己到山西找了鄉村女子賀秀蓮。這個選擇顯示鄉村婚戀與社會經濟地位之間的傳統關係，證明這是一個平凡的世界。

潤葉原來不肯嫁給幹部子弟李向前。但是聽說婚事對他二叔田福軍在縣委的政治地位有利，無可奈何只好答應。婚後潤葉仍然不愛丈夫，長期不同房，畸形婚姻維持很久。另一邊廂，少安的農家老婆賢慧能幹，不過想跟公婆分家，令少安苦悶。少安覺得「家」就是祖母、父母、苦命的姐姐，還有不爭氣的姐夫，也包括他讀書的弟弟和妹妹。可是秀蓮認為「家」就是他們夫妻。是否要分家，顯示傳統鄉土價值觀面臨新時代的挑戰和考驗。

少安在雙水村第一個提出土地應該承包，他認為大家之所以窮，是因為攪和在一起；只要分開做，就會有出路。他在小說第一部裏受到批判。後來時局變了，他運磚製磚，最早致富。少安吃得起苦，為人正直，膽大心細，的確有點像梁生寶，不過梁生寶是搞合作社，孫少安是拆合作社，精神相似，使命不同。路遙和柳青都是陝西作家，都寫了描寫新中國農村的重要作品。路遙寫過一些很尊敬柳青的文章。但是《平凡的世界》第二部第二十六章，有個老作家黑白，見到地委領導田福軍就抱怨，說改革開放之後，農村「完全是一派舊社會的景象嘛！集體連個影子也不見了……農村已經出現了嚴重的兩極分化……我們在農村搞了幾十年社會主義，結果不費吹灰之力就蕩然無存」。黑白說「自己一生傾注了心血而熱情讚美的事物，突然被否定得一乾二淨，心裏不難過是不可能的」。這時田福軍（也代表作家）安慰老作家，說你當初描寫合作化運動和「大躍進」的書，「在其間真誠地謳歌的事物，現在看來很多方面已經站不住腳；甚至是幼稚和可笑的」，但「有一點是肯定的，以後的人們絕對不會懷疑你當年的謳歌完全出於真誠」。[4]

大概這也是路遙想對柳青說的實話：當年你寫《創業史》，雖然今天看來有虛假之處，但你還是真誠的。

是真誠的荒唐好，還是虛假的荒謬好？

小說裏的「官場」有不少「鄉土本色」，長的篇幅如在中央任顧問的老同志回鄉經過，小的細節如正面幹部形象田福軍喜歡摳腳。各級幹部都有自己的鄉親關係網絡，革命「官場」充滿農民的期待和想像。田潤葉的婚戀之所以關連她叔叔的政治地位，也是因為「官場」裏的人倫因素：關鍵一票需要李登雲因為兒女婚姻而轉向。到第二部，政策一百八十度變化，但是官員各有自己仕途，並不必然與路線鬥爭有關。田福軍一度被調到省裏「掛」起來，但他認識上級組織部長，又獲省委書記喬伯年信任，就升為黃原地區的行署專員，之後是地委書記。他做專員時，和原來的上級苗凱平起平坐。後來苗凱調走，他任地委書記。到第三部，田福軍跳升省委副書記兼省會的市委書記——「好幹部」一路升官，代表正確路線佔主導。但是他在縣革委會的戰友張有智，後來只是縣委書記，一直鬧情緒，工作沒熱情。因為同級同事升到省委，自己還在縣裏，差了兩三級。因為是老戰友，田福軍一直沒有撤換張有智。小說敘事者寫到這裏，專門責怪田福軍，「因為你不撤張有智，原西縣的工作就打不開」。小說裏的其他官員，都有不同程度的升遷。

《平凡的世界》寫「官場」有一些其他作品沒有的特點。

第一，雖有路線鬥爭背景，但幹部形象並非黑白分明、善惡對立。比如馮世寬，路線轉，政績也轉。曾經很「左」的縣革會主任，後來到地委，做了田福軍的副手，卻也放下個人恩怨，合作愉快。造反派周文龍，當初嚴厲推行勞教，整治農民走資，後來經過學習，成為原西縣長，工作踏實，做出很多成績。相反，原來公社副主任徐治功，和雙水村寡婦王彩娥有染，事情遮蓋過去以後，繼續做閒官。小說三部，絕大多數幹部，或快或慢都在上升，且可以輕鬆跨越政治與經濟、國家與民企等不同領域做官，只需組織部安排。真正受懲罰往下跌的官員只有一個暗地告狀的高鳳閣，後因城市防洪出差錯被免職。田福軍其實也有很多告狀信，監察部門調查，但有上級領導理解支持。

改革前後，路線和旗幟換了，幹部們工作照做，職務照升，跨界更多，這是小說裏所描寫的一種官場現象。

第二個特點，小說具體描寫文革結束，有一度農村基層黨組織「空閒」。公社下面很多矛盾，但幹部坐在那裏下棋。雙水村的黨支部幾年才開一次會，他們一開會，村民就緊張（害怕新動向）。有一個特定時期，黨在農村基層的權力好像有點削弱。

第三點，這個「削弱」——只是「好像」。「文革」名為反體制，其實全面管控。地上種甚麼東西，怎麼種，賣老鼠藥，男女之事，甚麼都管。到了八十年代，表面鬆弛，結構沒有變化。大隊公社撤銷是「上面」的決定；階級鬥爭會改為「誇富」，也是「上面」的精神。假設小說細節全部屬實，讀者會有疑問：如果七十年代末「上面」不變，中國農村還要長多少年「社會主義的草」？還是的確因為農民實在太窮了，所以「上面」必須變、必然變？

前一種看法強調歷史發展的偶然性，英雄造時勢；後一種觀點是歷史唯物主義，時勢造英雄。到底是孫少安他們推動了田福軍層層上升，還是田福軍們容忍，放手讓孫少安們勞動致富呢？《平凡的世界》，用一個關鍵歷史時段的故事，提出了一個關鍵的中國問題。

四、「鄉下人」孫少平進城

小說第一男主角是少安的弟弟少平，據說人物原型是作家的弟弟王天樂。[5] 少平高中畢業曾借隊長哥哥的光回村教書。承包制後村裏初中辦不下去，少平不肯種田，便離開家鄉進城打工。少了個男勞力，家人也支持。少平並不清楚自己進城的具體目的，只是讀了書，好幻想，覺得鄉村天地太小，想去見識更多的新世界。從外表和身分看，少平只是一個普通攬工漢，蹲在大城市高速公路底下等待被臨時雇用，身無分文，甚至無處睡覺。很長一段時間，少平幫不同的建築工地做苦工，搬石頭。背上皮膚裂開，流血，受傷，結疤，再受傷。一天也就是掙兩塊錢的工資。在小說第一部，少平是一個好幻想的文青；到第二部，就變成了一個沒時間思想的苦力了。這一時期，雙水村很多鄉親境遇都在改善，大隊、公社、縣城、地委各級幹部輪流升遷。但小說轉一圈回到主角少平處，他還是在做不同工地的苦力，靠打工維持最低的城市生活水平，還要幫助讀高中的妹妹蘭香，同時還一直維持着與中學同學田曉霞的精神友誼。報社記者曉霞是田福軍的女兒，聰明、開朗、有氣質、有思想，不知不覺漸漸地愛上了這個睡在建築工地、點蠟燭讀《紅與黑》的小夥子。

艱辛的體力勞動與艱深的文藝探索同時並存在一個身體，肉體與精神兩方面都要超越常人，這很像枕着《資本論》睡覺的勞改犯章永璘，或者是傑克・倫敦 (Jack London) 筆下的水手作家馬丁・伊登 (Martin Eden)。在一羣麻木粗魯苦力之中，咬緊牙齒清醒讀書，這正是「鄉下人進城」與「城裏人下鄉」的一個交叉點。《平凡的世界》中，除了少安、少平兄弟的婚戀線索外，還寫了同輩同學當中好幾對男女的關係演變。田潤葉堅決不同丈夫李向前同居，直到有一天，傷心的老公喝酒出了車禍，斷腿殘廢，這時潤葉反而回心轉意。在高中甩了少平轉愛富家子的郝紅梅，因為偷手帕被人揭發，也被男友拋棄。匆忙嫁人後老公又意外身亡。某天，她揹着孩子在街邊賣小吃謀生，遇上了田福堂的兒子田潤生，沒想到潤生倒是一心一意愛上了這個苦命寡婦，不顧精明父親反對最後成婚。

《平凡的世界》裏有很多故事，違反「故事」常規，卻遵循世界常理。

少安運磚燒磚，也不是一帆風順。有一次燒磚出了意外，停工、欠債，陷入絕境。一個「誇富」會上認識的商人胡永合介紹他貸款，真的救了急。後來人家來逼債，又靠縣長周文龍幫忙應對。總之，孫少安自己是很努力，但是他做過隊長，也積累了一些鄉鎮基層的社會關係，人情關係都是資源。

鄉村不搞革命了，大家各過各的，誰能夠比較發達？小說描寫大隊幹部田海民養魚發財。二隊隊長金俊武種地高產。金俊山賣羊奶，金光亮養「意大利蜂」。有個地主成分的青年，這時也能當兵了。客觀總結，拔尖戶不是之前的基層幹部，就是財主兒孫，或者至少中農等殷實戶的後代。「文革」後中國特色的社會主義，承包或者單幹，看上去起點一樣，其實還是不同。內在原因，一方面，幹部，哪怕是文革時期的幹部，說到底，很多還是相對意義上的能人，所以政策一變，他們能夠先富起來。另一方面，幹部，哪怕是在底層的幹部，人脈關係都是資源。兩個方面合成一個道理，「文革」前後社會升遷也有連貫性（這是其他小說看不到的）。

路遙寫小說，政治鋒芒不讓高曉聲、茹志鵑。比方第三部第三十章，回顧「大躍進」：「據說上層還在爭論：是先讓『老大哥』蘇聯進入共產社會呢，還是我國先宣佈已經進入了共產主義社會？當然，『結論』還沒有得出，中國不久就進入了駭人聽聞的三年困難時期，餓死了許多人。在以後著名的七千人大會上，據說發動這場『運動』的毛澤東主席做了檢查。遺憾的是，這位中國歷史上劃時代的偉大老人，並沒有記取這個教訓，以後又一錯再錯，從一九六六年開始導致了中國更大規模的混亂，使得整個國家陷入了痛苦與絕望的深淵……」[6]

這是小說原文，作家路遙在大是大非的問題上政治正確，十分堅定。但同時，小說又通過無數寫實細節，寫出了「文革」與「文革」後農村幹部體系的變與不變：變的是政策口號，官員仍在升遷；不變的是管理體制，幹部與百姓的關係。

改革開放以後，土地被透支，偷竊、詐騙、迷信活動增加。雙水村有個「神漢」劉玉升，裝神弄鬼，一度很得人心。已經發家了的少安反省雙水村的歷史，說以前最神氣的是地主；之後，最有威望的是教書的金老先生；之後幾十年，最有權力的是書記田福堂；再下來，難道現在人們最相信劉玉升？想到這裏，孫少安就把本來要投資拍三國的錢，重修雙水村的學校。作家在這個人物身上灌輸了自己對農村發展的理想。不過少安的妻子，賢慧能幹的秀蓮在學校落成儀式上吐血，她得了肺癌。

少安家最有出息的竟是小女兒蘭香，國家重點大學學天文物理，男朋友是省委副書記的兒子吳仲平。讀者在羨慕祝賀貧困主人公一家翻身幸福之際，會不會有個疑問：少安、少平、蘭香這一家人，好像是婚戀高攀專業戶？都是普通農村青年，怎麼都有機緣碰到幹部子弟？

少安本來可以娶縣革會副主任田福軍的姪女，是他自己放棄，選擇務農致富。少平一直在城裏打工，從建築工地轉到了大牙灣的煤礦，但他一直在和省委副書記田福軍的親女兒曉霞談戀愛。現在，小妹妹蘭香，馬上又要做另一省委副書記的媳婦。

有幾種解釋的方法：一，孫家兒女自身太出色，所以少安、少平、蘭香自然就會吸引到幹部子女，甚至高幹子女。出生於泥土，卻有精英氣質，是黃金，到哪裏都閃光。二，在「平凡的世界」裏，少安少平與田家女兒們，原有鄉親關係。再加上作家情節安排，於是代表官場與鄉土的聯繫。三，通過這種偶然的社會上升階梯，讀者才有可能觀察官民關係的親密和距離，而層層級級的官民關係，正是小說的經緯與肌理。

五、怎麼評論《平凡的世界》的結尾？

少平到煤礦後每天下井，從農民戶口轉為工人身分，勞動強度一點沒有減少，危險度反而增加。少平認識了一個善良的班長，班長和他的老婆、小孩都對他很好。後來班長工傷身亡，少平就和班長老婆小孩互相照顧，像家人一樣。

曉霞之前曾到煤礦看望少平，省城美女記者被眾多礦工圍觀，這個情景很大程度上滿足了少平的虛榮心。當然，也促進了兩人關係，發展到可以在山上 kiss 的地步。

但是小說結尾出人意外。首先是曉霞在採訪洪水災難時犧牲。田福軍書記就把礦工孫少平叫去，交給他三本女兒的日記，記載她們之間的愛情。之後，少平自己也出工傷，眼睛、臉部嚴重受損，送到省城急救。人救回來了，但臉上破相。妹妹和未來的妹夫說可以由省委副書記下調令，把少平調回省城，可少平拒絕了。又有醫學院女生金秀，朋友金波的妹妹，此時向少平表達愛情。少平也婉拒了。最後，臉部嚴重創傷破相的孫少平回到了他熱愛的煤礦。

應該怎麼理解、怎麼評論這個結尾？

百萬字的《平凡的世界》，文學語言並無特別之處，基本上是當代白話。偶然夾一些當地方言，「爛包」、「言傳」等，根據上下文也讀得懂。小說裏文藝抒情的段落，有點渲染過度。敍事特點，是虛擬敍述者與讀者之間有對話。一個人物出現甚麼事情，小說就寫：我們認識的這個人他以前是怎麼樣的、你們怎麼看他等等，好像作者跟讀者在議論小說裏的人物。總體上，人們不會特別注意這部小說的技巧，藝術成就主要在主題結構，大量細節，以及小說結尾。

從藝術上看，這個結尾一是打破了讀者們的閱讀期待，二是使少平成為一個性格有發展有變化的人物。其他人物命運、場景變化，性格特徵不變。只有少平在第一部裏是文青學生，第二部是委屈身處底層，發展到第三部境界昇華，最後拒絕向上，堅守底層。不管讀者是不是理解、相信或認同主人公最後的選擇，小說的確想刻畫主人公的性格轉化，同時也理想化了「鄉下人進城」的主題意義。

反過來講，如果覺得這樣的理想主義結尾有點虛幻甚至做作，作家還能有甚麼別的選擇？

假如曉霞不死，最終少平受傷或者有成就了回城結婚？人們難免會懷疑少平的「于連氣質」—— 他與高幹子女的戀愛是否早有功利佈局？是否有意無意給他帶來了利益和退路？

如果曉霞還是犧牲，少平在煤礦有特別貢獻，發明創造之類，再順理成章回城，與妹妹、妹夫團聚，或者要回到雙水村，委以重任，「新時代村官」之類。那麼這時候，少平不也像章永璘一樣嗎？最後也要到鋪着紅地毯的會堂，向黃土高原表示感謝？這不就又在重複「天降大任於斯人」的士大夫主題？

如果既不想讓少平成為馬丁・伊登或者于連般的理直氣壯的個人奮鬥者，又不想少平有意無意重複讀書人落難而後承擔重任的傳統，那還能怎麼辦呢？

路遙整體小說十分寫實，結尾卻相當浪漫：拒絕城市，回到煤礦，放棄高層，回到人民。一種令人悲欣交集的理想。

青年讀者不妨可以續寫《平凡的世界》，想像一下在現實生活當中，假如你是少平，接下來會怎麼選擇，怎麼生活？然後你就可以理解，為甚麼《平凡的世界》需要一個不平凡的結尾。

「文革」中，政權滲透鄉村角落，是否代表中國鄉土社會秩序的崩潰？「文革」後，農民經商進城，是否鄉土經濟價值系統在瓦解？但最後，進城的農民又要回到底層，《平凡的世界》可能想告訴人們，即使進入了現代化城市，鄉土中國依然存在。

《平凡的世界》寫「官」，有的「欺民」有的「救民」，不僅層層有「忠—奸」對立，而且正邪有轉換，與時俱進；寫「民」也超越「麻木受苦」和「被欺欺人」的「五四」分類，強調底層自強奮鬥。「官」「民」之外，「士」基本不出現。或者說孫少平的打工、讀書與戀愛出現了「民」與「士」與「官」結合的可能。《平凡的世界》對中國小說中的「士—官—民」關係模式有所修正和突破，因此作品受到非專業讀者的歡迎，也使文學史家們一度感到陌生。

注

1 「2015 年兩會期間，習近平談到了電視劇《平凡的世界》，並提到作家路遙：『我跟路遙很熟，當年住過一個窯洞，曾深入交流過。』〈習近平愛讀哪些書？〉《人民網・學習中國》，2015 年 8 月 15 日。

2 路遙：《平凡的世界》第一部，《花城》1986 年第六期。後結集為《平凡的世界》（北京：北京十月文藝出版社，2009 年）。以下小說引文同。

3 參見楊輝：〈總體性與社會主義文學傳統〉，《2019 年度唐弢青年文學研究獎論文集》（武漢：長江文藝出版社，2020 年），頁 301-337。

4 路遙：《平凡的世界》第二部（北京：北京十月文藝出版社，2012 年），頁 605-606。

5 程光煒有專文討論王天樂對《平凡的世界》創作過程的影響，以及路遙兄弟失和的原因。參見〈路遙兄弟失和原因初探〉，《南方文壇》，2021 年第一期，頁 115-116。

6 路遙：《平凡的世界》第三部（北京：北京十月文藝出版社，2012 年），頁 58。

1987

《金牧場》
《心靈史》

張承志

「人民之子」與哲合忍耶

「1966年5月29號，是我難忘的日子。那天，我們在圓明園決定成立紅衛兵組織，並讀了宣言。我們集會三天之後，紅衛兵三個字突然在學校的教學大樓正面的大字報上出現。從6月4-5號開始北京各中學已經有反應，大字報已貼出來。6月6號各學校的教學樓前的廣場成為討論紅衛兵問題的場所，就是難以想像的。學生受到啟發，紛紛成立名稱類似的紅衛兵組織。就在5月29號一個之後的一個星期，中國的教育體制開始崩潰，震撼世界的紅衛兵運動開始。……我不是紅衛兵領導人，不過紅衛兵這個名字是我起的。如果有人問我的處女作是甚麼，我説是『紅衛兵』」。[1]

十幾年後，張承志是八十年代最重要的作家之一。中篇〈黑駿馬〉和〈北方的河〉因為硬派深沉的風格，使他成為當時文學青年的偶像。長篇小説《金牧場》首次發表於《昆侖》雜誌1987年第二期。這又是一部沒有被列入《亞洲週刊》「二十世紀中文小說一百強」的重要長篇，濃縮、並置、概括了張承志前期作品裏幾乎所有的心情感覺和思想素材，他自己說，這是「把二十年思索獲得的思想裝進一個框架」，也是「一次真正的成人式；是告別我這已經太長的青春的祭典」。[2] 而且《金牧場》也是小說形式上的一個頗有野心的試驗。放在當代文學的背景上，這是第一次用長篇的格式，以結構主義的觀點，敘述種種複雜的紅衛兵、知青的心理經驗。在《晚霞消失的時候》之後，這是又一次從紅衛兵主觀視度討論「十年」，而且還是「紅衛兵運動」的發起人。

但是過了四年，張承志通知作家出版社，「永遠地停止了《金牧場》的再版」，他自己解釋這是「為這部長篇小說的不成功遺憾」。1994 年，張承志把三十萬字的《金牧場》刪掉一半，改寫成了另外一部十六萬字的長篇《金草地》。

差不多同一時期，1987 年到 1994 年，張承志常常去大西北考察一個伊斯蘭教派「哲合忍耶」被迫害的歷史。1991 年，他出版了很有爭議的《心靈史》。

一、一個愛國學者的東京生活

很少見到如此精密設計規範工整的長篇小說結構：《金牧場》上下兩部，總共十章，每一章都有三個部分，分別是 J 部、M 部和黑體字段落。在 J 部和 M 部裏又各有主、副兩條敘事線索，很有規律。J 部的主線是主人公「我」在日本做訪問學者，副線是「我」考察青海、新疆、大西北。M 部的主線，是「我」

在內蒙草原插隊放牧，副線是「我」在「文革」初步行串聯重走長征路。黑體字部分大都是比較抽象的散文詩或寓言。

在小說上部，每章秩序是黑體字—J—M，到了下部，是M—黑體字—J。無論是J還是M，主、副線會有規律地每隔數頁間斷切換，有時候也有點混雜，或者是隔斷或者是隔句跳躍。所以局部來看，是意識流的效果，但總體上，很有規則。

簡而言之，《金牧場》將主人公的四個生活形態：留日、考察、插隊、「長征」，放在一個共時態的結構中。或者說得再簡單一點，就是將主人公的四種身分 —— 中國人、學者、知青、紅衛兵，在一個敘事平面上並置(juxtaposition)。

其實這四種身分也是主人公從青少年到中年的四個人生階段，但為甚麼不順時序描寫？可能想打破當中的邏輯關係：人不是年齡越大就越正確，也不一定地位越高就越聰明。或者反過來，越年輕也不一定就越勇敢。作家有意製造意識流中的對比，繁華的東京街頭和青藏高原並置，知青苦難和紅衛兵夢想交錯等等。

上部第一章J部，主人公坐飛機到日本，現代化的飛機降落在大都市。《活動變人形》第一章也是倪藻訪問德國，《玫瑰門》一開始是蘇眉送妹妹和美國丈夫到國際機場。可能只是巧合，八十年代後期包括王蒙、鐵凝的長篇小說，都喜歡國際場景序幕，主人公都是飽經憂患的中國人。這種國際接軌序幕既是一種閱讀包裝，也是一個回首往事的參照系。

《金牧場》主人公「我」在東京的生活又由四個部分組成：一是現代都市氣氛壓抑；二是兩個正面的日本人形象，研究夥伴平田英男和主人公的日本女友夏目真弓；三是「我」對搖滾歌手小林一雄的癡迷；四是轉述六十年代日本左翼「全共鬥」在東京大學造反以及被鎮壓的歷史。有意思的是，後來在《金草地》，第一、第二部分全刪，第三部分只保留歌詞，第四部分「全共鬥」部分全部保留。從中可見八十至九十年代之間作家興趣思想的改變。

在飛機上看都市夜景：「海上火災」、Coca Cola、資生堂男性化妝品等等，叫主人公暈眩。光怪陸離的燈影變成了「令人頭顱膨脹」的尖鋭噪音城市轟鳴，後來一直伴隨着主人公，令他在大都市感到非常壓抑：上班無聊，穿西裝難過，下班喝很多酒，還跑去歡樂街，在脂粉女人面前又想到中國留學生受到欺負和侮辱。和郁達夫一樣，性苦悶連着民族國家意識。日本教授大湯常喜見面就問他：「您還回中國嗎？」這句話令主人公非常討厭。有中國女孩嫁人後改名鐮田枝子，主人公聽了很不開心。中國學者到日本，控訴文革災難還哽咽，主人公感到有失尊嚴。「你對着日本人哭甚麼是你自己遇上知音啦還是你在這兒裝洋蒜 —— 你哭可以回家以後對着你老婆哭個夠嘛！」這是一種內外有別的「家醜」意識，自己批判可以，對外人說是丟臉。

小說還寫主人公在東京街頭看到右翼的高音喇叭車，又有一個日本老兵在雨中下跪求中國人原諒。總之主人公在東京愛國細胞緊綳，一直在提醒自己的民族尊嚴。

當然，日本也有好人，平田和「我」一起翻譯中亞古文獻，工作作風踏實。真弓小姐是個「出身被歧視的部落民的日本基智教徒」，她和主人公政見不一，主人公傾向於「人民的暴力主義」，真弓崇拜馬丁・路德・金（Martin Luther King Jr）。但這並不妨礙真弓開車帶「我」欣賞日本山間風景，臨別還說「你的臉真美！」所有這些東京故事，在《金草地》裏全部沒有了。結構主義認為任何局部的加減就會影響全局。《金牧場》裏繁華的東京是和中亞戈壁交替出現，透出的是「回漢」和「中日」兩重民族屈辱，然後再跟M部的知青苦難、紅衛兵長征呼應對照。張承志寫東京的繁華原是重新詮釋「紅衛兵精神」重新理解草原苦難的當代參照。守衛昨日的夢，正因為今天陷入危機。《金牧場》裏有兩個抗爭主題：民族屈辱感（「回」對「漢」，「中」對「日」）和荒原對都市，荒涼對浮躁。刪掉了東京異國背景，就大大削弱了民族屈辱感這一條主題線索。

二、「人民之子」的知青往事

《金牧場》裏的知青故事也有寫實和抒情兩部分。寫實的部分包括「我」和小遐、「我」和藍貓的友誼，女知青越男因為「血統論」的壓力嫁給了牧民，還有一個知青頭目戈切的複雜性格，還有李子葵、徐莎莎等知青的遭遇、掙扎……抒情部分主要是「我」和額吉（蒙語：母親或奶奶）的情感溝通，還有牧民草原大遷徙，以及「我」在草原面前的種種感悟等等。

在《金草地》，知青故事的寫實部分全部刪掉，抒情部分幾乎全部保留。可能張承志在九十年代覺得當初形形色色的知青悲慘故事不值得再寫，韓少功、王安憶、阿城、陳村、梁曉聲他們都寫過了，他自己的〈黑駿馬〉已是知青文學中的傑作，不必重複。而且，民族屈辱感主題和反都市文化情結相比，知青苦難不那麼重要。

但是《金牧場》的結構是一個生命整體。比如小說第七章，藍貓唱知青之歌：

「我心裏湧着一浪又一浪的酸酸的潮，這是藍貓寫的歌啊。我覺得我的心裏臭罵着自己才能忍住淚。」單獨看，只是一段傷痕文字，但是在《金牧場》裏，知青之歌出現在紅衛兵模仿紅軍攀登天險臘子口之後，這裏就有微妙的反諷關係了。抽掉了知青苦難，紅衛兵舊夢就只有可愛，沒有可悲了。

東京喧囂跟「全共鬥」歷史也是微妙的互補。整個二十世紀有兩個時代比較左傾，一是三十年代，資本主義經濟危機之後，左聯，魯迅後來的左傾等都和當時世界潮流有關。二是六十年代，越戰背景，中國文革，法國大罷工，日本就是「全共鬥」，日本的「紅衛兵」佔領東京大學。但是這批當年造反的紅衛兵，可能今天就穿着硬挺西裝出入商業大廈，晚上喝酒。歷史就是這麼無可奈何地發展，刪掉了現代性的異化，純粹美化「全共鬥」的歷史，純潔是純潔了，但純潔通常不是長篇小說的責任。

同樣道理，如果看不到或者忘卻知青苦難，餘下來的就只有「人民之子」感謝草原母親。

小說裏的草原母親樸素善良，疼愛他的都市養子。她的生平也令人唏噓，年輕的時候是個癱子，父親暴戾嚴厲。草原母親所愛的男人又是個瞎子，她的艱難身世使她變得堅韌。小說寫她外表粗糙，表情冷漠，而且十分迷信，但是主人公深深感覺到額吉的細心、柔情。在《金牧場》裏，男主角得到的不僅是貧下中牧再教育，而且還有啟蒙和「母愛」。他還反復問額吉過去是不是很美，他要找一個像她一樣的老婆。《金牧場》既延續了「十七年文學」的政治寓言——以「母親」象徵土地祖國；又接連了五四現代文學的「戀母」主題。小說裏有一段對草原母親的概括十分重要：

> 她是主人翁的交流對象，影響者和教育者，一名偉大的草原女性，久經磨難但是不失遊牧民族本質，在六十年代到七十年代中國的關鍵時刻中，完成改造紅衛兵為人民之子使命的，中國底層人民溫暖和力量的象徵。

章永璘踏上大會堂紅地毯回頭感謝祖國大地的「綠化樹」時，其實是有一種無意識當中「天降大任於斯人」的士大夫優越感。張承志表達的真摯感激之情，語言上就更多了「毛文體」的特徵。美化勞動人民是一個方面，另一方面更值得重視的是兩個關鍵詞——紅衛兵與「人民之子」。更重要的是，這兩個詞之間的邏輯關係。紅衛兵是學生，「人民之子」可能是領導，這裏又有「士」與「仕」的古老的潛意識聯繫。這可能是張承志的自我期待、自我想像，也或許是一代人當初最理想主義的自我期待、自我想像。這一代人日後肩負着中華復興的使命，所以很有必要重視這兩個概念及其關係。

修改以後的小說《金草地》基本保留了草原母親的線索，

但刪掉了兩個重要的細節。一個是在第十章，靠近結尾處，小說這樣寫草原母親：「額吉活着。她現在是一個佝僂縮巴、動作含混的瘦瘦老人，頭髮全白白的像披着滿頭銀子……她六十歲大本命年我回去那天，她顫巍巍一步一步地小跑過來。她不由分說不管我是作家兼學者她逮住我就是一個嘬臉。我正不好意思呢她已經自顧自地走開了。」這段描寫其實很樸素可愛，但在《金草地》裏刪掉了，覺得有損草原母親或「人民之子」的形象？

另一段是第九章主人公和草原母親的深夜對話：

> 我覺得除了像你——額吉我是說，要是找不見像年輕的你那樣的老婆，我就當喇嘛！
>
> 住嘴。
>
> 額吉！
>
> 嗯？
>
> 你告訴我，既然阿勒坦・努特格是神的家鄉既然阿勒坦・努特格那麼好，那麼我能在阿勒坦・努特格找到一個真正稱心的姑娘當老婆嗎？
>
> 她久久沒有回答。我瞥見露出皮被的那頭蓬亂白髮也紋絲不動。
>
> 不能。吐木勒，額吉不說謊話。
>
> 我覺得心被重重刺了一下。
>
> 不能，孩子。額吉知道你是個不平常的人，可是阿勒坦・努特格只是片牧場。

在《金草地》裏，張承志把這段對話也刪掉了。這段話，尤其最後一句，真正點明和解構了張承志的草原使命感。額吉告訴他，草原不屬於你，你也不屬於草原，草原只是幫助你從紅衛兵變為「人民之子」。

所以草原上生活的是「人民」，你是「人民之子」，這是兩個不同的概念。「人民」是普通人，「人民之子」是「天降大任於斯人……」。而且這個「天降大任」，可以是文人傳統，也可以是公僕使命。這時「人民之子」可以影響「人民」的命運，甚至有權決定甚麼人才是「人民」。

三、紅衛兵真的「反一切體制」嗎？

《金牧場》沒有細寫清華附中最早的紅衛兵故事，輕描淡寫抄家、掃四舊、打派仗等等，重點是幾個北京紅衛兵步行串聯重走長征路。張承志說紅衛兵「好的方面是反一切體制，壞的地方是『血統論』」。[3] 但紅衛兵其實從來沒有意圖要反對一切體制。他們一路模仿長征，正是崇拜紅軍體制。雖然他們模仿的是模仿長征的文學藝術，一路唱《長征組歌》、《黑牢詩篇》，在四川草地裏迷路時，甚至回憶油畫《星火燎原》並重唱歌曲《紅軍南下行》來尋找地理方位。小說主人公有一句話很有概括性，「我滿意地覺得自己完全是在重複着革命先烈的英勇活劇」。記住，重複的是活劇。

但小說不僅歌頌同時也解構紅衛兵舊夢。大海為了這個夢死在越南。小毛、藍貓後來把紅衛兵旗子降下來，送到博物館。

還有濃墨重彩地寫主人公在長征途中怎麼猶豫着、艱難地使用暴力，用皮鞭鞭打一個階級敵人。

總之，長篇《金牧場》寫了四個「失敗」的故事。主人公作為學者研究中亞文獻，但是在日本國際會議上學術報告被質疑；知青寫血書自願赴內蒙，最後潦倒回城；牧民千辛萬苦大遷徙，最後還被取消了家鄉的「居留權」；紅衛兵模擬長征追尋紅軍夢，最後也在失望當中降旗。不過對張承志來說，失敗不是問題，過程就是一切，英雄九死不悔。

小說第十章裏，男主角和日本女友有一段爭吵，男人為自己態度粗暴辯護，說：「對不起。不過富國的人和窮國的人在一起時，窮國的人可以失禮。」

真弓喊道：「為甚麼？！……」「因為我們每天都感到……自尊心在受傷。」他的聲音啞住了。

這是一段重要的宣言，為甚麼「窮國的人可以失禮」？可能的解釋是「禮」（禮節、牌理、規則、秩序）那都是富國（權貴、上層、強者）制定，所以窮國（貧民、底層、弱者）可以無視，可以從底層去反叛「禮」。汪曾祺、阿城是「禮失求諸野」，張承志是「窮者可失禮」。

張承志在接受加拿大學者梁麗芳提問時，說清華附中的紅衛兵，當初他們開始策劃的時候，都不是高幹子弟，而且是受到了校方和幹部子弟的壓制。所以「紅衛兵精神」最原初的狀態是弱者的反抗。如果「初心」真的如此，問題是後來呢？

《金牧場》的主題：一是民族屈辱感，二是「人民之子」使命感。如果最理想主義的紅衛兵情結也是起源於弱者反抗心理，那就意味着使命感歸根結底還是根源於屈辱感。而民族屈辱感在張承志另一部作品《心靈史》當中有着更令人矚目，也更引起爭議的發展。

四、張承志的「畢生作」

張承志是生於北京的回族，1968 年到內蒙古插隊，1975 年畢業於北京大學歷史系考古專業（工農兵學員），1978 年進入中國社會科學院研究生院民族系，1981 年畢業獲得歷史學碩士學位。1984 年冬，他的中篇〈北方的河〉已經獲全國優秀中篇小說獎，他來到了寧夏南部的西海固，開始人文考察。之後六年，張承志四入西海固，八進大西北，接觸了中國回族幾十個不同教派當中的一支 —— 哲合忍耶。

《心靈史》前言這樣說：「完全是由於冥冥之中造物的主，我因它的安排走進了大西北。回憶從那個冬天起至今，整整六年間我的奇遇和體驗，回憶我在這六年裏脫胎換骨般的改變，幾乎是不可能的。」[4]

在小說第三章，他又說：「我首先用五年時間，使自己變成了一個和西海固貧農在宗教上毫無兩樣的多斯達尼。」最後他說：「哲合忍耶才算有了第一個用漢文寫作的作家。」書中多次聲明寫作目的，虛一點講：「我站在人生的分水嶺上。也許，此刻我面臨的是最後一次抉擇。肉軀和靈魂都被撕扯得疼痛。靈感如潮水湧來。溫暖的黑暗，貼着肌膚在衛護我。」這是張承志一貫的強硬抒情文風。他專門解釋「黑暗」：「我看見了並咀嚼般體味着的宗教——是一種高貴、神秘、複雜、沉重的黑色。信教不是卸下重負，而是向受難的追求。」

實一點的說法，「我寫這本書，也僅僅因為哲合忍耶需要世界給他們多少一點支持。」很現實，書前也有這個教派現任領袖表示感謝。

《金牧場》發表時，北京舉辦過一次慶祝會，文化部長王蒙、美國大使夫人包柏漪都在，還有一個哲合忍耶的朋友，坐在會上一言不發。張承志說：「他一個人便平衡了我的世界。」說明《心靈史》可以抵抗世俗與西化。在「改革開放」年代，張承志是很罕見的漢語作家，一直認為西方列強又在欺負中國。

除了交代寫作目的，《心靈史》又不斷和讀者直接對話：「我也寫了幾本書，蘸着他人不知的心血。但是我沒有看到過讀者對我的保衛，只看到他們不守信用地離開。」作家這樣責怪讀者並不多見，「在我對自己的生命之作抉擇了以後，我不能不渴望讀者的抉擇……對於我——對於你們從〈黑駿馬〉和〈北方的河〉以來就一直默默地追隨的我來說，這部書是我文學的最高峰。」作家對待讀者的態度，有點呼喚追隨者或信眾。

但在《心靈史》的結尾，作家又勸慰「讀者們，我從未想用這些文字強求你們接受哲合忍耶；我只是希望你們相信我的話：在中國，為着一顆心能夠有信仰的自由，哲合忍耶付出了難以想像的犧牲。」

《心靈史》在寫作方法上至少有三個特點。

第一個，通篇有很多資料考證。

這是一種極為罕見的貌似論文體的小說，至少在二十世紀中國小說範圍裏，這是一個形式上的突破。小說裏很多引文，雖然沒有加正式注解，但都附出處，大部分是哲合忍耶教派內部的秘密書稿，還有一些宗教傳說，原來是阿拉伯文、波斯文。也有一些清代官府文獻，比如乾隆年間的《欽定蘭州紀略》等等。

第二個特點，小說裏有大量的回教專有名詞。比如「臥里」是指聖徒；「毛拉」是指引路人；「滿拉」是指學生；「穆勒什德」是指領袖或者聖徒；「舉意」是指宗教的決定；「哈只」是去過麥加的人；「打依爾」是圍坐的圈子；「爾麥里」是宗教的聚會；「熱依斯」是主教；「拱北」是指墓地；「束海達依」是指殉難者……關鍵字「哲合忍耶」，有很多不同的定義，有時指回族集團，有時指一個教派，有時指一個地方，更多情況下泛指一種精神、一個信仰。

堆砌陌生的詞彙概念，當然給讀者帶來閱讀障礙，但這是作家有意為之。張承志對自己以前作品的號召力非常有自信，現在等於是一個熟悉的作家在講一個陌生的故事，而陌生化不正是文學的標誌嗎？「我的故事開始錯綜複雜。我請求各蘇菲派允許我對穆勒什德直呼其名。我請求漢族和更多的讀者忍住突兀感聽我步步敍述。我請求舊文學形式打開門，讓我引入概念、新詞和大量公私記錄。」

作家也知道他的文體創新太大膽了，所以事先打個招呼。

《心靈史》到底是長篇小說，還是屬於非虛構的歷史創作，或者是宗教的宣傳？文史哲不分家，《心靈史》將文學、歷史、宗教三者混合，其內在矛盾正是我們要討論的問題。

作為歷史研究，後來有很多對《心靈史》在史實和觀點上的質疑，比如說，是否應該正視「同治回亂」中民族仇殺的龐大數目？比如說，有沒有考慮到左宗棠攻打金積堡背後更大的民族、國家背景——不打通陝甘路，怎麼恢復新疆，抗衡沙俄？等等。

作為宗教宣傳，「人民暴力主義」和「犧牲之美」是否只屬於哲合忍耶的宗教精神？而這種精神在一些歷史條件下，會不會成為某種政教合一的組織紀律？這是宗教宣傳帶出來的問題。

當然，最重要的還是文學的角度。《心靈史》擴展了長篇的定義，用考證、引文的方法，再加入主觀抒情。《心靈史》的核心，是用現代的革命話語（毛文體）來講述一個原來是阿拉伯文、波斯文的伊斯蘭教派的故事傳說。

舉個例子，《心靈史》說：「乾隆年間中國回教徒向封建秩序發動的第一場聖戰。」這一句話裏，我們會注意三個問題。第一是面對漢族讀者，所以先要保證回民的中國身分，這是民族概念。第二，強調反封建，因為中國人習慣認為封建秩序應該要反，但是忘了「回族集團」屬於甚麼社會形態。第三，「聖戰」這個概念要非常謹慎解釋。《心靈史》裏說：「聖戰，只有在不堪宗教歧視和保衛心靈的信仰不被消滅而發動時，才能夠成立。」

為甚麼要用當代革命話語來詮釋兩百年前的伊斯蘭教派故事？是因為張承志的成長語境讓他不可能選擇其他的話語方式來講述他後來的信仰，還是因為大西北回民造反傳統確實和當代革命有某些相同之處？具體來說，這些相同之處就是窮人宗教、聖人崇拜、人民暴力、犧牲之美。這四個要點，需要逐一分析。

當然，更表面的原因，張承志說他讚頌哲合忍耶，是因為對現實中國不滿。

「經濟不等於時代。經濟統計數字的表象，使學者變成病人，使書籍傳播膚淺，使藝術喪失靈魂。經濟使男子失去血性，使女人失去魅力……正因為是在一個無信仰的中國，正因為是在一個世俗思維理論統治一切的中國，導師馬明心和他的哲合忍耶才如此閃爍異彩。」

一些風格完全不同的作家，比如王安憶等，她們對哲合忍耶和宗教歷史不甚明白，但是對張承志的理想主義批判精神都能產生共鳴。

五、窮人宗教、聖人崇拜、人民暴力、犧牲之美

《心靈史》的敍述結構也非常工整。兩百年來，幾十萬信眾，一共擁戴七位穆勒什德（教派領袖），所以長篇就分成七章。借用哲合忍耶秘密抄本的體例，每一章叫一門，第一門從定義講起，介紹教派的產生土壤。

西北地理環境惡劣，人民生活艱難，「我們衰弱如羊。我們污濁不潔。我們無法戰勝。我們沒有橋樑」。於是，人們只能期盼「聖徒」。「在猶太教神秘主義派別、天主教、伊斯蘭教蘇菲（神秘主義）派，都提出過『聖徒』這一存在，做為人與主之間的仲介。」這樣，人們盼來了一個名叫馬明心的中國窮孩子，這個

少年經過沙漠去了西方取經。二十五歲時，他受了也門導師的指令回中國傳教。所以，哲合忍耶的教義來自於也門，回到了貧瘠的甘肅。

> 毫無指望地打發日月的西北回民，如同乾柴遇上了火苗，猛烈地掀起了一場求道熱——用農民的話來說，是「另找了君主，另找了終身，一切心血，都只在教門身上」。蘇菲主義（即伊斯蘭神秘主義）的濃烈、出世、真摯、簡捷，不可思議地與大西北的風土人事絲絲入扣，幾乎在第一個瞬間就被大西北改造成了一面底層民眾的護心盾。
>
> ……
>
> 襤褸的飢餓的底層受苦人有了思想武器……沙赫，毛拉，穆勒什德——這些詞都可以譯成導師，都可以譯成引路人。那個人來了，他出世了。追求歸宿的路通了，接近真主的橋架上了，沒有指望的今世和花園般的來世都清楚了，天理和人道降臨眼前了。
>
> 阿米乃，請容許吧。都哇爾（祈求）應驗了，那個搭救咱們的人來了。煎熬人的現世要崩垮了，大光陰要成立了，聖徒出世了。

除了最後兩句，前面整段描寫「底層民眾的護心盾」、「底層受苦人有了思想武器」，到「導師」、「引路人」、「搭救咱們的人來了」等等，都是現代中國人非常熟悉的詞彙、概念和語言，也是清華附中紅衛兵張承志非常熟悉的詞彙、概念和語言。（而且拯救底層的受苦人的導師、引路人都出現在陝甘寧黃土高原。）問題是，哲合忍耶的第一、第二個特點 —— 窮人宗教和聖人崇拜之間，有沒有必然邏輯關係？

《心靈史》描述第一代的毛拉馬明心傳的窮人宗教：「窮人，這是個在中國永不絕滅的詞。朦朧的貧寒記憶，放浪世界的滿目瘡痍，一戶戶一村村的襤褸 —— 使我一直在尋找着。我偏執地堅持，中國的一切都應該記着窮人，記着窮苦的人民。」馬明心為窮人辦教有很多傳說，包括他的兩個夫人：一位是不孕的撒拉族夫人，一位是通渭草芽溝的張夫人。後來抄馬明心家的時候，說他的寒窯中一貧如洗，撒拉族夫人為丈夫自殺，張夫人被押走充軍。

《心靈史》寫：在官府和俗界都沒有發覺的情況下，「飢餓的窮人一天天在精神上富有起來，馬明心這個名字迅速地傳向全中國」，「漸漸地，哲合忍耶的隱形世界被建立了起來」。史學界對於這個「隱形世界」到底是純粹的宗教團體，還是政教合一，一直有爭論。有些文學語言，聽來有點像形容革命聖地。「在西北荒涼的人間，絕望的窮苦農民又有了希望。一個看不見的組織，一座無形的鐵打城池，已經出現在他們之中。窮人的心都好像遊離出了受苦的肉體，寄放在、被保護在那座鐵打的城中。……窮人的心有掩護了，底層民眾有了哲合忍耶。窮人的心，變得尊嚴了。」

哲合忍耶是中亞伊斯蘭教蘇菲派四大門宦（哲合忍耶、虎夫耶、尕德忍耶、庫布忍耶）之一。阿拉伯文哲合忍耶，意思是高聲讚頌，和強調傳統默念的虎夫耶相對立。開始時，這些不同教派是和平的信仰競爭。花寺派是老教，哲合忍耶是新教，新老教有衝突，老教就告狀到官府。關鍵時間是乾隆 46 年 3 月 17 日，有個清朝官員新柱，帶了幾個隨員下來調查。哲合忍耶派的「熱依斯」（主教）蘇四十三喬裝去打聽，問官府支持誰？官府的人表態說要幫老教，殺新教。「暴烈的蘇四十三怒不可遏，聞言後當場撲殺新柱。從而，哲合忍耶面向着清朝、向着中國的乾隆盛世，揭起了衛教造反的大旗。」幾天後，甘肅總督勒爾謹派人將哲合忍耶的領袖馬明心抓到了蘭州。「蘇四十三如瘋狂的雄獅，當日便率領憤怒的哲合忍耶撒拉人撲向蘭州省垣。」另外還有女將賽力麥率婦女猛撲城西關，「萬眾一心，怒吼『還我聖教之主』。硝煙蔽天，淚滿人面」。

蘭州圍城這一段，史書上說，布政使王廷瓚令馬明心登城，勸蘇四十三等退兵。蘇四十三等見馬明心後，跪地泣不成聲，口稱「聖人」不止，馬明心為免遭生靈塗炭，就勸他退兵。由於蘇四十三等不解馬明心的意思，仍圍城不走，於是馬明心將手杖扔下城去，眾人得此，如獲至寶，搶着撫摩，互相傳遞。清官見馬明心這麼重要，就把他殺了，當時馬明心六十三歲。

同樣這段史實，《心靈史》的文學描繪是：「農曆三月廿七，是今天哲合忍耶全體教民最最重視的日子。對於哲合忍耶回民來說，它的重大，能超過中國一切公私官民的節慶日子總和。……馬明心登城，使得造反的穆斯林悲憤狂熱達於極點。傳說馬明心曾經扔下他的太斯達爾（纏頭白巾），要義軍見物撤離。但城下一見聖物，瘋狂撕搶，太斯達爾被撕成碎片。義軍懷藏了碎片，更誓死撲城。」

通過張承志的文辭誇飾，手杖變成了頭巾的碎片。把歷史文學化更典型的例子是華林山下雨，「歷史上可能有過數不清的戰爭，但是我不知道有沒有這樣的以失敗為目標的戰爭。中國從來是一座最殘酷的廝殺場，但是我不知道有過誰在格鬥時只盼一死不願存活。閏五月十七，官軍引泄水磨溝水，徹底斷了哲合忍耶水源。戰局驟然嚴峻。」斷了水源，山上義軍渴得受不了，「唯解開胸懷，以心貼地……有炒麵作糧亦不能下嚥。至騾馬牛驢數百，俱倒斃淨盡」。這時義軍只有祈禱神跡出現：「蘇四十三阿訇在瀕臨渴死之際念經祈雨後，真主的奇跡為他降臨了！」結果真的連日下雨了，據說連乾隆都非常奇怪，甘肅怎麼這麼多水。「官軍只能倚仗武器而已。而武器只是卑怯者的標誌。這是真理。人民從不依仗武器，他們以滾滾熱血做出的都哇爾（祈求），已經在接連五日滂沱大雨之中得到了造物主的回賜。念想已經證明是純潔的，只求『天』公正的人們已經求得了『天』的判決。殘餘的肉軀、剩下的日子已經無關緊要，烈士們就要起身告別了。」

《心靈史》整整一大段描寫極度乾旱祈禱下雨，然後出現代表天意的華林山大雨，在史書裏其實只有一句話：六月初，清軍乘大雨進攻。

後來起義的人就被清軍鎮壓了，沒有人投降。文字的誇飾，作家的議論，天意的渲染，所有文學手段，都是要在失敗的起義故事裏引申出犧牲之美。

總之，窮人宗教、聖人崇拜、犧牲之美，這都是《心靈史》總結的哲合忍耶的特點。

六、以死亡為成功的努力，以失敗為目的的戰爭

以死亡為成功的努力，以失敗為目的的戰爭，張承志說這叫「束海達依」。形象地描寫，哲合忍耶就是一大羣衣服很破爛的剛強回民，手把手站成一圈，死死護衛裏邊的一座墳。

在其他戰爭紀錄有「玉碎」、「不成功便成仁」、不怕犧牲、視死如歸等概念，但是「玉碎」等都是實現最終勝利的手段和代價，而《心靈史》描寫的「束海達依」好像是一種戰爭目的，是一種終極價值。哲合忍耶在張承志筆下不僅不怕死亡，甚至追求殉教，而且還要爭奪聖人死後的墳墓（聖徒的墳墓，即「拱北」）。爭奪領袖的遺體，甚至是爭奪埋過骨的地方，也是哲合忍耶很重要的一個活動。

在蘭州之戰以後，作品就詳細交代馬明心的家人、子孫的下落、處境，不論生死。有一段，張承志自己也曾經參與交涉馬明心家鄉的舊墳。「馬坡剛剛雪霽。梯田上下金黃麥垛和閃亮白雪之間，處處跑着漢民的豬。」把回教徒的墳址與漢民的豬並置，這種修辭方法再次證明了這個作品的文學性。

從馬明心開始，《心靈史》宣告：「從此哲合忍耶是一種以死證明的信仰。」

小說第二門寫馬明心傳賢不傳子，把位置傳給了穆憲章，教內人稱平涼太爺，穆憲章的歷史使命是隱藏、保持命脈。但是三年以後，田五阿訇又造反，「一是為馬明心道祖復仇，二是反抗公家滅絕哲合忍耶」。因為乾隆那時將哲合忍耶定為邪教，於是就有了著名的石峰堡戰役。史料說「千餘戶回匪俱於

山頂安營」。張承志特別強調：絕處安營是決心赴死的信號。「這種行為並不是軍事行為。甚至可以感到整個暴動都不像是軍事行為。這是一些人在尋死 —— 從起義剛剛開始，他們就向世界和後世傳遞了他們的心意：為主道犧牲。」所以，在後人看來也是難以理解 —— 下定決心，不怕犧牲，排除萬難，去爭取失敗。

「為了信念，只求死不求生」，這種有人會感到「恐怖」(主義？)的軍事原則，《心靈史》概括為「人民的暴力主義」。從「人民之子」，到「人民的暴力主義」，「人民」(而不只是「人」也不只是「民」)總是張承志作品的關鍵字。「人民」的定義總是各種現代中國話語中的關鍵，不只是在張承志的作品中。

清兵圍剿時，乾隆指令只平叛，不滅教。在石峰堡戰事的記載當中，張承志考證對照了《欽定石峰堡紀略》和他自己查對的曆書，認為清廷官方記錄故意弄錯了進攻時間，歷史文獻隱瞞了清軍利用開齋節消滅回民的史實。按照《心靈史》的說法，「回民入拜便不許再有雜念半絲，哪怕被殺也不能停拜」。「哲合忍耶舉意在禮拜中任官兵屠殺。」所以還是不求生，只求死，殉難是前定。

經過蘭州和石峰堡兩戰，哲合忍耶進入了低潮。穆憲章掌持哲合忍耶三十年，到清嘉靖十七年歸真。接位的是馬達天，道號古圖布・阿蘭。他做了六年，他的紀錄比較少。馬達天曾經流放黑龍江，張承志自己也去東北重走這位哲合忍耶領袖的流放之路。在這段路中懂得了悲觀主義。

馬達天又傳位給長子馬以德。馬以德在位三十二年，實現了教門的第一次復興。馬以德緩慢地一個村莊一個村莊進行復教活動，建立了完整的宗教管理體制，從穆勒什德到熱依斯，從阿訇到多斯達尼，活動範圍遍佈中國各省。張承志寫道：「我們確信：哲合忍耶確實是萬能的造物主選定的人。神為了證明一個真理，選定了哲合忍耶來承負中國的罪孽。」

「哲合忍耶承負中國的罪孽」？這段文字有點超越歷史也超越文學，更像是宗教信仰。

在第五領袖馬以德的任內，哲合忍耶參與了比華林山、石峰堡規模大得多的一系列戰爭，史稱「同治陝甘回變」。維琪百科代記載：「戰爭由陝甘回民和哲合忍耶蘇菲門宦在聖山砍竹事件後的武裝暴亂開始，主要表現為回民、漢民之間的相互屠殺及清軍對反清軍隊的鎮壓。同治回亂自 1862 年起直至 1873 年結束，持續十餘年後才被湘軍左宗棠部完全平定。」《心靈史》承認：「靖遠縣是否發生過同治五年三月回民屠殺十餘萬漢民的慘案，我不知道。民族仇殺是歷史的一種真實。同治回民起義中，屠殺漢族無辜的現象在陝西回民軍中尤為嚴重。」

但是描寫同治回漢衝突一章，題為《犧牲之美》。先講馬化龍在「回亂」初期按兵不動，張家川、李得倉不是叛變，而是投降；再說雲南杜文秀幾乎達到回族自治；回將白彥虎打出國境，「讓蘇聯生息了一支回民」（當然同治年間還沒有蘇聯）。最後重點是金積堡如何成為大西北全部回民的元帥戰。《心靈史》描寫：「天堂之門已經近了，天堂的光芒正在一片黃塵中閃爍。犧牲是最美的事情，犧牲之道是進入天堂的唯一道路⋯⋯金積堡永垂不朽的時刻，就要來臨了。」張承志強調以世俗和非宗教研究者心態是不可能理解金積堡的。歷史上金積堡的結局，是在左宗棠的精兵洋炮前，十三太爺馬化龍帶着三百家人領罪，求得其他叛亂異軍百姓平安。

民國以後，教派恢復合法地位，沙溝太爺馬元章非常風光地進蘭州，還收到了袁世凱、胡宗南、邵力子、楊虎城，以及于右任的題字贈匾。雖然恢復了社會地位，不過「血脖子教」的精神，卻一向少有外人注意，直到張承志的《心靈史》。所以作家認為，後來「哲合忍耶從一種外來的伊斯蘭教派逐漸變成中國文化的一種精華」。[5]

「中國文化的一種精華」是不是前面概括的窮人宗教、聖人崇拜、人民暴力、犧牲之美？或許這真的是兩百年來哲合忍耶堅守的精神，又或許這是清華附中紅衛兵五十年來追求的革命信念？

注

1 張承志：〈草原上的獨騎與聖戰者〉，見梁麗芳：《從紅衛兵到作家》（臺北：萬象圖書股份有限公司，1993年），頁190-192。張承志還總結：「造成紅衛兵運動有幾個因素：高幹子弟存在的特權意思，社會上的階級鬥爭造成的一種極左傾向，還有年輕人青春的理想主義，和……對教育的反抗等因素。」

2 張承志：《金牧場》，首次發表於《昆侖》雜誌1987年第二期；（蘭州：甘肅人民美術出版社，2013年）。以下小說引文同。

3 同注1，頁193。

4 張承志：《心靈史》（廣州：花城出版社，1991年）。以下小說引文同。

5 同注4，頁287。

1987 〈錯誤〉 馬原

敘述的圈套

1985 年「先鋒文學」的代表作家有馬原、殘雪、余華、格非、孫甘露、洪峰等。後來余華、格非轉向寫實主義，成為文壇主流，暢銷獲獎。孫甘露轉身上海作協領導。殘雪一條道走到「黑」(「摸黑探索」，或追問「人性之黑」)。馬原寫小說、做生意、在大學教書，《上下都很平坦》影響不如早期的〈岡底斯的誘惑〉和〈虛構〉。但他在八十年代的形式探索，對很多別的小說家有重要影響。吳亮是八十年代非常有影響力的年輕評論家，他將馬原小說概括為「馬原的敍述圈套」。[1]

一、兜兜轉轉的敍事手法

短篇〈錯誤〉，原載 1987 年第一期《收穫》。被黃子平、李陀選入了香港三聯書店的《中國小說(一九八七)》，作品在海外也有影響。小說有個題記：「玻璃彈子有許多種玩法，最簡單又最不容易的一種，是使彈子途中毫不耽擱，下洞。」[2] 潛臺詞是小說有很多種寫法，寫實最簡單又最不容易。

小說第一段：「這兩個孩子一個有媽沒爸，一個沒媽沒爸。」顯然是故弄玄虛。「有媽的那個不是爸死了，是他媽不說誰是他爸——他爸自己又缺乏自覺站出來的勇氣。三十多個男人誰都是可疑分子，除了我。」「我」是小說敘事者，一邊講故事，一邊議論自己講故事的方法，類似莫言的「後設小說」技巧，「元敍述」。

「我實在不想用倒敍的方法，我幹嗎非得在我的小說的開始先來一句——那時候？」這是戲說、解構當時流行的「多年以後……」的句型。「那個夜裏還發生了另外一件事。我的軍帽不見了，丟了！丟得真是又迅速又蹊蹺。」兩個孩子，一頂帽子，先按下不表，「我想囉哩囉嗦地講一下我們住的地方。」短篇小說應該盡可能簡潔，為甚麼還要囉哩囉嗦？為甚麼明知道囉哩囉嗦還要囉哩囉嗦？把馬原的原文精簡一下，十六個知青睡東北大炕，「我」和朋友趙老屁睡在最裏面。十三個人已經都睡了，另外三個人就是「我」、趙老屁和二狗。老屁和「我」最鐵，兩個人睡前還玩了摔跤，回來以後發現帽子不見了。

當時軍帽黑市賣五塊錢。文革結束時，農民陳奐生住招待所五塊一晚，嚇得不輕。所以回到 1969 或 1970 年，五塊錢是高價。不僅高價，「主要它還是一個小夥子可否在社會上站得住腳的象徵。那時候搶軍帽成風，你經常可以聽到諸如為了搶軍帽而殺人的傳聞。不是馬路消息。我軍帽就這麼丟了。」

知青一代為甚麼以軍大衣、軍帽為榮？因為文革貌似無政府狀態，其實更接近隱形軍管，1967 年整頓學校紅衛兵的也是軍宣隊。時裝符號也是政治標記。

兜了一圈，又講到兩個孩子。江梅是「我」喜歡的女生，小學中學都是同班。另一個孩子情況不明。看上去亂紛紛的知青生活，孩子關係到「性」，帽子代表「政治」，還是性和政治兩個要素。

二、下落不明的軍帽，來路不清的小孩

讀馬原的小說是要準備繞圈子的，許多閱讀障礙，像智力測驗。小說第二節的懸念是：誰是孩子父親，軍帽怎麼丟的。

「我的帽子一年前是嶄新的，我拿到帽子的當時就下決心與它共存亡，我咬破右手食指用血在帽裏寫上我的名字。這一年時間我幾乎帽不離頭，誰都知道這頂帽子是我的命……」在帽子裏邊用血寫字，並不誇張，當時有人直接把毛的像章別在胸前皮肉上，比寫血書更誇張。結果問題就出在血寫的名字上。後話。

這還是「多年以後……」句式，提前預告後事。

> 接下來，「我」和趙老屁逐個打擾已睡下的十三人：
>
> 「哎，起來一下。」
>
> 「哎，起來一下。」
>
> 「哎，起來一下。」
>
> 「哎，起來一下。」
>
> ……

這句話在短篇小說裏重複了十三遍，佔了整整一頁。為甚麼要連寫十三遍？讀者可以想像：把已經睡下的知青朋友叫起來，不好意思（等於懷疑指控人家），越到後面就越困難。所以這個「哎，起來一下」要不斷地重複，逐步加重緊張氣氛，睡着的不肯起來，檢控方也有些心虛和犯罪感。

「我」和趙老屁抄檢大家的箱子，另外一個知青黑棗說：「你要翻可以，翻不出來怎麼辦？」「在誰那兒翻出來大家找誰說話。翻不出來誰要怎麼辦就怎麼辦，我沒說的。」黑棗說：「這話是你說的，大家聽好。」這是一段很重要的對話，或者說是一種契約。那個年代坐公共汽車，如果車上有人喊丟了錢包，司機會馬上停車，售票員關了門，然後大家互相翻檢衣袋，證明無辜方可離開。當時竟無人抱怨，其實這是有罪推定（每個乘客都有小偷嫌疑）。推廣開去，今天若有甚麼事情發生，大家也會馬上自覺聲明「不是我做的」，「不是我說的」，「我沒有錯」，然後幸運自己能脫身，並不懷疑他人是否有權懷疑我和檢查我，檢查我的錢包、抽屜，檢查我的微博和微信朋友圈。

知青黑棗當時就認為，你搜我們的箱子，等於懷疑、指控甚至侵犯了我的人格，所以假如找不到，你抄檢方就要受罰。

「指控方有責任舉證」是法律常識，控告他人，最後沒有證據，就犯了誣告罪。小說裏「我」和趙老屁半夜把十三個人叫起來，等於指控其中有人藏了偷了軍帽，假如找不到，「我」和趙老屁就是誣告。

十三個破木箱全打開了，「軍帽自然沒有」。而且這個時候「我」發現了一個殘酷的現實，就是這些人都是一無所有的窮光蛋，大家都沒有一件可以值五塊錢的東西。可「我」繼續在翻查大家的行李，明知自己錯了，得罪眾人，依然沒有停手。但多數人都不做表示，憤怒的或者厭煩的也不做聲，只有黑棗勾住門框，在那裏做引體向上動作。懸念。

這時女生宿舍有人來說江梅生孩子了，敘述圈套又兜回去了。

三、「簡單、平靜」的血腥暴力

小說進入了第三節，先說「我」對江梅生孩子很沮喪，這個男孩以後成了整個農場的兒子。每個男人都去說「讓爸抱抱」，每個人都如願做爸。「這個江梅後來死了，我也是聽說。我先回錦州了，她留在農場，聽說她終於自殺了。又是後話，後話不提。」

又是一個「多年以後……」句式，以結局證明當年過程無意義。「那天大家給江梅送禮，『我』回到宿舍，老屁不見了，黑棗拿着木鐵鍬，他看上去心平氣和，慢慢地退下了鐵鍬頭。我知道好戲就要開場了。我記不住細節，因為時間已經過去太久。結果我的腳踝被木鍬把掃成粉碎性骨折，我成了終生跛腳。」尋根派、先鋒小說都喜歡寫暴力，但尋根派是誇張，慢鏡頭處理，莫言寫羅漢大叔被剝皮，〈爆炸〉中一個小孩被打耳光，寫了好幾頁形容那記耳光的種種效果。但是馬原正相反，馬原用極簡單平靜的筆調來處理血腥暴力。

> 我記得我極認真地對黑棗説我要挑他兩根大筋。我記得黑棗完全不在乎地笑了一下。黑棗沒下暗的，他是個男人。他是打過招呼以後才動手的……

打過招呼，就是剛才的警告：搜不出軍帽，就要負責，要承擔誣告侮辱大家的責任。在那個年代，在底層學生中間，這不是法律，而是一種江湖道德。

小說進入第四節。「這個故事比較更殘酷的一面我留在後邊，我首先想的是這樣可以吊吊讀者的胃口；其次我也在猶豫，我不知道我講了是否不太合適。我說了它比較更殘酷一些，我無法從原罪或道德的角度對這個事件作出恰如其分的評價。」

一面講故事，一面吊胃口，還要告訴讀者我在吊胃口。好像殘酷的不僅僅是知青之間濫用暴力，而是怎麼講述軍帽故事的方法。「馬原的故事形態是含有自我炫耀特徵的，他常常情不自禁地在開場裏非常灑脫無拘地大談自己的動機和在開始敍述時碰到的困難以及對付的辦法。有時他還會中途停下小說中的時間，臨時插入一些題外話，以提醒人們不要在他的故事裏陷得太深，別忘了是馬原在講故事。」[3] 馬原小說的真正主角不是任何一個人物，而是他的敍述。

「『我』受傷以後沒住醫院，一個民間巫醫治了一下，止了血。然後另一個男主角二狗回來了，大家很奇怪他帶回來一個嬰兒，還不是江梅的孩子。黑棗這時候發現嬰兒睡在軍帽裏，二狗發現『我』受傷了，大家都吃了一驚。」

既然軍帽是二狗拿去的，「我」就要懲罰二狗了（剛剛受傷，憋了一肚子氣）。「我同樣不露一點聲色，一把抓住他衣領，接着用那條沒受傷的右腿直搗二狗胯下，他當時就倒下了，倒在地上瘋狂般地打滾嚎叫。」「我」打二狗理直氣壯，因為他偷了軍帽。二狗受傷後連夜就被農場的馬車送回錦州。之後他其實就殘廢了，喪失了生兒育女的能力。後來「我」去看他，都絕口不提這回事。二狗先在街道工廠，後來患直腸癌。「他命不好，他只活了二十三年。到現在，他死也是十幾年的事了。他死前的那段時間，我們成朋友了。有保留的朋友，不能無話不談。」

到現在為止，小說還在謎團中。只是一個短篇，好像很多故事，其實大都是圈套。

小說第六節只有一個情節。「二狗被大家抬上車以前，大聲喊着對我說：『趙老屁讓我告訴你，他走了，不回來了。』我同樣大聲喊道：『為甚麼？』

『沒說！他就說告訴你。他還說讓你管管江梅，管管那孩子。』『哪個？哪個孩子？』他被抬上大車。他沒回答我，也許是沒聽到我的話。」

兩個孩子都是江梅在養，「我」認為江梅的孩子是趙老屁的。最鐵的朋友，明知道「我」喜歡江梅，他還插一杠，所以「我」後來再也不管江梅的事了。但「我」一直想不明白丟軍帽的事情。

敍事者反省：就是現在仍然想不好，為甚麼二狗把話留到他最後的時間，他本來可以早說，早說早就有個結果。早有結果有甚麼不好？

看來二狗最後的話是小說的一個終極懸念。

四、殘酷又高尚的道德審判

第八節又寫既合理又荒謬的暴力。眾人當夜送走負傷的二狗，屋裏只剩下黑棗和「我」。現在的情況是，軍帽的確是有人拿走的，「我」去查室友的東西沒有查錯。換言之，黑棗懲罰「我」是錯誤的。但這些話沒有明說。

「他先是回到自己鋪位上一個勁兒地抽煙，我估計至少是抽了五袋煙以上。也就是說大約一個多小時他一直不停地抽煙。天快亮了。」這也是非常緊張的一個多小時。

> ……遠處有公雞叫了。黑棗隨着公雞的第一聲啼鳴突然跳到地上，他經過我身邊時也留一點跡象，他是跨過我兩步以後彎身撿起鍬頭的。我沒來得及想他可能幹甚麼，他已經動手了，他看來用力很大又很猛，他的左腿後腳跟上面給剁開了，血汩汩地流了一地，他當時就倒了，倒下的時候神志還清，他朝我笑了一下，那是多麼滿足多麼燦爛的一笑呵。
>
> 「我們兩清了。」

這就是說，黑棗承認剛才剁了「我」的腳踝是錯了（因為軍帽確實是同屋知青拿的）。當初懲罰「我」，道德依據是你錯怪了我們，現在發現是錯懲了「我」，所以他只好自殘表示歉意，「我們兩清了」。

先鋒文學甚至在這麼奇特荒謬的語境裏，還使用了《青春之歌》的句式，「多麼滿足多麼燦爛」，寫的是一個「多麼」殘酷的道德審判。

往淺裏說，動亂時代，一羣天性善良的年輕人，為了一點小事誤會濫用暴力，造成不可彌補的損傷。往深處講，即使在動亂年代，人和人之間還是有不成文契約和江湖道義。既懲罰他人，也追究自己，所以說是「多麼燦爛的一笑」。

現在文藝中的暴力，大都為了階級報復，或者純粹感官宣洩。馬原寫暴力，欣賞的卻是國人心裏一種又殘酷又高尚的道義懲罰。

「我」和同樣跛腳的黑棗後來也成了朋友，才弄清楚江梅生的孩子其實是田會計的。趙老屁的確也生了個孩子，是和村裏一個小寡婦張蘭生的。寡婦難產，正好二狗撞到，所以二狗把孩子抱着，要給趙老屁。趙老屁不要，逃走了，同時隨手把軍帽交給二狗，說是摔跤時「我」忘在地上。二狗憋着這些關鍵細節，至死方說，大概也是為了讓「我」跟趙老屁等人不用那麼自責。二狗的境界很高。

吳亮曾這樣概括〈錯誤〉：「這篇小說情節的逐漸『錯位』使因果聯繫發生了移動：軍帽失竊——江梅生孩子——孩子的來龍去脈——和黑棗的鬥毆——二狗撿來的孩子——趙老屁的失蹤——二狗的死和江梅的死，這些前後接續的事件，因果都是不甚明瞭的。馬原十分善於講這麼一些由無因之果或有因無果組成的故事。」「馬原在進行他的故事組裝時，沒有一次不漏失大量的中間環節，他的想像力恰恰運用在這種漏失的場合。他彷彿是故意保持經驗的片斷性、此刻性、互不相關性和非邏輯性。這種經驗的原樣保持在馬原的小說裏幾乎成為刻意追求的效果，比如存心不寫原因，存心不寫令人滿意的結局，存心弄得沒頭沒尾，存心在情節當中抽取掉關鍵的部分。馬原的小說在這一點上酷似生活本身 —— 它僅僅激起人的好奇，卻吝嗇地很少給好奇以滿足。馬原不像是賣關子，人為地留下所謂的『空白』，或者布下迷魂陣，心裏對真相一清二楚。……他不說是因為確實不知。馬原小說所顯現的經驗方式，表明了馬原承認了如下的事實：世界、生活和他人，我們均是無法全部進入的。是我們在那些現象之上或各種現象之間安置上邏輯之鏈的（別無選擇），而這樣做又恰恰違背了經驗的本體價值，辜負了經驗對人構成的永恆誘惑。」[4]

吳亮認為馬原藏着編着關鍵的細節，繞出複雜的敘述圈套，不是「存心在情節當中抽取掉關鍵的部分」，而是「因為確實不知」，尊重「經驗的本體價值」—— 曾幾何時，知青之間，「文革」因果，軍帽與暴力，究竟哪些是「錯」，哪些是「誤」？這中間真有邏輯之鏈嗎？荒誕生活，悲涼歷史，真能講成一個故事嗎？就在這種故弄懸虛的文字實驗（以及天才詮釋）之中，〈錯誤〉等作品已經在敘事技巧上影響同時代作家，即使不能提供了「十年」中國故事的另一種講法（另一個殘酷而又隱含道義的版本），至少也令人懷疑《芙蓉鎮》式「壞人迫害好人」模式或者王蒙、韋君宜等人小說裏的幹部反省與民眾關係的故事沒有道出（或者真不知道）全部真相。〈錯誤〉用偵探小說式的推理、「多年以後」的句式和故弄玄虛的敘事圈套，實際上在敘述「很多好人合在一起做成一件壞事」。

注

1　吳亮：〈馬原的敘述圈套〉，《當代作家評論》，1987 年第三期。

2　馬原：〈錯誤〉，原載 1987 年第一期《收穫》。以下小說引文同。

3　同注 1。

4　同注 1。

1987《活動變人形》王蒙

審父之作

一、王蒙：始終引領文學潮流的作家

王蒙的重要性使我們必須在兩個不同歷史時期討論他的作品。〈組織部來了個年輕人〉代表了五十年代中國小說的水平 —— 在二十世紀初李伯元、劉鶚之後，相隔半個世紀使「官員／官場」重新回到文學當中。當然不是晚清文人痛斥清廷腐敗宣洩民憤，而是在新的幹部體制內部正視官僚主義。即使到了八、九十年代，到了「新時代」，像林震這樣的年輕人的困惑，像劉世吾這樣的老幹部的犬儒，依然是中國文學，甚至也是中國社會必須繼續面對的問題。僅僅因為〈組織部來了個年輕人〉，王蒙在中國當代文學史上已經有了不可忽略的地位。劉世吾也已成為上世紀中國小說裏最成功的人物形象之一。但是王蒙沒有停步，王蒙總在前行。八十年代初〈夜的眼〉、〈春之聲〉等短篇，是「文革」以後最早實驗意識流的新潮作品。在引進現代派技巧方面，王蒙也走在最前面，令很多青年讀者佩服。中篇〈蝴蝶〉把「十年」浩劫寫成革命幹部反思與民眾關係的契機。〈蝴蝶〉中的「壞事變成好事」與《芙蓉鎮》中的「壞人迫害好人」，構成當時國人重組和擺脫文革記憶兩種最基本敘事模式。中篇〈布禮〉，知音評論家李子雲詮釋：主人公經歷了八千里路雲和月，無數坎坷苦難歷程，依然堅持少年布爾什維克的理想。除了創作引領新潮以外，八十年代王蒙還擔任《人民文學》的主編，曾任中央委員、文化部長。他對尋根文學、先鋒小說的理解和支持對當時文學的多元發展非常重要。

長篇小說《活動變人形》最初在 1985 年《收穫》第五期節選發表，1987 年由人民文學出版社首次出版單行本。當時文壇上令人矚目的作品，比如《芙蓉鎮》、〈綠化樹〉、〈棋王〉、〈李順大造屋〉等等，都在反思「十年」或者「大躍進」。王蒙的大部分作品，包括他早年創作但很晚出版的長篇《青春萬歲》，還有王蒙晚年的季節系列長篇，也都一直在反思 1949 年以後中國革命的各種成就與教訓。王蒙應該說是最擅長寫革命內部矛盾的作家，可是偏偏這部「代表作」《活動變人形》，寫的卻是 1949 年以前。其實，這是王蒙又一次引領潮流。稍後，人們就看到了陳忠實《白鹿原》、莫言《豐乳肥臀》、王安憶的《長恨歌》還有鐵凝的《笨花》等等，很多長篇也都紛紛回首民國，從民國甚至清末故事講起。大概要深刻檢討革命的經驗教訓，必須回頭看看當代中國革命到底是怎麼來的。

二、一個民國家庭的內部矛盾：資產階級與封建主義？

《活動變人形》男主角倪吾誠，民國時期在北平兩間大學任講師，是一個「先天不足」的「新派」知識分子。「新派」是因為家族傳統。祖上是鄉下大地主，祖父是舉人，主張變法維新，參加過公車上書，失敗以後自殺；有個伯父瘋瘋癲癲也是「狂人」。所以倪吾誠有反叛的家族遺傳。他自己九歲一進洋學堂就迷上了梁啟超、章太炎、王國維，看到家人裹腳就控訴批判。在大學教的是西學，邏輯、倫理，黑格爾、柏拉圖等等，都是「新派」知識。但為甚麼「先天不足」？小說寫倪吾誠祖父激進，伯父特異，可是他父親倪維德卻十分平庸，被妻子管教，抽鴉片抽成了一個安寧、安分、安然的人。倪吾誠是個遺腹子，少年雖然反叛，但很快也被母親管教得老老實實，管教方法一是鴉片，二是早婚（七巧當年也是這般管教兒子）。後來倪吾誠煙是戒了，媳婦卻早早說下了，就是小說的女主角姜靜宜。

《活動變人形》1987 年人民文學版的「內容介紹」這一欄裏寫着：作家以辛辣幽默的筆調和獨特扎實的細節，描繪了一個知識分子家庭內部資產階級與封建主義兩種文化形態的殊死鬥爭。

倪吾誠作為「新派」知識分子，與「中國資產階級」或有「先天不足」的共同特點。但他妻子姜靜宜，和她的姐姐姜靜珍，還有她的母親，這三個女人組成的聯合陣線，能否代表「封建主義」？更是疑問。「封建」這個詞彙容易引起歧義被人誤解。在閱讀巴金《家》時，我們討論過「封建」的不同定義，或者是《左傳》所謂「封建親戚，以藩屏周」，特指中國先秦的分封制；或者是馬克思理論中的 Feudalism（封建制度），特指歐洲中世紀的九到十五世紀的政治制度；或者泛指中國古代傳統制度和禮教，簡而言之就是天地君親師、三綱五常、三從四德等等。小說裏的靜宜、靜珍怎樣實踐「封建主義」？第二章，有好幾頁詳細描寫靜珍早上洗臉化妝。靜珍早婚，丈夫早逝，現與妹妹靜宜住在一個四合院裏。靜珍早上「大白臉」（梳洗化妝），好像是履行一件重大的使命。先是洗臉，「開始興奮地、幾乎可以說是衝動地用沾滿了胰子和水既光滑又黏稠的毛巾在臉上抹過來、蹭過去。同時她鼻孔裏發出一聲聲悶響，好像是有甚麼人企圖堵住她的嘴、她的鼻孔，要她窒息，而她的呼吸器官正在出聲地掙扎和反抗。」[1]之後「她開始梳妝。一天之中，只有在這個時候，她才感到一種神秘的力量在醞釀，在積累，在催促她，她感到一陣緊迫的心跳，她身上開始發熱，有一種強烈的要哭、要發昏、要上吊、要鬧個天翻地覆的衝動在催着她，於是用一連串冷笑掩蓋住自己。她首先用手心蘸着水把香粉蜜調勻抹到臉上，然後用兩手輕輕在臉上拍打。她自己覺得並沒怎麼用力，但臉上發出了細碎的『叭叭』聲，聲音越來越大。這聲音常常使倪藻感到心痛，他痛苦地覺得姨母分明是在自打嘴巴。」

倪藻是倪吾誠八歲的兒子，看不懂年輕守寡姨母洗臉儀式的目的究竟是甚麼。評論家曾鎮南說《活動變人形》是王蒙的「審父」之作。[2]可能有些畫面細節，確是兒時記憶印象深刻。[3]小說寫三個女人，文筆刻薄，但是描寫倪吾誠也不客氣。男主角請杜教授吃飯。雖然長得瀟灑，但襯衫領子上面不乾淨，寒磣。吃飯時倪吾誠誇誇其談，海闊天空，但是不知道在講甚麼。「他的思想正像他的語言，機敏、犀利、開闊、散漫、飄忽不定、如風如雨、如霧如煙」。以前他上中學時，老師們對他的評價截然相反，一些人說他天才，另外一些人說他廢物。只有對於吃，他是非常實際地享受的。對於要回家，他是十分害怕的。「他與靜宜的矛盾是不可調和的，常常是連一句話也說不到一塊兒去。他講歐洲，講日本，講英美，講笛卡兒和康德，講人不應該駝背，講曬太陽對人有好處，講不是妓女的女人也可以跳舞，講不但應該刷牙，而且可以並應該早晚各刷一次牙……」

王蒙喜歡排比句，重複誇飾。「他講這些話的時候，靜宜是何等地痛恨他，恨得可稱得上咬牙切齒。全是狗屁！終於，她紅着眼宣告了：『錢呢錢呢錢呢？沒有錢，不全是狗屁嗎？早晚各刷一次牙，費牙粉、費牙刷、費水，也費漱口盂子，還費牙呢！錢呢錢呢錢呢？別駝背，扯你的邪，扯你的臊！正經人有挺着胸脯走道的嗎？挺着胸的女人不是暗娼就是明娼，挺着胸的男人不是土匪就是神經病！你們一家子都是神經病！你爺爺是神經病！你爸爸是神經病！你大爺是神經病！你別糊弄我了，你當我不知道嗎？你媽也是活活的神經病……』」

夫妻吵架是活動變人形的情節主軸，重複、排比、誇飾、連續感嘆號是王蒙獨特的文體特徵。靜宜提到了倪母，男人拍桌子喊「你混帳」，可是女人聲音更響：

> 「你混帳！你一千個混帳、一萬個混帳、一萬年混帳！你這一輩子混帳！下一輩子混帳！你們倪家祖祖輩輩混帳！你是混帳窩裏的混帳球下的混帳蛋兒的混帳疙瘩，混帳嘎巴！你媽就是頭一個混混帳帳的老乞婆！嫁給你們倪家，我受她的氣還少嗎？還少嗎？欺負我們娘家沒有人啊！她挑鼻子、挑眼、挑頭髮、挑眉毛、挑説話、挑咳嗽、挑

拉屎、挑放屁、挑笑、挑哭！我當時才是個孩子，她橫看着不順眼，豎看着不順心呀！她管得我大氣不敢出、小步不敢邁、飯也不敢吃啊！就是，就是沒吃飯……現在給我講康德來了！我先問問你，康德他活着的時候吃飯不吃飯？吃飯，那錢呢錢呢錢呢？」

王蒙使用排比句的語言天才或許有家族遺傳。這不是一個偶然的爆發，這是日積月累家常便飯。二十世紀中國小說裏寫夫妻吵架最出色的《圍城》最後幾章及〈男人的一半是女人〉的結尾，都是話趕話，意氣用事，短兵相接，旗鼓相當，而王蒙寫的是大段大段的單向傾瀉。不用標點，不錄上下文，狂風暴雨，潑婦罵街，氣急敗壞，強詞奪理，首先在氣勢上壓過對方。這還只是一個靜宜，再加上姐姐母親，三個女人一台戲，「先天不足」的「資產階級」完全不是歷史悠久的「封建主義」的對手。

這是小說第二至五章的緊張基調氣氛，但在第六章，父母吵成這樣，倪藻的童年生活還是溫暖、和平的，互相關心。小說雖然貫穿男女家庭戰爭，孩子的第三視角也非常重要。

凡事都是有個過程的，小說第七章就從姜靜宜的角度回顧婚後生活。原來是想嫁雞隨雞，讀書識禮，家風、鄉風皆如此。姜家祖上是中醫，倪家祖上主張變法維新，姜家比倪家要更現實一些。結婚以後，姜靜宜發現吾誠說的話她聽不懂。「靜宜聽到吾誠的英文就發慌，就覺得氣短心跳、頭暈胃痙攣。」靜宜娘家為了抗拒一個過繼兒子而聯手打官司，怕過繼兒子姜元壽來分家裏的財產。王蒙寫「如果姜元壽得手，就會家破人亡，社會瓦解，山河變色，人頭落地」，這是作家寫順手了，把「文革」社論句式夾入了民國官司。「戰鬥中，三位女性同仇敵愾，結為一體……三位女性的江山坐定」，從此靜宜在夫妻戰場上佔有優勢。

倪吾誠和方鴻漸一樣，拿的是女家的錢去歐洲留學。回北京後他帶着靜宜去聽蔡元培、胡適之、魯迅、劉半農的演講，一度兩人關係和諧，男的讀書教書，女的懷孕生小孩，有空時還一起划船，「讓我們蕩起雙槳」。但是自從靜宜懷孕反應強烈，聽學者名流演講忍不住打瞌睡，男人就說她是無知、愚昧、麻木、白癡。

「倪吾誠說的每一句都缺八輩的德。橫行霸道、拍馬溜鬚、裝洋蒜，放狗屁，這就是靜宜的回敬。」最近兩年，靜宜和母親姐姐共同戰鬥，今非昔比。人民文學 1987 年版的《活動變人形》第九十八至九十九頁，兩人有一段吵架，概括了男女戰爭（「資產階級 vs 封建主義」）的基本矛盾——

倪吾誠說，感謝你生了孩子，但我們之間其實並沒有感情。據說他只愛幾個人，他愛胡適，愛自己的小孩，愛他自己的母親，反正就是沒講到愛他的老婆。

但是我們之間沒有愛情沒關係，我們可以共同努力，「見到生人要禮貌，要微微一笑，把頭輕輕一點，就像我這樣一點。要跳舞、喝咖啡、吃冰激淩，首先要喝牛奶。月子裏我給你訂了牛奶你不喝，說腥氣，說上火，說喝了打飽食嗝。這就是徹頭徹尾的野蠻」。

你這是扯的哪一家的邪喲！着三不着兩，信口開河，就像說夢話。

……人家都野蠻，人家都齷齪，人家都白癡。連我們的爹媽祖宗全都白癡，就你一個人文明！就你一個人文明！我看就你一個人做夢！張口歐洲，閉口外國，少放你的洋屁！「密斯」「密斯脫」我早就會說，我還會說「古德拜」「三塊油餵你媽吃」，我就是不說！我是中國人，又不到他英國去，說他那英文做甚麼？樹高千丈，葉落歸根，你去歐洲去了兩年，不過才兩年而已，這不是回來了嗎？哪至於忘了自家姓甚名誰，忘了祖宗牌位供在哪裏？姓倪的我告訴你，我聽出你話裏的話來了，你沒安好心，你少發壞！你是我夫，我是你妻，這孩子是你親骨肉，你願意也是這樣，你不願意也是這樣。你沒有一點愛情了。沒有一點愛情，孩子哪裏來的？你想想你去歐洲留學用了誰的錢？你剛才的一番話簡直像禽獸！

寫到這裏，作家特別說明一句：「這樣的爭論一直貫穿靜宜與倪吾誠的全部生活，貫穿每年三百六十五天的每一個黑夜和白天。」再仔細想想，直到今天，這樣的爭吵是否也貫穿在網絡上、微博上，每年三百六十五天，每一個黑夜和白天呢。這邊說：你太不文明了，你們野蠻，做了奴才還洋洋自得。那邊說：少放你的洋屁，你忘了你的祖宗了？你簡直是禽獸，你就想做洋奴！跪舔！

王蒙厲害的地方，是寫吵架就能把雙方的道理和潛意識都講透。誰都有理，誰都無理，這叫沒辦法。夫妻如此，社會亦然。

先拋開後面的城鄉之爭、中西之別，就講男女吵架，吵得再厲害靜宜心中還是有她的男人。直到某天，她從丈夫那裏拿了月薪的圖章，跑到大學裏發現拿不到工資。這下子，她真正發火了，經濟權是決定性的。

倪吾誠說，這個假圖章只是玩的，被女人搶去，也不忍心拿回。所以一方是欺騙，一方是誤解。兩三天以後，丈夫回家了，小說出現了言語之外的戲劇性高潮：倪吾誠砸鎖入門，靜宜卻偷走他證件現金。之後靜珍向妹夫潑了一碗綠豆湯。我寫過一篇論文，說這綠豆湯和七巧潑的酸梅湯有得一比。[4] 三女戰一男，文攻變武鬥，兩個小孩目瞪口呆，男人被趕走了。可是過了一陣，男人醉酒，半夜重病回來了。怎麼辦呢？家裏人還是要照顧他。

吾誠醒過來，羞愧致謝，這時妻子又有大段獨白式的對話，實在精彩，不抄不行。

> 吾誠，孩子他爸，談不上謝，你那話說遠去啦。此言差矣！你是誰？我是誰？好也罷，賴也罷，哭也罷，笑也罷，美也罷，醜也罷，死也罷，活也罷，你的命就是我的命，我的命就是你的命，你生病就是我生病，你見好了也就是我見好。……人無百日好，花無千日紅，好時須想賴時，留得退身步。花花緣緣，既不當吃，又不當喝，又不治病。你摸摸良心想一想，除了我這樣管你、待你，你還能找得到第二個人嗎？……花花綠綠我也不怨，人非聖賢，人非草木，誰不

知道個花天酒地、吃喝玩樂？慾海無邊，享受無邊，壞了望好了，好了望更好……誰不願意吃喝玩樂、高談闊論？可這一切能從天上掉下來嗎？你又有多大能耐、多大本事、多大福分去奔這些個幸福去呢？你奔不來，想得比天高，也是白搭！心比天高，命薄如紙，這不是自尋煩惱嗎？再說不能只顧一時。人活一世，不過百年……

原文有幾千上萬字，從夫妻感情到天下大事，從家庭倫理到人生哲學，有情有意，聲淚俱下，肺腑之言、擲地有聲。看來封建主義真是更有文化積澱道德底蘊。吾誠聽來也無言可對。又是疾病，又被解聘，元氣大傷。養病期間，倒是倪家比較和諧的時候。生病之前，倪吾誠當了他的瑞士表，給兒子買了兩個禮物，一個是補身體的魚肝油，另外就是一個日本玩具書叫《活動變人形》，後來用作書名。小說寫父子同去澡堂，又溫馨又淒涼。兒子看到父親低聲下氣去問人家借錢。拿了錢卻去買了一個好像完全沒有用的寒暑表，飯都吃不飽，還喊「科學萬歲」── 高檔版的孔乙己，民國時代的「地命海心」。

三、光榮與恥辱，幸福與痛苦，愛情與怨毒

《活動變人形》寫事件少，寫對話多。敘事角度也是「活動變形」── 貌似全知敘事，其實每一章節都依據了不同人物的視角。寫靜珍，除了化妝洗臉儀式，也寫她喜歡抽煙看書，看的書甚至包括巴金、郁達夫。很難將「大白臉」的靜珍和郁

達夫小說聯繫起來。她還喜歡做吃的，更喜歡給妹妹出主意。倪藻的姐姐倪萍說過一句話，把幾個大人都嚇壞了。她說只要爸爸和媽媽的關係一緩和，三個女人的關係就不好了。說得很深刻。

岳母姜趙氏和女婿翻臉，是因為她當初吐痰被女婿批評，後來女婿道歉也沒用（中國人一旦翻臉，靠道歉很難扭轉）。丈母娘還很享受修小腳、倒尿罐之類的生活方式。倪萍兒時和外婆關係好，整天幫她翻箱倒櫃找東西。倪吾誠給兒子倪藻買了很多新學啟蒙讀物，《世界名人小傳》等等。但是他的教育方式令兒子反感。他要嚴格檢查兩個孩子吃飯、走路的身體姿態。兩個小孩不能容忍這種侮辱性的所謂關心，還有整套的繁文縟節和理想主義的高論。「『你爸爸有神經病。不用理他。』……倪萍和倪藻都樂於接受母親的觀點。」傳統的媽媽比較會原諒子女所有的缺點。如果這些家庭瑣事都有象徵意義，兒女們將來參加社會主義革命，是否覺得還是「封建」的母親比「資產階級』的父親更加包容自己？

但有的時候，孩子也會看到父親突然動情。小說寫：一個高大的男人哭了，為自己而哭了，哭得那樣醜，這使倪藻終於忍不住自己的淚水了。

也許下一代對父母的「審判」就像當代人對傳統、歷史的批判一樣，感情非常複雜。

倪藻可以辯證看待母親的保守溫情，但小說總結倪吾誠人生矛盾時比較苛刻。小說中用德國漢學家史福崗的新儒學反襯倪吾誠反傳統太極端，又以醫生趙尚同的「聖人」形象批判倪吾誠不夠道德，在妻子懷孕時想離婚，倪吾誠被趙醫生打耳光。小說中，兒子和父親還有一段關於時局政治的對話。談到日本人、汪精衛，也談到蔣介石、毛澤東。倪吾誠的政治態度即使按後來標準也大致正確，可是明明愛國，為甚麼一點實事都做不了？

兒子的總結是：「直到時過境遷，中國解放，鄉村土改，種種變化以後，倪吾誠才琢磨出自己的骨子裏充滿了鹼窪地地主的奴性的髓。」所以，在兒子看來，父親表面太洋，實際上還是太土。在小說續集裏，兒子這樣審判他所摯愛的父親：他一生追求光榮，但只給自己和別人帶來過恥辱；他一生追求幸福，但只給自己和別人帶來過痛苦；他一生追求愛情，但只給自己和別人帶來過怨毒。

郜元寶說：「王蒙在《活動變人形》中理解了、寬恕了、審判了倪吾誠，也在隨後的《王蒙自傳》中照樣理解了、寬恕了、審判了倪吾誠的原型王錦第先生。」郜元寶還編了一本《王錦第文錄》，以證明他是一個現代啟蒙知識分子、詩人、日本研究者、現代德國哲學（斯賓格勒、士榜格、胡塞爾、雅思佩爾斯、海德格爾……）專家。[5]

四、《活動變人形》的藝術成就

《活動變人形》的藝術成就，簡而言之，第一，當然是王蒙獨特的排比、誇張、諷刺文體。在錢鍾書以後，王蒙是二十世紀中國最刻薄也最成功的諷刺作家。

第二，在夫妻吵架、男女戰爭當中，或者說在城鄉觀念之爭、中西文化對抗當中，在兩個活生生的人物之間，王蒙有一種相對主義的深刻。作家對誰都理解，對誰也不幫；他把這邊的話說透，他對那邊的無意識也要解析；誰都是對的，誰都是錯的。寫吵架中的感情，寫無理中的邏輯，王蒙確實是高手。

第三，本來倪吾誠這個人物，寬厚一點看也就是一個凡人。百無一用是書生，像方鴻漸一樣，做不了大事，也做不了壞事。靜宜、靜珍基本上都是曹七巧的親戚，破落人家，又叫金錢所困，又聰明又可憐。

潑綠豆湯那一幕，方鴻漸碰上了七巧，這個吵架本來很值得期待，所謂中國式知識分子和小市民之間的無奈又持久的戰爭。但是從一個相信可以改造世界的倪藻的革命視角來描述觀察批判，倪吾誠和三個女人之間的戰爭，才顯得如此醜惡，如此荒唐，如此可悲。按照倪藻這一代人的革命信念，倪吾誠、靜宜、靜珍這些人的醜陋矛盾、無聊爭吵、荒唐糾紛、瑣碎瘋狂，都應該被新時代所蔑視、所拋棄、所消滅。在這個意義上，「資產階級」和「封建主義」兩敗俱傷，誰也戰勝不了誰，只有社會主義才是救星。《活動變人形》的主題，是回看民國，證明當代中國革命的歷史必然性。

可是同時代的方鴻漸、七巧等等，沒有倪藻一樣的兒子來革他們的命，小市民和知識分子的無奈人生依然具有文學審美價值。這也是現代文學與當代文學的關鍵差異。從藝術角度看，在更長遠的歷史背景下，究竟是倪吾誠一代的家庭矛盾醜惡荒唐，還是後來倪藻一代人的理想虛幻天真可悲？這還是一個問題。

即使在王蒙筆下，書寫民國故事裏倪吾誠、靜宜靜珍的庸俗荒唐的細節文字，也比倪藻後來出國開會時的深沉抒情要精彩生動，更有歷史感，也更富人情味。這可能也是《活動變人形》比王蒙其他革命小說更有藝術魅力的原因所在。超拔的革命是一時的，世俗的人生更為長遠。

小說續篇基本上全是倪藻的敍述角度，比較輕蔑地簡略補充了倪吾誠的後半生——1946 年去了解放區，1950 年離婚，第二次婚姻也不幸福，解放後在大學裏做不出甚麼研究成果，1955 年肅反被鬥，1958 年「大躍進」，他很積極，1966 年被紅衛兵批鬥時還有極左的發言，1978 年以後基本雙目失明。「倪藻想起父親談起父親的時候仍能感到那莫名的震顫。一個堂堂的人，一個知識分子，一個既留過洋又去過解放區的人，怎麼能是這個樣子？他感到了語言和概念的貧乏。」王蒙的語言不會貧乏，最後再次展示他的排比長句——

> 倪藻無法判定父親的類別歸屬。知識分子？騙子？瘋子？傻子？好人？漢奸？老革命？堂吉訶德？極左派？極右派？民主派？寄生蟲？被埋沒者？窩囊廢？老天真？孔乙己？阿 Q？假洋鬼子？羅亭？奥勃洛摩夫？低智商？超高智商？可憐蟲？毒蛇？落伍者？超先鋒派？享樂主義者？流氓？市儈？書呆子？理想主義者？這樣想下去，倪藻急得一身又一身冷汗。

倪藻想着父親一生，急出一身汗。但如果他也想想自己後來的坎坷革命歷程，是否應該對父親一代更寬容一些，更溫情一些？

注

1 王蒙：《活動變人形》（北京：人民文學出版社，1987年）。以下小說引文同。

2 參見曾鎮南：〈歷史的報應與人的悲劇——談《活動變人形》及其他〉，《當代》，1986年第四期；〈靜珍靜宜合論——《活動變人形》人物論〉，《文學自由談》，1987年第三期。

3 小說第一章寫倪藻後來作為學者，到H市遇到文革中逃出國的漢學家趙微土。漢堡大學關愚謙教授1968年離國有類似經歷。王蒙借用真人真事做小說素材完全可能。

4 許子東：〈重讀《活動變人形》〉，《當代作家評論》，2004年第三期，頁69-73。

5 郜元寶：「王蒙在《活動變人形》中理解了、寬恕了、審判了倪吾誠，也在隨後的《王蒙自傳》中照樣理解了、寬恕了、審判了倪吾誠的原型王錦第先生。換言之，王蒙曾經以紀實與虛構兩種形式，充滿自信地總結了、描寫了以倪吾誠、王錦第為代表的現代啟蒙知識分子的失敗——他們的不完成的完成。但《活動變人形》和《王蒙自傳》並沒有，也不能完成對倪吾誠或王錦第的終極裁判。我最近編了一本《王錦第文錄》，約四十五萬字，相信出版以後，讀者會拿來跟《活動變人形》和《王蒙自傳》的「審父」、「弒父」進行對照。《王錦第文錄》是一個現代啟蒙知識分子、詩人、日本研究者、現代德國哲學（斯賓格勒、士榜格、胡塞爾、雅斯貝爾斯、海德格爾……）專家，對自己的一種不夠全面卻也相當忠實的描寫。這種描寫只能與王蒙心目中的父親和父輩形成對照，而不能推翻、否定王蒙對父輩的描寫。」

《南方文壇》編輯部：《王蒙與文學中國——王蒙作品研討會暨第十一屆「今日批評家」論壇紀要》，《南方文壇》，2012年第一期，頁61。（據悉，《王錦第文錄》將於2022年初由北京商務印書館出版。）

流氓的時代

一、「英雄派」、「世俗派」、「流氓派」

「英雄派」、「世俗派」、「流氓派」，三個概念都打引號，說明都不是嚴格的學術話語，而是一種會議論文之外同行聊天中的說法。「英雄派」就是主人公（及作家）在作品裏作英雄狀。比如在幾十年家族苦難中忍辱負重，一直還苦讀《共產黨宣言》（《古船》）；又比如用革命話語闡釋紅衛兵理想和哲合忍耶精神——（《金牧場》、《心靈史》）；還有稱頌同伴光榮犧牲的〈這是一片神奇的土地〉（梁曉聲）。在某種意義上，〈紅高粱〉也是充滿英雄氣息的硬派風格，責罵自己，崇拜祖先。甚至《平凡的世界》，寫的是底層人的夢，但最後主角還是要類比英雄，重回煤礦。

「英雄派」的北方小說是當代文學的主流之一。

「世俗派」就是主人公（及作家）故作俗人狀。人物是普通俗人，主題重視世俗價值。比如〈棋王〉，「我」、腳卵、王一生都強調民以食為天。再比如〈插隊的故事〉，知青也好，農民也好，都是少英雄，多凡人，少豪情，多無奈。往傳統上追尋，「禮失求諸野」的汪曾祺的小說也衣食住行、男女情慾。

做英雄狀的，可能真是英雄；作俗人狀的，其實是大雅之俗。作流氓狀的，是不是真的流氓呢？〈錯誤〉寫一幫知青為了一頂軍帽大打出手，行為很像流氓，但是打鬥和敍述當中又透出某種很高的江湖道德標準。之後還要讀王小波，整天寫陽具尺寸、做愛細節，在交代材料裏詳細彙報亂搞男女關係的姿式。看上去也是缺乏廉恥，沒羞沒臊，可是學者陳曉明，稱他是「在荒誕感中表達一種自由的價值」。[1]

更典型的「流氓狀」是王朔的「痞子文學」。王朔給八、九十年代中國文學的衝擊，一是嬉笑怒罵、玩世不恭的抗議反叛姿態。二是毫不忌諱文學的商業屬性。1992 年華藝出版社出了四卷本的《王朔文集》，因為作者要求，採用版稅而不是稿費制。五十年代建立的文學制度，「存稿費、廢版稅」曾經是一個重要基礎。張志忠後來評論說：「王朔，則是當代文壇上第一個個體戶」。[2] 意思是王朔雖寫幹部子弟出名，卻是當代文學生產機制明目張膽的破壞者。

第三，王朔小說在表現北京「大院文化」時，戲仿、延續和解構了當代中文的一個重要組成部分 ——「毛文體」。「毛文體」是一個中性的概念，不完全是指毛澤東說過的話，還有很多別人的模仿學習，是當時流行的一套話語系統一種語言風氣。

王朔是滿族人，1958 年生於南京，自幼住在軍區大院，後來在北京讀小學、中學。1977 年，參加解放軍海軍。八十年代開始寫作，因小說《一半是火焰一半是海水》而出名。王朔原名王岩，也有報導說他小名叫「鏘鏘」。在小說《看上去很美》裏，有個人物叫「方槍槍」。王朔上過《鏘鏘三人行》。他一上節目，竇文濤和梁文道就沒機會說話了，基本上是王朔一人獨白。談話中加了很多「標點符號」，後期要不斷消音。劇組有人開玩笑：王朔來過，就像打了野戰，以後在房裏就沒法做事了。

題外話：英雄、俗人、流氓這幾種「範兒」，張承志、阿城、王朔，正好也是這一輩中國作家中說話最有感染力的。張承志是激情、有號召力；阿城是冷幽默，不經意就冒出金句；王朔是嬉笑怒罵、玩世不恭，說話像開了水龍頭，攔也攔不住。

二、嬉笑怒罵、玩世不恭的「頑主」

嬉笑怒罵、玩世不恭是王朔成名作〈頑主〉的基調。〈頑主〉1987 年發表在面目嚴肅的老牌期刊《收穫》上，反差很大。年輕人于觀、楊重和馬青辦了一個異想天開的「三 T」公司，專門替人解難、替人解悶、替人受過，簡單說就是「出氣包」公司。具體工作，比如有個男人不願和女友劉美萍約會，一時又擺脫不了，就請楊重頂替，假裝拍拖（有職業道德，還不能真拍拖）。馬青在一個少婦的公寓裏，代替她丈夫，假裝吵架，當然主要是要被少婦罵，不能反抗。還有「作家」寶康，想得獎沒機會，「三 T」公司就幫他組織（假造）一個「三 T」文學獎。

〈頑主〉各位主角，從小說角度看，其實沒有一個性格特別，故事情節也不算複雜曲折，作品能在八十年代一下子引起廣大讀者和同行的興趣、關注或不滿，主要因為作品當中一種無所不在的諷刺戲謔態度。

同樣是諷刺，〈頑主〉和《圍城》或《活動變人形》不同。錢鍾書和王蒙的諷刺幽默，都是針對特定的人和事，〈頑主〉的嬉笑怒罵好像沒有明確的目標，好像針對全部社會 ——「好像」。

小說首先諷刺作家。寶康願花錢為自己發獎，接待他的于觀就說：「當然哪篇獲獎我們不管您自己定，我只是從來沒這麼近地和一個貨真價實的作家臉兒對臉兒過，就是再和文學無緣也不得不受感動。」[3]

寶康「獲獎」了，一個叫林蓓的女文青跟他說：「你說的真深刻。」寶康就說：「我幫助你，想不想學着寫小說？」「我一直就想寫小說寫我的風雨人生就是找不着人教這回有了人我覺得要是我寫出來別人一定愛看別看我年齡不大可經的事真不少有痛苦也有歡樂想起往事我就想哭。」

女文青講話沒標點。馬青在旁警告：「林蓓你小心點，寶康不是好東西，你沒聽說現在管流氓不叫流氓叫作家了嗎？」

作家先把自己的職業「流氓化」了，人們再怎麼說呢？

第二諷刺幹部。其實小說裏沒有真的幹部，但「發獎會」上需要幹部（照例以出席的幹部級別來決定會議規格及報導級別）。找來假裝的人竟說老實話：「臨時把我請來思想沒甚麼準備話也說不好我看客氣話也不用說了表示祝賀祝賀『三 T』公司辦了件好事……今天來的都是年輕人嘛。……我看了看獲獎的同志年齡也不大，年輕人自己寫東西自己評獎，我看是個創舉，很大膽，敢想敢幹，這在過去簡直是不可思議的事……」

演幹部演上了癮，停不下來，最後被主辦方打斷。假冒的「市委領導同志」還在滿面紅光地微笑着頻頻向羣眾致意。

第三，諷刺學術理論。有個客戶愛談人生，楊重頂不住了，打電話向于觀求助，于觀說，「跟她說尼采」，「向佛洛德過渡」。馬青就說：「佛洛德我拿手，我就是佛洛德的中國傳人。」於是馬青就跑去跟她聊了：「你一定特想和你媽媽結婚吧？」「不不，和我媽媽結婚的是我爸爸，我不可能在我爸爸和我媽結婚前先和我媽媽結婚，錯不開。」「我不是說你和你媽結了婚，那不成體統，誰也不能和自個兒的媽結婚，近親。我是說你想和你媽結婚可是結不成因為有你爸除非你爸被閹了但就是你爸被閹了也無濟於事因為有倫理道德所以你痛苦你看誰都看不上只想和你媽結婚可是結不成因為有你爸怎麼又說回來了我也說不明白了反正就是這麼回事人家外國語錄上說過你挑對象其實就是挑你媽。」

「可我媽是獨眼龍。」「他媽不是獨眼龍他也不會想跟他媽結婚給自己生個弟弟或者妹妹因為沒等他把他爸閹了他爸就會先把他閹了因為他爸一頓吃八個饅頭二斤豬頭肉又在配種站工作閹豬閹了幾萬頭都油了不用刀手一擠就是一對像擠丸子日本人都尊敬地叫他爸睾丸太郎。」馬青斜刺裏殺出來傍着劉美萍站下來露出微笑。

大段無標點，「睾丸太郎」，水龍頭攔不住，這是典型的王朔風格。胡攪蠻纏說了一大堆，把八十年代中國的偽現代派也給嘲笑了。

第四，諷刺流行審美標準，比如陽剛美。「甚麼男子漢不男子漢，我就煩這貼胸毛的事。其實那都是娘兒們素急了哄的，咱別男的當着男的也演起來。」「貼胸毛」原是諷刺海明威，後來引進中國諷刺裝男子漢的演員或作家。

諷刺作家、幹部、時髦理論、流行審美標準，基本上社會上甚麼吃香王朔就諷刺甚麼。反潮流也是一種新潮。

第五，諷刺老師及思想教育，這才是小說的核心。〈頑主〉裏真正的反派只有一個，就是一本正經的趙堯舜。一上場寶康就介紹：「趙老師就是愛和年輕人交朋友。」趙堯舜說：「我不認為現在的年輕人難理解，關鍵是你想不想去理解他們。我有很多年輕朋友，我跟他們很談得來，他們的苦悶、彷徨我非常之理解，非常之同情。」可見不是一般老師而是自覺有責任理解同情教導年輕人的「老師」。「三 T」公司的年輕人說：「我們不過是一羣俗人，只知飲食男女。」「不能這麼說，我不贊成管現在的年輕人叫『垮掉的一代』的說法，你也是有追求的，人沒有沒有追求的，沒追求還怎麼活？當然也許你追求的和別人追求的不一樣罷了……」接着，趙堯舜像牧馬人愛撫自己心愛的坐騎一樣輕輕拍着于觀的背，「年輕人，很有前途的年輕人」。

在另一個場合，趙老師又關心于觀、楊重了：「你們平時業餘時間都幹些甚麼呀？」「我們也不幹甚麼，看看武打錄影片、玩玩牌甚麼的，要不就睡覺。」

「找些書看看，應該看看書，書是消除煩惱解除寂寞百試不爽的靈丹妙藥。」「我們也不煩惱，從來不看書也就沒煩惱。」「煩惱太多不是甚麼好事，一點煩惱沒有也未見得就是好事——那不成了白癡？不愛看書就多交朋友，不要局限在自己的小圈子裏，有時候一個知識廣博的朋友照樣可以使人獲益匪淺。」「朋友無非兩種：可以性交的和不可以性交的。」「我不同意你這種說法！」趙堯舜猛地站住，「天，這簡直是猥褻、淫穢！」

當年確有一個德育老師，到處演講做「靈魂工程師」，可能是道貌岸然的「趙老師」的原型。第三次對話，趙老師認為青年人很痛苦，「我一想到你、馬青、楊重這些可愛的青年，我就不能自已，就睡不着覺。」可是年輕人說他們並不痛苦。「那只能讓我感到可悲，那只能說明你們麻木不仁到了何等程度。這不是蘇生而是沉淪！你們應該哭你們自己。」「可我們不哭，我們樂着呢。」

這是社會對青年、制度對犬儒，虛偽對戲謔之間的對話。這代年輕人真的是冷漠、不痛苦、無動於衷嗎？小說接着：「『我想打人，我他媽真想打人。』趙堯舜退出後，馬青從桌後跳了出來，擼胳膊挽袖子眼睛閃着狂熱的光芒說。」

為甚麼在玩世不恭的對話以後，年輕人要罵人、打人呢？這就是憤怒。「三 T」公司，以及喜歡他們的年輕讀者想爭取的是兩個目標：第一，他在莊重、嚴肅、熱情、崇高與嬉笑、戲謔、無奈、平凡當中，他們認為後者更真實。寧可做真小人，不要做偽君子。〈頑主〉的使命，就是揭破這種假模假式的崇高，幾十年了，揭都揭不完，總是有人要假模假式。第二，在理論上，追求救世、激情、奮鬥、犧牲，這是「積極自由」，但是和平、世俗、自由、無為也是同樣需要保障的「消極自由」。積極地追求「消極自由」，是〈頑主〉背後的主題。

王蒙後來對王朔現象有個解釋，「他和他的夥伴們的『玩文學』，恰恰是對橫眉立目、高踞人上的救世文學的一種反動。」「他撕破了一些偽崇高的假面」，而且「他的語言鮮活上口，絕對地大白話，絕對的沒有洋八股黨八股與書生氣。」[4]

反對「洋八股黨八股與書生氣」的方法，正是對「毛文體」的沿用和戲仿。舉兩個例子，比如作家發獎會，有些與會者並非對文學有興趣，只是為了參加後面的舞會。于觀就對寶康說：「沒辦法，有人羣的地方就有左中右。」熟悉歷史語境的讀者，會心一笑。在海外教書就麻煩了，讀者看不到語錄穿插在舞會前的效果，只覺得莫名其妙。又比如有顧客來抱怨愛情不順利：「您說怎麼辦呀？我愛她她不愛我，可她明明該愛我因為我值得她愛她卻死活也明白不過來這個道理說甚麼全不管用現在的人怎麼都這樣男的不幹活女的不讓喇。」「三 T」公司的人開玩笑接了一句：「不破不立，破字當頭，立也就在其中了。」

要是明白北京方言「不讓喇」的意思，接下去就會更加領悟「不破不立」的象徵與寫實意義。

看上去只是語言戲仿，其實也有對歷史語境的解構功能。

總而言之，〈頑主〉是寫一羣以出賣虛情假意謀生的人，卻反抗虛情假意追求自由。與王朔同時期，也以這種玩世不恭的方式宣洩年輕人不滿的，還有模仿貴族氣的劉索拉的〈你別無選擇〉和徐星的〈無主題變奏〉。

三、「流氓」是怎麼產生的？

但是這種口口聲聲「我是流氓我怕誰」的一代人究竟是怎麼

產生的？我們要細讀王朔 1991 年在《收穫》上發表的中篇〈動物兇猛〉。

我的上海同行陳思和、王曉明在九十年代初關於人文精神的討論當中，比較傾向於張承志、張煒，不大支持王朔、王蒙，但私下他們卻特別跟我推薦〈動物兇猛〉。

〈動物兇猛〉三要素是少年、「文革」、大院。大院是幹部子弟聚集區，小說裏有段說明：「他們為我和那個女孩做了介紹，她的名字叫于北蓓，外交部的。關於這一點，在當時是至關重要的，我們是不和沒身分的人打交道的。我記得當時我們曾認識了一個既英俊又瀟灑的小夥子，他號稱是『北炮』的，後來被人揭發，他父母其實是北京燈泡廠的，從此他就消失了。」[5]

可見在「十年」當中，階級歧視十分明顯，表面是無產階級與資產階級，實際還是幹部與平民。

少年主人公不大要上學，當時教育名存實亡。「錯過了人生最關鍵的點化，以至如今精神空虛。」但他並不後悔：「我感激所處的那個年代，在那個年代學生獲得了空前的解放，不必學習那些後來注定要忘掉的無用知識。」不上課，不工作，沒有生活目的，「我僅對世界人民的解放負有不可推卸的責任。」他幻想的是中蘇開戰。

單獨來看，解放世界人民只是一個無知無聊少年的白日夢，但是不要忘了同時期還有地主兒子苦讀《共產黨宣言》，還有勞改犯拿《資本論》當枕頭睡覺，還有紅衛兵真的參照油畫、戲劇而重走長征路。把王朔主人公和他的同時代人放在一起，「對世界人民的解放負有不可推卸的責任」從來不是一句玩笑話。

當時除了解放全人類外便沒有任何人生目標的主人公，自己研發了一種技術，能夠打開各種各樣的鎖。「當人被迫陷入和自己的志趣相衝突的庸碌無為的生活中，作為一種姿態或是一種象徵，必然會借助於一種惡習，因為與之相比懨懨生病更顯得消極。」找了很多理由，其實就是隨便開鎖，溜進人家房間，偷窺人家生活，說是說不偷十塊以上的東西，其實也還是小偷，一種模擬的流氓。

某天他鑽進一個少女閨房，看到一張照片很激動，這是偽流氓的初戀。大院同黨中有個女生于北蓓，大大咧咧有時摟住「我」的脖子，也讓十五歲少年感到最初的性覺醒。這批中學生打羣架時，用磚砸人只為了在同伴面前顯示英雄氣（流氓與英雄有辯證關係）。有次被警察抓到派出所，主人公就害怕了，哭了。沒想到這時見到了朝思暮想的照片主人，這個女孩名叫米蘭。

在路上，「我」和比「我」高半個頭的米蘭搭訕。米蘭覺得小男孩膽大且可笑，於是交往。男生去女生家，看米蘭洗頭，要半張照片。也許稍微有點曖昧念頭，女生只是當他小男孩，覺得好玩。

轉捩點是主人公把米蘭帶到了他的大院團夥，有意顯擺炫耀，說是他拍的「圈子」（「我」找的女人）。沒想到——其實應該想到——米蘭就跟了團夥當中的大哥高晉。主人公變成了旁觀者，多餘的人。這時他非常仇恨米蘭，才發現米蘭怎麼這麼胖，臉上這麼多缺點，態度也不文雅等等。總之，由愛生恨，甚至發展到在莫斯科餐廳借酒瘋當場挑釁高晉和米蘭。人家不跟他爭，覺得他是小孩。

小說寫到這裏，有一段很微妙的作家自省：說有可能這一切只是他的幻想，原來根本沒有上街搭訕這回事兒。米蘭本來就是認識高晉的，主人公只是高晉身邊的小夥伴。但是也有可能這些是事實，主人公不敢回首，不敢描寫了。

王朔和馬原、殘雪一樣，一面敍述一面強調故事的虛構性。另一些作家如路遙、張承志，則不斷強調故事的真實性。

經過敍事者一段猶豫以後，小說繼續前行。某天主人公有機會和于北蓓同床親嘴，「我要做進一步努力，她正色道：『這可不行，你才多大就想幹這個。』」她傍着我小聲教育我：『我要讓你呢，你一時痛快，可將來就會恨我一輩子，就該說當初是我腐蝕了你。你還小，還不懂得感情。你將來要結婚，要對得起你將來的妻子 —— 你就摸摸我吧。』她抓起我按在心口的一隻手掌。那真是我上過的最生動的一堂思想政治工作課。」

最後一句又是時代話語。在于北蓓那裏沒辦成事兒，「思想政治工作課」的結果，主人公就像瘋了似的，騎自行車騎了很遠的路，最後衝進了米蘭的房間。

「她剛脫了裙子，穿着內衣坐在床邊換拖鞋，見到我突然闖進，吃一驚，都沒想起做任何遮掩動作。我熱血沸騰地向她走去，表情異常莊嚴。她只來得及短促地叫了一聲，就被我一個縱身撲倒在床上。她使足全身力氣和我搏鬥，我扭不住她便揮拳向她臉上猛擊。她的胸罩帶子被我扯斷了，半裸着身子，後來她忽然停止了掙扎，忍受着問我：『你覺得這樣有勁嗎？』我沒理她，辦完了我要幹的事站在地上對她說：『你活該！』然後轉身摔門而去。」案件重組，最關鍵就是這句「你覺得這樣有勁嗎？」

之後她放棄掙扎，或者一直掙扎到底，從法律上講，不管怎麼樣這都是強姦。

小說主人公從開鎖，模擬流氓，到假裝拍「圈子」，裝扮流氓，到最後真的變成流氓。米蘭被男主角強姦，男主角被時代強姦。

小說貫穿了兩個主題：一個是少男之愛，青春朦朧，激情瘋狂；二是人性怎麼在特殊環境裏會變得像動物般兇猛。後來姜文把這部小說改編成電影，片名叫《陽光燦爛的日子》，進一步強化了環境——「文革」背景的重要性。

從浪漫理想到火熱激情，再到慾望瘋狂變成流氓，不止是十五歲小男生，更多的人們，各個社會階層各種政治地位的人們，都可以在這過程當中看到自己，並看到一個製造流氓的時代。

注

1 陳曉明：《中國當代文學主潮》(第二版)(北京：北京大學出版社，2013 年)，頁 530。

2 張志忠：《世紀末的喧嘩》(濟南：山東教育出版社，1998 年)，頁 33。

3 王朔：〈頑主〉，《收穫》1987 年第六期。以下小說引文同。

4 王蒙：〈躲避崇高〉，《讀書》1993 年第一期，頁 13-14。

5 王朔：〈動物兇猛〉，《收穫》1991 年第五期，以下小說引文同。

從「國民」變成「人民」

八十年代後，好像只有兩個老作家還在寫小說，一個是汪曾祺，另一個就是楊絳。他／她們之所以引人注目，汪曾祺是因為文字和風格，楊絳是因為題材和書名。

楊絳（1911-2016）並不僅僅因為錢鍾書而出名。她多年研究英國小說，論文很出色。翻譯《堂吉訶德》（*Don Quixote*）在圈內也很受好評，散文集《幹校六記》是各種文革書寫之中最溫柔敦厚的一種。長篇小說《洗澡》在八十年代回首五十年代，在《亞洲週刊》「二十世紀中文小說一百強」裏排在第四十八名。（余華《活着》排九十六位，《平凡的世界》不在百強之列。）

一、知識分子在五十年代

大致上，《洗澡》就是紀錄方鴻漸、倪吾誠這些人，到了五十年代以後怎樣從「國民」變成「人民」。《洗澡》的敘事像《圍城》一樣瑣碎，不過除了開始兩章，通篇並沒有很強的諷刺基調，讀者要耐心地讀下去，才會慢慢分清一堆讀書人中的正反兩個陣營，或者說敘事者到底是要褒貶哪兩派人物。

一羣背景不同的知識分子，建國初都在北平國學專修社謀職。被作家（隱形作者）含蓄批評的負面人物，合在一起就是「汝南文」，三個字包括四個人。「汝」中的三點指作家江滔滔，她丈夫傅今是國學社（後來改成文學研究社）的副社長。「汝」中的「女」代表施妮娜，外號老河馬，主要特點是不學無術。比方講法國文學研究，她說不應該研究馬拉梅的《惡之花兒》。《惡之花》（*Les Fleurs du mal*）是波德賴爾（Charles Pierre Baudelaire）的詩，和馬拉梅沒有關係。到處都加上兒化音，也很可笑。「汝南文」中的「南」字就是余楠，他是這個組合裏唯一真正一個「從舊社會過來」的人。曾經想拋棄妻兒跟解放前有背景的胡小姐出國。後來則有點拉幫結派、渾水摸魚。最後「汝南文」的「文」是青年學者姜敏，「敏」字的右邊就是「文」。此人氣量小，喜歡關心別人的緋聞。

這個知識分子小幫派，並非因政見或年齡而形成。四個人以「汝南文」為筆名聯合寫了一篇文章，批判研究社裏的美女姚宓，說姚宓的研究存在着資產階級傾向。姚宓是小說的女主角。可見人們之所以聯合，多半就是為了對付共同假想敵。楊絳把故事寫得漫不經心，好像沒甚麼情節，都是鬆散瑣碎的人際關係。後來讀者才知鬆散瑣碎的人事局面，都是為了襯托後來「洗澡」的戲劇性變化。

姚宓原是圖書管理員，後來升為研究工作者。小說寫她人長得漂亮（各種小說女主角的共同特點，連楊絳也不能免俗），學術能力強，專修社創始人就是她去世的父親，現在研究社正在使用她家房產，而她母親姚太太還把丈夫的藏書全都捐出來。這是一個待人處事非常通透的老人家。

處在「汝南文」對立面的還有許彥成杜麗琳夫婦，分別從英國、美國回來。許彥成悄悄愛上姚宓，他夫人長了第三隻眼，全程觀察。這段三角關係是書中情節主線，《洗澡》的前兩卷，「許姚戀」令人又期待又尷尬。

留法的朱千里，老實人常常出洋相，偷偷往鄉下寄錢，又怕老婆。還有兩個青年，羅厚也暗暗地喜歡姚宓，陳善保追求余楠的女兒余照。他們和女青年姜敏之間又有一些說不清楚的、很微妙的感情互動。

研究社裏的兩個領導，傅今和范凡，令人矚目。都是正面形象，話不多，講政策，有分寸，一點也沒有可供人批評之處 —— 頗代表五十年代初人們對幹部（當時不叫官員）的典型印象。

小說第二卷有一章專門描寫這羣知識分子劃組分工做研究計劃。江滔滔說領導提了幾個重點，莎士比亞、巴爾札克、狄更斯，還有勃朗特姐 —— 應該是勃朗特姐妹。這些名單就是當時外國文學研究的重點，強調現實主義。蘇聯文學一時還沒有專家，但是強調蘇聯的觀點要駕凌於各項研究之上。根據以上四個重點，分了四個小組，余楠做莎士比亞，許彥成姚宓做狄更斯，朱千里做巴爾札克（因為留法），剩下杜麗琳做「勃朗特姐」了。

許彥成抱怨：「雨果呢？司湯達呢？福樓拜呢？莫里哀呢？

拜倫、雪萊呢？斐爾丁呢？薩克雷呢？倒有個勃朗特！」[1]

當代文學生產機制的要素之一，就是計劃性，這個分組就是例證。

討論課題以外，這些人物之間的關係基本上是請客吃飯，說悄悄話，借書寫信，男女試探，互相追逐，再加上各種爭風吃醋。也許這是任何辦公室裏都會出現的情景，楊絳觀察又特別細緻。情節主線許姚關係，兩人眼神說話，心有靈犀，但是平常沒接觸。許彥成常到姚太太家裏去聽唱片，姚小姐卻跑來辦公室。某天，他們終於約好去香山，各自對家人編了謊話。姚宓一夜興奮，不料，次日到公共車站看到的卻是一張尷尬的臉。許彥成結結巴巴地說：「對對對不起，姚宓，我忘忘忘了另外還還有要要要緊的事，不能陪陪陪……」姚宓刷的一下滿臉通紅，嘴裏說不相干，轉身眼淚就流出來了。

許彥成有甚麼急事嗎？沒有，他只是晚上期待遊山快樂，期待太厲害時，頓時感悟到完了，這是愛上了姚宓了。當年他結婚是女方主動，所以他覺得不愛杜麗琳也沒甚麼責任，但他也沒愛過甚麼人，直到碰到姚宓，他害怕了。

臨時打退堂鼓，之後卻又悄悄地跟在姚宓後面。看姚宓鎖了自行車，上了去香山巴士，許彥成也在同一輛車的後門上車。到了香山下車，又找不到姚宓，結果獨自一人去登「鬼見愁」，十分鬱悶。

實際上姚宓發現許彥成在後面，下車時故意躲開，馬上搭同一輛車回城。兩個人捉迷藏一樣，這個過程卻被同事陳善保和余照看見了。余照不確定是不是看錯了人，在家裏議論，被姜敏聽到。姜敏對姚宓有敵意，於是在辦公室當緋聞宣揚。眾人在場，男女當事人頓時臉上變色，許夫人杜麗琳全看在眼裏。這女人聰明，表面替丈夫遮蓋，私下回家警告。許彥成猶豫、矛盾、內疚、衝動，結果一事無成，裏外全敗。

這種辦公室言情小說的橋段，顯示這羣知識分子浪漫無能。後來，許姚差點被許夫人堵在小書房裏，但他們真的只是促膝談心，「君子偷情，十年不成」。

二、讀書人如何「洗澡」

小說第三卷開始後，所有這一切瑣碎、世俗、浪漫、無奈突然呈現出不同的意義。

「三反」、「五反」是 1951 年底到 1952 年 10 月，在黨政機關工作人員中開展的「反貪污、反浪費、反官僚主義」和在私營工商業者中開展的「反行賄、反偷稅漏稅、反盜騙國家財產、反偷工減料、反盜竊國家經濟情報」的鬥爭的統稱。《洗澡》只寫了「三反」。照說文學研究社也不是黨政機關，何來官僚主義？在學術研究當中又怎麼貪污浪費？小說裏的人們開始也是這樣想的，「三反」跟我們沒關係。他們不知道自己正處在作家（評論家）幹部化的過程之中。

單位領導來動員了，動員就是示範檢討，他們才知道「洗澡」就是人人過關。小說裏解釋：「職位高的，校長院長之類，洗『大盆』，職位低的洗『小盆』，不大不小的洗『中盆』。全體大會是最大的『大盆』。人多就是水多，就是『澡盆』大。一般教授，只要洗『小盆澡』，在本系洗。」

怎麼洗法呢？領導先做示範——

傅今檢討自己入黨的動機不純。因為追求資產階級的女性沒追上，爭口氣，要出人頭地，想入黨做官。羣眾認為他檢討得不錯，挖得很深，挖到了根子。

范凡檢討自己有進步包袱，全國解放後脫離了人民，忘了本，等等。

還有些組長檢討自己自高自大，目無羣眾，為名為利，一心向上，好逸惡勞，貪圖享受。

除了示範檢討，領導也做動員報告，范凡說新中國把舊知識分子全部包下來了——意思是舊社會的知識分子要變成新中國的幹部，中間每個人都要自覺自願地改造自我。

聽了動員報告以後，文學研究社大家都表態，余楠說不知道以前自己多臭多髒，這次要洗個乾淨澡，脫胎換骨。旁邊就有人指出，洗個澡怎麼就能脫胎換骨呢？

杜麗琳說，大家講的都是形容詞，這樣說吧，洗心革面，重新做人。大家說好，同意同意。

泛泛表態容易，每個人單獨洗的時候就難了。最初就是丁寶桂——介紹余楠來的讀書人——他一上來就說共產黨是全國人民的大救星。這時，小說寫：「長桌四周一個個冷漠的臉上立刻凝出一層厚厚的霜。」原來大家覺得這樣的「洗澡」太空泛了，是蒙混過關。

「洗澡」之前，不管是偷情或其他日常事務，中年人和年輕人，大家還能打成一片。可一到「洗澡」的時候，陣線分開了。

「洗澡」的都是舊社會過來的人，年輕人都成了羣眾或看客。一成看客，他們都沒了面目，說話都沒有名字了。小說裏常寫「滿座的年輕人都神情嚴肅」、「一個個冷漠的臉上」、「忽然有人問」、「到會的人不說話」，他們全都沒了姓名。感覺上被「洗澡」的人是在強光燈下，而周圍暗處就是羣眾、審訊者、陪審團或者說看客。

在象徵意義上，「洗澡」第一說明身上「髒」，舊社會帶來很多垃圾；第二是感覺上要脫衣赤裸，被剝奪隱私。脫衣的過程是最「性感」刺激的，所以「洗澡」的過程也是楊絳要寫的重點。

幾個比較年長的主角一一登場。法國回來的朱千里，總結別人的教訓，覺得「洗澡」檢討要對自己狠，才能過關。於是他把桌子一拍說：「你們看着我像個人樣兒吧？我這個喪失民族氣節的『準漢奸』實在是頭上生角，腳上生蹄子，身上拖尾巴的醜惡的妖魔！」

一瞬間，周圍的人臉上都非常詫異。「我自命為風流才子！我調戲過的女人有一百零一個。我為她們寫的情詩有一千零一篇。」有人當場打斷了他，問為甚麼要「零一」？

「實報實銷，不虛報謊報啊！一人是一人，一篇是一篇。我的法國女人是第一百名，現任的老伴兒是一百零一。」這時有人笑出聲來，但笑聲立即被責問的吼聲壓沒。有人憤怒地舉起拳頭來喊口號：「不許朱千里胡說亂道，戲弄羣眾！」另一人憤怒地喊：「不許朱千里醜化運動！」最後他被趕下去了。朱千里其實總結了之前的「洗澡」要素：第一要狠挖罪惡出身，凡有錢就有罪。第二要爆情色料，於是有一百零一個女人（其實他根本怕老婆，哪裏來這麼多女人）。第三，用詞要重，帽子要大，態度要狠。可是，三個要素都有，太誇張還是不行。脫衣太快。

接下來是余楠，好不容易混了個組長，結果要洗「中盆澡」，檢討不到一半就被羣眾一片口號呵斥：「余楠！你這頭狡猾的狐狸！」「余楠！你把自己包裹得嚴嚴密密，卻拿些雞毛蒜皮來搪塞！」「余楠休想蒙混過關！」「羣眾的眼睛是雪亮的！」「余楠！你滑不過去！」「不准余楠捂蓋子！」

他當年跟胡小姐的往事被人知道了，所以一個「中盆澡」沒有過。不肯脫衣也不行。

一次成功過關的是杜麗琳，所以她的「洗澡」過程要詳細介紹，萬一以後還能用。

第一，講出身。「我祖祖輩輩喝勞動人民的血，騎在他們頭上作威作福，飯來開口，衣來伸手，只貪圖個人的安逸，只追求個人的幸福，從不想到自己對人民有甚麼責任。我只是中國人民身上的一個大毒瘤；不割掉，會危害人民。」

這一段，在家裏操練時，老公笑場了。但是麗琳堅持說她是真誠的，她說被自己罵好過被別人罵。「我祖上是開染坊的，父親是天津裕豐商行的大老闆，我是最小的女兒，不到兩歲就沒了母親。」「我生長在富裕的家庭裏，全不知民間疾苦，和勞動人民簡直沒甚麼接觸，當然說不到對他們的感情了。我從小在貴族式的教會學校上學，只知道崇洋慕洋。我的最高志願是留學外國，最美的理想是和心愛的人結婚，有一個美滿的家庭。我可算都如願以償了。」

杜麗琳講的都是真事，所以大家都比較相信。接下去她講解放前夕，父親去世，兄長去香港，她去了美國，但是丈夫彥成要從英國回國。他主動要回國，我還勸他不要回國，但他堅持，我只好抱定愛情至上信念，跟他回來，我不是「投奔光明」。

雖然瑣碎一點，杜麗琳也是由衷之言。本來還想借機講講愛情婚姻的大道理，旁敲側擊一下丈夫，後來怕失控就放棄了。她只講回國以後被人認為是資產階級女性，外號叫「標準美人」。她說實際上是自己淺薄、虛榮、庸俗，努力工作是積累資本，斤斤計較私利，現在「三反」運動就非常後悔，千不該萬不該不該跟許彥成回來，所以批評自己只圖個人幸福，「覺得自己即使自殺了，也無法償還我欠人民的債」。

說得是深情並茂，會場主席說：「杜先生的檢討，雖然不夠全面，卻是誠懇的。」

杜麗琳過關，朱千里、余楠、許彥成等人就壓力很大了，朱千里第二次檢討很多人來旁聽。這次他只說實話，原來是下中農出身，在法國也是勤工儉學，沒拿到博士，不過幫很多人寫過博士論文。關於法國女人，真假博士，羣眾眼睛雪亮，還是不放過，各種追問，憤怒口號，甚至有人喊打倒「千里豬」。老實人朱千里衝出會場，當晚企圖自殺，沒有成功。

一個一個寫不同人洗澡，小說敘述不慌不忙，很有層次。

丁寶桂的檢討非常詳細，也通過了。丁寶桂放下了一顆懸在腔子裏的心，快活得幾乎下淚。「他像中了狀元又被千金小姐打中了繡球，如夢非夢，似醒非醒，一路回家好像是浮着飄着的。」

三、「人民」，是一種資格

現實生活中的「洗澡」基本上是私人活動。就像反省懺悔也是個人面對自己（或者面對神父）。如果在某些海灘裸泳，也是大家公平透明，不是多數人圍觀個別人赤裸，然後評論審核個別人的身材特點。綜述以上「洗澡」過程，談出身，曝私隱，扣帽子，實際上都是一個過程，是 1949 年以後最早的思想改造運動，是當代文學生產機制中「作家幹部化」的必要程序。這個過程的標準就是要將「舊社會過來的人」編入「人民」的隊伍。「洗澡」之前，你可能是臣民、國民、良民、公民，但還不是「人民」。「人民」是一個資格，一種身分，並不直接等同於羣眾。羣眾（沒有問題的羣眾），再加上幹部，才是「人民」。人民」，在數量上應該少於「公民」或「國民」（不過在北伐時期，「國民」也曾是一種資格）。「人民」少於「公民」的部分就可能是「敵人」。假定「公民」是一個總數，掌握調整「人民」這個變數的數量標準範圍等，便是五十到六十年代歷次政治運動的中心了。但從小說提供的案例來看，圍觀喊口號的是羣眾，下結論的還是幹部。回到「人民」的隊伍，是「洗澡」的意義和目的。

余楠第二次「洗澡」的時候，許彥成夫婦已經在緊張準備了，杜麗琳就替她老公擔心，香山這一段怎麼講？現在大難臨頭了，追小三的崇高感情怎麼解釋？讀者這時候才明白作家為甚麼在前面那麼精心仔細地鋪墊一些瑣碎的男女緋聞香山約會。看似浪漫無聊，都是危險伏筆。

余楠承認自己是國民黨反動政客的走狗，重婚未遂的罪人，把解放前夕和胡小姐計劃出國的傷疤自己揭開，也是越臭越香，越醜越美吧。最後，深挖了私隱，檢查居然通過了。

余楠覺得自己像一塊經烈火燒煉的黃金，雜質都已煉淨，通體金光燦燦，只是還沒有凝冷，渾身還覺得軟，軟得腳也抬不起，頭也抬不起。

這只是 1952 年，後來也許像余楠這樣的料還要不斷被錘煉，不知道會煉成甚麼鋼。

小說做足了鋪墊，讓人一路擔心許彥成怎麼帶着他的未遂婚外情故事過關，結果高舉輕放，他的「洗澡」過程避重就輕，輕易過關。洗過澡以後，全體人員填表填志願，重新分配工作，而且加人工。這是當代文學生產機制三個要素同時體現：一是思想改造，作家幹部化；二是加人工，經濟制度支援；三是演習了一整套理論程序，知道怎麼批判自己，也可以知道怎麼批判別人。

二十世紀小說裏還沒有哪一部作品如此詳細地記錄「三反」運動的細節，而且是通過錢鍾書夫人的回憶和虛構。

小說尾聲，許彥成、杜麗琳夫婦分配到中國最高學府任教，朱千里去了外語學院，姚宓到了圖書館。分手的一天，彥成到姚家坐到很晚，姚宓送他出來。

他們倆並肩走向門口，彥成覺得他們中間隔着一道鐵牆。姚宓開了走廊的燈，開了大門。彥成淒然說：「你的話，我句句都記着。」

姚宓沒有回答。她低垂的睫毛裏，留下兩道細淚。

楊絳寫的夫妻之外的愛情，無論庸俗如余楠和胡小姐，或者清純如許彥成和姚宓，都有一個共同點，最後都不會成功。

注

1 楊絳：《洗澡》（北京：三聯書店，1988 年）。引文版本為《洗澡》（北京：人民文學出版社，2004 年）。以下小說引文同。

《玫瑰門》

1988

鐵凝

寫階級鬥爭還是寫女性命運？

鐵凝早期的代表作〈哦，香雪〉，清純美麗，飽含鄉土氣息。當時南有王安憶「雯雯」的世界之〈雨，沙沙沙〉，北有鐵凝的〈哦，香雪〉。單看篇名上的「哦」字，就知道多麼文藝，多麼實誠。這篇 1982 年發表的小說獲全國優秀短篇小說獎。之後，鐵凝也寫過〈沒有紐扣的紅襯衫〉，拍成電影《紅衣少女》，同時獲得了金雞、百花獎。她還寫過中篇〈麥秸垛〉等等。總之，鐵凝早期的風格給人的印象就是清新純淨。

2006 年鐵凝接替茅盾和巴金擔任中國作協主席。鐵凝是中共第十七屆中央候補委員，第十八屆、十九屆中央委員，現在還兼任全國文聯主席。人們比較關注鐵主席的領導形象時，卻可能忽略她的幾部分量很重的長篇——《大浴女》、《笨花》，還有我們要讀的《玫瑰門》。

《玫瑰門》最初發表於 1988 年。2006 年人民文學版有如下簡介：「反思『文革』的一部敢於直面慘澹人生和醜惡人性的成功之作。小說以一個女孩兒在喧囂混亂的歲月中，迷茫地穿越生命之門為線索，通過莊家三代女性司綺紋、竹西、蘇眉不同的生存狀態和人生軌跡的刻畫，形象地概括了半個多世紀以來中國女性命運的歷史演變，全面深刻地呈現出女性生存的百態圖。」

通過甚麼，描寫概括甚麼，這是常見的圖書介紹句式。通常前面是人物，後面是歷史。錢谷融先生的批評是「人物變成了工具，時代變成了目的」。《玫瑰門》其實有兩個關鍵主題：一個是女性命運，一個是階級鬥爭。到底哪一個是「通過」，哪一個是目的？通過女性命運寫革命風景，還是通過革命風景寫女性命運？還真不好說。不過有一點，圖書介紹說對了，鐵凝的創作風格由清新純淨轉向深沉厚重，就是從《玫瑰門》開始。

乍一看，《玫瑰門》的前面部分簡直和王蒙的《活動變人形》異曲同工，兩部長篇寫作時間也差得不遠，應該不是受影響或者借鑒。兩部小說的主角，或者說部分的主角，都是奇奇怪怪的女人和她們之間奇奇怪怪的關係。

《活動變人形》上來就是一段姨媽靜珍「大白臉」，一個年輕寡婦，舉止荒誕，行為誇張，命運淒慘，形象詭異。

《玫瑰門》當中的姑爸，和靜珍一樣，也有短暫、不幸的婚姻，新婚之夜新郎跑了。這個受傷的女人之後就特別打扮成男人，剪短髮，穿男裝，名字改成姑爸，半男半女。她的行為誇張荒誕詭異，比起靜珍有過之無不及 —— 見人就幫人家掏耳朵，掏出來的「成果」，放入隨身一個小瓶，留作紀念。

這兩個早早守寡的奇葩女人都不是小說主角。靜珍的妹妹，潑辣多情剋夫的靜宜和她丈夫倪吾誠的婚姻戰爭，才是小說的主線。《玫瑰門》中，姑爸的嫂嫂司猗紋在「十年」當中的畸形生存技巧，她一生的奇怪情史，以及書中三代女性人物的複雜關係，才是小說敘事的主軸。

《玫瑰門》和《活動變人形》的相通之處，不僅是寫北京四合院裏的破落有錢人，不僅是寫奇葩女人的荒唐言行，更重要是都以下一代或者下二代的晚輩的視角展開敘事和批判。

倪藻在四十年代是八歲，青年以後堅信他投身的事業，徹底否定、無情審視父母一輩的腐朽與無用。蘇眉在六十年代中期才六歲，目睹了外婆、姨婆她們的荒唐悲慘生態，也非常反感。都是兒童視角，時代不一樣，批判角度也不同。倪藻更堅信四十年代革命的前景，蘇眉更困惑六十年代革命的後果。

一、《玫瑰門》如何寫抄家

《玫瑰門》開篇寫女主角蘇眉「多年以後」，在機場送別她的妹妹蘇瑋和美國丈夫尼爾。和倪藻漢堡訪學一段相似，這種貌似與國際接軌的包裝文字，其實可以省略。

回到「十年」中，因為父親在雖城被剃陰陽頭，六歲的蘇眉就被媽媽帶到了北京外婆家。外婆司猗紋住在響勺胡同的一個四合院。行為打扮古怪的姑爸，和她的寵物貓大黃住在西屋。舅舅莊坦，舅媽竹西，嬰兒寶妹，還有外婆和蘇眉，大家都擠在兩間南屋。四合院的南屋朝北，通常是比較差的房間。北屋是寬大的、朝南的，有誰住呢？小說第四章有非常詳細的描寫，說司猗紋看到運動要來了，便主動給街道紅衛兵寫信，請求他們來抄家。同時她讓家裏的人把北屋很多貴重的傢俱搬到了室外，等候被抄。

等了很久，紅衛兵終於來了，司猗紋非常誠懇動感情地做了一番演說。

> 她說，她萬萬沒想到就這麼一封微不足道的認識尚淺薄的請罪信，真驚動了革命小將，還有革命幹部革命的大嬸兒大媽。她從靈魂深處感到他們不是來造她的反的，是來幫她造封資修的反，幫她擺脱封資修的束縛，幫她脱胎換骨重新做人的，因為誰也沒有把她打翻在地再踏上一隻腳。[1]

小將們把傢俱都搬走了，抄家完了，這時司猗紋又自己舉報，說她公公臨死前在後院埋過甚麼東西。這下抄家的人興奮了，抄家最喜歡的就是掘地三尺，掘出甚麼東西。他們真的到後院去掘，真的挖出了一個金如意。大家表揚司猗紋雖然是剝削階級，但是思想改造得好，覺悟高。只有姑爸私下問她：你為甚麼作假？你這麼積極想要甚麼好處？

司猗紋反駁姑爸：要甚麼好處？你向誰要好處？「我交給的是新社會，是革命，是黨。甚麼人才向新社會要好處？甚麼人才向革命要好處？甚麼人才向黨要好處？我倒是想聽聽。」一串革命話語把姑爸講得啞口無聲，最後掏耳朵，她們就和解了。

各種「文革」書寫中，寫抄家的好作品不多。在寫實層面上，抄家是沒收財產，查封房子。在象徵的層面上，拆掉的是家庭倫理價值。對外，被抄家代表有罪。對內，夫妻家人間可能突然發現對方的存款、照片和其他私人秘密，甚至家裏的人要互相揭發批判，傷害可以是永久的。《晚霞消失的時候》寫紅衛兵無意中抄了夢中情人的家，戲劇性地拆散愛情。鄭念的英文自傳小說《上海生與死》寫被抄家者手舉憲法抗議，紅衛兵還是砸了明代的花瓶。《玫瑰門》裏寫抄家，也是被抄者角度，卻主動邀請，積極配合，故意埋伏，顯示忠心。一方面說明了革命壓力巨大，迫不得已，生存底線。另一方面又說明連「剝削階級」也被成功洗腦，開口閉口革命道理。或者也可以說階級敵人非常狡猾，心懷不滿，善於偽裝。三種解釋都可以用來解釋小說的女主人公司猗紋。

抄家以後，小說情節朝着兩個方向發展：一是司綺紋和她媳婦竹西、外甥女蘇眉的感情關係，前赴後繼的女性命運。二是四合院北屋搬進了勞動人民大家庭。前者寫女性（主義？）的宿命，後者寫階級鬥爭（妥協？）新格局。

二、四合院裏的階級鬥爭與階級調合

同一個房子，同一個屋頂下的階級矛盾，近年仍是國際熱門題材。電視劇《唐頓莊園》（*Downton Abbey*）[2] 講階級，不鬥爭。同一莊園，普通僕人一生努力盡職，想要往上升到「貼身僕人」。經歷過「文革」的國人，會奇怪怎麼他們的志氣不是翻身發財做主人？據說這是職業道德，好比主人們要遵守貴族責任，戰爭爆發必須上戰場。當然，和諧理想的英國夢也是百年前的背景，再往下，越來越難編下去。韓國電影 *Parasite*（直譯為「寄生蟲」，香港電影名稱為《上流寄生族》)，[3] 也是一個房子兩個階級，窮人混入豪宅，最後演成悲劇。《玫瑰門》裏，破落有錢人家蘇眉外婆一家擠在南屋，街道主任羅大媽一家搬進了四合院裏最有氣派的北屋。羅家兩個女兒已經出嫁，三個兒子帶着他們寒酸的鋪板、傢俱和老土的生活習慣搬進來，同一個天井，同一個廁所，天天抬頭不見低頭見。被打倒了的剝削階級與剛剛翻身的勞動人民，怎麼在一個四合院裏朝夕相處呢？小說描寫了幾種階級鬥爭(或調和)的不同形式。

第一種是暴力對抗。姑爸的寵物貓大黃，擅自溜進羅大媽家偷了一塊肉，價值五毛錢。羅大媽和她的兒子二旗、三旗到西屋去搜查，貓贓俱獲。於是就要管教管教，他們用繩子把貓倒懸在空中抽打。羅大媽說，打貓的意義遠遠勝過打貓本身，否則連貓也以為天下太平了，階級鬥爭熄滅了。

一頓抽打以後，貓沒動靜。二旗、三旗以為貓完了，沒想到解了繩子，大貓居然重新站起來了，還走在他們前面。接下去的細節鐵凝敢寫，我卻不敢復述了。簡單說，繩子從不同的方向綁住了大黃的四條腿，旁觀的司猗紋就想到了古代的「車裂」……姑爸把大黃的屍體搬回自己西屋，當時沒作聲，但是到了半夜突然尖叫，跑到天井裏大罵羅家：「我罵你們羅家祖祖輩輩！你是主任誰承認你是主任你不是連人都不是你們全家老小都不是你們是甚麼甚麼你們是東西不是東西你這個臭妖婆臭女人南腔北調淨吃大蔥蘸甜麵醬連耳朵垂兒都長不大不配有耳朵都長不大。你們、你們……」還有很多，包括「十八層地獄下油鍋炸焦小鬼鋸從頭到腳皮剝開你們」等等。氣勢、排比、修辭，無標點，和倪吾誠老婆有得一比。當晚，羅家也沒有反擊，羅大爺把他們勸住了。可是第二天，二旗三旗就帶了五六個手持棍棒的小將到西屋採取革命行動。這是報復階級敵人的階級報復。姑爸被架出屋來，裸露着上身赤着腳，被命令跪在青磚地上。……「他們把『人』搬上床，把人那條早不遮體的褲子扒下，讓人仰面朝天，有人再將這仰面朝天的人騎住，人又揮起了一根早已在手的鐵通條。他們先是衝她的下身亂擊了一陣，後來就將那通條尖朝下地高高揚起，那通條的指向便是姑爸的兩腿之間……然後小將們逃走了。」這是我所讀過的中國小說中描寫「文革」暴力最為慘烈的一段，沒有之一。姑爸慘叫着，竹西、眉眉進西屋的時候，還看到她赤着全身，仰面朝天，兩腿之間有一根手指粗的通條直挺挺地戳在那裏……

這段暴力描寫的寫實意義，不敢評論。但在意象層面，卻有一種女性主義的隱喻：姑爸本是女人，先被男人欺負（拋棄），再想要假扮男人（反抗），但是仍然被男性暴力（模擬的器官）打回原形。

姑爸之後將大黃的屍體煮了，自己一點一點全部吃掉，然後她自己就死了。小說沒有寫司猗紋一家有甚麼報警或報復的舉動，大概懲罰階級報復也是無法報警的。

但是總體上，這個四合院裏的暴力衝突是偶然的。另外一種生存狀態是虛假和解。小說寫司猗紋假裝熱心地向羅大媽學習怎麼蒸窩窩頭，其實心裏很看不起對方，半夜裏懷念自己喜歡的食物。偶然她自己蒸了兩條魚，一條送給對面羅家，結果還回來的盆子洗都沒洗過，沒禮貌。羅家在天井亂倒水，外婆也不敢說，只能婉轉地說哪裏有個下水道。司猗紋平時一個眼神，一句廢話都要非常謹慎小心地看羅大媽的態度。漸漸她的委曲求全、虛假奉承也初見成效。不久，她被批准可以讀報，這是一個很重要的身分。眉眉還可以帶領大家早請示。再過一段時間，街道裏表演樣板戲，司綺紋還可以參加表演。

司猗紋與羅大媽之間有心無意的每日的較量細節，佔據了小說相當大的篇幅。描寫「文革」十年期間人與人之間的階級關係怎樣在一個共用空間裏得到調解和發展，這是鐵凝的《玫瑰門》的一個重要貢獻。

整天對着老土羅大媽阿諛奉承的剝削階級婆娘，其實有她自己非常豐富的人生。司家原是大戶，女主角讀聖心女中時，愛上了革命黨人華志遠，曾經有過浪漫一夜情。但華志遠很快不見了，司猗紋就嫁給了浪蕩公子莊紹儉。公子很快發現新娘的貞潔歷史問題，於是長期不在家，在外風流，還染上風流病並傳染給司猗紋。而且夫家還沒錢，常靠女家貼錢買房子等等。司猗紋是二十世紀中國小說中，在七巧以後又一個非常複雜的女性形象。她是一個既浪漫又無情的女人，一個十分庸俗，又有些擔當的女人，一個有心計，很刻薄，很虛偽，但是又很不幸，也很堅強的女人。哪一個詞都用得上。和華志遠的一夜情，還有她解放前夕和朱吉開準備再結婚，重新開始新生活，這些短短的浪漫經歷就耗盡了她一生的感情。但為了報復色誘莊老太爺，等於請老太爺扒灰，行為「出位」。最後她丈夫的情人齊小姐送回半盒莊紹儉的骨灰，她都倒到廁所裏，十分無情。

司猗紋對姑爸之死反應冷淡。對媳婦、對外孫女倒是很多心計。但另一方面，成家以後，夫家財困，子女教育全靠她操心支撐，再刻薄，再虛榮，再沒心沒肺，她卻始終是個堅強的女人。將司猗紋與竹西、與蘇眉三代人聯繫起來，這裏有鐵凝對女性主義的嚴肅思考。

在不同階級的共用空間裏，除了暴力對抗和虛偽和解以外，還有第三種鬥爭形式，那就是報應與顛覆。

小說寫羅家三子，大旗最忠厚、善良、有理想。羅大媽甚至認為大黃偷肉那天，如果大旗在，姑爸就不會死。大旗悄悄喜歡南屋的少女眉眉，眉眉當時十二、三歲，大旗常給她送一些印刷品。同時眉眉的舅媽竹西，不知甚麼理由卻看中了大旗。竹西是醫生，聰明、漂亮、能幹，是四合院裏少有的頭腦清楚的人。但是她為甚麼要勾引比她年輕很多、身體健壯但頭腦簡單的工人大旗呢？是色誘？也是某種形式的階級報復？竹西的丈夫莊坦，有打嗝不停的毛病。竹西一直忍了，一面忍他的打嗝，一面自己高潮。但是某日打嗝停了，丈夫的身體就「不行」了，不久就死於心臟病。竹西主動跟大旗在一起，眉眉和她妹妹無意捉姦時，看到她還在床上不穿衣服地「游泳」。本來是醜聞，後來卻變成好事，兩個人真的結婚了。

在南北兩屋的關係當中，剝削階級寡婦和無產階級子弟在一起，這種「階級鬥爭新動向」，到底誰輸誰贏？司猗紋一度覺得局勢翻盤了，所以她就去警告羅大媽，說以後對我客氣點。但不久生了孩子，羅大媽也覺得賺了，羅家有孫子了。這樣雙贏的局面並不長久，轉眼「十年」過去了。小說很具體很露骨地寫了很多細節，但是很少點明政治符號。「十年」是甚麼？小說不寫。

現在北屋要歸還給司猗紋了，羅大媽每個月要來交房租了，革命中剛剛建立的新的「平衡」馬上打破了，竹西要和大旗離婚。翻身和報復的雙重目的都達到了，四合院裏的階級關係又出現了嶄新的局面，或者說是回到了老局面。

三、《玫瑰門》的詭異與荒唐

《玫瑰門》整個長篇彌漫着一種詭異的氣氛，當然是和司猗紋這個詭異的女人有關。司猗紋晚年，蘇眉當了有名的畫家，老太太卻戴上胸罩，衣着時髦，一定要跟外孫女的朋友一起去郊遊。當蘇眉和男人登上「鬼見愁」時，司猗紋突然出現在眼前，把下一輩的人嚇得不輕。

小說中另一個人物也十分詭異。姑爸死後租住西屋的男人葉龍北，單位是藝術研究院，說話飄忽有哲理，單身一人喜歡養雞，搬走時，卻把這些雞都埋掉。後來羅大媽又把這些雞挖出來吃，司猗紋還得捧場說好吃好吃。

葉龍北引起了竹西的興趣，竹西離婚以後去找這個男人，兩人有時「在一起」，像個知識分子的外遇一樣，但也只是有時。另一方面葉龍北又對蘇眉說，說蘇眉是他人生的燦爛。小說結尾時，婚後的蘇眉還和葉龍北有來往，最後被外婆像偵探一樣地打斷。

總之，非常荒唐但又頑強的司猗紋、大膽而又理性的竹西、既批判前輩又步後塵的蘇眉，她們的共同點，都不是傳統的賢妻良母，都是很強的女人，敢做敢當，掙扎在女人的宿命當中，服從，佔有，孝敬，生育。

小說結尾，令人印象很深。司猗紋殘廢在床，竹西無微不至地照顧，又當護士又當醫生。其實她明說自己並不愛婆婆，只是想延長她的痛苦。蘇眉雖然抱怨外婆，但最後還是雇了輛車，陪老女人到政協禮堂外面看了一眼當年的初戀情人 —— 已經腦癱了的高幹華志遠。她不忍心看着外婆繼續受苦，小說寫蘇眉為司猗紋擦嘴，只是她沒有再把手絹從她嘴上移開，她的手在她嘴上用了一點很小的力氣，外婆就去了。然後蘇眉為她梳了頭髮，扶在床上，親了親她額角上新月般的疤痕。

她和竹西的最後的對話是：

> 「也許你是對的。」竹西對蘇眉説。
>
> 「也許你是對的。」蘇眉對竹西説。
>
> 「你完成了一件醫學界、法學界尚在爭論中的事。」
>
> 「你完成了一個兒媳和大夫的雙重身分的任務。」

兩個女人互相稱讚，互相羨慕對方。如果外婆本人並無明確「安樂死」的指示，蘇眉的舉動在法律上等於謀殺。但是熱衷於報復懲罰婆婆的竹西，很理解蘇眉想與「前輩」分割決裂甚至謀殺的憤怒與無奈。在象徵意義上，這種「前輩」，既是民國舊時代（四合院、剝削階級、封建主義……），也是傳統的軟弱、扭曲而又堅韌的女性生存智慧。然而，等到蘇眉自己艱難地生下女兒的時候，她發現嬰兒額頭也有一彎新月形的疤痕 —— 也就是說，DNA 還在，女性（主義？）的宿命還在延續。

另一邊廂，羅大媽每月要給自己過去的媳婦交房租，而且可能要搬走了。勞動人民在四合院裏也只是為期「十年」的過客，parasite。

注

1 鐵凝：《玫瑰門》，最後初發表在 1988 年《文學四季》創刊號；1989 年 6 月，單行本由作家出版社出版。以下小說引文同。

2 《唐頓莊園》(*Downton Abbey*)，是一部嘉年華電影公司為英國獨立電視台 (ITV) 製作的時代迷你劇，創作人及主筆是演員兼作家朱利安・費羅斯 (Julian Fellowes)。時間設定在 1910 年代英國君主喬治五世 (George V) 在位時約克郡一個虛構的莊園 ──「唐頓莊園」。本劇由休・邦尼維爾 (Hugh Bonneville)、伊莉莎白・麥高文 (Elizabeth McGovern) 及瑪姬・史密斯 (Maggie Smith) 主演。2010 年 9 月 26 日，該劇在 ITV1 台首播。

3 《上流寄生族》(韓語：기생충／寄生蟲，中國大陸譯《寄生蟲》，台灣譯《寄生上流》) 是 2019 年韓國黑色幽默驚悚劇情片，由奉俊昊執導，宋康昊、李善均、曹如晶、崔宇植、朴素淡以及張慧珍主演。本片獲 72 屆康城影展金棕櫚獎及 92 屆奧斯卡獎最佳影片獎。

1993 《白鹿原》 陳忠實

「政權」、「族權」與「神權」

重讀二十世紀中國小說接近世紀末，本來在想怎麼寫一個世紀末回顧，但突然發現大可不必，因為到了九十年代，已經有作家作品有意無意地在回顧過去百年。如果說《活着》是二十世紀中國故事的後半生，那麼《白鹿原》就是二十世紀中國故事的前半生。

一、二十世紀中國故事的前半生

《活着》寫四十年代末到七十年代末，基本上是文學版的共和國「前三十年」史；《白鹿原》寫一〇年代到五十年代初，時間上完全覆蓋了前五十年中華民國史。

《活着》是寫一個人、一個家庭歷經苦難厄運，道德清潔，心靈高尚，九死一生，堅強活着；《白鹿原》寫兩個家族三代人，貧富矛盾，國共衝突，禮崩樂壞，也是世事難料。

《活着》與《白鹿原》是上世紀九十年代文學的兩個高峰。自 1993 年問世以來，持久受讀者歡迎，獲得專業權威獎項，影視改編也備受關注（甚至太受關注）。兩部小說都可以讀成上世紀近百部優秀的中國小說的一個提綱、目錄和縮寫本。但是相比之下，無論從字數看，從格局看，《活着》是把共和國「前三十年」戲劇性簡化，《白鹿原》是努力將民國歷史複雜化。前者更感人，催人淚下，後者更有挑戰性，令人深思。民間甚至已有「當代四大名著」的說法，包括《白鹿原》、《平凡的世界》、《活着》和《廢都》。[1] 陳忠實一輩子主要就寫這一部作品，作品前引用了巴爾札克的話：「小說被認為是一個民族的秘史。」《白鹿原》也寫了六個歷史時期：晚清、軍閥混戰、國共鬥爭、抗日、國共內戰、解放與鎮反。小說基本格局在前兩個時期，即晚清和軍閥時期已經基本成形。第一到第五章寫的是 1910 年之前，第六到第十二章大概寫 1911 到 1927 年。

毛澤東在〈湖南農民運動考察報告〉中有一段著名的論述：

> 中國的男子，普通要受三種有系統的權力的支配，即：（一）由一國、一省、一縣以至一鄉的國家系統（政權）；（二）由宗祠、支祠以至家長的家族系統（族權）；（三）由閻羅天子、城隍廟王以至土地菩薩的陰間系統以及由玉皇上帝以至各種神怪的神仙系統——總稱之為鬼神系統（神權）。至於女子，除受上述三種權力的支配以外，還受男子的支配（夫權）。[2]

按照《白鹿原》的描寫，晚清時段，至少在鄉村的基層，「政權」影響力有限。白嘉軒設計買賣鹿子霖的寶地，請中醫冷醫生做仲介，簽約就行了，不需要官員批准。農民貪財，種鴉片，縣令說要禁，卻也禁不了，沒有人來貫徹。白鹿兩家為了換地打架，甚至要打官司，結果白鹿書院的朱先生寫一幅字給兩邊，就講和了。更重要的事件，比如說第五章，白嘉軒主持重修祠堂，在祠堂內辦學，而且有誰如果犯了賭、毒等違反鄉規的事情，也在祠堂裏執法、體罰。這些事情事關鄉村基本社會秩序，沒有看到有清廷的官員來參與。

毛澤東所說的「政權」，具體出現是在小說第七章。「皇帝在位時的行政機構齊茬兒廢除了，縣令改為縣長：縣下設倉，倉下設保障所，倉裏的官員稱總鄉約，保障所的官員叫鄉約。白鹿倉原是清廷設在白鹿原上的一個倉庫，在鎮子西邊三里的曠野裏，豐年儲備糧食，災年賑濟百姓，只設一個倉正的官員，負責豐年徵糧和災年發放賑濟，再不管任何事情。」[3] 現在白鹿倉變成了行使革命權力的行政機構，不可與過去的白鹿倉同日而語。保障所更是新添的最低一級行政機構，轄管十個左右的大小村莊。

作家對於地方行政概念交代得非常清楚。白鹿倉的總鄉約是田福賢，第一保障所鄉約是鹿子霖。小說裏，田福賢上面的縣長換了好多個，但是國民黨縣部書記從北伐到 1949 年都是岳維山。

從情節上講，田福賢、岳維山這些鄉縣的幹部一做二、三十年，也沒有調走，也沒有升官，不大可信。小說大概是為了穩定這些人物的符號意義，強調滋水縣（原型是藍田縣）國共長期鬥爭的政治格局，所以這幾位國民黨幹部也別想升官了。處在對立地位的共產黨員鹿兆鵬，北伐時已是中共省委委員、縣委領導，三十年代是紅三十六軍副政委了 —— 原型是紅二十六軍，負責人是劉志丹 —— 可是十幾年以後，到 1949 年，他還只是解放軍十七師的聯絡科長，也是為了白鹿原上的階級鬥爭需要而沒怎麼升官。

這些人物幾十年圍繞着白鹿原戰鬥，就是為了爭奪「政權」。讀者其實不大在意這些細節破綻，因為小說的重點從來不是寫岳維山、田福賢或鹿兆鵬黨內的仕途，甚至關鍵也不在他們幾十年裏的恩怨，小說的真正主題是「政權」、「族權」與「神權」三者之間的關係。

《白鹿原》之所以重要，就是因為這是一部試圖從「族權」和「政權」的矛盾關係來解析二十世紀中國農村社會結構的小說。這種「族權」和「政權」的矛盾統一關係，直接體現在白嘉軒、鹿子霖兩個財主家三代人幾十年錯綜複雜的明爭暗鬥歷史。《白鹿原》就劇情來講，完全可以改一下路翎小說的書名 ——「兩個財主底兒女們」。

二、白鹿原上的「政權」、「族權」與「神權」的暫時平衡

據說長篇小說第一句很重要，奠定基調。《白鹿原》的第一句是這樣的：

「白嘉軒後來引以豪壯的是一生裏娶過七房女人。」這裏的

關鍵字既不是「七房女人」，也不是「豪壯」，重點是「後來」。這也是加西亞・馬奎斯的「多年以後……」的寫法。

在藝術上，陳忠實有一大堆鄉土政治故事，但寫法技巧受到 1985 年尋根文學、魔幻現實主義的影響。所以某種意義上，《白鹿原》是以〈紅高粱〉筆法寫出來的《紅旗譜》。在思想上，這種「文革」以後出現的對中國鄉村倫理秩序的再思考，和八十年代海外新儒學理論的輸入有沒有有意無意的關係，還要仔細觀察。

白嘉軒之前六個女人都在婚後不久死去，貌似抱怨命運不濟，也像誇耀男主角陽具威武。陽具崇拜是尋根派在「多年以後……」之外的另一個寫作特徵（比如劉恆〈伏羲伏羲〉等）。

某天，白嘉軒在雪地偶然發現奇物異草，姐夫朱先生把異草解釋成當地傳說中的神話吉祥物白鹿。於是，白嘉軒就通過冷醫生做仲介，和鹿子霖做買賣，獲得了這塊不起眼的寶地。買賣當中，白嘉軒用了一點欺騙手法，先說沒錢要賣地，後來又說換地，連正直忠厚的冷醫生也被蒙在鼓裏。自從把父親的墳遷到寶地以後，白嘉軒果然諸事一帆風順：先娶了最後一任妻子仙草，接連生了三個兒子，一個女兒；又在岳父指點下種鴉片發財；然後主持祠堂重修，並辦學堂。姐夫也稱讚白嘉軒，說：「你們翻修祠堂是善事，可那僅僅是個小小的善事；你們興辦學堂才是大善事，無量功德的大善事。」這時「白嘉軒確切地驗證了自己在白鹿村作為族長的權威和號召力，從此更加自信。」

在中國現代文學裏，「族權」的形象有一個從「可疑」到「可憎」的變化過程。堅持禮教的魯四老爺對祥林嫂的悲劇多少有點責任。〈蕭蕭〉裏的長輩，因為沒有多讀四書五經，沒有把犯了通姦罪的童養媳馬上賣掉。在巴金的《家》裏，長輩高老太爺當然是舊秩序的基石。不過黃子平也討論過，「高老太爺臨終時與覺慧的對話是最動人的一幕」，真正敗壞禮教傳統的是克安、克定一班人。[4] 路翎筆下的財主蔣捷三，比他的兒女們更堅持他的人倫底線，也更富有抗日熱情。但是到了《紅旗譜》，地主馮老蘭同時是祠堂的主人，他兒子是國民黨駐軍司令的同學，所以封建「族權」和反動「政權」狼狽為奸，族長的負面形象漸漸成為模式，甚至變成集體記憶積澱。如張藝謀將劉恆小說〈伏羲伏羲〉改編成電影《菊豆》，故事背景也從有爭議的「文革」搬到了無爭議（必然壞）的民國早年。電影中要懲罰和嬸嬸偷情的姪兒，法庭就是陰森森的宗族祠堂。

重讀《白鹿原》，不難發現小說不僅顛覆「十七年文學」的「族長 - 地主」聯盟，而且比現代文學中任何一部作品都更加正面歌頌「族權」的代表，即第一主角白嘉軒。整個長篇貫穿了「族權」與「政權」的分離，當然「政權」還在爭奪之中。

白鹿祠堂重修以後的第一件大事，是在祠堂裏辦學堂。學堂和三個權力系統都有關係。現代學校可以由政府辦，《白鹿原》裏後來也出現了官辦的新式學校。但小說裏學堂最初就在祠堂裏，這是族權（香港至今還有很多民辦學校有地方宗親組織或宗教團體背景）。第三個權力「神權」不只是土地廟、玉皇大帝，而且可以廣義理解為信仰系統，而信仰又依託於道德和知識，所以學校又和「神權」有關。這也是為甚麼小說裏一貫英明的朱先生特別稱讚辦學堂比修祠堂更重要。

《白鹿原》中各色人物稱得上主角的也不下十來個：白嘉軒、鹿子霖、鹿兆鵬、白靈、白孝文、黑娃、鹿三、田福賢、冷先生等等。但其中思維最清醒，地位最獨特，看透所有政治人倫關係，甚至能感悟陰陽世界問題的，幾乎最不犯錯誤的就是「神權」代表，白鹿書院的朱先生。

白嘉軒發現寶地，因為朱先生解圖；方巡撫領清軍進攻辛亥革命軍張總督，也是被朱先生勸退；後來軍閥劉軍長圍攻西安，亦是朱先生的預言導致他崩潰——至少是預言他崩潰；國共翻臉以後互相追殺，只有朱先生超然，得到雙方或明或暗的尊敬。類似的例子，整個長篇，整個白鹿原民國史，都一再證實。

理智上，讀者當然也會懷疑朱先生的形象到底是不是真實可信。但是國人既然都相信諸葛孔明，為甚麼就不能假想（或者至少盼望）孔明在二十世紀中國故事裏也有一個傳人？小說裏，誰認識朱先生，誰就會在各種爭鬥當中獲得一定的優勢。因為朱先生的功能太重要，讀者甚至作家都不大計較是否真實可能。小說出版後甚至還有人去找朱先生的原型。朱先生在《白鹿原》裏的功能就是一生兼有認識魔幻（迷信）和具備知識（信仰）的雙重能力。前者比如說領悟白靈，感知生死，小說裏其他人也有夢中顯靈，鬼魂附體等描寫。後者比如研究縣制，縱觀天下，使得軍閥、國軍、共軍、土匪都十分信服。

既懂魔幻神奇，又通知識書本，朱先生在小說裏的功能就是把學校教育與「神權」信仰系統掛鈎。這點非常重要，因為在其他革命歷史小說裏，學校都是祠堂與迷信的對立面。小學老師通常是地下黨，宣傳革命新思潮，反對祠堂封建文化。《白鹿原》裏，鹿兆鵬也是新學校長。但朱先生的白鹿書院，客觀上卻與原上的「政權」、「族權」「分庭抗禮」。

《白鹿原》要想像虛構這麼一個「政權」、「族權」、「神權」三權分立局面，還要加上一個輔助因素 —— 三者之間要有專業人士溝通，那就是中醫冷先生。

小說開始時還在晚清，冷先生就四十多歲了，後來到了四十年代末，他應該九十多歲了，作家也不讓他休息，不讓他衰老，讓他幾個女兒也都受災難。在整個《白鹿原》的各種社會經濟文化活動中，冷先生始終嚴守中立，負責文書、手續、契約、信用、擔保，凡有重大官司、人事糾紛、紅白喜事等，假如有公共衛生事故，當然更加要請他出面。冷先生的中立地位，不僅因為信用，他將兩個女兒分別嫁給鹿家長子和白家二子。說明他必須和本地兩大士紳 —— 也是「政權」和「族權」的代表 —— 同時保持親家關係。冷先生不僅是一個神奇盡職的中醫，而且在《白鹿原》代表了一種知識分子的專業精神 —— 不必憂國憂民，純粹專業精神。

在小說的第一個歷史階段 —— 辛亥革命前，兩個地主，一個醫生，一個校長，互相又被子女婚姻關係相連，形成了一個人事人倫關係網，維持着白鹿原的「政權」、「族權」、「神權」的暫時平衡。

三、白鹿原上的農民運動

但是到此為止，小說好像迴避、淡化了一個農村故事必須處理的重要矛盾，那就是貧富矛盾、階級關係。

鹿三從白嘉軒的父親秉德老漢開始，就在白家打工。主僕關係和諧，長工覺得找到最好的主人，地主也覺得找到最好的長工。小說常寫白嘉軒和鹿三一起下地幹活，家裏事從不把鹿三當外人。白家甚至讓唯一的女兒白靈認鹿三做乾爹。《白鹿原》是否有意淡化或者否定階級鬥爭？。

陳忠實 1942 年出生，1965 年「文革」前夕就開始發表散文，當過公社革委會副主任、黨委副書記。他當然有很高的政治覺悟，所以馴服長工鹿三就有了一個強悍造反的兒子黑娃。黑娃雖然和地主的兒子們一起在祠堂讀書，但就是跟他們不一樣，不安心。明明在白家打工，但是討厭白家主人腰板太硬，形象太正。他反而和鹿兆鵬關係良好。階級身分和對這種身分的挑戰後來決定黑娃的悲喜命運。

小說第六章是全書當中最有和平氣息的一章，不僅因為出現了辛亥革命，不僅因為白靈認鹿三為乾爹——階級調和，也不僅因為朱先生奇跡般地勸退了清軍方巡撫，還因為朱先生為白鹿祠堂擬了一份鄉約。

這有點像鄉村自己的憲法，也有點像「五講四美」、「八榮八恥」等精神文明準則，不僅書寫在祠堂牆上，所有族人還都要背誦：一、德業相勸；二、過失相規；三、禮恰相交……鄉約好像也是「頂層設計」，一時間「族權」好像等同「民間政權」。

有兩件事突然打破了祠堂裏朗誦鄉約的美好氣氛。一是黑娃出外打工，居然帶回來一個來歷不明的風騷女人。小說第九章專門描寫黑娃娶小娥的全過程。地主娶二奶主要為了「泡棗」（要知道「泡棗」的意思，或參考《金瓶梅》「醉鬧葡萄架」）。女人送餐遞碗時，和黑娃手指觸碰。半夜入房，小夥子初次性體驗——《白鹿原》非常喜歡濃墨重彩地描述男人的初次性生活經驗，後面還有白孝文新婚，白家三兒子娶媳婦等等，都是強調男性生理角度。

事情暴露，黑娃被郭舉人趕走，差點喪命。又追到小娥家鄉，把名譽掃地的美女帶回白鹿原。陳忠實的性描寫不像王小波那麼有間離效果，也不像賈平凹那樣細密寫實，主要特點就是強調處男感覺，反復強調。

農民想睡地主小老婆，也是老橋段，同時可強化造反的合理性與荒謬性（反過來「十七年文學」常寫地主看中農民女兒，也是強調地主生活荒淫與必然被打倒，殊途同歸）。但黑娃帶小娥回白鹿原僅僅是悲劇的開端。族長不准黑娃小娥上祠堂，他們只能住在村外破窯。與此同時，鹿兆鵬娶妻，比黑娃更加不幸。新婚次日就不與妻子同房，說是沒有愛情。父親、祖父到學校，求校長回家見妻子。革命黨人意志堅強，寧死不睡老婆，害得妻子性苦悶，日後熬出病來。

男人在新婚之夜就逃走的情節，似曾相識，《活動變人形》、《玫瑰門》都有。《玫瑰門》裏也是一個地下黨人，他們忠於愛情，拋棄一夜婚姻，結果女人就付出一生的代價。

並不是《白鹿原》裏第二代年輕人的婚事都在呼應其他小說，白孝文是一個特例。他被父親培養成一個極正經的男人，以至於初夜懵懂無知，後來是在別人的共同教導下終於開竅。但一旦開竅，勢不可擋。父親、祖母只好警告新媳婦，趕快多照顧你老公的身體，身體要保重。「族權」下的家庭，充滿關心，也充滿管控，但再怎麼關心和管控，龍不生龍，鳳不生鳳，《白鹿原》裏財主的兒女們都會走跟父母不一樣的道路。

打破暫時平衡局面的第二件事，是一幫兵痞。軍閥劉軍長圍攻西安城，派了楊排長帶幾十個兵到白鹿原強行徵糧。怎麼徵法？把老百姓一起找來，進行射雞（擊）表演：找來一批雞，吊在那裏，一排士兵舉槍打去，打得血肉橫飛，一地雞毛。

這種情況下，田福賢、鹿子霖等鄉官沒法違抗（「兵權」暫時不歸「政權」管），村民只好乖乖交糧。唯一的反抗行動，就是地下黨員小學校長鹿兆鵬，找黑娃幫手，還有另一個地下黨韓裁縫，三人一起燒了徵糧的米倉。

下面軍閥排長雖然胡作非為，但是上面劉軍長卻很敬重白鹿書院朱先生。可能是中國知識分子的一個美夢：不管甚麼樣的政治勢力都要尊重一個中立的文人。劉軍長請朱先生算命，預測戰局發展。朱先生當然就講了一些婉轉的話，勸走了軍閥。拖了幾個月，軍閥果真放棄圍城。前後八個月，白鹿原渡過了一個難關。

軍閥混戰快結束時，就是北伐勝利進軍之際。小說用了一個非常特別的細節來渲染國共第一次合作的歷史氣氛：白家獨生女白靈和鹿家次子鹿兆海在保衛西安的時候結下革命友誼，兩個人討論將來前途。結果決定一人入一個黨，反正兩個黨都齊心北伐。少男少女擲銅元，白靈參加國民黨，鹿兆海入了共產黨。兩人抱在一起，又以銅元起誓，友誼變成愛情 —— 這是二十世紀中國小說裏最富戲劇性的一個國共蜜月瞬間。歷史上，這個時期毛澤東正代理汪精衛的國民黨中央宣傳部長。

《白鹿原》在當代文學史上的第一個貢獻，就是討論「族權」有沒有在鄉村秩序下與「政權」、「神權」互相制約。其實也是探討中國傳統社會當中是否存在某種獨特的樸素的政教分離模式。

小說的第二個貢獻：是在茅盾之後，再次反省檢討北伐時期的農民運動。鹿兆鵬介紹黑娃去了城裏的一個農民運動講習所，短短數月，回來以後，換成了「新人」。他接下來就在各村組織農會，口號是「一切權力歸農協」。農民運動做了幾件事情：一是懲罰好色之徒，把好色和尚和碗客捆綁在戲臺上，揭露他們的性罪行，羣情激奮。與「性」有關的審判總是最引人注目（記得茅盾〈動搖〉寫過重新分配公妻的「解放婦女保管所」）。二是算經濟帳。批鬥總鄉約田福賢的時候，讓他的秘書招供，說帳面上、檯底下貪污了多少錢，這可是大家的血汗錢……於是民情再度激憤。這次因為鹿兆鵬校長掌握政策，所以沒有馬上用鍘刀來殺頭，前面的和尚就被當場宰了。三是算文化帳，砸祖宗祠堂——砸碎祠堂當中的那些碑石鄉約，打破精神枷鎖。當然，祠堂裏的學堂也順帶被衝擊——封建主義的教書匠，毒害我們鄉村子弟的時代，再也不能繼續下去了。

農民運動的三步驟：一揭色情史，二算經濟帳，三砸祠堂碑，後來至少在五十年代初和六十年代中兩次重演，大致上也是這個順序，區別是最後一次殺人數量比較少，衝擊範圍更加大，並不馬上分浮財。

阿Q和紅衛兵，雖然都像農民造反，還是有區別。後者中的部分人至少在早期比較理想主義。黑娃主要是復仇（祠堂怎麼侮辱小娥），鹿兆鵬更多出於理想。

總鄉約田福賢逃走了，一段時間內，農民運動甚至得到了省政府的支援（又和茅盾小說呼應，《白鹿原》經修改後獲得「茅盾文學獎」）。縣長輪流換，局勢非常亂。連修縣志的朱先生也懷疑，史書裏說這個地方水深土厚，民風淳樸，但在農民運動前，還能下這個結論嗎？朱先生這個問題每隔若干年都可以拿出來問一次。

《白鹿原》描寫農民運動，檢討批判多於歌頌讚揚。證據是小說描寫運動的基本盤幾乎沒有一般老百姓。黑娃是會長；副會長是賭棍煙鬼白興兒，婦女主任是田小娥。

任何運動或者新政出臺，要看支持者的基本盤。如果不是普通羣眾，而是平常在基本秩序之外的奇葩人物，那麼這個運動、這個項目大都是有問題的，或者至少是時機不成熟的。不過有些從政的人特別願意找一些弱勢的奇葩來幫助自己。

四、在女人身體上的階級鬥爭

1927年，國民黨「清黨」剿共。田福賢回鄉，在同一個戲臺懲罰農協，吊打農運分子，黑娃逃走了。

這時，之前沉默的族長白嘉軒出面做了兩件事情。

第一件事是修復祠堂，重拼鄉約。朱先生稱讚說這才是治本之策，言下之意：農民運動或者反動，爭來爭去，都是治標。祠堂重開的儀式是族長兒子白孝文主持，所以暗示「族權」如果真的取代「政權」，領袖常常世襲。

第二件事情，白嘉軒當眾跪求田福賢不要反攻倒算。也算是賣族長的面子，放過了一些農運分子。不過白興兒、小娥還是被懲罰。

到這個時期，非常正氣英武的「族權」已經受到三次挑戰：先是軍閥射雞表演，然後農會砸祠堂，第三次是族長跪求一個鄉官。祠堂威信的建立和被損壞、再建立再毀壞，是《白鹿原》一條非常重要的情節主線。

黑娃逃走後，先給革命軍旅長當警衛，紅軍失敗後，就落草做土匪二頭目。他雖然安全，小娥卻受難，受迫害時就去求鄉約 —— 長輩鹿子霖。不想鹿鄉約見美女起色心，連哄帶騙地以保護為名佔有了小娥。問題是，鹿子霖佔有小娥不只是因為好色，他還要女人去色誘白家長子，白孝文眼看要成為族長接班人，鹿鄉約想要打擊白家和祠堂。

這段情節比較「狗血」，充滿巧合，匪夷所思，過分煽情。但從長篇佈局看，的確推動了敘事節奏，達到了令祠堂正義蒙羞受挫的敘事效果。鹿子霖和小娥的姦情被人發現，鄉約又轉禍於狗蛋。在祠堂上，孝文和鹿子霖親手鞭打姦夫淫婦。晚上鹿子霖摟着裸體的小娥說，鞭打在你身上，其實白嘉軒就是在打我的臉。

之後小娥果然色誘白孝文。白孝文是太壓抑、太正經了，見到小娥居然脫衣就「不行」，穿上又可以，反覆循環。但他不像鹿子霖，他真的有點喜歡田小娥。田小娥到此為止，先後和郭舉人、農民黑娃、鹿鄉約、白孝文四個男人睡過覺了，在地主、土匪、鄉官、族長接班人之間，她的身體就成了各派勢力的競技場。

李劼人的長篇《死水微瀾》，早有類似「一女多男」情節模式：女主角先嫁世俗商人，又愛上江湖好漢，最後再跟信洋教的人。女人的功利選擇，顯示清末明初四川社會文化的戲劇性變化。田小娥的身體先是凝聚着地主和雇農的階級矛盾，然後又變成土匪和官員的鬥爭戰場，接着又要成為政權暗算「族權」的陰險工具。

而且，好戲還沒完。白嘉軒堅守的祠堂文化已經接連被軍閥、農會和總鄉約破壞，但接下來的兩個打擊更加慘烈。

一是黑娃派土匪夜襲白、鹿兩家，打死了鹿子霖的爹，重傷了白嘉軒的腰。黑娃小時候就嫌他的腰板太硬了。

第二是孝文小娥事發，兩個人在祠堂當眾被鞭刑，培養已久的「族權」接班人毀於一旦。奇妙的是，顏面全失、被全村人唾棄的白孝文，反而恢復了性能力。很多當代小說，「行」與「不行」之間，一般都不只是生理問題，都有象徵意義。

章永璘因為勞改壓抑而「不行」，後來抗洪搶險，回歸羣眾隊伍，「行了」。這是個人性能力要和人民身分掛鈎。白孝文祠堂重任壓身，「不行」，被村民唾棄，「行了」。證明性能力和宗族道德責任是成反比。

孝文賣地、賣樓、抽鴉片，很快就墮落成乞丐，幾乎餓死。在絕境時，他跟很多災民一起去討捨飯。因鹿子霖、田福賢介紹他到保安團當兵，絕處逢生。

白孝文的前半生，就是在祠堂失敗，然後投靠官府，最後成為小說中的實際勝利者。他的命運，是否也意味着整本《白鹿原》，寫的就是「族權」對「政權」的不斷妥協、抗爭與失敗呢？

問題還沒有這麼簡單，白孝文看似反派，其實他的形象，相當複雜。

另一邊廂，鹿兆海做了軍官，鹿家二子入了國民黨。他回來碰到白靈，白靈卻在大革命失敗時參加了共產黨。兩個人還是兩個黨，不過位置換了換，政治上談不攏了，現在有衝突了。白靈罵國民黨的語彙讀者比較熟悉，鹿兆海批評共產黨和農會，也有他自己的批評邏輯。比較麻煩的是白靈在地下工作當中居然要扮演鹿兆鵬太太。這段情節設計九十年代看有點勉強，領導安排太巧了，後來電視劇演出觀眾也看得尷尬。〈邊城〉也有兩兄弟愛上一個女人 —— 沈從文安排老大、老二輪流唱山歌，像抽籤一樣，方法樸素可笑，最後還是悲劇。《白鹿原》的兩兄弟愛同一女子，還要夾在黨派鬥爭、諜戰背影當中，更加殘酷。最後哥哥鹿兆鵬與白靈假婚成真，懷孕時還請軍官弟弟護送出城。作家在此時插入「多年以後」的預告，當白靈還在革命征途上奮鬥，就已經讓讀者提前知道她將來會死於黨內肅反。這種馬奎斯式的手法，在《白鹿原》當中雖然次數不多，但是作用非常關鍵，使讀者對白靈任性的革命愛情選擇，更多了一層悲哀感悟。

總體來說，《白鹿原》寫鹿兆鵬、白靈在白區地下工作，主要還是歌頌基調，和「十七年」革命歷史小說以及後來麥家等人的紅色諜戰格局相似、情節相近。

五、「如果日後你們真的得勢……」

《白鹿原》1998 年在爭議聲中獲茅盾文學獎。茅盾在《子夜》

裏寫過白區地下黨人在男女問題上的「開放」，或者說「混亂」。《白鹿原》在這方面的描寫，遠遠沒有超過茅盾的自然主義。

小說從第十四章到二十八章，都是在寫二、三十年代的國共鬥爭，抗日八年只有第二十九章。第三十到三十四章又寫國共內戰。所以國共的政治鬥爭是《白鹿原》最主要的政治背景。

祠堂族長白嘉軒開始對農會和鄉官都不支持，象徵知識信仰系統的朱先生對國共爭鬥有更長遠的憂慮。小說第十九章很關鍵，寫鹿兆鵬被捕，岳父冷先生拿出全部家當賄賂總鄉約田福賢，鹿子霖也在一旁求情。田福賢把所有送來的錢都埋在一棵樹下，然後向上級要求把共黨分子鹿兆鵬押回白鹿原鎮反。結果他另外找了個罪犯頂替，放走了鹿兆鵬。被放走的鹿兆鵬想不通，問朱先生：田福賢怎麼會放過我？朱先生勸這位地下黨人趕快離開西安，不然救你的人全不得活。朱先生轉告：田福賢讓冷先生問你一句話，如果你們日後真的得勢，你還能容得下他嗎？

這個問題太尖銳了。田福賢所以承擔風險放人，一方面是貪財，另一方面也是人情 —— 冷先生的面子，還有鹿子霖是同黨。日後你們真的得勢……當然讀者知道，鹿兆鵬同志黨性強，哪敢受賄救敵人？黨性強、戰鬥性強，所以就能勝利。

但是，萬一要殺的人是「錯劃」，是冤案？今天看是要殺，明後天再看是個英雄？比如說小說中被肅反活埋的白靈？二十世紀中國小說早有伏筆，劉鶚《老殘遊記》曾預言自以為是的清官比貪官更可怕，[5] 而田福賢就是一個貪官。

鹿鄉約、田福賢、岳維山代表「政權」；白嘉軒、白孝文、白孝武修補「族權」；小說中只有一個朱先生在維繫象徵信仰系統的「神權」嗎？其實朱先生的工作有兩個女人在幫手。一個是象徵白鹿的白靈。白靈之死，幾個主要人物都有夢中感應，這是現實主義小說中的魔幻成分。另一個是田小蛾，她被憤怒的鹿三殺掉以後，鹿三就被鬼附體，生不如死，這也是魔幻之筆。正好白鹿原瘟疫，白嘉軒的老婆仙草、他母親白趙氏都被鬼影所擾。村民們紛紛不安，跑去祭拜被埋掉的窯洞。最後朱先生建議，給小娥的亡靈建一個塔，給她壓住 —— 其實是化怪力亂神為信仰圖騰 —— 再一次證明了「神權」既是「土地廟和灶王爺」又不只是「土地廟和灶王爺」。之前人人唾罵的小娥，現在化蝶讓大家跪拜，「神權」是樸素的鄉村宗教，是迷信、知識和信仰共同組合而成。

「十七年文學」描寫國共鬥爭，主要是四種故事模式：一、農民運動；二、白區諜戰；三、武裝鬥爭；四、改造土匪。《白鹿原》居然四個模式全部都有。對農民運動，有批評檢討；寫白區諜戰，有真假夫妻；武裝鬥爭和土匪改造，都是用舊情節寫出新故事。戰場戲是紅色三十六師進攻西安，叛徒出賣，紅軍戰敗（罕見），退居山裏。改造土匪，是鹿兆鵬到山上找黑娃和匪首大拇指。黑娃身在匪陣心在共。但結果這股土匪卻投了國民黨保安團，最後又在白孝文、黑娃帶領下起義。

從〈紅高粱〉起，土匪在革命戰爭文學裏扮演重要角色，深層原因是俠義傳統在讀者民間有深厚基礎。《白鹿原》裏黑娃既代表底層農民造反，又帶領農會砸祠堂，再作為土匪游離國共之間。小說第二十七章細寫保安團軍官白孝文回鄉向祖宗下跪；

第三十章黑娃被招安，娶妻，也回白鹿原祭祖，還成為朱先生的關門弟子，而且得到白嘉軒出乎意料的原諒。這是兩個意義不太相同的「浪子回頭」。一方面，顯示直到四十年代，「族權」在「政權」爭奪與「神權」動搖之時，至少在形式上仍維持自己的道德尊嚴（至於小說結束以後，白鹿祠堂的前景如何，就留給各位讀者自己想像了）。另一方面，也證明碑石上的鄉約和白嘉軒的腰板合成的鄉村宗族文化，終究也無可奈何、無可迴避地要和世俗權力，尤其是軍事權力妥協合作。假如孝文、黑娃不是騎馬的軍官，而是乞丐、土匪，他們還有資格重回祠堂嗎？

五十年代以後，《紅旗譜》中的中國農村社會結構模式影響深遠。貧農、教師和共產黨，對抗地主、祠堂和國民政府，這麼一個鬥爭格局，被很多作品重複、演變。莫言的〈紅高粱〉加上了第七個因素——土匪，故事結構有所改變。《白鹿原》是更大規模地調整重組。雖然還是這六個因素，還是窮人、共產黨對抗地主、國民政府，但是學堂和祠堂站在了一起——他們本來是對立的。學堂和祠堂站在一起以後，就和前面兩者分離制約，形成了一個三角狀態，土匪是在這個三角狀態之外的一個遊離的、相對次要的因素。

窮人 - 共產黨，地主 - 國民黨，學堂 - 祠堂，這個三角關係到底是作家一廂情願的歷史想像，還是比《紅旗譜》模式更加真實的歷史回顧？下結論的權利屬於讀者。不管怎麼樣，到了九十年代，總算有作家對這個世紀的大是大非有了一些世紀末角度的回顧。陳忠實基本上就寫了這一部小說，但已經夠了。二十世紀中國小說史永遠都不會缺少他的名字。

從《子夜》、《紅旗譜》到《古船》，從《創業史》、《芙蓉鎮》到《活着》，很多中國現當代小說（尤其是長篇小說）都在做一項同樣的工作，即「中國社會各階級分析」。《白鹿原》也不例外，只是從「政權」、「族權」與「神權」的關係入手，其階級分析就顯得特別複雜。比如男主角白嘉軒，在祠堂教訓體罰族人時他是白鹿原的「統治階級」，抗議或哀求軍閥和國民黨官員時他又代表了鄉親民眾。黑娃和他大鹿三都是農民，一個忠於主人保衛禮教（還殺害不幸的田小娥），一個打壞主人腰骨，上山為匪，最後作為國軍起義卻反被新社會縣長槍斃。誰才能真正代表農民形象？小說裏的「士」又至少可分成三類：一是小學校長鹿兆鵬及白靈等年輕人，由學生成為革命黨（由「士」而「仕」，新的官員、幹部大都從知識分子發展而來）；二是以冷先生代表的「專業人士」，不問政治只辦文書債務法律，是農村裏的「工具理性」；三是最重要的「神權」代表，就是朱先生和他的學堂，始終站在「政權」與「族權」之外，始終旁觀滿清、軍閥及國共各種政治鬥爭。所以《白鹿原》的基本模式也還是「士見官欺民」，不過是「士」不只一類，「官」又有幾種，「民」也不是一個整體概念。如何用「文學是人學」的原則來書寫複雜的民國階級鬥爭歷史，《白鹿原》做了頗有文學史意義的嘗試。

六、史詩般的篇幅，簡單而有力的結尾

小說最後幾章，鄉約制改成了保甲制。田福賢、岳維山仍然奉命剿共，抽壯丁。黑娃被招安，又去祭祖，人人稱讚，只

有去延安的鹿兆鵬反對。岳書記請朱先生發表反共宣言，朱先生婉拒。

黑娃受鹿兆鵬之托送毛澤東的書給朱先生，說「聽說延安那邊清正廉潔，民眾愛戴」。朱先生的回答留有餘地，說「得了天下以後會怎樣，還得看」。

白鹿兩家爭鬥幾十年。白嘉軒看上去為人比較正直，強調做事要坦白，光明正大，不過最初買地，後來幫三媳婦借種，也不是甚麼事都能夠公開。鹿子霖好色、貪財，但偶爾也有善心，比方救孝文。最後是機關算盡，人財兩空。冷先生把女兒分別嫁給兩家，保險投資。兩個財主的兒女在國共紛爭中也交叉站隊，白家長子和鹿家次子都是國民黨軍官，鹿家長子和白家女兒是共產黨員。這種情節設計既增加了作品戲劇性，也使歷史回顧有了複雜性，同時至少也打破了所謂紅幾代保江山的簡單血統論。

整部小說情節到 1950 年結束，卻又有一段「多年以後」插在朱先生去世時，說他修的墓在六十年代中期被挖了，挖出來裏邊有兩行字：天作孽，猶可為；人作孽，不可活。學生們繼續大批判，摔壞一塊磚，磚內卻有兩層刻字：折騰到何日為止？

據說小說修訂時，這幾句話都刪了。

《白鹿原》史詩般的篇幅，幾十年大事，結尾卻異常簡單而極其有力。1949 年，解放軍十七師聯絡科長鹿兆鵬，找保安團營長黑娃談論過起義。之後兵臨城下，黑娃的部隊和一營的白孝文共同舉事。

但是半年之後，副縣長鹿兆謙 —— 就是黑娃 —— 在辦公室被逮捕，罪名是土匪頭目，圍剿紅軍三十六師和殺害共產黨員（他在起義前處決過一個叛徒）。這時鹿兆鵬隨軍打去新疆，後來便無消息，所以沒人幫黑娃說話。

白嘉軒去找到縣長白孝文求情，回答說是新政府不看人情面子，該判就判，不該判的一個也不冤枉。最後槍斃大會還是在白鹿原的戲臺廣場，在曾經見證過農民運動、反攻倒算、抗日功績等等歷史場面的鄉土戲臺廣場，黑娃和岳維山、田福賢一起被執行死刑。

白嘉軒目睹宣判大會時暈了過去，冷先生這時候九十多歲了，還要幫他看病。同時鹿子霖卻真的瘋了。

為甚麼說這個結尾十分有力？

第一，回答了田福賢之前的提問：假如你們日後真的得勢……

第二，誰讓岳維山幾十年不升官，一直呆在這個地方，然後被槍斃？

第三，黑娃和鹿兆鵬單線聯繫，單線聯繫很危險。

第四，為甚麼只剩下白孝文繼續執政？是因為他吃得苦中苦，最能忍辱負重？還是因為畢竟他是白嘉軒的兒子？

第五，白孝文縣長將來的命運又會如何呢？

第六，白鹿祠堂還會存在下去嗎？還會重修嗎？

第七，二十世紀的故事還有後半段……

注

1 民間已有所謂「當代四大名著」一說（如百度百科：個人圖書館・天地史話，2020-11-30）：「當代四大名著 1 、《平凡的世界》，作者路遙。一代一代的人從《平凡的世界》裏看到了自己，看到了奮鬥的意義，從泥潭裏又爬了起來。2 、《白鹿原》，作者陳忠實。以近代中國為背景，記錄了這土地曾經發生過的痛苦和不幸，歷史和變遷，寫盡了中國人的血與淚。3 、《活着》，作者余華。用近乎冰冷的語調訴說着福貴的一生，從萬貫家財的地主到一無所有的農民，人生充滿苦難，歷經喪妻喪女，白髮人送黑髮人，驀然回首，發現只有自己還活着。4 、《廢都》，作者賈平凹。主人公莊之蝶，物質世界極為充盈，但精神世界卻是一片廢墟。他苦悶，無聊，頹廢，雄心勃勃想要拯救好多女人，到最後女人也沒有拯救好，自己也拯救不了，完全從自我救贖走向了自我毀滅。」如果從明代「四大奇書」的傳統看，我以為《白鹿原》確是逐鹿中原的歷史演義；表現農民和官府關係的有《平凡的世界》或〈紅高粱〉或《活着》；世俗世情小說可以《廢都》或《長恨歌》為代表；神魔科幻類只有《三體》傳承。當然，在現階段，這些說法都還缺乏學術意義或統計基礎。」

2 毛澤東：〈湖南農民運動考察報告〉，《毛澤東選集》（北京：人民出版社，1951 年），頁 33-34。

3 陳忠實：《白鹿原》，《當代》，1992 年第六期（上半部），1993 年第一期（下半部）；（北京：人民文學出版社，1993 年 8 月）。以下小說引文同。

4 黃子平：〈命運三重奏：《家》與「家」與「家中人」── 巴金《激流三部曲》（家・春・秋）〉，見《巴金小說全集》（第四卷）（臺北：遠流出版公司，1993 年），頁 1-9。

5 劉鶚《老殘遊記》云：「髒官可恨，人人知之；清官尤可恨，人多不知。蓋髒官自知有病，不敢公開為非；清官則自以為不要錢，何所不可，剛愎自用，小則殺人，大則誤國。吾人親目所見，不知凡幾矣。」轉引自《夏志清論中國文學》（香港：香港中文大學出版社，2017 年），頁 377。

1993《活着》余華

幾十部當代小說的縮寫本

一、2019年最暢銷的虛構類書籍

2019年中國最暢銷虛構類圖書是《活着》。

在重讀近百部二十世紀小說的過程中，我不止一次地想：這一個世紀的文學，有沒有一個總標題？

首先想到魯迅的〈藥〉，因為幾十上百位中國最出色的中國小說家，幾乎都以描寫批判拯救苦難中國為己任（成就？局限？），都覺得中國社會「病」了，雖然病症病因病源不同。李伯元、劉鶚覺得官場是病源，魯迅覺得國民性是病根，延安作家覺得反動派是病毒，八十年代作家覺得「文革」是病體，但總之社會生病了，作家的工作就是看病治病。有個說法，說病情是魯迅看得準，藥方是胡適開得好——當然也是後見之明，未有定論。民主、科學、自由、戀愛、革命、實業、國學等等，都是不同藥方。作家希望文學也是一種「藥」。

後來又想到銷量千萬的《家》。《家》是一個很有象徵性的書名，中國人的故事大部分都發生在家裏，圍繞着「家」的人倫關係，都試圖保衛、延續或挑戰、叛逆廣義狹義的「家」。《家》的銷量在某種意義上也代表這個標題的影響力。

到了當代部分，《平凡的世界》這個書名也很有代表性，作品廣泛影響年青一代的三觀。但是看到 2019 年最暢銷圖書的統計資料，我以為《活着》應該是二十世紀中國小說的總標題。

從理論上講，文學是人學。晚清小說依據「人倫」道義批判「怪現狀」，五四注重「人生」，首先要生存生活生命。延安以後講「人民」，強調階級。當代文學再次回歸「人生」，首先是「活着」。三十年代斯諾編的中國小說英譯選，書名就叫《活的中國》。當然，2020 至 2021 年，「活着」更是世界主題。

余華 1960 年出生於杭州，父親華自治是醫生，母親余佩文，母親和父親的姓加起來就是「余華」。

1960 年，就是所謂「六十後」，幾年之隔，余華確實和五十後知青作家羣有明顯不同。余華寫作之前做過牙醫，但不像莫言、賈平凹、張承志、史鐵生、韓少功等，在從事文學前都有一段刻骨銘心的、影響終生記憶的農村苦難歷程。莫言的創作總是銘記兒時飢餓痛苦，張承志始終守望紅衛兵理想主義，史鐵生是用殘缺的生命寫作，知青農村背景也一直是阿城的靈感源泉。相比之下，余華更接近於現代職業小說家。如果說與余華齊名但年長幾歲的這批作家，好像是生命注定、青春血肉，不得不那麼寫，余華似乎有更多選擇，有更多技巧、風格、匠心的選擇能力，所以他能寫幾種很不一樣的小說。

從早年殘酷拷打人性暴力的先鋒派探索〈現實一種〉，到中國古代酷刑傳統的當代展覽〈一九八六年〉；從同情底層的寫實轉向——《許三觀賣血記》，到將「文革」與「文革後」兩個時代對比的《兄弟》。《兄弟》裏，「兄是假胸」，「弟是真諦」。善良的哥哥，後來淪落到賣女人假胸的地步，而粗俗暴發的弟弟（「弟弟」）成了新時代發展的「真諦」。

在余華不同階段、不同方向的小說實驗中，從影響、銷量來看《活着》最為成功。小說描述了福貴一家人歷經國共內戰、土改、大躍進、自然災害、「文革」和改革開放整整六個歷史階段。這六個歷史階段也存在於過去幾十年的不同小說裏，從〈小二黑結婚〉、《財主底兒女們》開始，整個當代文學一直都在講這六個階段。在某種意義上，《活着》好像是幾十年當代小說的精簡縮寫本，將四十年代到八十年代的各種中國小說簡明扼要再說一遍。有些地方是呼應，是證明，有些地方是補充，是提問，整體來說很少顛覆，互不否定。這是一個非常特別的文學現象。

二、前兩個歷史時期：解放前與土改

小說的敘事者是兩個「我」：一個是下鄉採風的文青，另外一個是向文青講述自己一生故事的老農民。寫民眾苦難，有知識分子的旁觀視角，這是自〈祝福〉、〈故鄉〉、《秧歌》以來的文學傳統。不過在《活着》中，文青既沒有自責也不必犬儒，他很少打斷老農自述，也很少議論，只是「士見官欺民」（而且，這裏的「官」不是昔日欺民的「官」，「民」也不是嚴格意義的「民」）。

老農民的第一人稱其實比較難寫，又要有點戲劇性，又要有點農民腔。從農民腔角度，余華的語言不如《秦腔》、《古爐》（賈平凹的小說很難非常暢銷）。但是余華也儘量避免文藝腔。故事生動，情節緊湊，節奏很快，尤其是細節精彩，讀者很快就忘了，或者說原諒了這個福貴的第一人稱，到底是不是老農民（或地主兒子的）語言。讀者自然而然進入了他的（而且更重要，也是很多中國人的）四十年人生經歷。

在考察福貴經歷的六個歷史時期和其他小說同類故事之間的互文關係時，我們始終想討論一個問題：為甚麼是《活着》，而不是別人或余華別的小說，至今仍然這樣持久受到民眾的歡迎？

在解放前，福貴是一個地主的敗家子，家有百多畝地，而福貴只熱衷於嫖和賭。「這個嫖和賭，就像是胳膊和肩膀連在一起，怎麼都分不開。後來我更喜歡賭博了，嫖妓只是為了輕鬆一下，就跟水喝多了要去方便一下一樣，說白了就是撒尿。賭博就完全不一樣了，我是又痛快又緊張，特別是那個緊張，有一股叫我說不出來的舒坦。」[1]

顯然，小說家在小心地尋找一種農民能夠說的文藝腔，比如「撒尿」這個比較農民，「又痛快又緊張」，稍稍有點文藝。

福貴當時很離譜，父親管教也不聽，甚至帶了妓女去向他的丈人——一個米行的老闆請安，完全是惡作劇。作為地主兒子，福貴既不像「財主底兒女們」那樣在時代大潮當中掙扎沉浮，也不如《古船》裏的抱樸，受很多迫害還沉思苦讀《共產黨宣言》。福貴的少爺形象，接近〈官官的補品〉，是以第一人稱洋洋得意炫耀自己的惡行。這是作家比較陌生的一段歷史。就像王安憶《長恨歌》寫舊上海選美，主要都是依靠第二手材料，依靠左翼文學提供的公眾想像。

最後一次賭博時，年輕的妻子家珍懷着七、八個月的兒子，找到青樓賭枱，勸老公停手。福貴繼續賭，家珍又拉他衣服，又跪下。「我給了她兩巴掌，家珍的腦袋像是撥郎鼓那樣搖晃了幾下。挨了我的打，她還是跪在那裏，說：『你不回去，我就不站起來。』現在想起來叫我心疼啊，我年輕時真是個烏龜王八蛋。這麼好的女人，我對她又打又踢。」「後來我問她，她那時是不是恨死我了，她搖搖頭說：『沒有。』」打罵不恨，堅持一生，女人善良，男人做夢。

女人走後，賭運轉了。其實是對手龍二作弊，福貴把全部家產都輸掉了。

福貴父親很生氣，但也替兒子認帳，把地和房子都賣了，以兩大筐的銅錢，叫兒子挑着進城還賭債。賣房時他父親說：「我還以為會死在這屋子裏。」後來他爹死在糞坑旁。丈人看女婿太不像話，把家珍接走了。女兒鳳霞留在福貴這裏，新出生的男孩就在女家。一個地主人家就此衰敗。

到這裏為止，余華的舊社會故事，和吳組緗、蕭紅、茅盾等左聯文學基本吻合。除了賢妻家珍，這是一個重要的伏筆。

龍二成了地主，福貴反過來向龍二租了五畝地，自己學習農耕。因母親得病，福貴到城裏去請大夫，莫名其妙被國軍拉了壯丁。福貴於是參加了解放戰爭，不過身在國軍陣中。這時福貴認識了老兵老全，還有少年兵春生。抓來的壯丁當然不肯認真打仗，連兇狠的連長都不知道自己在甚麼地方。《活着》裏的內戰故事，又可以和革命歷史小說如吳強《紅日》呼應對照。福貴的隊伍很快投降了，他戰戰兢兢，選擇拿路費回家，再次證明了《紅日》描寫過的解放軍是文明之師。

接下來就進入第二個歷史階段——土改。「離村口不遠的地方，一個七、八歲的女孩，帶着個三歲的男孩在割草。我一看到那個穿得破破爛爛的女孩就認出來了，那是我的鳳霞。鳳霞拉着有慶的手，有慶走路還磕磕絆絆。」

當然，小兒子不認識爹，沒見過。鳳霞認識，但是聾啞了，說不出話。「這時有一個女人向我們這裏跑來，哇哇叫着我的名字，我認出來是家珍，家珍跑得跌跌撞撞，跑到跟前喊了一聲：『福貴。』就坐在地上大聲哭起來，我對家珍說：『哭甚麼，哭甚麼。』這麼一說，我也嗚嗚地哭了。」

土改時，福貴已是窮人，結果分到五畝地，就是原先租龍二的五畝地。「龍二是倒大楣了，他做上地主，神氣了不到四年，一解放他就完蛋了。共產黨沒收了他的田產，分給了從前的佃戶。他還死不認帳，去嚇唬那些佃戶，也有不買帳的，他就動手去打人家。龍二也是自找倒楣，人民政府把他抓了去，說他是惡霸地主。被送到城裏大牢後，龍二還是不識時務，那張嘴比石頭都硬，最後就給斃掉了。」槍斃那天，龍二還見到福貴，說：「福貴，我是替你去死啊。」

對當代作家來說，怎麼寫土改，是一個難題和考驗。《創業史》裏地主已經殺完，但有富農蒙混過關，一直給社會主義添亂；張煒《古船》裏地主是開明士紳，活活被嚇死，兒子後來成為當地經濟的救星；比較一下莫言《生死疲勞》，地主死了以後不甘心，變驢、變豬、變狗，一直活躍在家鄉土地上；後來又有方方的《軟埋》也寫土改，引起了更大的爭議。

相比之下，余華的《活着》選擇了一個比較安全的敘事策略：首先強調龍二壞，所以槍斃活該，這就符合了關於土改的主流政治定論。但是龍二本來不是個地主，就是投機取巧。他租地給福貴，也沒有特別苛刻。富人被剝奪財產，是否還應處死？這也讓讀者存疑。更重要的是，本來地主是福貴，他因禍得福，輸掉了地主的帽子，換來了貧窮的新生，成了人民的一分子，可見世事難料，世事荒誕。

世事難料是《活着》非常重要的一個主題。福貴一家的悲慘經歷，都是「世事難料」。但在「世事難料」中，小說又有兩個情節規律：只有厄運，沒有惡行；只有美德，沒有英雄。

三、五十年代的農村：只有厄運，沒有惡行

正當梁生寶要帶着貧苦農戶走向金光大道的時候，也是在五十年代中期，福貴一家的生活卻出現了實際的困難。地主少爺轉身變成勞苦農民，為了省錢讓兒子讀書，福貴跟家珍商量，想把鳳霞去送人。在兒女間做選擇，犧牲女兒也是常態。

小說寫將鳳霞送人時，女兒的眼淚在臉上嘩嘩地流。到了別人家，鳳霞要伺候兩個老人。這邊，兒子有慶也不幹了，他說：「我不上學，我要姐姐。」福貴就打，打得兒子上學以後，屁股都沒法坐在椅子上了。

過了幾個月，女兒鳳霞跑回來了，福貴還是要送她回去。「那一路走得真是叫我心裏難受，我不讓自己去看鳳霞，一直往前走，走着走着天黑了，風颼颼地吹在我臉上，又灌到脖子裏去。鳳霞雙手捏住我的袖管，一點聲音也沒有。」因為女兒走路腳痛了，福貴又揉揉她的腳，最後就背起女兒走。「看看離那戶人家近了，我就在路燈下把鳳霞放下來，把她看了又看，鳳霞是個好孩子，到了那時候也沒哭，只是睜大眼睛看我，我伸手去摸她的臉，她也伸過手來摸我的臉。」

這段父女互相伸手摸臉的細節文字，簡單樸素，筆力千斤。余華很能把握平淡和煽情之間的分寸。

> 她的手在我臉上一摸，我再也不願意送她回到那户人家去了。背起鳳霞就往回走，鳳霞的小胳膊勾住我的脖子，走了一段她突然緊緊抱住了我，她知道我是帶她回家了。

《活着》就是由幾十個這樣用故事抒情的細節連貫而成。

「回到家裏，家珍看到我們怔住了，我說：『就是全家都餓死，也不送鳳霞回去。』」

可見在中國人的宗教裏，「活着」從來不是個人的事情，而是一家人的事情。

小說裏寫兒子有慶的鞋，差不多可以單獨成一個短篇。有慶十歲光景，又要割草餵羊，又要趕上學，每天來回走幾十里，他的鞋底很快就穿了。福貴罵他：你這是穿的還是啃的？孩子不敢哭，以後走路，鞋就套在脖子上，光腳丫跑，到了學校裏或者回到家才穿鞋——這樣無意當中練就了快跑能力，後來在學校體育課大出風頭，再後來又搶着去輸血……《活着》就是連環禍福，世事難料。

小說進入了第三個階段——人民公社來了。五畝地歸公，鄉親們都吃共產主義食堂——這時侯余華其實還沒出生，當然還是要靠第二、第三手材料來想像「大躍進」。《活着》這時就和「十七年文學」(如《創業史》)分道揚鑣，而和〈李順大造屋〉、〈剪輯錯了的故事〉等「新時期主流」基本同步。但是沒有《古船》那麼誇張，因為小說敘事要保持福貴的麻木、無知狀態。高曉聲寫到萬畝地、土高爐，有段非常精彩的議論：「後來是沒有本錢再玩下去了，才回過頭來重新搞社會主義。自家人拆爛污，說多了也沒意思。」[2] 在余華或者說福貴這裏，也知道「說多了也沒意思」，所以只有事實表象，沒有政治議論，只有荒誕細節，沒有複雜背景。

小說寫大家把牲口都入了公社，之後牲口就倒楣了，常常挨餓。兒子有慶就偷偷去割草，半夜去餵他以前養的兩隻羊。福貴就罵他：「這羊早歸了公社，管你屁事。」有慶還找機會去抱抱那兩隻羊。

公社要建一個煮鋼鐵的爐子——余華不用「大煉鋼鐵」之類的話語，而是用農民的語氣，「煮」，不是煮豆腐，是煮鋼鐵。村裏人找了一個放汽油的桶來煮鐵器，還問煮的時候要不要加水。所有事情都是隊長來指揮，大家都聽話，都不覺得隊長有錯。隊長就聽上面的話。小說裏沒有一點對隊長或者上面懷疑的意思，隊長做了很多蠢事，但一點都不像壞人。小說描寫五十年代，只寫現象不找背景，只列細節不尋原因——這也是《活着》的災難故事，至今還可以成為暢銷書的原因之一。

「大躍進」期間，任勞任怨的家珍病了，軟骨病。「看着家珍瘦得都沒肉的臉，我想她嫁給我後沒過上一天好日子。」這時鄉親們慶祝鋼鐵煮出來了。「隊長拍拍我的肩膀說：『這鋼鐵能造三顆炮彈，全部打到臺灣去，一顆打在蔣介石床上，一顆打在蔣介石吃飯的桌上，一顆打在蔣介石家的羊棚裏。』」可見羊棚很重要。但是公社食堂最後一餐，把村裏的羊全給宰了吃了。有慶像掉了魂一樣。福貴後來就給兒子買了一個羊羔——當然，大躍進以後才能買的。有慶就非常高興，在學校裏跑步又跑第一名。

但是沒過多久，飢餓的浪潮來了，小說悄悄地轉入第四個歷史時期——「三年自然災害」。當然，「自然災害」是習慣的說法，災害裏邊多少天災，多少人禍，這不是《活着》要直接回答的問題。「那一年，稻子還沒黃的時候，稻穗青青的剛長出來，就下起了沒完沒了的雨，下了差不多有一個來月，中間雖說天氣晴朗過，沒出兩天又陰了，又下上了雨。我們是看着水在田裏積起來，雨水往上長，稻子就往下垂，到頭來一大片一大片的稻子全淹沒到了水裏。村裏上了年紀的人都哭了，都說：『往後的日了怎麼過呀？』」看來小說的確寫「自然災害」。接下來就等國家救濟。「隊長去了三次公社，一次縣裏，他甚麼都沒拿回來，只是帶回來幾句話：『大夥放心吧，縣長說了，只要他不餓死，大夥也都餓不死。』」

但幾個月以後，再節省，存糧都快完了，福貴、家珍就商量要賣羊換米，可是羊已經被有慶餵得肥肥的，像寶貝一樣。

福貴很艱難地跟兒子說這個事，「有慶點點頭，有慶是長大了，他比過去懂事多了」。但是有慶有個要求，他說：「爹，你別把它賣給宰羊的好嗎？」不可能的事情，但福貴還是先答應了。

賣羊的路上，父子同行，這又可以成為一個短篇，令人想起《生死場》裏王婆賣馬 —— 人和畜牲一起，忙着生，忙着死。二、三十年過去了，中國的農民還是一樣活着。從煮鋼鐵、父子賣羊起，《活着》就越來越偏離「十七年文學」而回歸「五四」的人生主題，「人」首先是要「生」，要「活着」。

換了幾十斤小米，不到三個月又吃完了，之後就挖野菜。挖地瓜的時候，福貴跟一個平常不壞的王四打起來，差點出人命。人為了一個地瓜，能冒着死的風險。山窮水盡時，還是家珍這個老婆好，已經生病了，但硬撐着進城，從父母口中挖出一些小米，放在胸口帶回來。但是一煮粥，煙囪冒煙，村民都看見，餓極了的隊長也上來要分上一口。

從人民公社到「自然災害」，農民無窮無盡地受苦，但是小說裏沒有一個壞人 —— 多厄運，少惡行。

四、悲慘年代的善良家人：多美德，少英雄

《活着》的特點不僅是多厄運，少惡行，而且多美德，少英雄。

余華早期寫〈現實一種〉，解剖人性之惡十分殘酷。但實際上，余華又是同輩作家當中最擅長寫老百姓的善良美德。福貴

的妻子家珍就是一個百分百的好人，傳統道德的當代樣板，幾乎令人相信這樣的好人真的可以存在。

小說開始時，她跪求敗家子戒賭，被打耳光也不怨恨，既是女人的常態，也是聖人的境界。之後丈夫被抓了壯丁，幾年內她獨自帶大兒女，多少艱辛。後來女兒聾啞被人欺，兒子養羊又歸公。一會兒煮鋼鐵，一會兒挖野菜。就像福貴自己說過的，她本來也是富家女，嫁了男人以後，沒有一天好日子，可是從來不抱怨。到「三年自然災害」，家珍病倒了，但還要去掙工分，到娘家去求救，最後摔倒，起不來了。福貴說：「家珍算是硬的，到了那種時候也不叫一聲苦。」

她還要把自己的衣服拆了，給兒女做衣服，說：「我是不會穿它們了，可不能跟着我糟蹋了。」衣服沒有做成，連針都拿不起了，家珍又說：「我死後不要用麻袋包我，麻袋上都是死結，我到了陰間解不開，拿一塊乾淨的布就行了，埋掉前替我洗洗身子。」

在《活着》這本小說裏，在家珍身上，讀者幾乎找不到缺點。照理說，這樣寫人物，不大能夠令人信服。余華，或者說福貴，用很多世事難料的細節，一波接一波，完全出乎讀者期待。

某天有慶學校的校長，她是縣長的女人，生孩子大出血，教師就集中學生在操場上要他們去獻血。學生們很踴躍，跑去醫院。有慶跑第一，但老師說他不遵守紀律，不讓他獻血。結果其他同學血型不對，有慶又乖乖地認錯，所以就被允許抽血。「抽一點血就抽一點，醫院裏的人為了救縣長女人的命，一抽上我兒子的血就不停了。抽着抽着有慶的臉就白了，他還硬挺着不說，後來連嘴唇也白了，他才哆嗦着說：『我頭暈。』抽血的人對他說：『抽血都頭暈。』結果有慶腦袋一歪摔在地上，醫生才發現心跳都沒了。

大概是多年後的回述，老漢也沒有多少感慨用語，只說他到醫院，找來找去總算找到一個醫生，問清了名字，醫生說：你有幾個兒子？然後說：「你為甚麼只生一個兒子？」（問得奇怪！）

不僅老婆家珍，兒子有慶也是一個沒有缺點的、善良至極的人物。福貴昏過去了，醒來再找醫生算帳，被人阻止。《活着》一直只述厄運，不查原因，只見苦難，不見惡人，這時突然出現一個坑害百姓的符號 —— 縣長和縣長女人。幹羣矛盾突出了，是不是需要問責了？不會。

原來，福貴怒火朝天找到了縣長，發現縣長就是當年一起在戰壕裏的國民黨兵小戰士春生。

於是，本來可能激化的百姓和政府的矛盾（官民衝突）馬上又淡化了。

同樣的矛盾在茹志鵑〈剪輯錯了的故事〉裏，比較點到要害 —— 靠了這些民眾支持打下江山，今天不讓老百姓吃飯，你們（我們）到底是面對着誰而革命？但余華是不會這樣提問題的。

既然是當年共生死的戰友，小說馬上寫他們回憶往事：「說着我們兩個人都笑了，笑着笑着我想起了死去的兒子，我抹着眼睛又哭了，春生的手放到我肩上，我說：『春生，我兒子死了，我只有一個兒子。』春生嘆口氣說：『怎麼會是你的兒子？』」

(也問得精彩。這個潛臺詞很奇怪，要不是你的兒子，事情就不嚴重嗎？)

福貴說：「春生，你欠了我一條命，你下輩子再還給我吧。」這類細節，一個連一個，多而且慘。敍事節奏推進很快，所以人物性格雖然刻畫得不太完美，人們還是很容易被感動。

接下來福貴揹着兒子屍體回村，埋在父母墳頭。他想瞞家珍，但瞞不了。所以就揹着老婆去上墳。回家的路上，家珍哭着說：「有慶不會在這條路上跑來了。」孩子之前不穿鞋子跑步。福貴說：「我看着那條彎曲着通向城裏的小路，聽不到我兒子赤腳跑來的聲音，月光照在路上，像是撒滿了鹽。」

有次余華來香港嶺南大學演講，特別解釋最後這句話。把月光寫成「像是灑滿了鹽」，作家頗費心思，反覆推敲。怎麼讓一個農民在這樣極度悲傷的情況下看月亮呢？古今中外，寫月光千萬種，說是像鹽，真是特別 —— 要寫出農民心理，又要讓作家抒情。

《活着》的情節框架就是一連串世事難料：賭輸家產，逃過了土改；壯丁難友，卻做了縣長；兒子跑步獻血，丟了性命；老婆病入膏肓，卻突然有了好轉。

五、福貴一家的結局

接下來就是聾啞女兒鳳霞的故事了。

女兒大了，羨慕人家婚嫁戀愛。隊長介紹了一個偏頭萬二喜。初次上門也不多看鳳霞，也不講其他婚嫁條件，只在福貴家裏的屋前屋後轉，然後就走了。福貴以為這男人嫌棄他家窮，不料過幾天，二喜帶了一幫夥計上門，直接幫福貴家修屋頂，刷牆，整傢俱，還帶來了豬頭、白酒。

雖說高尚的愛情不應該物質化，但中國故事裏也有馬纓花拿饃饃表達愛意，芙蓉姐用米豆腐關心男人。像二喜這種話不多說（反正鳳霞聾啞）直接就幫女家修房子，也是一種現實主義求婚方式，令人感動。

他問：「爹，娘，我甚麼時候把鳳霞娶過去？」福貴只有一個要求：「鳳霞命苦，你娶鳳霞那天多叫些人來，熱鬧熱鬧，也好叫村裏人看看。」

史鐵生、路遙寫鄉土婚俗都是同情或批判，到余華筆下卻變得無比浪漫。辦事那天，來了很多人，又派煙，又送糖，敲鑼打鼓。

也就在鄉村農民掙扎着活下去的時候，「文革」開始了，小說進入了第五個階段。「文革」和鄉下人有甚麼關係？「城裏的文化大革命是越鬧越兇，滿街都是大字報……連鳳霞、二喜他們屋門上都貼了標語，屋裏臉盆甚麼的也印上了毛主席他老人家的話，鳳霞他們的枕巾上印着：千萬不要忘記階級鬥爭；床單上的字是：在大風大浪中前進。二喜和鳳霞每天都睡在毛主席的話上面。

枕頭上是「鬥爭」，床單上是「大風大浪」，男女兩人睡在話上面。「話」當然有別的意思，不知道作家是有意還是無心。

文本細讀，很有必要。

村裏來了紅衛兵，十六、七歲，先找地主，大家眼看福貴，把他嚇得腿都哆嗦了。結果隊長說了：地主早就斃了，有個富農，前兩年也死了。那怎麼辦？找走資派。走資派是誰？就是隊長，就把隊長抓進，村民也不敢救。福貴進城，看到了縣長春生被人批鬥，掛了牌，任人踢打。有天晚上，春生逃到福貴家，跟福貴說他不想活了。家珍之前不原諒春生，不讓他進門——因為有慶的死。但這個時候她和福貴一起勸春生要活下去，講了很多要「活着」的理由：「死人都還想活過來，你一個大活人可不能去死。」「你的命是爹娘給的，你不要命了也得先去問問他們。」「你走南闖北打了那麼多仗，你活下來容易嗎？」「你還欠我們一條命，你就拿自己的命來還吧。」「春生，你要答應我活着。」余華堅持用一個不懂政治的農民角度來寫「文革」之亂，所以《活着》的細節遠不如《古船》、《玫瑰門》那麼血腥，反而像王蒙的〈蝴蝶〉，還有高曉聲、茹志鵑一樣，借幹部落難的機會來緩和幹羣矛盾、調整官民關係。

答應了福貴這麼多「活着」的請求，縣長春生不久還是自殺了。在人生寫實意義上，說明小說對「好死不如賴活」這個主題有申張也有懷疑。在政治象徵意義上，意味着幹羣矛盾、官民關係即使有文革這樣的教訓，也未必能夠永久修復和調和。

對福貴一家來說世事繼續難料。鳳霞懷孕了，全家興奮流淚，但到了有慶抽血的那家醫院生產的時候，醫生跑出來問：要大還是要小？女婿說要保鳳霞。結果卻是鳳霞難產死去。鳳霞死去三個月以後，家珍也病死了。

小說寫「文革」結束包產到戶，沒有一個新時期新氣象的細節。這是余華與其他作家最不協調的一段。對老人來說，做社員還可以偷懶，單幹了好像更累了。留下的孩子叫苦根，就跟他爹二喜形影不離。但是在苦根四歲的時候，二喜工傷，被兩大塊水泥板夾死。餘下來，就福貴帶着小外孫，老人、小孩形影不離，還有很多可愛的細節。可是作家寫到這裏還不停手，某天小孩病了，老人關心，煮了很多新鮮豆子，結果小孩吃多了，撐死了。

從福貴的父親、龍二到有慶，再到鳳霞、春生、家珍，再到二喜、苦根，福貴眼看着跟他生命有關係的人七、八個先後死去。「八死一生」，老人最後買了一頭牛，孤苦伶仃地「活着」。

六、很苦很善良

現在來回顧一下：這部小說為甚麼持久暢銷？《活着》到底怎麼樣簡化縮寫了當代文學幾十部作品中的中國故事？而《活着》的意義到底是甚麼？

從晚清到五四，也有官員形象被淡化的情況，當時是官民矛盾已成社會共識，所以五四新文學強調官民可能「共用」國民劣根性。九十年代再次「淡化」官員形象，文學史語境完全不同。其實《活着》寫縣長，不是淡化，而是重舉（強調辦壞事）輕放（強調是好人）。這其實是二十世紀晚期很多中國小說共同的書寫策略，《活着》是其中最明顯也最成功的一例。《活着》第一特點是多厄運，少惡人。一個家庭經歷了內戰、土改、「大躍進」、「三年自然災害」、「文革」和包產到戶各個歷史階段，這一家人受的苦難，大概比任何一本小說都還要多。但是作家並不特別強調這些苦難的社會背景，也沒有突出的壞人惡行。多荒誕，少議論，多流淚，少問責。所以苦難等同於厄運，好像充滿偶然性。世事難料，一個人、一個家庭的苦難就和社會、政治、歷史的背景拉開了距離。

第二，《活着》的特點是讚美德，無英雄。像家珍、有慶、鳳霞，甚至苦根，福貴身邊的家人、窮人，全都是道德完美，善良無暇，厄運不斷，仍然心靈美。大量動人細節、語言尺寸的把握，敘事節奏一氣呵成。他們道德高尚，但是身分平凡，命如野草，他們不想，也做不了英雄。

說到底，余華的《活着》最受歡迎的關鍵兩點，就是「很苦很善良」。「很苦」，是記憶積累，又是宣洩需求，是暢銷保證，也是社會安全閥門。「很善良」，是道德信念，又是書寫策略，是政治正確，也是中國的宗教。至少在八十年代以後的文學中（甚至在整個二十世紀中國文學中），「苦難」是個取之不盡的故事源泉，「善良」是作家、讀者和體制「用之不竭」的道德共享空間。對苦難的共鳴，使國人幾乎忘卻了主角地主兒子的身分。對美德的期盼，使得小說裏的心靈美形象，好像也不虛假。雖然沒有誰家裏會真的有那麼多親人連續遭厄運，但是誰的家裏在這幾十年風雨中，都可能會經受各種各樣的災禍病難，誰都需要咬咬牙，抓住親人的手活着。

模擬農民的角度看共和國史，雖然無數災禍、很多危難，但是家人沒有背叛，道德沒有崩潰。凡是人民自覺而且持久喜歡的作品，總有其正能量。

從藝術上來講，《活着》是對很多其他小說的成功縮寫。「成功」是令人羨慕的，「縮寫」又總是令人不滿，之後余華也想過更複雜地描寫厄運和美德。在長篇《兄弟》裏，兄長堅持美德善良，弟弟展現物慾人性，不過細節和語言都不如《活着》這麼清潔節制。《第七天》則有點困惑於網絡比小說更現實，新聞比文學更荒誕。最近新作《文城》，地主男主人公很善良，土匪大部分極端作惡，真正的突破是寫「一女二夫」之可能與不可能，耐人尋味。

余華是一個專業小說家，有比較超然冷靜的相對主義視野，又有相當廣泛的社會、政治，甚至經濟興趣。相信他還會寫出令人吃驚的小說進一步分析厄運與美德的歷史關係，在藝術上超過他的《活着》。

注

1　余華：《活着》，《收穫》，1992 年第六期；(武漢：長江文藝出版社，1993 年)。以下小說引文同。

2　高曉聲：〈李順大造屋〉，《雨花》1979 年第七期。

1993

《廢都》

賈平凹

「一本寫無聊的大書」

一、一本嚴肅小說的意外暢銷方式

1993 年是中國當代文學重要的一年，《活着》、《廢都》和《白鹿原》都在這一年出版。賈平凹 1952 年出生於陝西丹鳳縣，1975 年畢業於西北大學中文系，工農兵大學生。和張承志、梁曉聲一樣，被推薦上大學的作家，對「十年」的政治批判一般比較含蓄。早期獲獎小說〈滿月兒〉，寫山地青年發現苦難中的愛，當時很受好評。從那時起，賈平凹的創作就一直在兩種傾向之間搖擺。一種比較靠近文壇主旋律，寫農村改革。中篇有〈雞窩窪人家〉、〈小月前本〉、〈臘月・正月〉，長篇代表作是《浮躁》。另外一條路子，最初是一些散文，〈晚唱〉、〈「夏屋婆」悼文〉、〈二月杏〉，包括〈商州初錄〉。被認為比較灰暗，藝術上比較講究。這類作品的代表作就是《廢都》，近期還有《暫坐》。

早在八十年代陝西文藝界就開會，想幫助剛成名的賈平凹，鼓勵他走前面一條光明大道，儘量不要走後面一條崎嶇山路。

賈平凹後來的主要作品《古爐》、《秦腔》、《帶燈》等，似乎在融合上述兩種藝術探索，又有對人性的悲觀同情及細細碎碎的文字講究，又試圖表現社會、時代的政治變化，用《金瓶梅》筆法寫三國故事。

我們沒有討論幾部長篇，如《秦腔》、《古爐》，反而選擇讀《廢都》，因為《廢都》在二十世紀中國小說的文體語言發展中有獨特意義，是比較罕見的舊白話創作。整個長篇四十多萬字，不分章節，沒有標題，打開每一頁，基本上全部被字填滿，極少段落之間的空隙。在閱讀效果上，有一種虛擬的古典白話小說的感覺。而且書中缺乏連貫的情節，行文少有戲劇性的形容詞。人物談話部分，沒有「五四」作家喜歡用的動作表情輔助說明，基本上就是「某某某說」(但也不用「某某某道」)。故事線索，囉嗦繁華，對話場景，一地雞毛。所以這是一次對「五四」形成、「十七年文學」強化的現代漢語歐化模式的「反動」。

這種文體語言實驗，其實始於 1985 年前的〈商州初錄〉和〈棋王〉。但是作為長篇，《廢都》是第一次，也是迄今為止最有名的一次嘗試。

另外一個引人注目的特點是書中有很多方塊空白。一寫到床事、性愛，就有「(作家此處刪去二百一十字)」。舉個例子，小說裏第一次出現了方塊空白，是寫唐宛兒和周敏：「婦人高興起來，赤身就去端了溫熱的麻食，看着男人吃光，碗丟在桌上，也不洗刷，倒舀了水讓周敏洗，就滅燈上床戲耍。□□□□□□(作者刪去三百一十二字)。婦人問：景雪蔭長得甚麼樣兒，這般有福的，倒能與莊之蝶好？」[1]

沒有聽說過《廢都》另有未刪節全本（除非賈平凹有手稿藏在書房），所謂「作家刪去多少字」，只是一種文字遊戲、行為藝術，是模仿《金瓶梅》潔本的一種印刷手段。歷來出版商為了讓名著流傳，又考慮未成年讀者，《金瓶梅》有各種刪節版本。但是沒想到「空格」也有奇特閱讀效果 —— 聯想反而多了。好像民國的報紙開天窗，此處無聲勝有聲。

這種藝術含量不高的印刷效果，調戲了當代文學機制和出版規範，在九十年代也有畸形的轟動效應。據說在 1993 年，街頭書攤總共有一千多萬本《廢都》盜版本 —— 數字當然令人懷疑，既是盜版，如何統計？但是這種模擬的《金瓶梅》效果，加上一度成為官方禁書，大大增加大眾讀者的好奇心。也是一個令人尷尬的文學史現象。

如果說讀者只是為了文字官能刺激，而要忍受《廢都》幾十萬字囉哩囉嗦的舊白話敘事，好像也太費周折了。後來地攤商也盜印莫言《豐乳肥臀》，結果就賣不出去了（《豐乳肥臀》是象徵山河母親，和 sex 關係不大）。

《廢都》以特別方式走紅，評論界反差很大。學者季羨林說：《廢都》二十年後將大放光芒。「古往今來，也許還沒有一本專門寫無聊寫到極致的小說，現在有了。……它是一本寫無聊的大書，非常到位。」[2] 作家馬原說：「《廢都》在中國現當代文學裏空前地把當代知識分子的一種無聊狀態描寫到極致。」[3] 評論家孟繁華說：「《廢都》是對明清文學的皮毛仿製。」[4]

各位看官，如果你們之前沒讀過小說，之後又想好好讀，最好在此打住，以後再看評論。不想劇透，也不想影響各位的看法。

假如已經讀過了，或者現在你也不大會有時間去讀這個長篇，那就繼續。這個閱讀提示，其實也適合於其他長篇小說。

二、一個作家的瑣碎的社會生活

男主角莊之蝶四十多歲，個子不高，生活態度隨便，藝術口味講究，喜歡把玩文物，為人不拘小節，對政壇和民間，都看得很通透。書前有提示，不要聯想到作家：「情節全然虛構，請勿對號入座；惟有心靈真實，任人笑罵評說。作者 1993 年聲明。」寫小說時賈平凹四十一歲，個子也不高，也是西安名作家，「任人笑罵評說」，說明作家早有思想準備和道德自信。

話說西京有四大名人：畫家汪希眠，書法家龔靖元，樂團阮知非，作家莊之蝶。莊之蝶在《廢都》裏的全部活動，佔了小說百分之八十篇幅，概括起來就是兩部分生活：一是社會生活，二是性生活。

社會生活方面，莊身邊有幾個來往密切的男人：孟雲房、周敏、趙京五、洪江，還有《西京雜誌》的主編鍾唯賢和一些編輯。這裏真正稱得上朋友的就是孟雲房。

小說開端，孟雲房以莊之蝶的名義，介紹周敏到《西京雜誌》當編輯。周敏在老家潼關的跳舞廳裏認識了美女唐宛兒。舞廳出來打完「野戰」，才知道女人已婚有子，周敏還是把她拐走，逃到西京。周敏編了一篇以莊之蝶為原型的作家緋聞舊事文章，效果轟動。但文章惹惱了當事人景雪蔭，她與作家藕斷絲連，並無真正性關係，現在已經做官的景雪蔭就狀告周敏和雜誌，順帶也告了莊之蝶。

《廢都》全篇多細節少情節，這個官司勉強算是一條故事線索。除了引起官司，孟雲房還幫莊之蝶在尼姑院旁邊弄到一套空房。這個房子後來叫「求缺屋」，是作家婚外情的作案現場。在小說裏，孟雲房常常出入莊家，聊天、說笑，也買東西，幫忙做菜。緊要關頭，他還能跟莊家夫婦分別推心置腹，討論婚姻愛情話題。孟本人神叨叨，養紅茶菌，打雞血，學氣功，又拆字算卦。莊之蝶對他半信半疑。

除了孟雲房，其他幾個作家身邊的男人基本上是幫手、夥計。趙京五曾介紹小保姆柳月，又讓莊之蝶幫農藥廠老闆寫文章做宣傳，稿費很高。作家本不願意，但畢竟是錢（尤其在九十年代的中國），所以還是幫他寫了。作為報應，後來黃廠長老婆喝了農藥自殺未遂，說明農藥不行。最後農藥改進了，她再喝就真死了。是一個非常荒誕的諷刺。

洪江幫莊之蝶老婆開書店。賣的書中有一本暢銷，作者「全庸」—— 人家一看以為是金庸。作家也不喜歡，但是賺錢，老婆又說好，所以也不反對了。不過後來作家失勢時，洪江書店居然倒賣抹黑莊之蝶的書。一個小人。

周敏因為文章打官司，莊之蝶有責任要幫他。但同時作家又在睡他的女友，情況比較複雜。

整理主人公莊之蝶的各種社會關係，可以部分看到作家的面貌：幫編輯打官司，求市長批求缺屋，替農藥寫廣告，家人開書店賺錢……如果看到最後的結局，好像都不是一個「靈魂工程師」的典型形象。

但在小說具體描寫之中，在不知道結果的情況之下，好像也看不出作家有甚麼自我批判的意思（自省與自我批判，一直是二十世紀中國小說中知識分子的精神常態，從魏連殳到「財主底兒女們」，從章永璘到張承志的主人公……），為甚麼賈平凹只是津津樂道一個文化名人如何為世俗瑣事所累？魯迅寫讀書人如呂緯甫、魏連殳，常常抱怨自己無聊、百無聊賴，莊之蝶生活真的無聊，卻並不覺得自己百無聊賴。

除了打官司、寫文章、賣廣告、開書店、拆字算卦，還有整天開一個木蘭摩托車滿街跑以外，主人公偶然也有高尚行為，比如寫假情書安慰《西京雜誌》老主編鍾唯賢。鍾唯賢單相思一個根本不存在的女人，莊之蝶就假裝寫情信，給鍾唯賢一絲安慰，直到他臨死都沒有揭穿，還拼命幫鍾爭高級職稱。小說寫到最後要燒骨灰，主編不夠級別，不能單獨進火葬場。這時一貫玩世不恭的莊之蝶也發怒了。

有偶然高尚，也有偶然卑鄙，比方說書法家龔靖元犯事入獄了。莊身邊的趙京五、洪江就趁機敲詐他吸毒的兒子，借錢給他，再叫他抵押家藏書畫。父親出來氣死了。這悲劇也許並非莊之蝶本意，然而四大名人之一的喪禮，還是另外三個名人隆重主持。如此荒唐反諷場面，作品中也沒人表示不滿，作家也沒有明確批判。

三、一個作家的繁忙性生活

如果《廢都》只寫作家社會生活這一面，不用說暢銷，或被批判，恐怕大眾能讀完的也不多。正因為還有另一面，有性生活穿插在他的社會生活、家庭飯局、人際關係、角色心理當中，文字上的「廢都」才成為象徵意義上的「廢都」。

初步統計，莊之蝶身邊和他有性關係或者男女感情關係的女人一共有六個：景雪蔭、牛月清、唐宛兒、柳月、汪希眠的夫人，還有一個阿燦。

景雪蔭是莊之蝶以前的同事，兩個人曾經有點意思，但從未真有關係，現在被人拿出來編故事，女方就惱怒了。打官司，殺敵一千，自傷八百。賈平凹在「後記」裏說，寫小說時，他個人和家庭經歷過各種不幸，其中包括一場官司。顯然作家對在中國打民事官司頗有一些實際的體會。《廢都》裏的官司進程。開始是大家想策略，找證據，尋理由，後來則是找市長的關係，中級法院贏了，最後又在高院被翻轉——因為景雪蔭的小姑子能和高院某要人上床。一個由假的性關係引起的官司，竟以真的性交易終結。《廢都》將醜惡現實設置成淡淡的背景，猶如當代《官場現形記》。不同之處，李伯元是無差別批判，賈平凹是無差別不批判。

莊之蝶的夫人——叫夫人有點怪怪的，夫人、太太、妻子，都不符合舊白話的語境，「老婆」又太直露；另外一個叫法是「婦人」，但「婦人」這個古典性感稱號又被唐宛兒搶去了。所以只能稱為牛月清。

牛月清三十多歲，結婚十多年了，還沒有孩子，已經預約請乾表姐生個孩子來領養。小說裏大家也稱讚她長得大方、美麗。婚後不大注意打扮衣着，整天忙家務及家庭生意。因為官司事關莊之蝶名聲，牛月清積極參與，把周敏視為自己人。周敏的女人已經在和她老公睡覺，她也沒發現。家裏來了個俊俏女傭柳月，她又和柳月姐妹相稱，主僕關係親密。小說裏牛月清一會忙着幫老公做生日，一會又用老公的名義去開書店，總而言之是一個善良、糊塗，但有時也很強悍的大奶正室形象。

莊之蝶與牛月清的關係，平常偶有吵鬧，基本上平安、和好。除了一點，兩人房事不太和諧。一般讀者只注意到《廢都》裏有十幾處或幾十處「此處刪去多少字」的性愛場面，其實小說裏還有幾乎同樣多的尷尬、不成功的房事細節。在情節推進、人物性格的意義上，這些不成功的房事同樣重要。比如：「我嫁的是丈夫不是偶像。硬是外邊的人寵慣壞了他，那些年輕人哪裏知道莊老師有腳氣，有齲齒，睡覺咬牙，吃飯放屁，上廁所一蹲不看完一張報紙不出來！」除了不滿生活習慣，晚上的鬱悶更加尷尬。「當下被牛月清逗弄起來，用水洗起下身，雙雙鑽進蚊帳，把燈就熄了。莊之蝶知道自己耐力弱，就百般撫摸夫人，口口口口口口（作者刪去一百一十一字）。牛月清說：說不定咱也能成的，你多說話呀，說些故事，要真人真事的……忽然莊之蝶激動起來，說他要那個了，牛月清只直叫甭急甭急，莊之蝶已不動了，氣得牛月清一把掀了他下來，罵道：你心裏整天還五花六花彈棉花的，憑這本事，還想去私生子呀！莊之蝶登時喪了志氣。牛月清還不行，偏要他用手滿足她，過了一個時辰，兩人方背對背睡下，一夜無話。」

比較〈男人的一半是女人〉裏右派勞改釋放犯在新婚妻子身上那種「國家地理雜誌」般的失敗掙扎，賈平凹的床上文字更像古典小說：不動聲色的尷尬寫實，一種探究人性及生理的自然主義筆法。

寫莊之蝶和老婆的不成功床事，也是為了對照主人公與周敏女人唐宛兒的出軌。莊之蝶第一次見唐宛兒是在周敏家，小說這樣寫：「唐宛兒二十五六年紀吧，一身淡黃套裙緊緊裹了身子，攏得該胖的地方胖，該瘦的地方瘦。臉不是瓜子形，漂白中見亮，兩條細眉彎彎，活活生動。最是那細長脖頸，嫩膩如玉，戴一條項鍊，顯出很高的兩個美人骨來。莊之蝶心下想：孟雲房說周敏領了一個女的，丟家棄產來的西京，就思謀這是個甚麼尤物，果然是個人精，西京城裏也是少見的了！」

大家都在談話，唐宛兒走到院子裏，莊之蝶藉故上廁所，也到了院子。「唐宛兒在葡萄架下，斑斑駁駁的光影披了一身。」《金瓶梅》的讀者應該知道，葡萄架是個甚麼典故。「(唐宛兒) 就站到一個凳子上去摘葡，藤蔓還高，一條腿便翹起，一條腿努力了腳尖，身彎如弓，右臂的袖子就溜下來，露出白生生一段赤臂，莊之蝶分明看見了臂彎處有一顆痣的。」第一次見面，一頓飯寫了三、四頁。文字太寫實了，平靜得可怕。邊讀邊想：到底這種明清舊白話小說體在二十世紀中國能否殘存、延續？左拉式的自然主義筆法與一般現實主義主流到底有甚麼區別？

莊之蝶和唐宛兒初次談話，居然上廁所時發現自己塵根勃動。之後，人清醒了些，情緒反而消沉了。本來和牛月清床事不成，可以解釋成婚姻久了，習慣麻木，左手摸右手了，社會普遍現象；或者人到中年，壓力太大了，身體不行了。但為甚麼現在突然見到一件朋友拐來的「尤物」，不僅心動，還有反應？更深一層，作家就會想：人到中年，婚姻疲勞，好像不僅是現實環境和生理規律。

讀者旁觀，最簡單的批判：這是渣男，就怕流氓有文化。說人品有問題，說是騙子卑鄙，這是最容易的解釋。說「男人都花心」，表面譴責男人，其實等於說男人「天生花權」？如果同性戀是由 DNA 先天決定，可能合理合法。如果男人都天生不能忠實於一夫一妻，是否制度有了問題？而女人的天性又是否必然傾向於忠實婚姻制度？

在《廢都》裏，唐宛兒和莊之蝶，一個無聊的故事也可以引出不少嚴肅的問題。

莊唐偷情，雖然一見心動，但也有好多鋪墊。比如眼神：「莊之蝶看着那一對眼睛，看出了裏邊有小小的人兒，明白那小人兒是自己。」薇龍在喬琪喬的墨鏡裏也看到自己縮小的身影，這是一種有意無意的文本互動。

後來，莊之蝶送了唐宛兒一雙高跟鞋，「莊之蝶動手去按她的腳踝下的方位，手要按到了，卻停住，空裏指了一下，婦人卻脫了鞋，將腳竟能扳上來，幾乎要挨着那臉了。莊之蝶驚訝她腿功這麼柔韌，看那腳時，見小巧玲瓏，跗高得幾乎和小腿沒有過渡，腳心便十分空虛，能放下一枚杏子，而嫩得如一節一節筍尖的趾頭，大腳趾老長，後邊依次短下來，小腳趾還一張一合地動。」這段文字比當年西門慶去碰潘「金蓮」，或者姜季澤去摸七巧的腳，基本上是同一個套路，但更加細緻細膩。尤其是手在空中停住，只寫視覺，不寫觸覺。

中間又隔了很多日常瑣事，莊之蝶夫婦在床上還是誰也不接觸誰。某天他們在家裏請一幫朋友吃午飯——這頓午飯很重要。莊之蝶開了摩托到周敏家去通知。周敏上班了，這時莊之蝶又一次看到那雙鞋。「婦人說：這鞋子真合腳，穿上走路人也精神哩！莊之蝶手伸出來，卻在半空劃了一半圓，手又托住了自己的下巴，有些坐不住了。」這已是第二次了。說明如何猶豫，怎樣焦灼。兩人接着又說閒話，看得着急。婦人用木棍去撐老式的窗子，終於一不小心身體倒下，「婦人嚇得一個小叫，莊之蝶才一扶她要倒下的身子，那身子卻下邊安了軸兒似的倒在了莊之蝶的懷裏。莊之蝶一反腕兒摟了，兩隻口不容分說地黏合在一起、長長久久地只有鼻子喘動粗氣。口口口口口口（作者刪去二十三字）」古典小說寫到此處，一般要加「有詩為證」：美色從來藏殺機，多行不義必自斃，或者姦夫淫婦如何如何。賈平凹完全中性，既不褒也不貶，就寫女人掉淚，男人的手怎麼伸到她裙下。「莊之蝶把軟得如一根麵條的婦人放在了床上，開始把短裙剝去，連筒絲襪就一下子脫到了膝蓋彎。莊之蝶的感覺裏，那是幼時在潼關的黃河畔剝春柳的嫩皮兒，是廚房裏剝一根老蔥，白生生的肉腿就赤裸在面前。」這個比喻，春柳，老蔥，令人無語。然後變姿勢，時間久，又刪去幾百字。「莊之蝶醉眼看婦人如蟲一樣跌動，嘴唇抽搐，雙目翻白，猛地一聲驚叫，口口口口口口（作者刪去五十字）」賈平凹和王小波的做愛文字，共同點都是非常直露，但效果很不一樣。王小波玩世不恭，有點自嘲；賈平凹細膩投入，漸入境界。王小波是布萊希特，賈平凹是斯坦尼斯拉夫斯基。

做愛以後，「莊之蝶好不自豪，認真地說：除過牛月清，你可是我第一個接觸的女人，今天簡直有些奇怪了，我從沒有這麼能行過。真的，我和牛月清在一塊總是早洩。我只說我完了，不是男人家了呢。唐宛兒說：男人家沒有不行的，要不行，那都是女人家的事。」這段話，比任何詩情畫意更強有力。

四、一頓濃墨重彩的午飯

剛辦完事，莊之蝶就回家裏招待很多客人，包括畫家汪希眠的母親和他的老婆（畫家正好不在），孟雲房和他的妻子夏捷，還有周敏和唐宛兒。牛月清是主婦，趙京五買菜，莊之蝶在廚房幫忙剖魚。那天還新到了一個女傭人柳月。從第八十七頁開始，一直寫到第一百零二頁，[5] 整整十幾頁，這頓午飯寫了七、八千字。這是《廢都》（甚至整個當代文學）裏描寫最詳細的一頓午飯。作家在十幾頁裏寫了甚麼？讀者又看到甚麼？

《三國演義》、《水滸傳》等小說是不會那麼詳細寫一頓飯的（除非鴻門宴）。在《紅樓夢》、《金瓶梅》等世情小說裏，一頓酒席可以會聚流動各種戲劇因素，杯盞之間還連詩猜拳。但在當代小說，這樣篇幅描寫一個家庭聚餐，《廢都》是個特例。

在這裏，第一，我們看到男主角剛剛在周敏家初次表現意外地好，人也比較累，現在卻要在飯桌鎮定面對這麼多人。這裏有自己老婆，有偷情婦人，還要招呼其他客人，比方說汪希眠太太（後來才知汪夫人一直暗戀莊之蝶）。所以男主人這時的快樂的辛苦和驕傲的尷尬，可想而知。

第二，風情萬種的婦人來了，還帶着她自己的男人，立刻要和主婦寒暄客套——你剛剛騙了人家哦——臉面上，肚子裏又是怎樣的心情？讀者看得焦急。

第三，柳月，這是小說的第三女主角初次登場。這是一個長得也很出挑，心氣很高的少女。一來就和主婦牛月清搞好關係，兩個人看上去竟像姐妹一般。實際上，牛月清馬上悄悄對莊之蝶說：「請的是保姆，可不是小妾，你別犯錯誤啊！」

到此為止，小說裏牛、唐、柳三個女人同台登場。「金瓶梅」指的分別是潘金蓮、李瓶兒、龐春梅；《廢都》如果一定要文雅一點，就是「月宛柳」。牛月清其實更像吳月娘，宛兒比較接近潘金蓮，柳月當然就是春梅的命運，最後她的地位是最高的。

這是對古代文學的戲仿，既明顯又隱晦。明顯在「一男三女」模式以及此處刪去若干字，隱晦在這個午餐滿足讀者（尤其是男人）的雙重慾望。第一重，是讀者可以意識到的緊張——看男人怎麼在老婆、情人之間裝假；看情人怎麼在男女喝交杯酒時吃醋；看男主人公怎麼立刻注意到第三個女人的存在，還有他們之間的關係以後會怎麼發展。這些都是小說裏明顯存在的戲劇矛盾，這是第一個層面的張力。

但是，就在這種喝酒歡笑彼此融洽的氣氛當中表象之下，潛意識裏，這裏又在滿足男主角，同時恐怕也是中國男人的一種舊夢，也就是張愛玲在《小團圓》裏所批判的一種男人的美夢。按胡蘭成的理論，中國男人他們是要把所愛的女人視為「家人」，而不是西方式的男女「一對一」面對上帝。[6] 家人永遠是家人，但不一定只有一個，潛意識裏，他們追求的恐怕不僅是證明自己的艷遇，也不一定是把艷遇變成新的婚姻，或者獲得更多艷遇。這些追求都有，但還不夠。在潛意識裏，以賈寶玉為代表的中國男人，夢寐以求的是自己喜歡的女人們彼此像姐妹般相處，彼此相親相愛。當然這是白日夢。

在潘金蓮、李瓶兒、春梅的時代，這種姐妹家人關係，雖然有金錢、法律保障，但是相親相愛還是幾乎不可能。春梅和金蓮總歸還是主僕，潘金蓮和李瓶兒一直在爭鬥。

到了二十世紀晚期，居然又有這種兩、三個或者更多女人像姐妹一樣曖昧相處的情景，哪怕是短暫時光，哪怕是建立在不知情和欺騙基礎上，哪怕充滿虛情假意，哪怕只是一頓午飯也好……當然，這是夢想，只是在潛意識層面。莊之蝶想都不敢想，他只是在隱藏並享受他的犯罪感，膽顫心驚地享受，未見得清晰意識。賈平凹不懼眾怒，描繪出來，也未見得會承認為甚麼要寫他的虛擬「小團圓」。

放在青樓小說的文學傳統中，卻又不難理解了。《海上花列傳》、〈秋柳〉都描寫吃飯叫局嬉戲的「青樓家庭化」，〈第一爐香〉是個轉折點，風流姑媽就把自己半山大宅變成模擬的長三堂子。到了革命年代，勞改農場邊上也能出現「美國飯店」（美麗善良的馬櫻花同時應付至少三個男人），現在莊之蝶在自己家裏，憧憬想像實踐同時與幾個女人的曖昧關係，是否也在無意識中夢幻並享受某種「家庭青樓化」？晚清狎邪小說的傳統，在二十世紀，雖隱晦卻依然存在。

不管小說後來怎麼發展，這頓月清、宛兒、柳月一起登場的冗長午飯，是《廢都》真正的高潮，是主人公短暫的黃金時光。

五、一男多女的白日夢

家庭化的青樓畢竟不是青樓，接下來讀者要替主人公擔心三件事情。

第一，整體家庭和諧格局建立在主婦不知情的基礎上，這個不知情能維持多久，發現了怎麼辦？

第二，唐宛兒已經認定自己是莊之蝶的人，她覺得和著名作家發生關係非常光榮。所以她能夠忍受委屈，在周敏、牛月清以及女傭面前，都有很多表演。但她心存希望：要嫁給莊之蝶。可是莊之蝶此時並無離婚再娶計劃，他怎麼應對唐宛兒的「愛的壓力」？

第三，莊之蝶很快就對柳月另眼相看，而柳月又可以冷眼旁觀其他幾個人的關係。那麼在作家的家裏，柳月又會扮演甚麼角色呢？

《廢都》的寫作手法，不是歐洲油畫般突出戲劇矛盾，而是散漫鋪開《清明上河圖》市井畫面。所以在莊、牛、唐、柳複雜關係主線以外，還有很多其他的情節混在一起。

例如打官司還夾雜互不相關的細節。比如牛月清的母親要抱一隻鞋睡在棺材裏，整天見神夢鬼的，不過她和女婿關係很好。劉嫂養了一隻奶牛，莊之蝶喜歡用嘴直接去喝牛奶，奶牛又會自己發議論。魔幻成分和現實細節混在一起。莊之蝶又託秘書黃德復，為了房子求市長批條，秘書說市長沒空。可是某天報上有文批評市府，市長突然接見作家，說對文學非常熱情，房子也批了。接見以後，黃秘書說有一篇文章，幫市府說話。最好明天見報，讓作家去跑一跑。

描寫整個事件程式，小說並無貶義。市長真的愛文學，秘書真的努力工作，報紙真的是人民喉舌。

這是《廢都》最令人看不懂又最叫人佩服的地方。整個長篇，上至官府、商家、文藝界，中到家庭、情場、單位，下到鬼市、低窪地、黑道，幾乎沒有一個人被作家批判。批判的標誌一個是作家直接議論，二是其他人物批評，《廢都》裏都沒有。

想想社會、家國、單位，有些人……唉，人怎麼能做到不憤怒？人怎麼能做到不批判？

二十世紀中國文學，李伯元無差別批判；劉鶚怒斥昏庸的清官；魯迅痛揭國民性；「十七年文學」打倒反動派；「傷痕文學」含淚否定「文革」；《活動變人形》、《玫瑰門》對自己可憐的長輩也不能原諒；張承志對左宗棠對無聊文人都充滿怒火；連「玩世不恭」的王朔也受不了道貌岸然的趙舜堯。怎麼到了《廢都》，好像沒有火氣一樣，全篇沒有壞人。是作家的鄉民視野，習慣了世俗的無聊；還是作家的藝術胸懷，原諒人人心中的可憐。

魯迅在《中國小說史略》裏評《金瓶梅》:「作者之於世情，蓋誠極洞達，凡所形容，或條暢，或曲折，或刻露而盡相，或幽伏而含譏，或一時並寫兩面，使之相形，變幻之情，隨在顯見，同時說部，無以上之。」[7]

《廢都》或許沒有達到上述的境界，但是在同時代小說裏用這種方法畫世俗相，也是非常罕見。放在晚清文學傳統中看，《海上花列傳》和〈秋柳〉是把青樓當作家庭寫，《廢都》的確把家庭當作青樓寫。

回到劇情，牛月清的糊塗維持了大半部小說的戲劇張力。莊之蝶有兩個住處，一個是牛家舊宅，一個是文藝之家，主人公可以寫稿或喝醉酒為理由分開而住。

之後幽會常常安排在危險的地方，比如莊之蝶參加市人大會議，就在人大代表住的酒店（挑戰政治）。或在莊的書房，隔壁岳母耳朵不好（漠視倫理），保姆柳月隨時會回來（緊張氣氛）。有時通過鴿子傳紙條約會，姦情在，生活照舊。

莊之蝶和唐宛兒的眼神默契瞞得過牛月清，卻逃不過保姆柳月。柳月注意作家一言一行，有她自己的道理。因為同居一家，常有身體暴露。有幾次莊之蝶貌似不經意地摸摸柳月的身體，吻一下她的胳膊，也不知道從哪一代祖先學來的風流主人習性。柳月發現莊、唐關係時，想的居然是：主人能跟宛兒睡，那我也有機會？「上進心」很強。

說來有點難以置信，主人公在老婆、夫人、女僕之間已經很繁忙，卻還碰到另外兩個女人。都是女人主動，不怪莊之蝶多情，只怪賈平凹多事。一個就是畫家汪希眠夫人。汪夫人和畫家關係不好，兩個人自己都有外遇，公開的秘密。但竟然有一天汪夫人向莊之蝶傾訴衷情，說原來莊之蝶婚前，她已傾心於他，崇拜加愛情。莊作家聽後就很感動，但是想要做事時被婉拒了，說還是相思一輩子好，不要再進一步，否則雙方家庭破壞，大家都是悲劇。發乎情，止乎禮。

另外一個女子叫阿燦，和主要劇情沒有關係，她妹妹曾幫莊之蝶寄信，阿燦也崇拜作家，有過一夜情，又有很多空白格子。阿燦除了美艷相貌、魔鬼身材，據說身上還有香氣。但是兩次以後，就用刀自殘面孔，說「我」此生願望已了，我們從此分手。

不知這類細節是莊之蝶的自戀夢，還是賈平凹的催眠劑。這兩個女子除了證明男主人公的自戀狂以外，沒有其他敍述和象徵功能。

偶然有一次好友孟雲房為了安慰作家，還給他找了個妓女，這次作家總算把妓女趕走了。

六、一大堆壞事，並不見壞人

官司一直在打，茶飯天天要吃，風流依然進行，家庭還是和諧。直到某一天，人們期待已久的幾個人的命運轉捩點終於同時到來了。先是鴿子傳信，被柳月發現，獲得莊、唐關係證據。然後是唐宛兒上門，跟莊之蝶「此處刪去多少字」。

這時出現最「廢都」的情節 —— 柳月在門外窺視，不料自己也有反應，不經意撞破了門，結果莊之蝶慌亂之中也把柳月「搞定」，唐宛兒還在旁邊幫手。

唐宛兒事後怪莊之蝶，說為了封口就行了，何必那麼認真投入？這當然也是《金瓶梅》的傳統，春梅當年就服侍、目睹，甚至親身幫助潘金蓮和西門慶的床上活動。

之後莊家進入更詭異的「恐怖平衡」：宛兒、柳月誰也不能說，命運共同體。莊作家倒好，書房寫作時還會想到拿一個梅子塞到柳月某處，也是模仿「醉鬧葡萄架」，然後把梅子吃掉。

小說文字如舊白話，有些情節卻似驚怵電影。牛月清到處找不到丈夫，柳月細聲提示：會不會在求缺屋（尼姑庵旁邊的文藝之家）？牛月清趕來途中，莊之蝶正和唐宛兒推心置腹。略早，唐宛兒懷孕了，未免作家煩心，自己去打了胎。莊之蝶大為感動，小說寫：「莊之蝶陷入一種為難，又痛苦地長籲短歎了。」他說總是要娶唐宛兒，唐宛兒也不知道真假，說真心愛過就好了，有時候想起也覺得對不起師母，卻又覺得她更不應該失掉莊之蝶。

就在穿衣要走時，牛月清趕到。居然勉強遮掩過去，找了一些其他的廢話重舉輕放。

小說最後部分情節日趨緊張，某日牛月清終於發現鴿子傳信，她冷靜地把柳月關起來，用打灰塵的捽子邊打邊問。柳月本來就覺得自己委屈，於是就把真情招供，只隱去自己一部分。

平時傻乎乎、善良賢慧的主婦牛月清，仔仔細細把丈夫、唐宛兒和柳月一起約過來吃飯，把門鎖掉。吃甚麼呢？打開一看，一隻燉熟了的鴿子。

小說真正的高潮，進入了恐怖片的境界。賈平凹自己說過，他的寫作有點像巴塞的踢法：層層疊疊，慢條斯理，繞來繞去，突然一腳，擊中要害。

小說最後這樣安排幾個人的命運：柳月被莊之蝶介紹給市長小兒麻痺症的兒子做媳婦，從此坐轎車，進入上層，步春梅後塵；唐宛兒被潼關原丈夫派人抓回，回去後虐待、暴打，甚至性侵，無人救她；牛月清提出離婚以後，也不知道下一步怎麼走；莊之蝶感到走投無路，莫名其妙，在火車站上貌似心臟病發，或者中風。

這幾個人物當中，為甚麼特別懲罰唐宛兒？是不是覺得她像潘金蓮，女人淫亂，必有惡報？中國古典小說的手法細節可取，道德結構應該質疑。莊之蝶中風也有點突兀，大概是為了主題昇華，證明這是一個「廢都」。

最膚淺的解讀就是說，這是九十年代中國知識分子在商業化大潮當中失去了人文精神等等。說得也不錯，不過只是這樣讀《廢都》，浪費了賈平凹的時間，也浪費了許子東的時間。

回看全書，還是佩服作家的道德自信，敢於這樣寫一個紅塵中人，敢於這樣寫無聊。整個《廢都》一大堆壞事，並不見壞人。現實主義相信人的性格、命運主要取決於各種社會制約，自然主義認為人的性格、命運，相當部分取決於人的生理需求。大部分中國現當代小說都追隨現實主義，所以偶然有一部自然主義的作品，應該可以容忍。大部分小說的主人公，都熱情、深刻、憂鬱、奮鬥，偶然有一個人比較無聊，是否也可以原諒呢？。

又或者我們始終在糾結《廢都》有沒有對「無聊人生」的批判，是否說明我們還是遵循批判寫實的文學主流標準？事實上，當代文學雖然仍以批判寫實為主流，但晚清以來的俠義風格、科幻實驗和青樓狎狹傳統，其實也都在二十世紀末重新出現。《廢都》至少證明了從「青樓家庭化」到「家庭青樓化」這一條文學史發展線索，雖然曲折，卻一直存在。

注

1 賈平凹:《廢都》,《十月》雙月刊第四期,1993 年 7 月。後結集《廢都》(北京:北京出版社,1993 年)。以下小說引文同。

2 季羨林:〈季羨林預言:《廢都》將大放光彩〉,《文摘報》,2009 年 8 月 6 日,第五版。

3 馬原:〈論賈平凹〉,選自《馬原散文》(杭州:浙江文藝出版社,2001 年),頁 199。

4 孟繁華:〈賈平凹借了誰的光〉,多維編:《廢都滋味》(鄭州:河南人民出版社,1993 年),頁 92。

5 北京出版社 1993 年版《廢都》。

6 「……男女之際,中國人不說是肉體關係,或接觸聖體,或生命的大飛躍的狂喜,而說是肌膚之親,親所以生感激。『一夜夫妻百世恩,』這句常言西洋人聽了是簡直不能想像。西洋人感謝上帝,而無人世之親,故有復仇而無報恩,無《白蛇傳》那樣偉大的報恩故事,且連怨亦是親,更惟中國人才有。」(胡蘭成:《今生今世》,中國社會科學出版社,2003 年,頁 228。)「西洋人的戀愛上達於神,或是生命的大飛躍的狂喜,但中國人的男歡女悅,夫妻恩愛,則可以是盡心正命。孟子說,『莫非命也,順受其正。』姻緣前生定,此時亦惟心思乾淨,這就是正命。……秀美……竟是不可能想像有愛玲與小周會是干礙。她聽我說愛玲與小周的好處,只覺如春風亭園,一株牡丹花開數朵,而不重複或相犯。她的是這樣一種光明空闊的糊塗。」(《今生今世》,同上,頁 237。)除了強調男女關係的緣分、親情因素以及讚揚女性明理寬容(沒說男人是否也要有「光明空闊的糊塗」)以外,胡蘭成更主張中國人的男女之「愛」,其實就是「知」。

7 魯迅:《中國小說史略》,《魯迅全集》第九卷(北京:人民文學出版社,2005 年),頁 187。

1994 〈黃金時代〉 王小波

身體快樂，成了唯一的精神武器

一、「流氓小說」作家，還是精神教父？

王朔的作品，曾被人批評是「痞子文學」、「流氓小說」，其實在類比和記錄「流氓時代」(製造流氓的時代)方面，王小波比王朔有過之而無不及，有這麼幾點證據。

第一，中篇小說〈黃金時代〉的第一部分，主人公直接宣稱說：「我的本質是流氓土匪一類。」[1]「倒退到二十年前，想像我和陳清揚討論破鞋問題時的情景。那時我面色焦黃，嘴唇乾裂，上面沾了碎紙和煙絲，頭髮亂如敗棕，身穿一件破軍衣，上面好多破洞都是橡皮膏黏上的，蹺着二郎腿，坐在木板床上，完全是一副流氓相。」這是主人公的自畫像。「流氓」這個標籤不是旁人或評論家隨便貼的，而是主人公自己聲明。小說裏主人公在很多地方說自己是「流氓」，例如「人家都能知道我是流氓」，「那是我的黃金時代。雖然我被人當成流氓」。但這幾段引文也說明，「流氓」，先是他人對他的看法，然後主人公也不拒絕。

第二，主人公對「流氓」還有一個非常奇葩的定義，有人罵他耍流氓，他的回答是：「我說，你爸你媽才耍流氓，他們不流氓能有你？」這就把「流氓」等同於男女關係了，這是非常「流氓」的一個定義方法。

第三，小說從開篇到結尾，確實充滿了不少「兒童不宜」的字眼：破鞋、性交，「我的小和尚直翹翹地指向天空」，「因為女孩子身上有這麼個口子，男人就要使用她」……習慣了冰心或是楊絳文字的讀者，對於這種文字上的暴露癖可能有些受不了。

王小波 1952 年生於北京，父親在「三反」運動中被劃成「階級異己分子」，等於「洗澡」沒通過。這對王小波的家庭、童年都有很大影響。王小波和很多同時代知青作家一樣，曾經下鄉到雲南兵團，後來又到山東插隊。1973 年回到北京做工人；1978 年考取中國人民大學。但不同的地方是：王小波不像王安憶、韓少功、阿城、張承志那樣，在八十年代就開始寫知青小說出名。寫〈黃金時代〉時他在美國匹茲堡大學讀研究生。導師是許倬雲，走的是一個學者的道路，似乎和小說裏的「流氓」形象反差很大。

整個八十年代，轟轟烈烈的中國文學的「黃金時代」，王小波基本是個局外人。1991 年，〈黃金時代〉獲得第十三屆臺北《聯合報》中篇小說大獎。1992 年香港繁榮出版社出版《王二風流史》，就是〈黃金時代〉的內容。同年 8 月，臺灣聯經出版時，書名印錯了，變成《黃金年代》了。一直到 1994 年，〈黃金時代〉由華夏出版社出版，王小波的小說才算正式「海歸」——

知青故事，海外出名，重回大陸，這是九十年代文壇的一個特殊現象。

1997年，王小波因心臟病突然去世，他的妻子李銀河發文，說他是浪漫騎士、行吟詩人、自由思想者。從那時候開始，王小波的小說、散文，在一部分青年粉絲當中成為了偶像，甚至是精神教父。〈黃金時代〉也被選入了《亞洲週刊》的二十世紀中文小說一百強。

「精神教父」和「流氓小說」，這兩個標籤反差有點大。

簡單回顧作家出名的過程，我們可以看到，第一，這是一條從知青到學者，再到作家的道路。如果說王朔的「痞子文學」更多呼應大眾文化市場的因素，包括與影視文化的互動，王小波的「我是流氓」就更多自覺的學術理論準備，「流氓文字」後面其實有更多哲學思考。第二，大部分的當代成名作家都是一起步就和評論界互動，比如說李陀及時注意到余華的處女作〈十八歲出門遠行〉；阿城的〈棋王〉原來是和陳建功、鄭萬隆他們聊天時講的故事；王安憶的一些小說還沒正式發表，吳亮、程德培就已有評論意見。相比之下，王小波是在海外孤獨地反覆改寫他的知青做愛故事。所以，故事是和韓少功、張賢亮、張承志他們同樣的故事，但寫法完全不一樣。局外人有局外人的特點，或者說有局外人的好處，當然，也會有局外人的局限。

到了九十年代，寫知青及「右派」受難歷程的敘事潮流，已經過了高峰，王安憶〈叔叔的故事〉已經開始解構當代知識分子的苦難崇拜。〈黃金時代〉在這個時候海歸，重講知青身體與精神旅程，照樣吸引讀者，因為不同的原因。

二、知青和醫生的「偉大友誼」

《黃金時代》由三篇組成，分別題為〈黃金時代〉、〈三十而立〉、〈似水流年〉。可以分開來讀，但是同一個主人公。

第一篇是非常典型的王小波風格，小說從頭到尾在描寫一個知青和一個醫生的男女關係。這樣說，一點都不誇張，從頭到尾，一共十一節，一直在寫兩個人的肉體關係，青少年不宜。

第一節第一句：「我二十一歲時，正在雲南插隊。陳清揚當時二十六歲，就在我插隊的地方當醫生。我在山下十四隊，她在山上十五隊。有一天她從山上下來，和我討論她不是破鞋的問題。那時我還不大認識她，只能說有一點知道。

這個女的說她不是破鞋，可大家說她是，『我』也說她是。為甚麼呢？『我』的解釋是：大家都認為，結了婚的女人不偷漢，就該面色黝黑，乳房下垂。而你臉不黑而且白，乳房不下垂而且高聳，所以你是破鞋。假如你不想當破鞋，就要把臉弄黑，把乳房弄下垂，以後別人就不說你是破鞋。當然這樣很吃虧，假如你不想吃虧，就該去偷個漢來。」

結婚以後女人不難看，就是「破鞋」—— 想想這是甚麼流氓邏輯？男主角知道這樣說話一副「流氓相」。他自己也正是被人視為「流氓」。陳清揚是個北醫大畢業生，主動來找一個比自己小五歲的面色焦黃、嘴唇乾裂、一副流氓相的男知青，還要討論像破鞋之類那麼挑逗性的話題，常理來說，大概是對這個曾經為他打過針的男知青有點好感，但小說裏沒寫，主人公也沒感覺。

不久，「又有了另一種傳聞，說她在和我搞破鞋。」這也是常理，同事、同學之間一旦傳說有緋聞，哪怕無中生有，之後也可能慢慢變成真的 —— 因為當事人會互相躲避，同時也互相注意。

「她要我給出我們清白無辜的證明。我說，要證明我們無辜，只有證明以下兩點：一、陳清揚是處女；二、我是天閹之人，沒有性交能力。……陳清揚說，我始終是一個惡棍。她第一次要我證明她清白無辜時，我翻了一串白眼，然後開始胡說八道，第二次她要我證明我們倆無辜，我又一本正經地向她建議舉行一次性交。」

男女初見，就建議舉行一次性交，這在二十世紀中國小說裏也不算創舉，之前就有阿 Q 對吳媽說「我要和你困覺」。當然，從辛亥革命，進化了幾十年，「困覺」的意義、形式和結局都不同了。

第二節，「我過二十一歲生日那天，正在河邊放牛。下午我躺在草地上睡着了。我睡去時，身上蓋了幾片芭蕉葉子，醒來時身上已經一無所有（葉子可能被牛吃了）。亞熱帶旱季的陽光把我曬得渾身赤紅，痛癢難當，我的小和尚直翹翹地指向天空，尺寸空前。這就是我過生日時的情形。」

這些細節在王二風流史中會反覆出現：

> 我過二十一歲生日那天，打算在晚上引誘陳清揚，因為陳清揚是我的朋友，而且胸部很豐滿，腰很細，屁股渾圓。除此之外，她的脖子端正修長，臉也很漂亮。我想和她

> 性交，而且認為她不應該不同意……那天晚上我把我的偉大友誼奉獻給陳清揚，她大為感動，當即表示道：這友誼她接受了。不但如此，她還說要以更偉大的友誼回報我，哪怕我是個卑鄙小人也不背叛。

男女關係，隱晦私情，淫亂細節，突然回到了科學的名稱「性交」，又配合政治用語「偉大友誼」、「奉獻」、「回報」……王小波用熟悉的語言寫出陌生效果，迫使讀者思考眼前到底在發生甚麼事。不用擠眉弄眼交頭結耳，像殘雪小說裏的羣眾一樣。也不必故作鎮定假裝懺悔，像張賢亮筆下的知識分子野地偷窺。

> 我已經二十一歲了，男女間的事情還沒體驗過，真是不甘心。她聽了以後就開始發愣，大概是沒有思想準備。說了半天她毫無反應。後來陳清揚說：「我真笨！這麼容易就着了你的道兒！」說完滿面通紅。我看她有點不好意思，就採取主動，動手動腳。她搡了我幾把，後來說，不在這兒，咱們到山上去。我就和她一塊到山上去了。

整個〈黃金時代〉的故事大部分不是「正規軍」，而是「野戰軍」。

「陳清揚後來說，她始終沒搞明白我那個偉大友誼是真的呢，還是臨時編出來騙她。」

始終不明白你們男的只是想「炒飯」呢，還是真的有點意思。

> 陳清揚要先回家一趟，讓「我」在後山等她，後來她果然來了。我看見陳清揚慢慢走近，怦然心動，無師自通地想到，做那事之前應該親熱一番。陳清揚對此的反應是冷冰冰的。她的嘴唇冷冰冰，對愛撫也毫無反應。等到我毛手毛腳給她解扣子時，她把我推開，自己把衣服一件件脱下來，疊好放在一邊，自己直挺挺躺在草地上。

「先回家一趟」，還有這個「疊好」衣服，聽上去整個感覺像預約好的醫學實驗。

> 陳清揚的裸體美極了。我趕緊脱了衣服爬過去，她又一把把我推開，遞給我一個東西説：「會用嗎？要不要我教你？」那是一個避孕套。我正在興頭上，對她這種口氣只微感不快，套上之後又爬到她身上去，心慌氣躁地好一陣亂弄，也沒弄對。忽然她冷冰冰地説：「喂！你知道自己在幹甚麼嗎？」我説當然知道。能不能勞你大駕躺過來一點？我要就着亮兒研究一下你的結構。只聽啪的一聲巨響，好似一聲耳邊雷，她給我一個大耳光。我跳起來，拿了自己的衣服，拔腿就走。

都是寫「性交未遂」，王小波和張賢亮的文字可以比較。都是女人更冷靜更有經驗，男的更慌張更激動。〈男人的一半是女人〉故事中段突出男人的精神沒用，〈黃金時代〉處處強調男人的身體強悍。張賢亮的男人，其實是軟弱無奈的知識分子，王小波的知識青年，是想以女人證明自己是個男人。簡而言之，張賢亮用男女故事寫歷史，王小波用歷史故事寫男女。

〈黃金時代〉的文字，王小波後來在美國和回國以後還修改過很多次，看上去非常粗糙，其實很講究。這麼精細地描寫一場未成功的「野戰」，在現當代文學裏十分罕見。

第三節，還是接着寫山上被打耳光以後那個晚上。「我們倆吵架時，仍然是不着一絲。我的小和尚依然直挺挺，在月光下披了一身塑膠，倒是閃閃發光。」

作家寫陽具崇拜比劉恆（〈伏羲伏羲〉）和陳忠實（《白鹿原》）更加直接，但也略帶嘲諷。「她用和解的口氣說：不管怎麼說，這東西醜得要命，你承不承認？……等我抽完了一支咽，她抱住我。我們倆在草地上幹那件事。」

這個是「幹」字的一種用法。現在也有地方召開「幹文化」學術研討會，「幹」還有很多別的用法，容易引起誤解。

> 我過二十一歲生日以前，是一個童男子。那天晚上我引誘陳清揚和我到山上去。那一夜開頭有月光，後來月亮落下去，出來一天的星星，就像早上的露水一樣多。那天晚上沒有風，山上靜得很。

這段文字很美，張賢亮或者汪曾祺，大概會把這片風景繼續發揮下去，像氣象報告或者山水畫，給讀者很多想像空間，可是這是王小波，「……那天晚上沒有風，山上靜得很。我已經和陳清揚做過愛，不再是童男子了。但是我一點也不高興。因為我幹那事時，她一聲也不吭，頭枕雙臂，若有所思地看着我，所以從始至終就是我一個人在表演。」

〈黃金時代〉和二十世紀中國小說裏的各種男女故事都不一樣，其他的男女故事，大部分是從好感、同情、理解、喜歡開始，慢慢進入感情和愛情。比如〈傷逝〉涓生講雪萊入手；〈邊城〉唱山歌起步；秦書田和芙蓉姐一起掃街，再去捉姦；小英子也是和小和尚呆了很長一段時間，朦朦朧朧，最後才一起划船到了蘆葦蕩深處。當然，也有些男女的故事比較實際功利。白流蘇是考慮長期飯票的價值，才去淺水灣談情說愛；林道靜要考驗對方是否革命，才決定自己感情的投入等等。總而言之的規則是，先有情感，才有性感。先有靈犀相通，才有肉體相親。甚至在很多情況下，主人公最後根本沒有進入性感、肉體的層面。好像只有王小波的〈黃金時代〉的方向是反的，所以令人驚訝。這是一個典型的以性寫情，以肉寫靈的小說。當然，小說最後有沒有情，有沒有靈，這還要讀者自己來判斷。

現當代文學中，直接寫性的小說也有。沈從文的〈柏子〉，一夜歡愉，第二天風塵女子在做甚麼，男人就不敢去設想了，還是不要去想的好。虎妞醉酒突襲，後來又用枕頭哄騙，但最後也沒有抓住祥子的心。章永璘對黃香久的第一面印象，也是全裸出浴，但後來成了夫妻，還是要吵開。規律好像是，直接寫性，通常沒有未來，或者悲劇收場。

不妨再觀察下去，看看王二不再是處男以後的種種「野戰」性愛，能否操練出某種真實情感？

初夜之後，「我」回隊裏和農民發生爭執，被打昏過去。

有人就叫醫生，小說這樣寫：「陳清揚披頭散髮眼皮紅腫地跑了來，劈頭第一句話就是：你別怕，要是你癱了，我照顧你一輩子。」這口氣很像〈綠化樹〉裏的馬櫻花——「有我吃的就有你吃的」。男人在患難之中對這樣的話記得特別牢，也不知道是真的聽過，還是一種幻覺。

傷沒大礙，之後男人就去荒山上住了，給陳清揚畫了一個路線圖，她居然真找來了。「陳清揚說，她決定上山找我時，在白大褂底下甚麼都沒穿……風從衣服下面鑽進來，流過全身，好像愛撫和嘴唇。」

第四節「陳清揚來到草屋門口，她看見我赤條條坐在竹板床上，陽具就如剝了皮的兔子，紅通通亮晶晶足有一尺長，直立在那裏，登時驚慌失措，叫了起來。」

接着小說詳細描寫「我」和陳清揚第二次做愛。第一次有很多細節當時「我」大惑不解，這一次不同了。「我和陳清揚做愛時，一隻蜥蜴從牆縫裏爬了進來，走走停停地經過房中間的地面，忽然它受到驚動，飛快地出去，消失在門口的陽光裏。這時陳清揚的呻吟就像氾濫的洪水，在屋裏蔓延。我為此所驚，伏下身不動。可是她說，快，混蛋，還擰我的腿。等我『快』了以後，陣陣震顫就像從地心傳來。後來她說，她覺得自己罪孽深重，早晚要遭報應。」

現代文學當中怎麼寫性，很多作家有不同的探索。直露有〈沉淪〉，偷窺房東女兒洗澡——「那一雙雪樣的乳峰，那一雙肥白的大腿」；隱晦如《小團圓》，警棍、老虎尾巴、小鹿飲水等等。複雜似〈男人的一半是女人〉，床事像火山地震；簡單像《一個人的聖經》，乾脆使用大量動詞 —— 摸、插、揉、抓等等。〈黃金時代〉對於文學怎麼寫性有甚麼特別貢獻？除了重複「小和尚直挺挺」以外，作家喜歡直接使用一些醫學衛生術語，比如性交、射精、各種姿式。講「做愛」已經算是文雅修辭了。

「晚上我和陳清揚在小屋裏做愛。那時我對此事充滿了敬業精神，對每次親吻和愛撫都貫注了極大的熱情。無論是經典的傳教士式，後進式，側進式，女上位，我都能一絲不苟地完成。」當〈黃金時代〉一本正經用「敬業精神」、「極大的熱情」等嚴肅話語與「傳教士式，後進式，側進式，女上位」等醫學術語來描寫主人公「亂搞男女關係」並產生令人啼笑皆非的效果時，作家是不是在問：難道男女關係，本來不應該是貫注「極大的熱情」、充滿「敬業精神」？男女做愛，本來不就有「傳教士式，後進式，側進式，女上位」等不同姿勢嗎？（那個時代也確實有人不知有不同姿勢，後來年老出國看到電影，十分後悔。）王小波用戲謔方法提出了學術問題：為甚麼本來應該是天生自然的東西，寫出來反而是陌生化呢？

三、把做愛細節寫進交代材料

除了以性寫情，以肉寫靈以外，〈黃金時代〉把全部這些「亂搞男女關係」的詳細過程、具體細節都寫在給軍代表的交代材料裏，這非常重要。

第五節記錄了農場人事部說他們亂搞男女關係，要他們寫交代，「我」寫了，上面說寫得太簡單了，要重寫。

「後來我寫，我和陳清揚有不正當關係，我幹了她很多回，她也樂意讓我幹。上面說，這樣寫缺少細節。後來又加上了這樣的細節：我們倆第四十次非法性交。甚至還要交代情緒反應。」主人公交代：她總要等有了好心情才肯性交，不是只要性交就有好心情。這一句其實非常關鍵，但軍代表還是不滿意。主人公那時昏天黑地，也不知道外面世界發生甚麼事，他說：「我甚至想到可能中國已經復辟了帝制，軍代表已經當上了此地的土司。」

把這些囉嗦具體、不厭其煩的做愛細節文字，正式裝進交代材料這麼一個政治話語框架裏，更產生了一種奇特的效果。在高壓政治背景下，在羣眾公開窺伺中，本來當事人也不覺得好看的這些器官表現，本來為人忌諱的各種「野戰」之事，現在變成了畸形社會壓迫中僅存的自然人性，變成了浩劫苦難當中名符其實的「黃金時代」。

小說第六節，還在寫交代材料。寫了好幾遍，終於寫出陳清揚像考拉熊。「她承認她那天心情非常激動，確實像考拉熊。因為她終於有了機會，來實踐她的偉大友誼。於是她腿圈住我的腰，手抓住我的肩膀，把我想像成一棵大樹，幾次想爬上去。」這一段是兩人無數肢體運動當中最美的一個姿勢。

考拉熊後，小說突然時空跳躍到九十年代，兩人在北京相逢。她說她離了婚，和女兒住在北京。兩人一邊敍舊，一邊到旅館裏，又重演往事，但也不怎麼動感情。

原來當年陳清揚還真想給主人公生孩子，但是他們太忙了，常常要出「鬥爭差」——別處開批鬥會，他們作為壞分子跑去陪鬥。每次鬥了以後，陳清揚都要做愛。小說最後幾節仍然都是男女主角各種場面的運動，例如親吻肚臍眼，怎麼高潮，精液射到田裏作肥料等等，這都是寫在交代材料裏的。

> 那是我的黃金時代。雖然我被人當成流氓。那也是她的黃金時代。雖然被人稱做破鞋……就算是罪孽，她也不知罪在何處。……
>
> 陳清揚說她真實的罪孽，是指在清平山上。那時她被架在我的肩上，穿着緊裹住雙腿的筒裙，頭髮低垂下去，直到我的腰際。天上白雲匆匆，深山裏只有我們兩個人。我剛在她屁股上打了兩下，打得非常之重，火燒火撩的感覺正在飄散。打過之後我就不管別的事，繼續往山上攀登。
>
> 陳清揚說，那一刻她感到渾身無力，就癱軟下來，掛在我肩上。那一刻她覺得如春藤繞樹，小鳥依人。她再也不想理會別的事，而且在那一瞬間把一切都遺忘。在那一瞬間她愛上了我，而且這件事永遠不能改變。

以性寫情，以肉寫靈。寫到這裏，性即情，肉即靈。相比很多重複無效的農場勞動，裝模作樣的政治學習，真真假假的鬥私批修，虛張聲勢的備戰演習，幹部羣眾之間勾心鬥角，為爭取或保衛本身應該天然就有的「人民」資格……難道小說男女主角的性愛姿式不是最美好最自然最神聖也最有文化的事物嗎？難道在山野之間的樹與考拉熊不是他們的黃金時代嗎？

這是所有當代文學中對這「十年」最美好的記載，出自一個學者之筆。

〈黃金時代〉一共有三篇，以上都是第一篇〈黃金時代〉。第二篇〈三十而立〉，相對比較沉悶一點，主要講王二的父母，王二的青少年，還有三十歲時在大學教書，做老師還是玩世不恭。

舉例說寫到他自己的出世：「那天晚上，他們用的那個避孕套（還是日本時期的舊貨，經過很多次清洗、晾乾撲上滑石粉）破了，把我漏了出來。」

現代主義的三個基本問題：你是誰？你從哪裏來？到哪裏去？王小波就這樣回答第二個問題。

第三篇〈似水流年〉，人生四十重寫文革。一方面把自己（王二）塑造成一個革命時代的多餘人，但是和郁達夫時代的「零餘者」不一樣，他的「性苦悶」變成了性快樂，「生苦悶」他也無所謂。如果說王朔創造了一套玩世不恭的文風，那麼王小波就是創造了一個玩世不恭的人物。整個王二的人生姿態和文筆腔調都在宣洩，宣洩那些眼界高、能力低、任性、無聊、童心不滅、拒絕成熟、不正經一代的反叛慾望。

〈似水流年〉還寫了三個老人：有一個跳樓自殺的賀先生，有一個回國以後忍受逆境，後來得到少女愛情的李先生，還有一個裝傻貪吃，善良可憐的劉老先生。在各種各樣有關「文革」的文學記載當中，王小波提供了更荒唐的嚴肅記錄，他不是憤怒控訴，而是荒誕戲謔，他不是沉痛反思，而是黑色幽默。

可以舉例管中窺豹。賀先生跳樓自殺，腦漿塗地，之後警察收屍，主人公覺得他的腦子還在地上，半夜睡不着，下樓去看，小說這麼寫：「看到一副景象幾乎把我的苦膽嚇破。只見地上星星點點，點了幾十支蠟燭。蠟燭光搖搖晃晃，照着幾十個粉筆圈，粉筆圈裏是那些腦子，也搖搖晃晃的，好像要跑出來。在燭光一側，蹲着一個巨大的身影……

這其實是賀先生的長子半夜來現場祭奠一下，嚇着了年輕的王二。

王二不僅寫賀先生的腦子很大一部分永久地附在水泥地上——這是很英雄主義的反思，但是他又回到他習慣的腔調。他不解賀先生屍體——據說他那杆「大槍」又粗又長，完全豎起來的。王二就探討：「有人認為，賀先生是直了以後跳下來的。有人認為，他是在半空中直的。還有人認為，他是腦袋撞地撞直了的。我持第二種意見。」

儘管文字裏充滿暴露癖，很多年輕讀者一直喜歡或者癡迷說王小波的小說。面對無所不在、沒完沒了的虛假崇高，只好在荒誕之中尋找自由，身體力行。少壯不努力，老大徒傷悲。

沒想到抵抗謊言和權力，人們唯一的精神武器，有時竟然只有身體的快樂。

王小波的小說題目「黃金時代」耐人尋味。一方面在寫實意義上，要在「壞分子」交代材料中詳細坦白男女私情的時間地點動作細節具體感受，證明特定時代政治文化壓迫人的基本權利和人性需求，使人最後只剩下赤裸裸的身體反抗。但在象徵層面，王二的做愛方法即使在資本主義的愛情遊戲規則中也是異數（小說寫於美國匹茲堡大學）。小說中的身體行為恰恰需要「十年」的革命符號包裝，才具有某種文化上的合理性甚至先鋒性。在這一層意義上，「黃金時代」的說法，是否也不僅僅只是反諷？

放在文學史中看，王小波還是延續知識分子精神自省的傳統，不過不是吶喊鬥爭，或憂鬱彷徨，而是無可奈何但又清醒追求「消極自由」—— 我不願獻身神奇的土地，我也不怎麼關心村裏老鄉的生活，我甚至也不怎麼焦慮自己的前途理想。我無所追求，除了身體的快樂—— 身體的快樂不就是本我就是無意識就是快樂的源泉嗎？把這種身體的快樂用檢查交代的政治表格包裝起來，再卑微的人欲也就關係到了天理。貌似革命時代的「存天理滅人欲」，其實是聲明：即使在革命時代，人欲就是天理。身體快樂，成了我唯一的精神武器。我可以「躺平」，也決不認命。

注

1 王小波《黃金時代》第一輯最初於 1991 年在臺灣《聯合報》副刊連載；1994 年 7 月《黃金時代》由華夏出版社出版。本文中的小說引文均引自 1997 年《黃金時代》廣州花城版。

1996
王安憶寫作《長恨歌》的地方

一、寫作《長恨歌》的地方

寫作《長恨歌》的地方，是指上海鎮寧路一處破舊的公寓住宅，王安憶九十年代曾在那裏居住。當然，也是指《長恨歌》所寫的地方——上海。

本書慣例，每一個十年，還原一位作家的某一天，依據日記、散文或者其它第一手實際材料。二十年代是郁達夫《日記九種》，三十年代是魯迅去世前的情況，四十年代是蕭軍的延安日記，五十年代是巴金日記。六十年代是老舍的最後一天，七十年代暫缺，待補充；八十年代，韓少功參加杭州會議。接着，就是九十年代。

1993 年我離開 UCLA，到香港嶺南大學教書。在洛杉磯時常常就在張愛玲最後一個住所附近停車，當時並不知道。1994 年夏天，我到上海鎮寧路拜訪王安憶。具體是哪一天，為了甚麼事，記不清楚了，但這次訪問印象深刻。[1] 那是七十年代蓋的五、六層的灰白水泥樓，沒有電梯。她的單位是一室半，一室就是臥室，一張大床倒是三面懸空，角落還有衣櫃、書桌等等，但餘下的空間有限。談話時，我們分別坐在那張大床的兩邊，這在一般的社交禮儀上是不大可能，也不合適。因為在作協認識很久，她也多次到過我家，所以就不拘常理了。當然，也因為在她一室半的公寓裏並沒有更寬敞合適的地方可坐。

講到作家生態，其實很有必要記錄作家的衣食住行，尤其是書房的情況。三十年代我們回顧了魯迅的住宅和他的經濟情況；蕭軍在延安住的是窯洞；其他就很少有細節了。九十年代這一天，雖然沒有日記書信，但是有第一手資料，讓讀者看到，作家在甚麼樣的具體物質環境裏展開她的文學想像。

一間臥室以外，還有半間，其實就是一條過道，放了一張餐桌，兩張凳子。我和王安憶談話時，她丈夫李章（上海文藝出版社的音樂編輯）就一直坐在外面半間的過道裏，不打攪我們。

1994 年秋，《長恨歌》初稿剛剛完成。第二年，王安憶搬到鎮寧路的另一個兩居室單位，修改《長恨歌》的文稿，1996 年出版。這是 1949 年以後最著名的一部描寫大都市的文學作品，也是中國當代女性文學的代表作之一。[2]

王安憶當時的居住環境其實很典型，並不是特別困苦。那個時期，陳村、吳亮、宗福先等上海作家，家居情況大同小異。八十年代中國新一代作家的生活條件其實是不如三十年代作家或者五十年代的作家。那時大家有點羨慕嫉妒王安憶，因為她母親茹志鵑是作協副主席，王安憶發表小說有點像「文二代」，好像有沾光的嫌疑。沒想到多年以後，人們反過來要說茹志鵑是王安憶的母親。

王安憶和賈平凹一樣，從八十年代初到現在三十多年，每個發展階段都引領文壇潮流，或者說每隔幾年都會有令人耳目一新的作品。

第一個階段，程德培概括為「雯雯的世界」。主人公雯雯總以朦朧、美好、純真的眼光，應對渾濁複雜的世界，有點像小說裏的顧城。比如〈雨，沙沙沙〉，女生下了汽車碰到下雨，有個男生說「我」可以用自行車載你。女生上了自行車後座，心裏一路打鼓，緊張害怕。最後到了目的地，男生甚麼也沒說，騎車走了 —— 女孩這時才覺得世界真美好，雨，沙沙沙。和鐵凝〈哦，香雪〉或者賈平凹〈滿月兒〉一樣，這一代作家，因時代制約，起步都是「心靈美」，然後一步步慢慢地走進司猗紋、莊之蝶和王琦瑤的複雜人生。

「一步一步」中，王安憶有三步，特別重要。

一是中篇〈小鮑莊〉，和韓少功〈爸爸爸〉並列為 1985 年尋根文學代表作。農村小孩在洪水中救人，樸素行為經過報紙歌頌，變成了當地鄉村文明標誌。小說寫了仁義傳統的樸素遺傳，又寫了仁義傳統的當代異化。

二是著名的「三戀」：〈荒山之戀〉、〈小城之戀〉和〈錦繡谷之戀〉。〈小城之戀〉寫文工團裏一個矮個男演員和一個高大女生的性愛肉搏過程。兩個人已經眼對眼了，但表達愛意的第一句話竟然是「你對我有甚麼意見嗎」—— 非常典型的「愛情失語症」。小說裏男女主角躲在後臺，靠着小紅軍音樂伴奏「炒飯」。

最後女方懷孕，靠孩子才解脫情慾之困。

三是中篇〈叔叔的故事〉。這是作家自己在 1989 年之後，整整沉默了一年以後的創作轉向。小說反省了以苦難為資本的時代文化現象。王安憶的小說在檢討反思「前三十年」時，角度明顯和其他作家有些不同。

二、《長恨歌》的評論敘事體

《長恨歌》的第一章非常特別：整整二十二頁，將近一萬字，沒有一個人物，沒有一個情節，沒有一個故事；有的全部都是對城市風景從宏觀到逐步縮小的一種俯視，全部是對上海的具體而又抽象的描寫。

先是從高處看里弄，然後寫里弄的生態是流言，再寫里弄裏的少女閨閣，然後有空中鴿子的俯視，最後說這些弄堂裏生活了很多「王琦瑤們」。「王琦瑤」變成了一個符號，是一個類型，對她做社會生態的分析。

第一章的重要性不僅是給後來的人物戲劇圈定了一個都市空間，而且給全部小說情節確立了一種辯證分析的評論敘事基調。

王安憶的小說，尤其是《長恨歌》，有一種與眾不同的敘述文體，和大部分同時代甚至「五四」和「十七年」小說都不大一樣。這種「評論敘事文體」有三個特點：第一，主要不是通過人物對話動作敘事，也不詳細描寫人物外貌或心理，而是敘事者直接評論人物的狀態；第二，「評論敘事文體」特別強調人物處境的矛盾；第三，「評論敘事文體」會從抽象到具象，一再重複、排比、循環……

在《長恨歌》第一章，大段的風景不是為了抒情：「站一個制高點看上海，上海的弄堂是壯觀的景象。它是這城市背景一樣的東西。街道和樓房凸現在它之上，是一些點和線，……當天黑下來，燈亮起來的時分，這些點和線都是有光的，在那光後面，大片大片的暗，便是上海的弄堂了。……上海的幾點幾線的光，全是叫那暗托住的，一托便是幾十年。這東方巴黎的璀璨，是以那暗作底鋪陳開。一鋪便是幾十年。」[3]

簡單說就是，繁華高樓只是點線地標，弄堂背景才是上海底色。和張愛玲用菜場的老百姓補丁衣服來寫「中國的日夜」異曲同工，都是強調只有小市民才是推動城市歷史發展的真正動力。

王安憶喜歡重複具象來解釋抽象：「流言是上海弄堂的又一景觀……流言是貼膚貼肉的，……」「在這城市的街道燈光輝煌的時候，弄堂裏通常只在拐角上有一盞燈，帶着最尋常的鐵罩，罩上生着鏽，蒙着灰塵，燈光是昏昏黃黃，下面有一些煙霧般的東西滋生和蔓延，這就是醞釀流言的時候。這是一個晦澀的時刻，有些不清不白的，卻是傷人肺腑。」以評論帶動敘事，分析矛盾狀態是關鍵，比如還講流言：「這真卻有着假的面目；是在假裏做真的，虛裏做實，總有些改頭換面，聲東擊西似的。」「它是有些卑鄙的，卻也是勤懇的……它雖是搗亂也是認真懇切，而不是玩世不恭……雖是無根無憑，卻是有情有意。」

把兩個不同概念並置，這是路翎《財主底兒女們》的常用寫法，「熱情地、悽惶地笑」，「驚恐的嬌媚」等等。但王安憶不是用來形容表情動作，而是旁觀一種狀態。比如寫弄堂裏的閨閣夢：「自鳴鐘十二響只聽了六響，那一半已經入夢。夢也是無言無語的夢……繡花繃上的針腳，書頁上的字，都是細細密密，一行復一行，寫的都是心事。心事也是無聲無息的心事……這是萬籟俱寂的夜晚裏的一點活躍，活躍也是雅致的活躍，溫柔似水的活躍……滿滿的都是等待。等待也是無名無由的等待，到頭總是空的樣子……」「夢」與「無言無語」，「心事」與「無聲無息」，「活躍」與「溫柔似水」，「等待」與「無名無由」……都是一系列的反差矛盾，作家會幾乎無限地排列下去，以證明她要寫的閨閣夢的存在和不可能。

這種「評論敘事體」，在第二章以後寫人物，就更加凸顯隱形作者對於主人公矛盾狀態的觀察。比如「王琦瑤的照片上了雜誌封面，學校裏原先並不以王琪瑤為然的人，這回服氣了；倒是原先肯定王琦瑤的，現在反而有些不服了，存心要唱對臺戲。」

王琦瑤最初去片場，小說不寫片廠景象，只評論說「一種是銀幕上的，人所周知的電影；一種是銀幕下的，流言蜚語似的明星軼事。前者是個假，卻像真的；後者是個真，倒像是假的。」

王琦瑤在拍照，敘事者也不細描女主角容貌化妝服飾，只是辯證分析：「景是假，光是假，姿勢是假，照片本身說到底就是一個大假，可正因為這假，其中的人倒變成個真人了。」

再寫王琦瑤和蔣麗莉，兩人都覺得自己與眾不同：「王琦瑤是因為經歷，蔣麗莉則來源於小說，前者是成人味，後者是文藝腔，彼此都有些歪打正着，有些不對路，也自欺着擋過去了，結果殊途同歸。」

《長恨歌》總是概括多於細描，評論多於對話。敘事者全知但不全能，無所不在永不退場但也不會高高在上擺佈人物命運走向。「評論敘事體」，比較像主人公身邊的閨密知己，溫馨、體己，但又聰明、刻薄。有時候主人公也受了敘事聲音的影響：「王琦瑤很快就領會了它的真諦。她曉得晚會總是一迭聲的熱鬧，所以要用冷清去襯托它；她曉得晚會總是燈紅酒綠五光十色，便要用素淨去點綴它；她還曉得晚會上的人都是熱心腸，千年萬代的恩情說不完，於是就用平淡中的真心去對比它……她是萬紫千紅中的一點芍藥樣的白；繁弦急管中的一曲清唱；高談闊論裏的一個無言。」除了「評論多於描寫」和「分析矛盾狀態」，王安憶文體的第三個特點，就是反反復復，沒完沒了。一個意象、一個比方、一個景物、一個心情，一兩句能講完的，必定講七八句。說好聽，這是迴旋效果：「流言總是帶着陰沉之氣。這陰沉氣有時是東西廂房的黃衣草氣味，有時是樟腦丸氣味，還有時是肉砧板上的氣味。它不是那種板煙和雪茄的氣味，也不是六六粉和敵敵畏的氣味。它不是那種陽剛凜冽的氣味，而是帶有些陰柔委婉的，是女人家的氣味。是閨閣和廚房的混淆的氣味，有點脂粉香，有點油煙味，還有點汗氣的。」王安憶是用王蒙的排比鋪陳句法寫張愛玲的「流言」：「夜裏邊，萬家萬戶滅了燈，有一扇門縫裏露出的一線光，那就是流言；床前月亮地裏的一雙繡花拖鞋，也是流言；老媽子托着梳頭匣子，說是梳頭去，其實是傳播流言去；少奶奶們洗牌的嘩嘩聲，是流言在作響；連冬天沒有人的午後，天井裏一跳一跳的麻雀，都在說着鳥語的流言。」

「評論敘事體」除了排比、羅列，還會在重複中螺旋上升：「王琦瑤總是安靜，以往的安靜是有些不得已，如今則有希望撐腰，前後兩種安靜，卻都是一個耐心。王琦瑤就是有耐心，她比人多出的那顆心就是耐心。耐心是百折不撓的東西，無論於得於失，都是最有用的。柔弱如王琦瑤，除了耐心還有甚麼可作爭取的武器？無論是成是敗，耐心總是沒有錯的，是最少犧牲的」。

「評論敘事體」的效果，有時不是為了看清事物，而是將貌似簡單的女人和城市，寫得更複雜更曖昧更矛盾。王琦瑤，或者說上海，到底是柔弱多情還是精明堅強？到底是功利世故還是無可救藥的浪漫？

三、四十年代的海上繁華

《長恨歌》的三段戀愛，其實象徵三個時代。一是舊上海繁華虛榮，女主人公愛麗斯「初戀」；二是五十年代的日常生活，莊敬自強愛情無奈；三是八十年代上海復興，一個絕望的舊夢冒險。

小說第二章第一句：「四十年的故事都是從去片廠這一天開始的。」小說裏的拍戲是上海女人的人生從真到假的一個轉折。從此「夢成了真，生活成了假」。

王安憶分析 sisterhood（「姐妹情誼」是女性主義文學批評的

一個重要術語），說吳佩珍「是那類粗心的女孩子。她本應當為自己的醜自卑的，但因為家境不錯，有人疼愛，養成了豁朗單純的個性，使這自卑變成了謙虛」。「王琦瑤無須提防她有妒忌之心，也無須對她有妒忌之心，相反，她還對她懷有一些同情，因為她的醜。」王安憶並沒有具體比較兩個女生的容貌，也沒有細寫她們之間對話動作，但已經評論了這對閨蜜的友誼基礎。吳佩珍聯絡她表哥去參觀片場，本是迎合王琦瑤的希望。不想王反而勉強，故意改期，弄到最後去片場好像是給了吳佩珍的面子。小說評論王琦瑤的矜持是自我保護，或者是欲擒故縱。姐妹情誼裏有錯愛，也有心計。

在片場認識了「導演」。導演覺得王琦瑤很美，就讓她試鏡。試鏡以後，「導演在鏡頭裏已經覺察到自己的失誤，王琦瑤的美不是那種文藝性的美，她的美是有些家常的，是在客堂間裏供自己人欣賞的，是過日子的情調。她不是興風作浪的美，是拘泥不開的美。她的美裏缺少點詩意，卻是忠誠老實的。她的美不是戲劇性的，而是生活化，是走在馬路上有人注目，照相館櫥窗裏的美。」

還是沒寫女人具體怎麼美，不寫眼睫毛，不寫眼睛，不寫表情，不寫姿態，反而又是抽象評論，「文藝性的美」、「不是戲劇性的，而是生活化」、「興風作浪」、「忠誠老實」……

這個擅長評論的「導演」後來代表「左翼」對王琦瑤選美提出勸告。導演本人無名無姓，幕後力量？

試鏡不成，拍照卻有收穫。導演介紹了一個二十六歲的攝影師程先生，在外灘一個工作間給王琦瑤擺拍。王安憶寫拍照，仍然沒寫眉目服裝首飾形體，還是評論分析。「程先生的眼光和導演是不同的，導演要的是性格，程先生只要美。性格是要去塑造甚麼，美卻沒有這任務。在程先生眼裏，王琦瑤幾乎無可挑剔，是個標準美人……」後來《上海生活》封二刊出照片：「這張照片其實是最尋常的照片，每個照相館櫥窗裏都會有一張，是有些俗氣的，漂亮也不是絕頂的漂亮。可這一張卻有一點鑽進入心裏去的東西。照片裏的王琦瑤只能用一個字形容，那就是乖。那乖似乎是可着人的心剪裁的，可着男人的心，也可着女人的心。」作家接下去就用一連串具象來詮釋「乖」這個概念：「她的五官是乖的，她的體態是乖的，她布旗袍上的花樣也是最乖的那種，細細的，一小朵一小朵，要和你做朋友的。」

王安憶不讓人物自己說話，也不細寫人物景色，而是旁觀評論——但評論總是模棱兩可的，進一步，退半步，讓讀者得到充滿矛盾的印象。也許寫人物和景象的「矛盾」，正是作家的意圖——《長恨歌》獲得「茅盾文學獎」，特別合適。後來畢飛宇寫不同的鄉村風景，文體上卻也受王安憶影響。

登了封面成為「滬上淑媛」後，王琦瑤和吳佩珍的關係卻不好了。這時資本家女兒蔣麗莉，接替了吳佩珍的位置。蔣麗莉動用全家（母女倆）的人力、物力幫助王琦瑤選美。明明對王琦瑤有利，蔣麗莉卻更加起勁。王琦瑤接受閨蜜的熱情，住進蔣家的洋房，她們常常辦熱鬧的 party。到此為止，王琦瑤的父母還沒有出場，家庭背景是個空白，只有一處，說王琦瑤住在蔣家底層書房：「窗戶對了花園，月影婆娑。有時她想，這月亮也和她自己家的月亮不同。她自己家的月亮是天井裏的月亮，有廚房的煙薰火燎味的；這裏的月亮卻是小說的意境，花影藤風的。她夜裏睡不着，就起來望着窗外，窗上蒙着紗窗簾。她聽着靜夜裏的聲音，這聲音都是無名的，而不像她自己家的夜聲，是有名有姓：誰家孩子哭，奶娘哄罵孩子的聲；老鼠在地板下賽跑的聲；抽水馬桶的漏水聲。」通過這段小女生看夜色，作家悄悄透露了女主角的家庭背景、階級身分。

程先生追王琦瑤，蔣麗莉又追程先生，王琦瑤在三角關係中遊刃有餘。有場戲寫三個人看電影，故意讓蔣坐在中間，左右傳話。女主角想：「退上一萬步，最後還有個程先生；萬事無成，最後也還有個程先生。」十六、七歲少女的這個想法，後來支撐了她半生的冒險，也危害了她一世的幸福。曾有一度，王琦瑤甚至想去撮合蔣麗莉和程先生：「有一點為日後脫身考慮，有一點為照顧蔣家母女的心情，也有一點看笑話的。她再明白不過，程先生的一顆心全在她的身上，這也是一點墊底的驕傲。」一個少女心，分了三部分，又成熟，又糊塗，又「綠茶」。王安憶插嘴說：「形勢是無法分析，真相也不便告訴。」敍事者有時很殘酷。

選美出名後，有商場請王琦瑤當剪綵嘉賓，其實是高官李主任贊助。李主任正室在老家，北平上海各有一房妻室，但他喜歡王琦瑤。說她「嬌媚做在臉上，卻是坦白，率真，老實的風情」。這樣的故事在二十世紀中國小說裏屢見不鮮：三十年代，張恨水筆下有個劉將軍舉着存摺跪求賣唱女沈鳳喜；四十年代，張愛玲筆下有個司徒協，把金剛石手鐲突然套在葛薇龍手上；到了五十年代，張弦筆下的女文工團員不肯馬上嫁給首長……

基本模式都是女的不斷掙扎，最後屈服於「金絲線」或「紅絲線」，但從來沒有像愛麗絲公寓這麼快捷、順利。

李主任請吃幾頓飯，汽車送回家。這時王琦瑤的母親登場。「做母親的從早就站到窗口，望那汽車，又是盼又是怕，電話鈴也是又盼又怕。」女孩子做富人小三或小四、小五，連家裏的母親也不反對，不知道這是不是上海小市民社會的獨特風景？李主任提出為王琦瑤租個公寓，王琦瑤的回答是：甚麼時候住過去？明天嗎？這一來，李主任反而被動了，因為公寓其實還沒租好。

蔣麗莉母親聽到流言後議論：「這樣出身的女孩子，不見世面還好；見過世面的就只有走這條路了。」然後小說評論：「這話雖是有成見的，也有些小氣量，但還是有幾分道理。」有理解，有批評。

王琦瑤對自己的處境其實看得很清楚。有一次蔣麗莉到愛麗絲公寓找她 —— 誰都知道這是交際花公寓了。王琦瑤就以蔣麗莉的母親來打比方，因為蔣麗莉母親是大奶，但是她的父親在重慶有一個二房。「你母親是在面子上做人，做給人家看的，所謂『體面』，大概就是這個意思；而重慶的那位卻是在芯子裏做人，見不得人的，卻是實惠。」

王琦瑤那時還不到二十歲，貌似追求浪漫，內心非常實際 —— 不知道這是不是上海的城市形象？在那個時代轉折點上她／他們都是寂寞之人。愛麗絲公寓光景不長，不久李主任就死於空難，他給王琦瑤留了一盒金條，影響了女主人公後來的命運，成就另一個版本的〈金鎖記〉。

四、五十年代以後的日常生活

小說第二部沒有「舊社會」那麼絢麗繁華，卻是《長恨歌》裏最精華的部分，也是女主人公生活最平淡的一個時期。

王琦瑤先是到江南小鎮鄔橋避難療傷。外婆看着受傷的外孫女：「她想這孩子的頭沒有開好，開頭錯了，再拗過來，就難了。她還想，王琦瑤沒開好頭的緣故全在於一點，就是長得忒好了。這也是長得好的壞處。長得好其實是騙人的，又騙的不是別人，正是自己。」王安憶的筆下，外婆也懂辯證法，話糙理不糙。

小鎮青年阿二，相當崇拜迷戀王琦瑤。當然只是崇拜海上繁華夢，隔着城鄉界線不會有結果。回上海以後，王琦瑤住在中低檔的平安里，早上聽到刷馬桶聲，看見煤球爐升煙，竹竿交錯晾衣服。作家安排前「滬上淑媛」在護士學校只學了三個月，就可以靠注射執照給人家打針自食其力了。知道是年輕寡婦，有人來介紹對象，但和一個禿頂哮喘教書先生看過一次電影後，她就放棄了。平安里也有棟洋房，資本家老婆嚴家師母，斷定王琦瑤有些來歷，於是引為知己，時常串門。小說寫王琦瑤「看見她二十五歲的年紀在蒼白的晨靄和昏黃的暮色裏流淌」，很快從任性的少女變成了溫婉的少婦。照照鏡子，感覺「中間那三年的歲月是一剪子剪下」。

王琦瑤還認識了嚴家師母的表弟毛毛娘舅。三人一起打牌、聊天、做點心，消磨時間，典型的上海弄堂裏的小資生活。毛毛娘舅是個北大畢業生，分配在甘肅，「他自然不去」—— 上海的市民價值觀，分配到甘肅，絕對不去。寧可留在上海吃父親定息。

張愛玲筆下的人物，怎麼在五十年代以後的上海生活下去？看看王琦瑤、嚴家師母，還有毛毛娘舅：「半遮了窗戶，開一盞罩子燈，真有說不出的暖和親近。這是將裏裏外外的溫馨都收拾在這一處，這一刻；是從長逝不回頭中攬住的這一情，這一景。」為了打麻將，又找來毛毛娘舅的橋牌搭子，一個高幹和蘇聯女人生的混血兒薩沙。

《長恨歌》第二部第二章，最少故事情節，文字最細膩柔情，最有上海味道。不就是幾個時代的閒人嗎？這裏只有王琦瑤有正當工作，每週定期在一起打牌、聚餐、點心、閒聊，小說悄悄透露一句：「這是一九五七年的冬天，外面的世界正在發生大事情，和這爐邊的小天地無關。」這就是《長恨歌》開篇所言，弄堂是大廈廣場的底色。

在平安里的聚餐牌局活動進行很久以後——小說沒有細寫到底是幾個月，還是幾年——小說才出現了毛毛娘舅的名字，叫康明遜。

第二章為甚麼特別溫馨？我覺得是因為這一章只寫三、四個人的很多瑣事，作家退出來了，側面描述，很少直接分析。分析留在潛台詞裏。

王琦瑤和康明遜早就各自有心，讀者想想，四個小市民，一個資本家女人三十多歲，一個打針護士二十多歲，另外兩個二十多歲的「社會青年」，幾個月甚至幾年，都在那裏打牌、聚餐，沒有一點「性」的因素，怎麼可能？王琦瑤和康明遜早就對上眼，但是他們誰都不說，邊試探，邊防衛，因為他們知道困難重重。

王琦瑤通過無數的生活瑣事愛上了這個細心體貼的男人；

康明遜則發現王琦瑤的風塵往事正符合自己的舊夢。但是他們都知道沒有希望，因為康明遜的資本家家庭有非常嚴格的禮教秩序，不可能接受像王琦瑤這樣的前國民黨高官的情婦。所以最後他們點破關係，卻只是互相流淚。

康明遜倒也是一開始就說清楚：我沒有辦法，沒有辦法不愛你，也沒有辦法娶你。王琦瑤清楚看到他們鴛夢難圓，沒有將來，就抓住現在。所以還是當初進愛麗絲公寓義無反顧的王琦瑤，不過這次她更加理直氣壯，因為這次是真愛。從此，「他們不再去想將來的事，將來本就是渺茫了，再怎麼架得住眼前這一點一滴的侵蝕，使那實的更實，空的更空。因是沒有將來，他們反而更珍惜眼前，一分鐘掰開八瓣過的，短晝當作長夜過，斗轉星移就是一輪迴。他們也不再想夫妻名分的事，夫妻名分說到底是為了別人，他們卻都是為自己……愛是自由，怨是自由，別人主宰不了。」

當然，也可以說這是自欺欺人，但是歸根結底，愛情不總是有點自欺欺人的嗎？王琦瑤發現自己真愛這個男人時，她懷孕了。懷孕了，康明遜還是沒有辦法，王琦瑤就找了薩沙頂包。這個階段的王琦瑤是一個真正的女人，為了愛，敢做敢為。

這個象徵中蘇友誼的混血兒，還以為有了艷遇，於是跑醫院，準備打胎。小說在這個地方很罕見地寫到王琦瑤的性生活：「王琦瑤和男人的經驗雖不算少，但李主任已是久遠的事情，總是來去匆忙，加上那時年輕害羞，顧不上體驗的，並沒留下多少印象；康明遜反是還要她教；只有這個薩沙，給了她做女人的快樂，可這快樂卻是叫她恨的。」顯然，寫性生活也是條理分析多於細節描述。

本來想好去做手術，王琦瑤臨時又猶豫了。三十歲的女人，甚麼都沒有。就在這時，她重新碰到了程先生。十二年前，就想把程先生打底的，現在真的付諸實行了。這個老老實實的小職員，甘心情願地過來照顧王琦瑤。程先生一直喜歡王琦瑤，守身如玉。這時，他們又碰到蔣麗莉。蔣麗莉參加革命，嫁給軍代表，已經有三個孩子。

「上海的市民，都是把人生往小處做的。對於政治，都是邊緣人。」但有一天，蔣麗莉要填入黨申請書，居然要王琦瑤做她中學時的證明人。王琦瑤生活的年代和《活着》裏的福貴差不多，六個歷史階段也是一個都不少，只是她的政治分期淡淡隱在小市民的衣食住行、瑣碎慾望後面，偶然一閃一閃。王安憶寫五十至六十年代的上海生活，小市民在弄堂裏聚餐、打麻將，舊社會過來的人重新相聚等等，比她虛構想像四十年代選美，以及和後來批判八十年代上海復興都更加真實樸素，是《長恨歌》寫得最好的部分。

王琦瑤生了個女孩，程先生接她出院。這時王琦瑤的母親終於又出現了，燉了雞湯，也不看小孩，靜靜地抹眼淚，為女兒傷心。嚴家師母看不懂，王琦瑤周圍有康明遜、薩沙、程先生，不知道是怎麼回事。骨子裏，嚴師母有點看不起王琦瑤。康明遜來的時候，王琦瑤不讓他看孩子，兩個人流淚，也是蠻慘的一段。程先生無微不至的照顧叫王琦瑤非常感動，她心裏詫異，呆木頭似的程先生其實解人很深，她就是不願意跨出那一步。

比起幾個女學生去片場做明星夢，現在的人與事都更加實在，更加無奈。前面後面都是戲，中間一段是人生——我也模擬王安憶文體。

曾經有一度，只要程先生開口，王琦瑤準備接受，他們就會在一起。可是程先生注意到了康明遜和王琦瑤的關係，知道他是小孩的父親，他便悄悄退出，還流淚託蔣麗莉照顧王琦瑤。所以王琦瑤三十多歲，身邊不乏男人，但她還是一個單親媽媽。

時間就這樣過去。「當王琦瑤明白嫁人的希望不會再有的時候，這盒金條便成了她的後盾和靠山。夜深人靜時，她會想念李主任……王琦瑤禁不住傷感地想：她這一輩子，要說做夫妻，就是和李主任了，不是明媒正娶，也不是天長地久，但到底是有恩又有義的。」

王安憶筆下常常出現恩義與情愛兩組概念的對立。1965年，上海好像很繁榮，蔣麗莉卻生了癌，還在家裏看《支部生活》（極精彩的歷史細節），臨終還在跟王琦瑤、程先生吵鬧、哭喊。然後，「一九六六年的夏天裏，這城市大大小小，長長短短的弄堂，那些紅瓦或者黑瓦、立有老虎天窗或者水泥曬臺的屋頂，被揭開了。多少不為人知的秘密暴露在光天化日之下。……它確是有掃蕩一切的氣勢，還有觸及靈魂的特徵。它穿透了這城市最隱秘的內心，從此再也無藏無躲，無遮無蔽。這些隱秘的內心，有一些就是靠了黑暗的掩護而存活着。它們雖然無人知無人曉，其實卻是這城市生命的一半，甚至更多。……程先生的頂樓也被揭開了，他成了一個身懷絕技的情報特務，照相機是他的武器，那些登門求照的女人，則是他一手培養的色情間諜。這夏天，甚麼樣的情節，都有人相信。」跳樓的時候，「沒有一個人看見程先生在空中飛行的情景，他這一具空皮囊也是落地無聲」，遠不像王小波〈黃金時代〉那麼戲劇性，跳樓人半空中勃起，然後腦漿塗地。

五、八十年代的「舊上海夢」

小說第三部跳到「文革」之後。

女兒薇薇出生於1961年，到1976年十五歲了，她沒有母親這樣漂亮，聽人議論，心生嫉妒。現當代文學當中，寫母女衝突的，最著名的就是《小團圓》和《長恨歌》。王安憶在改編話劇《金鎖記》時，索性把長白全部刪除，專心只講七巧和長安的母女鬥爭。《長恨歌》裏的「新時期」，主要由一連串母女之間的細碎折騰構成。剪燙個頭髮要比較；曬個衣服要感慨；女兒穿舊旗袍，王琦瑤悵然若失，因為她看見的並非當年的自己，而是長大的薇薇。這不只是母女代溝，更是上海兩個時代在對話。四十年代「舊社會」與七十年代「文革」後互相鄙視。

薇薇的時代，照王琦瑤看來，舊和亂還在其次，重要的是變粗魯了。馬路上一下子湧現出來那麼多說髒話的人，還有隨地吐痰的人……這城市變得有些暴風急雨似的，原先的優雅一掃而空。王琦瑤甚至感歎，如今滿街的想穿好又沒穿好的奇裝異服，還不如文化革命中清一色的藍布衫，單調是單調，至少還有點樸素的文雅。

在王安憶小說裏，「文革」常常不僅是災難。

薇薇中學同學張永紅，打扮時髦，家境困難。父親修鞋，母親是病人。張永紅崇拜王琦瑤，說：「薇薇姆媽，其實你是真時髦，我們是假時髦。」本來時裝，舊久即新。幾十年時裝，王琦瑤歷歷在目，不思量，自難忘，所以時裝也成了時代精神。從時裝到男朋友，張永紅和王琦瑤好像變成朋友，無話不談。她把那些交交玩玩的男友，走馬燈似的找來請王琦瑤評論。薇薇開始做電燈泡，後來自己有了男友，「王琦瑤看見小林第一面的時候，就禁不住地想：這才叫糊塗人有糊塗福呢！」潛臺詞裏，她不大看得起自己女兒。比較之下，媽媽卻是聰明人卻沒有聰明福。這個階段的王琦瑤，已經從任性的姑娘、矜持的少婦變為很懂風情的老阿姨了。上海的粗俗話，「老阿姨喜歡童子雞」，王安憶的小說也正是在往這個方向發展（甚至，作家說這個結局是整個長篇構思的起點）。

雖然知道女兒很多弱點，有時也看不起，但到底是自己女兒，拍拖給她很多方便，悄悄維護她的幸福。小林考取大學，王琦瑤就給他一塊金條去換錢，此事對女兒也是保密的。之後三個人又遊杭州，一起去舞會。王琦瑤看着年輕一代熱戀，心裏的感受是：「你們還有時間呢，像我，連時間也沒了。」

母親嫉妒女兒，是否正常或典型的女人心理？王安憶的小說，問號總是多過句號。

準備嫁妝，披紗照鏡 —— 王琦瑤在旁便暗暗驚歎，想一個相貌平平的女人，一旦做起新娘，竟會煥發出這樣的光彩。作家進一步評論：「這是將女人做足了的一刻，以前的日子是醞釀，然後就要結果。這一個交界點可是集精華於一身的。」同樣嚴肅思考女性命運，鐵凝《玫瑰門》貫穿殘酷悲劇，王安憶《長恨歌》

更多日常生活。

為女兒縫新婚被子，王琦瑤要求人，她說我這樣的女人是不能縫那鴛鴦被的。這句話很心酸，原罪背了半輩子。女兒結婚，父親也沒有來。婚後，小林和薇薇去了美國，養育女兒二十多年，王琦瑤頭髮白了，現在又回到了一個人的生活。

這時，她認識了「老克臘」，一個二十六歲的體育老師，熱愛老唱片、機械表、爵士樂、舊款咖啡壺，盲目崇拜各種昔日的殖民地文化，故名「老克臘」。「像老克臘這樣的孩子，卻又成了個老人，一下地就在敘舊似的。心裏話都是與舊情景說的。……他就喜歡這城市的落日，落日裏的街景像一幅褪了色的油畫，最合乎這城市的心境」。

老克臘在一個家庭舞會上，看見了屋角裏坐着一個女人：「白皙的皮膚，略施淡妝，穿一件絲麻的藕荷色套裙。她抱着胳膊，身體略向前傾，看着電視螢幕。窗幔有時從她裙邊掃過去，也沒叫她分心。當螢幕上的光陡地亮起來，便可看見她下眼瞼略微下墜，這才顯出了年紀。但這年紀也瞬息即過，是被悉心包藏起來，收在骨子裏。是躡着手腳走過來的歲月，唯恐留下痕跡，卻還是不得已留下了。這就是一九八五年的王琦瑤。」

小說最後部分，要寫一個五十五歲昔日上海小姐和二十六歲老克臘的老少戀，這是很難寫的一部分。張愛玲說，她寫「〈傾城之戀〉裏的白流蘇，在我原來的想像中決不止三十歲，因為恐怕這一點不能為讀者大眾所接受，所以把她改成二十八歲。」[4] 王安憶對讀者趣味的挑戰大膽得多，當然也辛苦得多。

《長恨歌》裏的老克臘象徵上海懷舊熱，他們的戀愛後來悲劇收場，說明作家對上海懷舊熱的保留與置疑——雖然客觀上《長恨歌》也可以被視為九十年代上海懷舊思潮的一個組成部分。依靠一些符號和往事的開掘，把舊上海變成光榮歷史，王琦瑤的品位、風情當然是擊倒了老克臘。「事情竟是有些慘烈，他這才真觸及到舊時光的核了，以前他都是在舊時光的皮肉裏穿行。」他們一起跳慢舞，觸覺、目光都能說話，此後他們漸漸相熟。老克臘對王琦瑤說，他懷疑自己其實是四十年前的人，大約是死於非命，再轉世投胎，前緣未盡，便舊景難忘。在時光倒流的感覺裏，老克臘說：「你是沒有年紀的。」說是沒有，其實更加強調了時間。做愛一段，寫得很尷尬，老克臘渾身發燙，去抱王琦瑤，「她歎息了一聲，伏在了他的胸前，而他趁勢一翻身，將王琦瑤壓住了」。但一夜之後，老克臘不見了。王琦瑤想甚麼都沒發生。但過些天，他們又在一起了，一夜無聲。作者說只有樓頂曬臺上的鴿子，一夜鬧騰。

老克臘再是崇拜四十年前，心還是一顆現在的心。他去到王琦瑤處想了結，不想王琦瑤絕望地搬出了金條盒子，「只求你陪我幾年」。

老克臘最後還是逃走了。這段時間，張永紅和她那個冒充闊老但其實是炒匯謀生的男友長腳也和王琦瑤他們來往。老克臘就把鑰匙交給張永紅，讓她去歸還。長腳拿了鑰匙，半夜潛入了王琦瑤的家裏，去尋找傳說中的上海小姐的小金庫，被王琦瑤發現了。

本來長腳被責罵時已想逃走，可是王琦瑤要他去派出所自首，於是他就用手掐住了王琦瑤的脖子。王琦瑤臨死時，見到四十年前，在電影攝影棚裏看到的一個女人橫陳在床上。

有的長篇精彩在於想像民國歷史格局政治生態，比如《白鹿原》；有的長篇精彩在於一個人見證「前三十年」，比如《活着》。但白嘉軒和福貴作為典型人物，他們的性格在小說裏基本不變。按照傳統的文學理論，王琦瑤的性格不僅充滿了內在矛盾，而且隨着劇情和時代變化：四十年代的虛榮繁華，五、六十年代的困苦磨難，八十年代的浪漫悲劇。至少前兩個階段，又分明在寫上海：虛榮繁華點出中國資本主義的虛弱；困苦磨難象徵解放後小市民上海，仍然是國家經濟支柱。最後結局是經濟復興還是文化衰敗？是對現代性的悲觀預言，還是強調上海注定像女人一般頹廢、堅強、浪漫？人們自然可有不同解讀空間。

《長恨歌》和《廢都》都是當代世情小說的代表作，不過男女作家角度不同。

注

1 寫作本文前我還特地致電王安憶求證。她在鎮寧路上住過兩個地方，我去的是第一個位址。鎮寧路靠近華山路一帶，過去和現在都是上海的高檔住宅區。但是愚園路以北的鎮寧路，至少在二十多年前，是一個比較普通的市民住宅區。

2 2000 年時，上海作協邀請一百位學者，投票推薦九十年代最重要的十個作家、十部作品。最後公佈名單是：王安憶、余華、韓少功、陳忠實、史鐵生、張煒、賈平凹、張承志、莫言、余秋雨。具體排位不確定，但記得王安憶排在前面。最有影響的十部作品是：《長恨歌》、《白鹿原》、《馬橋詞典》、《許三觀賣血記》、《九月寓言》、《心靈史》、《文化苦旅》、《活着》、《我與地壇》、《務虛筆記》。在這個評選結果中女作家只有一位，寫大城市的也只有《長恨歌》，但是《長恨歌》得票最多。

3 王安憶《長恨歌》1995 年於《鍾山》雜誌連載；1996 年 2 月，由作家出版社首次出版。本文中的小說引文，均依據北京：人民文學出版社，2014 年版。

4 張愛玲：〈我看蘇青〉，《天地》第十九期，1945 年 4 月。引自《餘韻》(臺北：皇冠出版社，1987 年)，頁 95-96。

很苦很善良，很壞很愚昧

在「重讀二十世紀中國小說」快結束的時候，照原計劃我們加上兩部在出版時間上屬於新世紀的長篇：2003 年出版的閻連科的《受活》，和 2006 年出版的劉慈欣的《三體》。原因是這兩部長篇與之前我們閱讀的現實主義主流文學很不一樣，分別被稱為荒誕現實主義和硬科幻。我願以文學潮流、文體文類的轉向作為「重讀二十世紀中國小說」的一個開放性的結束。

之前討論過，當代作家大致有「城裏人下鄉」和「鄉下人進城」之分，前者有王安憶、阿城、史鐵生、韓少功等等，後者有莫言、賈平凹、路遙，還有閻連科。閻連科 1958 年出生於河南洛陽嵩縣田湖瑤溝 —— 地名寫得越具體，越有鄉土特色。據說他自小放牛種地，高一就輟學，是後一類「鄉下人進城」的典型個案。

一般來說，「鄉下人進城」比較有道德底氣。開會發言、出書做題目，都會聲明「我是農民」，就像沈從文當年自豪地宣稱「我是鄉下人」一樣。這裏所謂「進城」，不只是戶口到了城裏，也意味着作品會以海內外城鎮人口為假想讀者。相比之下，王安憶、阿城等人是不大會用「我是城裏人」做書名標題。他們的城市文化視角悄悄藏在字裏行間。

一、閻連科的荒誕現實主義

閻連科二十歲當兵，最初是部隊作家，早期作品從不同角度描寫對越自衛反擊戰中的戰士心情。1985 年，他畢業於河南大學政教系，之後又讀解放軍藝術學院。1998 年發表成名作《日光流年》。自 2003 年《受活》以後，閻連科又出版了很多作品，《丁莊夢》、《風雅頌》、《四書》等等，引起文壇矚目，也招致批評爭議。閻連科三次被提名英國布克國際文學獎，也曾獲馬來西亞「花蹤」世界華語文學大獎、捷克卡夫卡文學獎、日本國際推特文學獎首獎，等等……

儘管閻連科獲獎作品很多，但我們還是選擇重讀他早期的《受活》——因為《受活》比較能夠代表他的荒誕現實主義特色——他自己稱之為「神實主義」。

之前，中國作家接受魔幻現實主義的影響主要有兩種形式。一種是韓少功〈爸爸爸〉那樣的寓言體，純虛構一個原始部落的歷史變遷，展示一種封閉、凝滯、愚昧的民族文化生態。另一種如莫言的〈透明的紅蘿蔔〉，絕大部分篇幅非常寫實，但插進一個神奇的幻象——紅蘿蔔。「一假」改變了「九真」的意義。《變形記》(*The Metamorphosis*) 是這類寫法的經典。

《受活》介乎於兩者之間。小說由一個很奇幻的情節支撐，其實一直沒有實現——河南鄉下某地，打算買列寧的遺體來建風景點。這是插在當代鄉村現實當中的一個神奇開關，這個開關使得平常很平凡很困苦活着的民眾，依據現實的種種邏輯，進入了荒誕的狀態。整本《受活》濃縮了從紅軍到土改，從「大躍進」到「文革」，前後大半個世紀的鄉村歷史。政治符號都是真的，只是略加童話般的改動，「三年自然災害」改為「大劫年」，「文革」變成「黑災洪難」等等，但具體的情節細節，有意無意地有點失真誇張，所以叫神實主義。小說就是以荒誕的手法寫現實，但是現實本身充滿了荒誕。

閻連科和劉慈欣都是奇特幻想，但寫法不一樣，想法也不一樣。閻連科和余華他們只是寫法不一樣，想法卻有相通之處。

仔細想想，《活着》為甚麼神奇暢銷？寫的是一個地主的兒子在解放以後幾十年的生活。按理說，作家把福貴一家在解放以後的生活寫到讀者讓流淚，本來是不可能的。地主的兒子、媳婦，在「千萬不要忘記階級鬥爭」的年代，倒楣是「活該」，怎麼能讓大家同情？關鍵就是五個字：很苦很善良。這兩點很重要，苦是文學資源，取之不盡，善良是道德寶藏，用之不竭。苦和善良缺一不可，兩者平行。余華寫得太好，細節太真實，很苦很善良，老百姓一看，認同了，也忘了那是地主的下一代。

閻連科的《受活》也寫老百姓很苦很善良，這個很苦很善良更由一羣殘疾的村民體現。他們或者缺胳膊斷腿，或者聾啞、失明、小兒麻痺等等，所以他們天生就比福貴一家更苦。而且他們也非常善良，「三年自然災害」期間，周圍的健全的民眾（小說裏叫圓全人）都要到殘疾人的村莊來討飯，他們就全力幫助那些飢餓的圓全人，弄到最後大家都要餓死。「十年」中，說這個地方遺漏了土改，重新搞過，結果因為沒有地主，人人都被發了一個小黑本，人人都要被批鬥。受活人也不抱怨，也會忍受。最後他們修好了列寧紀念堂——雖然還沒有遺體。但在紀念堂裏，農民錢財被搶，姑娘們被強姦，受活人只求活命，不搞報復，繼續他們的受活——苦中作樂。所以《受活》在「很苦很善良」的思路上，延續着《活着》的主題，同情哀憐中國底層的弱勢羣體。

小說裏專門解釋「受活」這個關鍵字，說是北方方言，豫西人、耙耬人最常使用，意思是享樂、享受、快活、痛快淋漓；但是在耙耬山脈，也暗含苦中之樂、苦中作樂之意。所以，《受活》這個標題似乎表現的就是很苦很善良。

但是閻連科不僅寫民眾之苦，還寫他們在苦中作樂。他們組成「絕術團」（有絕技的殘疾人組成的賣藝團體），到處演出賺錢，讓正常人欣賞他們的殘疾，他們也覺得這是快樂幸福。

魯迅在三十年代分辨過「奴隸」和「奴才」的區別，其中一項就是是否能從奴隸生活中「尋出『美』來讚歎、撫摸、陶醉」。[1] 殘疾人的表演，好像也是「尋出『美』來讚歎、撫摸、陶醉」，但問題是誰來尋出這個美呢？這是《受活》的關鍵情節。

看上去是異想天開的柳縣長第一個想到讓殘疾人組團來表演「疾病」，這是一種奇思異想。但實際上，全縣、全地區甚至其他各地欣賞、追捧、享受這種殘疾表演的正常民眾，才是尋出這美來讚歎、撫摸、陶醉的主體。從這個角度看，《受活》裏的中國農民或民眾就不只是很苦很善良了。小說讓殘疾人來表現很苦很善良，但安排了圓全人、正常人來表現農民的另一面——另一面說得好聽是很笨很麻木，說得尖銳一點，就是很壞很愚昧。

這個「壞」字，有時候可以打個引號，比如說貪小利、狡猾、麻木。但也有的時候，比如說最後有八個圓全的司機把絕術團員們關在紀念堂裏敲詐勒索，還輪姦少女，也是出於貪利、狡猾，這個時候「壞」字就不必打引號了。

這是閻連科和很多同代作家的不同之處——大部分作家都比較強調阿Q被欺負的一面，很苦很善良；閻連科卻同時強調阿Q摸小尼姑頭皮的這一面，很壞很愚昧。《受活》的「荒誕現實主義」是將農民性格的兩面——奴隸面與奴才面明顯分開，前者屬於殘疾人，其實心理比較健康；後者屬於圓全人，其實行為更加愚昧。

二、很壞很愚昧的三個層次

小說將圓全人的「很壞很愚昧」分成三個層次來寫。

一個作為觀眾看客的正常人，瘋狂漲價也要買票追看殘疾人的表演。在聾子的耳邊放巨大的炮竹，讓小兒麻痺症病人穿一個玻璃瓶表演流血，讓瞎子聽樹葉落地，讓殘疾人表演穿針絕活，還有斷腿猴怎麼騰空跳躍，還有把九個小孩假扮成九胞胎，弄虛作假……反正是荒誕現實主義，情節細節上誇張失真也是正常。受活人胡亂演，正常人當耍猴看。作家當黑色幽默表現，核心是「展覽殘疾，欣賞病態」。正常人全無對他人人格的尊敬，這是第一層的愚昧，包含着一種集體無意識的冷漠，虐待狂的潛意識轉移。

第二層，當然就是那些隨團演出的正常人。搶劫殘疾人，把他們被子行李裏的錢偷走。或者把絕術團的男男女女關在紀念堂裏，一杯水賣一百塊，一個饃饃賣五百塊，過兩天還漲價。最後又哄騙這些受活人把全部的錢交出來，說每人會發回三千塊。小說寫到第十一卷第五至第七章 —— 小說的章節只有單數的，也算一個形式創新 —— 從荒誕喜劇一步步走到了驚悚片、恐怖片的層次。這個層次雖然只有少數壞人參與，但是小說強調他們是「圓全人」，不是官員。顯然「很壞」多過「很愚昧」。

但小說更令人細思極恐的是第三個層面，只要殘疾人的絕術團能夠在當地和各地演出並大量賺錢，只要這錢能夠像柳縣長計劃的那樣用來購買列寧遺體，然後能將雙槐縣打造成政治經濟雙豐收的紅色風景區，只要這個奇幻夢想能使縣裏的人們家家有房住，學校免費，醫療保障，經濟寬裕……只要這些能實現，縣裏的人們喲 —— 小說裏有很多這種模擬當地農民語彙的語氣詞，例如喲、呢、了、哩，凸顯一種口語的鄉土氣息 —— 就全都向縣長磕頭鞠躬，由衷地感恩。小說寫：「柳縣長知曉前邊的百姓之所以跪着不起來，是怕擋了後邊來了的人們望不見他，於是就都那麼久久地跪着不起來，讓後邊來遲的百姓能老遠看見一眼柳縣長，看了一眼後，再在他們身後跪下來，磕那三個恩兒頭。」[2] 細節是誇張的，但民眾以為在可以獲得物質幸福、生活滿意時，向領導感恩的心情姿態究竟是「很苦很善良」？或是「很壞很愚昧」？也許，是兩者的完美統一？

三、「通三統」的縣長、為農民卻害了農民的茅枝婆

《受活》不僅通過殘疾人與正常人的對比，描寫了農民心態、生態的兩個側面，而且還延續了二十世紀中國小說的一條矛盾主線，就是官民關係。

延安文藝，〈小二黑結婚〉劃出了好官與壞官的界限。好官就是區長，幫助小二黑和小芹自由戀愛，壞官就是金旺、興旺，阻止民眾婚姻自由。所以從五十年代開始，當代文學中常有官員內部的兩條路線鬥爭——或者是年輕人和官僚主義的鬥爭，比如〈組織部來了個年輕人〉；或者是想發財的黨員和支持合作化的書記的鬥爭，那是《創業史》；或者是四人幫餘孽和改革派，見是〈喬廠長上任記〉；或者是熱衷政治運動的性變態女幹部和因戰爭負傷性無能的善良的糧站站長的鬥爭，在《芙蓉鎮》裏……區別這些官員或忠或奸的主要標誌，就是看他們是維護還是損害農民的利益。在這個文學傳統下，《受活》裏的柳縣長和茅枝婆的對立鬥爭，就成了極具象徵意義的兩種官員，甚至是兩種政治傳統的複雜對比了。

柳鷹雀，這個名字有意思，又是老鷹又是麻雀，這個縣長在小說開始時有點漫畫化，像個反面人物。我注意到當代小說中縣長這個位置特別重要。白孝文解放後當了縣長，讀者頗有理由擔心《白鹿原》之後幾十年會有甚麼風雨變化；《活着》裏，為了救縣長女人，福貴的兒子被醫院抽血抽死，但縣長卻是男主角昔日在國民黨軍中的戰友，所以官民衝突一下子獲得了緩解。除了《平凡的世界》例外寫到地委、省委，大部分其他小說寫官

員，寫到縣長到頂了。而且縣長大部分未必幫助百姓，但是也不是有意危害百姓。縣長一般是「好心辦壞事」的幹部的典型職位，除了柳縣長是個例外。

《受活》裏的柳縣長本身是一個棄兒，被當地社會主義教育學院的柳老師撫養長大。他從小就聰明乖巧，一級一級做官，腳踏虛偽政治階梯步步上升，是個典型的精緻利己主義官員。柳縣長身上活生生地體現了甘陽等理論家後來主張的「通三統」(孔夫子的傳統，毛澤東的傳統，鄧小平的傳統，是同一個中國歷史文明連續統[3])。柳縣長如何「通三統」？首先，他喜歡個人崇拜。縣委開會，所有常委全聽他的，他在自己的家有個敬仰堂，掛了馬恩列斯毛，還有十大元帥的像，然後再掛上自己的像；建列寧紀念堂，居然還放了一個為他自己準備的棺木。反正是荒誕現實主義，細節失真，大家莫怪。這是個人崇拜的一面。同時，柳縣長辦事又很靈活，白貓、黑貓，能使當地經濟發展的就是好貓。有一批鄉親到外面做小偷，當時做鄉長的他要去把鄉親領回來，沒想到他一領回來，轉手就把他們放了，說你們要爭氣，做點實事，以後回家鄉來開工廠。後來，果然有人混得好了，回來開工廠。去領一些出去「賣肉」的鄉親女孩，他也轉身就鼓勵說：你們賣甚麼肉，你們能夠把人家弄到離婚，或者自己能開店，做媽咪，那才算風騷。所以，後來真的有些女孩成功上位當小三，或者開了甚麼店。這就叫「水至清則無魚」。想想買列寧遺體、絕術團巡迴表演，都是奇招。要不是最後省委、中央不批，還撤他的職，說不定還真能幫着雙槐縣脫貧致富。誰叫他買列寧遺體，事先不跟上面打個招呼？修風景區，為甚麼不修黃帝陵墓，或者西門慶紀念館？說考證出堯舜或曹操的遺骨，那不就復興國學了嗎？總之，柳縣長不管用甚麼方法，都是想讓雙槐縣民眾富起來，所以大家磕頭感恩。

還有第三個「統」。柳縣長整天以父母官自居，直言不諱。有次開會他就說：「鄉親們，父老們，咱們全縣有八十一萬人口呢，我是這八十一萬人的父母官，這八十一萬人，無論你姓趙還是姓李，姓孫還是姓王，只要出生在縣裏的地界上，男女老少都是我姓柳的兒娃喲。我姓柳的是這八十一萬人的父母哩。」這不貌似儒家文化的官員傳統嗎？

在「通三統」的奇葩縣長對面，是一個紅軍老奶奶——茅枝婆。茅枝少年時曾跟隨紅四方面軍，後流落在殘疾人聚集的三不管地帶——受活莊。她嫁給了石匠，她同時是村長、書記。「起原先，受活莊是沒有莊幹的，從解放以後就沒有莊幹的，像一個大的家戶樣，散散落落着。……是茅枝婆在解放後把天不管的受活領進了這世界上的鄉裏、縣裏的，當然該有茅枝婆來調理着這個莊的事務哩。比如要開會，比如交公糧、售棉花，比如上邊有了政要大事必須立馬讓滿天下人盡皆知的，比如兩家鄰戶的吵架鬥嘴兒，婆媳反目成仇的，那都是要經過茅枝婆來一解一決的。茅枝婆如果不是甘願淪落在受活莊，也許她在多少年前就當了鄉長、縣長了。可她就是要守在受活過日子。她當然就是受活莊的主事了。」

在小說裏，茅枝婆是唯一能和柳縣長吵架的人，因為她的紅軍資歷更老。

在柳縣長搞個人崇拜、「白貓黑貓」、「父母官」這麼一個「通三統」官員面前，茅枝婆代表了另外一種政治傳統。柳縣長是野心家，茅枝婆是樸素的人民公僕；柳縣長強調水至清則無魚，茅枝婆是廉潔不忘初心；柳縣長開會稱自己是父母官，茅枝婆實際上是為受活莊操碎了心。但是反諷得很，柳縣長異想天開的購列計劃與絕術團表演，至少在一個短時期裏，卻給縣裏民眾，也給受活人帶來了直接的經濟收益。而茅枝婆大半生為受活人謀利益，但後來一直後悔把受活莊帶進了人民公社，之後經歷了鐵災（大煉鋼鐵）、大劫年（三年饑荒）。「文革」時期來了一個革命派，名字就叫革命，說：誰是地主，誰是貧農？茅枝婆說：受活莊沒有地主和貧農（因為這裏沒有經過土改）。當代小說，大家都寫土改，這是最特殊的一種寫法——漏過了這個歷史階段。遺漏，也是一種描寫。原來這個三不管的村莊，過去大家每戶都有十幾畝地，夠吃夠用。既然大家都有十幾畝土地，所以大家都是地富，都得發個黑本，都要出去挨鬥。於是，茅枝婆就主動交代，說自己曾經有百多畝地，還有長工之類，所以她就被劃成地主了。她劃成地主，受活莊名額就滿了，其他殘疾人就變成貧農，有了小紅本，就不用挨鬥了。

在小說的現在式時間，絕術團要出去表演賺「購列款」，只有茅枝婆是反對的，她說哪裏是賣藝，這是賣臉。但是反對沒用，因為大家都想賺錢。茅枝婆一直發誓，她一生最想做的一件事情就是讓受活莊退社，「退社」成為小說中的另一個關鍵字。

照說「十年」以後，人民公社解散了，也不存在退社了，但茅枝婆堅持要到縣裏為受活莊爭取退社，具體內容就是脫離雙槐縣了，也不要由行政單位來接管了。所以象徵意義上，退社大概就是退出「前三十年」所有制。這裏的意思有點含混，不便細究了，荒誕現實主義。

在絕術團被搶劫、被強姦之後，在受活莊真的退社的時候，茅枝婆去世了。

這是一個甚麼樣的幹部，這是一種甚麼樣的政治傳統，這是一個好官，為了民眾，她害了民眾，自己又為民眾犧牲，最後，不知道是不是解救了民眾。

在她的對面，卻是一個壞官，野心投機，不擇手段，可民眾還感恩，他最後被上級撤職了。為甚麼撤職？因為購買列寧遺體的計劃，沒有先經過上級批准。荒誕的因素，最後要回到現實框架。

柳縣長的結局是令人深思的，他的老婆和秘書通姦，他原諒了。在紀念堂外被強姦的四胞胎，其實是他的女兒。他在民眾感恩與官場失敗以後，主動車禍斷腿，也成為受活人，到受活莊繼續他的餘生。

柳縣長斷了雙腿，形象反而高大起來。他突然退出官場的心路歷程，寫得有點匆忙跳躍，反正是現實荒誕。但將受活莊作為世外桃源，這麼一個荒誕烏托邦，卻令人感慨。這是梁啟超以來上百年間，至少是當代中國文學史上罕見的烏托邦。

圓全人很壞很愚昧，他們還在為虛假經濟繁榮而下跪感恩，反而受活人很苦很善良。難道這個世界很病態，很荒誕，只有殘疾人的村落才比較健康？

到最後，閻連科的創作其實也有點接近莫言這一派，基本上是用現代派手法寫中國鄉土畸形。不過他的想像力更奇幻，語言也更「土得掉渣」。人們分析莫言獲獎，部分原因是鄉土故事加現代主義手法及「文革」題材，再有點不同政見與中國文學傳統，當然還是要靠好的翻譯。這裏除了中國文學傳統這一條可以再討論，其他因素，閻連科都具備。所以他的作品現在也廣受海外評論界的關注，不時有可能要獲得諾貝爾文學獎的呼聲。

但這是題外話，和文學關係不大。閻連科小說的核心情節，不僅寫鄉村的荒誕現實，其中也有作家對自己創作處境的某種自省 —— 這種「正常人」圍觀「殘疾人」的表演，欣賞他們的很苦很善良或者很愚昧，到底人們是在哀誰之不幸，怒誰之不爭？

換言之，如果專家讀者（包括海外的專家讀者）也那麼喜歡看中國農民的殘疾苦難，那他們是不是「正常人」呢？

注

1　魯迅：〈漫與〉，《南腔北調集》，《魯迅全集》第四卷（北京：人民文學出版社，2005年），頁604。

2　閻連科：《受活》，首次發表於《收穫》2003年第六期；2004年1月，由春風文藝出版社出版單行本。引文依據《受活》（瀋陽：春風文藝出版社，2004年）。

3　甘陽：〈自序・關於「通三統」〉，《通三統》（北京：生活・讀書・新知三聯書店，2014年），頁6。

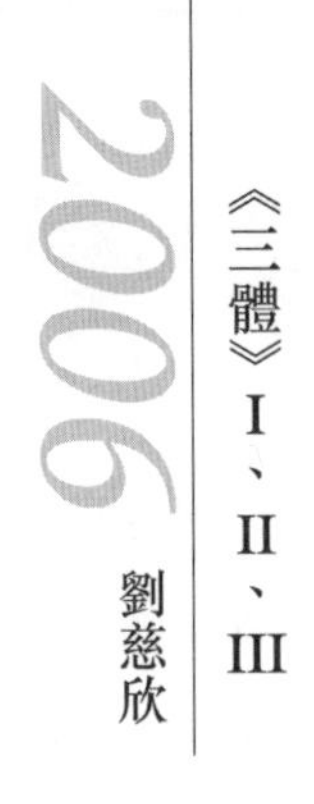

中國故事與普世價值

劉慈欣的長篇小說《三體》是我們「重讀二十世紀中國小說」之中唯一一本硬核科幻小說，不僅象徵着幾乎空白了一個世紀的中國文學神奇魔幻傳統的歸來，並且在某種意義上也試圖證實當代中國故事的普世價值與世界意義。這種普世價值與世界意義，又是從「最中國」的「文革」故事開始講起。

我們主要是讀《三體》的第一和第二卷。[1]《三體》三卷有不同的主人公，也有貫穿線索。在文學意義上，可以分開來讀。個人覺得第二卷最出色，第一卷和二十世紀小說中的「文革」敘述最有關聯。

如果說梁啟超的政治幻想預見了（也局限了）之後百年小說拯救中國的各種方案，劉慈欣的世紀末（新世紀初）硬科幻，是否在顯示中國小說的一些新的發展可能，在物理上走向太空，在心理上走向世界？

劉慈欣《三體》在科幻文學界得到了世界級的雨果獎。奧巴馬、馬雲等很多名人都非常欣賞。英文版據說文字很漂亮，在美國也有很多讀者。文學界、學術圈裏，比較早注意到劉慈欣的是哈佛大學的王德威教授，他說：「我最初知道《三體》是我學生推薦的，我看了覺得特別奇怪。我必須說他的文字是不夠好的，但是你又覺得他處理人類文明的手法，諸如『三體人要來』的情節，完全不是王安憶、莫言、蘇童或者閻連科可以處理的。在那個意義上，他讓我吃了一驚。」[2]

相比賈平凹、王安憶、閻連科這些作家精心刻意講究語言，《三體》的敍述語言比較文藝腔。小說第一卷中，汪淼的現在時態的敍事，葉文潔的往事回憶全知視角，還有三體遊戲當中汪淼的體驗，三種不同的敍事狀態，使用的是同一種語言，同一個腔調。

本來，當代小說如果語言不夠有特點，評論家或者要求高的讀者，通常就讀不下去了。但劉慈欣是一個例外，他用幾個精彩絕倫的細節，還有奇幻的情節框架，活生生彌補挽救了文字敍述方面的不足。

我初讀《三體》時，還沒進入故事，就被幾個細節意象吸引。第一個是在暗室裏發現照片上有數字。汪淼叫家人拍同一個相機，沒有數字，可是他自己看哪裏都有數字，而且是逐漸減少的數字。象徵意義上，其實我們每個人都在目睹自己的人生在分分秒秒消失，在眼看死期迫近……後面講到宇宙大背景上去看倒數信號，宏大遙遠，反而感覺沒那麼強烈。所以，文學中刺激人的東西，最好是讀者感官能觸及的東西。

第二個印象極深的細節是脫水者。在類比遊戲中，三體人為了無規則的冷熱生態，太熱時就要全身脫水，變成了一張皮，折起來存放，等氣候合適，再把這些人乾放回到湖裏，自己就恢復成三體人。單單為了脫水者這個場景，《三體》也應該拍成電影。聽說是早有拍電影的計劃，Netflix 要請《權力遊戲》的主創來參與電影改編，值得期待。

第三個細節是在巴拿馬運河上架起納米線，將六萬噸的第二紅岸基地「審判日」號遊輪在一瞬間平切成幾十個薄片。

> 「審判日」號開始散成四十多片薄片，每一片的厚度是半米，從這個距離看去是一片片薄板，上部的薄片前衝速度最快，與下面的逐級錯開來，這艘巨輪像一疊被向前推開的撲克牌……

描述得很冷靜。想像一下納米材料，「鐵達尼號」成了撲克牌。

一、《三體》中的「文革」敍述

《三體》第一卷分三條敍事線索。一是物理學家汪淼旁聽軍事會議，認識了丁儀、魏成、申玉菲等科學家，身邊有警官大史保護。讀者跟隨着汪淼的眼光、知識、思想，一步步知道有一個神秘的外星人文明要入侵地球了。這時小說是一個偵探懸疑的格局。

第二條線索是汪淼認識了科學家楊冬的母親葉文潔，當時已經七十多歲了，老科學家。葉文潔用第三人稱，分成幾段回溯她的「文革」往事，有時是事後的角度。乍一看與常見的文革敍事差別不大。

第三條線索用了另外一種字體，汪淼在玩三體遊戲。遊戲其實是三體人的廣告片，借用地球上的重要人物，周文王、紂王、墨子、牛頓、秦始皇、愛因斯坦、馮・諾依曼、哥白尼、伽利略等，總之是中國／世界歷史名人，宣講三體文化的來龍去脈。解釋三體人生態環境非常困難，所以要尋找其他文明，也許要來地球。如果玩遊戲的人層層深入，最後同情三體人移民願望，那就成為三體在地球上的朋友。

偵探、文革、遊戲三條線索交叉進行，其中第二部分最有中國特色。

劉慈欣生於六十年代，本人是一個工程技術人員，但是對政治題材一直有興趣。他在 1989 年寫過一部長篇，叫《中國 2185》，沒有公開出版。小說寫一個年輕人潛入天安門廣場上的紀念堂，將偉大領袖的大腦用電腦類比再生，導致產生了一個華夏共和國，在人類社會裏只存在了幾個小時，在電子空間裏卻有六百年的歷史。《三體》裏的「文革」沒有這麼奇特的情節，基本上是一些已有小說橋段的綜述，比較符合海內外關於「文革」的刻板想像 —— 葉文潔的父親葉哲泰也是物理學權威，帶着鐵制高帽掛着一扇鐵門接受批鬥。只因他為愛因斯坦相對論辯護，就被四個十四歲女紅衛兵活活打死。臨死時還看到了自己妻子紹琳對他揭發批判。而小女孩葉文潔這個目睹了這一切。這是 1967 年，這一章的題目叫〈瘋狂年代〉。

小說還寫了「紅色聯合」和「四・二八兵團」在武鬥，像鄭義的小說〈楓〉。「大樓頂上出現了一個嬌小的身影，那個美麗的女孩子揮動着一面『四・二八』的大旗，她的出現立刻招來了一陣雜亂的槍聲，射擊的武器五花八門，有陳舊的美式卡賓槍、捷克式機槍和三八大蓋，也有嶄新的制式步槍和衝鋒槍……」其中一顆步槍子彈擊中了這個十五歲少女的柔嫩的胸膛，年輕的紅衛兵同她的旗幟一起從樓頂落下，那個女孩就是葉文潔的妹妹葉文雪，而葉文潔後來就是地球上呼應三體人的叛軍統帥。

《三體》的外太空想像需要一個情節支點——向外太空發射信號。但這個瘋狂情節需要一個瘋狂背景，於是就安插在「文革」背景上。主人公想靠外力來拯救人類，這個瘋狂想法的形成也需要「文革」土壤。當年「文革」口號之一就是要拯救地球、解放三分之二生活在水深火熱中的世界人民。父親去世後，葉文潔到內蒙古建設兵團，每天看到也參與兵團建設，其實就是破壞草原森林，這讓她十分不解。男生白沐霖也有同感，說：「這是搞生產還是搞破壞？」白沐霖介紹葉文潔看一本書 *Silent Spring*（《寂靜的春天》），作者是 Rachel Carson（蕾切爾・卡遜）。此書白沐霖參與翻譯，講一些西方的環保概念。三十八年後，在葉文潔的最後時刻，她回憶起《寂靜的春天》對自己一生的影響。而葉文潔後來對所有地球人的命運都有影響。

蕾切爾・卡遜所描寫的人類行為，比如使用殺蟲劑，本來文潔覺得是正當科學技術，《寂靜的春天》讓她看到，從整個大自然的視角看，這個行為與「文化大革命」是沒有區別的，對我們的世界產生的損害同樣嚴重。「這個行為與『文化大革命』是沒有區別的」，這句話要畫一條重點線，這是《三體》第一卷裏最重要的一句話——不僅讓「文革」在《三體》科幻裏承擔情節支點、鋪墊信仰背景，而且也使《三體》在各種各樣中文「文革」敘述當中具有某種世界背景。

回顧二十世紀中國小說裏各種各樣的「文革」故事，大致有三類，共同點都是將「文革」描寫成災難。（也有一些把「文革」描寫成勝利或者成果的作品，在「十年」之中出現，基本上沒有文學史意義。）

一種是把「浩劫」限制在「十年」，看作是二十世紀革命當中一段不應該有的失誤，是一段「出軌」，是一種背叛。所以「文革」以後，中國的前途就重回正軌，就重見光明了。《芙蓉鎮》、〈傷痕〉、〈喬廠長上任記〉、《平凡的世界》，還有王蒙的《蝴蝶》、韋君宜的《洗禮》等作品都屬於這一類，這是一種「切割型」的「文革」敘述。也就是說把「十年」從二十世紀中國歷史當中作為特例，切割出去。

和「切割型」敘述有所區別的，是「縱向聯繫型」的反思。就是把「文革」災難放在之前（甚至之後）的一系列社會事件的歷史過程當中去考察。比如說之前有「三年自然災害」，有「大躍進」，有合作化，甚至還有土改，有三反五反，有「洗澡」。《活着》、〈綠化樹〉、《玫瑰門》、《古船》、《洗澡》、《受活》、〈剪輯錯了的故事〉都屬於這一種「聯繫型」的「文革」敘述，也就是把「十年」和「十七年」年甚至更早的種種運動聯繫起來。像《白鹿原》甚至把紅衛兵造反跟二十年代農民運動聯繫起來。所以後來有「前三十年」這個概念，用來取代「十年浩劫」的說法，不知道是為了降低「十年」的災難性質，還是反而連累了之前的「十七年」。

《三體》的寫法，原是為奇幻劇情找支點，有意無意卻出現了「橫向聯繫型」敍述：新生代重新回顧歷史，把「文革」災難和世界其他問題聯繫起來。說西方科技危害大自然，與「文化大革命」是沒有區別——與其說這是生產建設兵團十七、八歲女戰士葉文潔的政治遠見，不如說是二十世紀九十年代以後，劉慈欣等新一代「文革書寫」的迴避與超越策略。也許「文革」並不只是中國的問題，很多看來正常甚至正義的人類行為其實都可能是邪惡的。「再想下去，一個推論令她不寒而慄，陷入恐懼的深淵：也許，人類和邪惡的關係，就是大洋與漂浮於其上的冰山的關係，它們其實是同一種物質組成的巨大水體，冰山之所以被醒目地認出來，只是由於其形態不同而已，而它實質上只不過是這整個巨大水體中極小的一部分……人類真正的道德自覺是不可能的，就像他們不可能拔着自己的頭髮離開大地。要做到這一點，只有借助於人類之外的力量。這個想法最終決定了葉文潔的一生。」

《三體》第一卷將「十年」從獨特的中國問題轉為世界與人類的某種困境，但不是寫實檢討「十年」與國際共運的歷史關係，而是借助了科幻和外星人的神奇方式。

夏志清在他的著名論文〈現代中國文學感時憂國的精神〉裏，曾經批評中國現代作家非常感懷中國的問題——無情地刻畫國內的黑暗和腐敗，但並沒有把國家的病態擬為現代世界的病態。「中國的作家視中國的困境為獨特的現象，不能和他國相提並論。假使他們能獨具慧眼，以無比的勇氣，把中國的困塞，喻為現代人的病態，則他們的作品就更可能進入現代文學的主流。」[3]

年輕的葉文潔好像早就聽到了夏志清的勸告，所以她馬上把西方科技傷害大自然和中國「十年」等同起來，把中國的問題擴展為人類的問題（甚至還不僅僅是人類的問題）。夏志清的批評，其實也是我們重讀二十世紀中國小說過程中的一個困惑：中國作家從梁啟超、魯迅開始，到余華、閻連科，是否真的太聚焦於「中國問題」？劉慈欣現在把「艱辛探索」帶向外太空，是延續還是告別二十世紀的中國夢？

葉文潔被男生白沐霖出賣，年紀輕輕被打成「現行反革命」，使她在父親、妹妹死亡以後，進一步對社會對人性失望。因為研究太陽黑子，她被調入保密的軍工項目紅岸基地。基地原來是為了向外太空發射代表中國的聲音，葉文潔發現可以利用太陽信號做放大器，就擅自向外太空發出了一條介紹地球文明的資訊，於是改變了全人類的命運。

《三體》寫「十年」，有兩個細節比較特別。一是女主角發射信號以後，冷血謀殺了基地政委和自己的丈夫，這兩人對她其實都有過幫助。第二，「十年」以後，葉文潔特地找來打死她父親的四個女紅衛兵，結果來了三個，她們全無懺悔之意。有的說自己的手在武鬥當中被坦克壓壞了，有的說是為了救生產隊的羊，被洪水沖走了；她們還直接提到了〈楓〉，提到紅衛兵無畏的犧牲。總之老紅衛兵覺得她們是受迫害者，早就忘了她們也迫害別人。

這場拒絕懺悔的戲，在葉文潔對世界徹底死心的過程中，也是一個重要環節。其他寫「十年」的小說也有寫迫害者被迫害的情節，但沒有《三體》寫得這麼直接、尖銳，而且毫無犯罪感。

可能借助時間優勢，六十年代以後的作家們，更清楚看到「十年」中的受害者之前也害過人，也可能被操控或者操控別人。所以和陳忠實、閻連科、莫言他們的苦苦糾纏是非善惡不同，新一代文青更超脫，更犬儒，也更注意安全。小說的第二卷將大大發揮生存主題 —— 安全是最高道德，這也給了「文革」故事一個「普世價值」的詮釋角度。

小說裏的象徵符號有的明顯（政委說向紅太陽發射超強烈的電波），有的隱晦（發射信號的具體時間是 1971 年秋，正是林彪出事，文革出現拐點）。等到後來三體逼近地球時，地球上就出現了很多派別：降臨派、拯救派、倖存派。降臨派等於革命派，要徹底打破舊世界。拯救派又想崇拜三體，又想保留地球，屬於改良派。倖存派基本上貫徹余華的小說題目 —— 活着就好。在《三體》裏，專制政體不僅是在地球，也出現在外太空，比如三體就是最高領袖元首決定一切。「對個體的尊重幾乎不存在，個人不能工作就得死；三體社會處於極端的專制之中，法律只有兩檔：有罪和無罪，有罪處死，無罪釋放。我最無法忍受的是精神生活的單一和枯竭，一切可能導致脆弱的精神都是邪惡的。我們沒有文學沒有藝術，沒有對美的追求和享受，甚至連愛情也不能傾訴。」三體元首有一段話，聽上去很熟悉 ——「你嚮往的那種文明在三體世界也存在過，它們有過民主自由的社會，也留下了豐富的文化遺產，你能看到的只是極小一部分，大部分都被封存禁閱了。但在所有三體文明的輪迴中，這類文明是最脆弱最短命的，一次不大的亂世紀災難就足以使其滅絕。」不知道 Covid-19 算不算一次「不大的亂世紀災難」？

所以，對葉文潔來說真是反諷——她對「文革」不滿，把「文革」等同於人類各種邪惡，把中國問題轉成世界問題，可是她希望來拯救地球的外星文明，恰恰又是更強大的專制，更不容許民主自由，更強調等級、暴力和服從。

這是三體的真正特別之處。大部分中國小說描述專制政體，都是過去式，《三體》卻可能是未來式。大部分美國電影描繪獨裁政治，都是較低級星球，《三體》卻想像是更高的科技文明。劉慈欣筆下的「三體」，生態惡劣，制度集權，為了生命保障，文學、藝術、愛情缺乏，言論更不自由。無所不在的權力機器，基本上就像托馬斯·霍布斯（Thomas Hobbes）在三百多年前描寫的「利維坦」（Leviathan）。[4] 而且科技發達到能監視所有地球人——小說裏是一種人類看不見的智子，監視着地球人的一舉一動、一言一行。微信、微博、臉書、推特，甚至人們在客廳、書房、床頭、枕邊的談話動作，智子全部瞭若指掌，全部記錄在案。

這是近二十年前的預測，和梁啟超「神預言」有得一比。還有四百年，就要來了。昨天是「文革」，明天是「三體」，怎麼辦呢？

二、世界性災難的中國版解決方案

從三卷本規模看，「文革」只是一個信號發射器，一個科幻故事的情節起點。第一卷引來地球災難。第二卷才想像在人類災難面前，世界格局將如何改組，國際秩序將怎樣劇變。第二卷的敘事格局更大。先是序章，點出葉文潔告知男主角羅輯所謂宇宙社會學的基本原理——第一，生存是文明的第一需要；第二，文明不斷增長和擴張，但文明中的物質總量保持不變——再加上兩個重要概念，叫猜疑鏈和技術爆炸，然後小說就進入了上部〈面壁者〉。

如果說《三體》第一卷試圖（只是試圖）走出憂國憂民的中國故事傳統，那麼第二卷中的「宇宙社會學原理」就是小說與「普世價值」的連接點。小說分開六個敘事線索：章北海和吳嶽在軍艦上談論戰爭勝敗；阿拉斯加某軍事堡壘；北京幾個老人議論地球新聞；無名的破壁者和字幕對話；周文王、牛頓又在虛擬遊戲當中；然後是羅輯在酒店和臨時情人約會，差點被暗殺。一時間小說令讀者眼花繚亂。但接下來，敘事漸漸集中到兩三條主線：一是章北海在國際合作的太空軍中仍然強調政委和思想工作的重要，革命傳統；二是北京市民議論逃亡主義理論，如果讓一部分人先離開，問題是不管誰先走，精英也好，富人也好，老百姓也好，只要有人走有人留，就意味着人類最基本的價值觀和道德底線的崩潰！因為人權和平等觀念已經深入人心，生存權的不公平是最大的不公平……

羅輯莫名其妙地坐飛機，到了聯合國大會堂，成為了「面壁者」。因為三體派來的智子已經了解地球上的一切了，惟獨不能了解人心。三體人說和想是同一回事，而地球人想的和說的可以不同。所以為了計劃組織四百年以後的抵抗，聯合國決定任命四個面壁者，擁有極大的權力和自由，各自設計保密的抗三體計劃。

看到這裏，不免疑問：何以是四人而非四百四千人？多一點人，三體不是更難追蹤嗎？是不是成本太高了？還有，這四個人是怎麼選出來的？聯合國真有這麼大的權力作用嗎？看看對抗新冠的現實，聯合國的能力真是⋯⋯總之，劉慈欣對聯合國以及面對災難的世界秩序，還是有比較美好的想像期待。

四個面壁者中，美國前防長泰勒後來的抵抗方案是要搞宏原子核聚變，導致量子化等等；委內瑞拉左派總統雷迪亞茲也對核彈感興趣；兩獲諾貝爾獎的英國人希恩斯，專門研究人體大腦；第四個就是中國代表羅輯。

中國讀者讀到這個地方，很親切，很容易代入——假如我是羅輯，我會怎麼樣？先推卻，推卻不了就「佛系」抗戰，要求雪山、湖泊、森林、別墅，花幾十萬歐元買一點紅酒，畫一個圖畫，找一個女人，全都找到了。小說裏寫羅輯和美少女一起談人生哲學，夜遊盧浮宮等等，屬科幻文藝腔樣板。

> 羅輯感到自己站在萬仞懸崖之巔，少女的眼睛就是懸崖下廣闊的深淵，深淵上覆蓋着潔白的雲海，但陽光從所有的方向撒下來，雲海變成了絢麗的彩色，無邊無際地湧動着。⋯⋯他開始了向深淵的下墜，墜落的幸福在瞬間達到了痛苦的極限。蒙娜麗莎在變形，牆壁也在變形，像消融的冰。盧浮宮崩塌了，磚石在下墜的途中化為紅亮的岩漿，這岩漿穿過他們的身體，竟像清泉般清涼。他們也隨着盧浮宮下墜，穿過熔化的歐洲大陸，向地心墜去，穿過地心時，地球在周圍爆發開來，變成宇宙間絢爛的焰火；焰火熄滅，

> 空間在瞬間如水晶般透明，星辰用晶瑩的光芒織成銀色的巨毯，羣星振動着，奏出華美的音樂；星海在變密，像湧起的海潮，宇宙向他們聚集坍縮……最後，一切都湮沒在愛情的創世之光中。

寫愛情、藝術、性慾之類，實在不是劉慈欣的特長。以前讀過張賢亮的「國家地理雜誌」般的床戲，這次是天文物理升級版。讀者看不下去的時候，聯合國秘書長也忍受不了——泰勒的計劃被揭破，馬上自殺，另外兩個面壁者也一籌莫展、陷入冬眠，聯合國秘書長將羅輯的女人小孩都送去冬眠了，然後告知羅輯：為甚麼選你？就是因為三體要殺你。

這時，羅輯想起了他和葉文潔討論的宇宙社會學原理。始發在中國的災難，還得要靠中國智慧來解；被革命信號招來的外星力量，還是要用革命計謀來應對。某天晚上，他在冰面上苦苦思索「猜疑鏈」，腳下冰塊破碎，他掉進水裏。就在那死寂的冷黑之間，他看到了宇宙的真相（其實可能也是「文革」的真相）。救出來後，羅輯要求去更安全的地方，最好能在我的國家內——緊要關頭仍然愛國。

地球大難臨頭，人們常常提及中國。聯合國專家會，羅輯在中國的地堡裏視頻參加。他的計劃很簡單，用現有科技通過太陽向宇宙發一份資訊，鎖定五十光年外的某個行星。羅輯這個咒語據說是要五十年甚至一百年後才知效果，中國人的計謀當場被西方勢力嘲笑了。

> 在會場的一陣靜止後，美國代表首先有了動作，把手中的那三張印着黑點的紙扔到桌面上，「很好，我們終於有了一個神。」
>
> 「躲在地窖中的神。」英國代表附和道，會場上響起了一片笑聲。
>
> 「更可能是位巫師。」日本代表哼了一聲說，日本始終未能進入安理會，但在行星防禦理事會成立時立刻被吸收進來。
>
> 「羅輯博士，僅就使計劃的詭異和讓人莫名其妙而言，您做到了。」俄羅斯代表伽爾寧說，他曾在羅輯成為面壁者的這五年中擔任過幾次 PDC 輪值主席。

科幻小說裏邊，仍有很多現實國際政治描寫。甚至俄羅斯也不友好。

三體元首當時已經下令要再謀殺羅輯，用一種貌似感冒的生化病毒武器（又是神預言）。羅輯中招，馬上冬眠。說等那顆行星毀滅時叫醒他。

原來在葉文潔的宇宙觀（及政治處境）裏，所有星星（所有人）都充滿了猜疑，基本上都是見光死。用霍布斯《利維坦》或者達爾文的理論來解釋世界猶如「黑暗森林」，眾人都可能是敵人，因為你的生存發展對他人就是損害和威脅。對反覆「洗澡」的中國讀者來說這種理論曾經就是現實。革命造反，偉大理想，原來也只是因為生存恐懼 —— 這是《三體》中國故事與普世價值觀的相通之處。

劉慈欣有時把三體文明寫得很邪，有時又把智子寫得很笨。假如智子聰明，既然地球上一切都看得透明，只要把那些國與國的交易、政治集團的秘史、商業運作的秘密、家庭內部的隱私全部公開，這地球上的國與國、階級與階級、民族與民族、男人與女人、好友與親人之間，恐怕就都承受不了，現行世界文明秩序恐怕不戰而潰，哪裏還有中俄美英法聯合抗敵，還要等四百年？劉慈欣筆下的三體看似惡托邦，其實還是烏托邦。

在羅輯冬眠後，小說主人公還是中國人，原海軍部隊政委章北海，現在在太空軍中任要職。他的行為其實應該很有爭議——用隕石的子彈暗殺航太工業主管人，目的是要推動無工質輻射推進飛船。就算目的正當，手段是否可以不拘？然後，章政委又主動向太空軍司令常偉思請假。「常司令」證明《三體》中國人在領導全球抗戰。章北海建議說四百年後，地球更需要政工幹部——這真是深謀遠慮。技術將來可以發展，政治思想一直是最重要的。很有遠見。

兩屆諾獎得主希恩斯和他的日本太太對人類大腦的電腦研究進展緩慢，卻率先推出了一個成果，叫「思想鋼印」。聯合國當初嘲笑羅輯的美英法代表，紛紛反對思想鋼印，說是思想控制。妥協之下，只允許太空軍士兵和低級軍官可打思想鋼印，而且只能打一種，就是要堅信地球必勝，三體必敗。思想鋼印就是一種徹底的、不可逆轉形的洗腦。比楊絳的「洗澡」更具技術含量。

委內瑞拉總統雷迪亞茲的面壁計劃更荒唐，要用多少百萬巨量的核彈去炸水星，讓水星掉到太陽裏邊，最後地球也毀掉——以此為賭注，和三體談判。不僅技術上難辦，他自己馬上被人破壁（識破心計），被聯合國判反人類罪。最後遣送回國，被委內瑞拉人民用石頭砸死。

面壁人真不是好當的，還是我們中國人厲害。

三、水滴：三體人的武器

享樂、佛系、咒語、冬眠，羅輯就這樣過了差不多二百年，現在三體艦隊距離地球只有 2.1 光年了，羅輯醒來，眼前完全是未來世界。

劉慈欣的想像力不僅在於室內全部可以透明，牆壁就是顯示幕，可以上網，而且房子都掛在樹上，樹是地下千米的柱子。糧食是合成的，能源是無窮的，到處是美女、機器人。到時世界語言中英對半（小說如有法譯本，會不會修改？）。國與家都在消亡當中。國的消亡有詳細論述：三個太空艦隊變成獨立國家，原有的國家地位都削弱，不熱鬥，也不冷戰，大家共同抗敵，真正全球命運共同體。但是家怎麼消亡語焉不詳。人類性生活方式的改變等等，也無細節。羅輯還常常在思念他的年輕太太和他的孩子，多年未見。他醒來當天就有五、六次幾乎被暗殺，全靠老公安大史隨機保護，逃過數劫。

其實這時他的面壁人資格已經沒了，新時代並不相信他原來的理論，所以他已變成局外人。從地下樹城回到地面，才看到老北京到處黃土。他才知道地球在過去二百年經過一個「大低谷」困難時期，人口曾經餓死大半。然而否極泰來，後來主張「給歲月以文明」，而不是「給文明以歲月」。於是羅輯看到了新時代。當然，新時代的一個重要基礎就是地球上已經有二千艘太空船嚴陣以待，使得人們都相信三體只有和談的出路。

這時，前太空軍政委章北海也冬眠醒來了，被派到了一艘最大型的太空艦自由選擇號上當執行艦長。所有的現任艦長是沒經冬眠的新人類，思想鋼印曾經出錯，有一些人被錯打「失敗主義」和「逃亡主義」的鋼印，打後鋼印隱蔽，太空軍懷疑他們不可靠。章北海原是政工幹部，紅色血液，就被派到艦隊去審查那些掌權的艦長。原來二百年以後，還是紅比專更重要，可靠比才華更重要。

但是，小說好就好在，萬萬想不到劉慈欣給我們佈了一個局，萬萬想不到章北海一旦獲得了艦長權力，馬上將最大型自由選擇號向太空遠方高速航行。這個航行，司令部稱之為叛逃，他自己說是逃亡而不是叛變，他的目的是為人類將來留些種子。

不管章北海是背叛地球還是拯救人類，總之這麼重要的國際角色又是中國軍人，而且執行任務時他還念念不忘紅軍八路和解放軍的傳統。這可能是書寫策略，畢竟小說首先要在中國出版。但也可能是基於作家的教育背景，甚至是無意識當中的信仰。「文革」是要想辦法甩鍋的，太空戰是要有承擔的——犯我地球者，雖遠必誅。

在章北海前進四叛逃後，小說進入了《三體》的最高潮，在倒計時、脫水者、納米線之外，第四個也是最天才的一個文學意象，就是水滴。看過這一段描寫，我忘了劉慈欣的文字，忘了宇宙社會學，忘了各種複雜難懂的科學術語、名稱，甚至也暫時忘了小說裏的中國夢。我只記得水滴的形狀、水滴的質地、水滴的顏色，當然還有水滴的力量。

水滴是三體派出的探測器，十個，但第一個走在最前面，長三點五米。嚴陣以待水滴的是二千個耀眼的太陽，每艘太空戰艦都是航母的三、四倍。相比之下，探測器太小了。

> 探測器呈完美的水滴形狀，頭部渾圓，尾部很尖，表面是極其光滑的全反射鏡面，銀河系在它的表面映成一片流暢的光紋，使得這滴水銀看上去純潔而唯美。當全世界第一次看到探測器的影像時，所有人都陶醉於它那絕美的外形。這東西真的是太美了，它的形狀雖然簡潔，但造型精妙絕倫，曲面上的每一個點都恰到好處，使這滴水銀充滿着飄逸的動感，彷彿每時每刻都在宇宙之夜中沒有盡頭地滴落着。於是很快出現了一個猜測：這東西可能根本就不是探測器……最合理的推測是：它是三體世界發往人類世界的一個信物，用其去功能化的設計和唯美的形態來表達一種善意，一種真誠的和平願望。

三大艦隊都不肯落後，這是人類文明的莊嚴偉大時刻。他們列成非常雄偉的一個陣勢，然後派出了一支叫「螳螂」的小型無人飛船，靠近水滴。

「螳螂」上有三個軍官和一個德高望重的物理學家。當然，這個物理學家也一定是中國人，他就是《三體》第一卷就登場的葉文潔的女婿 —— 丁儀教授。他也經過了二百多年的冬眠，現在才八十多歲，還在北大教物理。

在地球人與三體世界第一次實體接觸的歷史性時刻——整個艦隊的陣列像是一片沉默的遠古巨石陣。艦隊中的一百二十萬人屏住呼吸，注視着「螳螂」號這段短短的航程。艦隊看到的圖像，要經過三個小時才能以光速傳回地球，傳到同樣屏息注視的三十億人眼中。本來最壞的打算是水滴會自毀，但是「螳螂」號接近的時候，水滴並無反應。丁儀慢慢飄浮到水滴前，把一隻手放到它的表面上。他只能戴着手套觸摸它，以防被絕對零度的鏡面凍傷。接着，三位軍官也都開始觸摸水滴了。

「看上去太脆弱了，真怕把它碰壞了。」西子小聲說。

他們用顯微鏡測試水滴光滑的表面，放大一百倍以後，看到的還是光滑鏡面。再放大一千倍，如果是人類製造的物質，在一千倍的放大鏡下面，光滑早就變成粗糙了，可是水滴的表面還是光滑。一萬倍、一百萬倍、一千萬倍，還是光滑表面……

這時丁儀教授知道不對了。

丁儀突然說：「快跑。」這兩個字是低聲說出的，但緊接着，他揚起雙手，聲嘶力竭地大喊：「傻孩子們，快——跑——啊！」

但已經晚了，水滴的尾部出現了藍色光環。考察隊瞬間汽化了。艦隊看到千里之外，「螳螂」號爆炸，還以為是水滴自毀。

但接下來劉慈欣所描繪的圖景，全人類都沒有準備——

> 水滴撞擊了「無限邊疆」號後三分之一處，並穿過了它，就像毫無阻力地穿過一個影子。由於撞擊的速度極快。艦體在水滴撞進和穿出的位置只出現了兩個十分規則的圓

洞，其直徑與水滴最粗處相當。穿過「無限邊疆」號的水滴繼續以約每秒三十公里的速度飛行，在三秒鐘內飛過了九十公里的距離，首先穿透了矩形陣列第一列上與「無限邊疆」號相鄰的「遠方」號，接着穿透了「霧角」號、「南極洲」號和「極限」號，它們的艦體立刻都處於紅熾狀態，像是艦隊第一佇列中按順序亮起的一排巨燈……熱核爆炸的火球在被撞擊處出現，迅速擴張，整個艦隊都被強光照亮，在黑天鵝絨般的太空背景上凸現出來，銀河系的星海黯然失色。

……

在接下來的八秒鐘內，水滴又穿透了十艘恒星級戰艦。

……

水滴用了一分鐘十八秒飛完了二千公里的路程，貫穿了聯合艦隊矩形陣列第一佇列中的一百艘戰艦。

劉慈欣在寫這些場面的時候，大概想到了日俄戰爭中的遠東海戰，或者珍珠港奇襲、中途島之戰。人類歷史上其實也有這些準備多年，毀於瞬間的場面。但這次不同，這次就是一個水滴。

目睹一百艘戰艦像一掛鞭炮似的在一分鐘內炸完，還是超出了他們的心理承受能力……艦隊的指揮官們都處於一種震顫麻木狀態中……「北方」號戰艦趙鑫與「萬年昆鵬」號戰艦上尉李維通話。李維問：用的是甚麼武器？趙鑫說：我不知道……

作家特別說明：「這段對話用的不是現代艦隊語，而是二十一世紀的漢語。」

緊要關頭，還是說家鄉話。這一大段空中海戰、科技暴力的文字，充滿了被虐狂與虐待狂兩種心理本能的滿足。據說冬眠者比新人類更快理解了地球的處境，那就是我們完全不是三體的對手。

二十分鐘後，千餘艘戰艦被毀，再過三十分鐘，經過二百年建成的人類的太空武裝力量全軍覆沒，只有「量子」號和「青銅時代」號逃脫。其實，另外還有四艘軍艦，在另一個方向逃脫，現在歸之前叛逃的章北海指揮了。

四、為了生存，甚麼都能做嗎？

章北海現在網上很受青年人崇拜，他是世紀末／世紀初中國小說裏最新的一個幹部／官員形象。章北海對五位艦長以及官兵列隊訓話，說：同志們，我們回不去了。

對艦長和五千官兵來說，就是我們回不去地球了。但對《三體》的中國讀者來說，對「同志們，我們回不去了」的感想、感受可能更複雜一些：沒有聽到「集結號」，回不去了？八十年代回不去了？「文革」回不去了？國家復興回不去了？……

這幾千個星艦地球人自認是地球文明唯一的繼承者，他們要飛向十八光年外的一個行星，需要二千多年。全體星艦公民確認，我們現在是一個獨立國家，要制定憲法。

這時，小說出現了關於社會制度和文明秩序的討論。這是梁啟超《新中國未來記》以來的第一次，中國小說家再次有機會幻想設計自己的國體政制和憲法。

有人建議說我們是軍隊，所以是專制社會。章北海搖頭——他一個人搖頭就否定了專制社會。

有人說現在可以建立人類歷史上第一個真正的民主社會，因為我們才幾千人，甚麼都可以投票。章北海也不同意。先民主後集中。

大家選這位前政工幹部做權力委員會主席，掌握星艦地球最高權力。他又推卻，他說只做執行艦長，就是掌握軍艦實際航行的人。

這麼一個浮在真空當中的軍艦社會，不久也出問題了。先是大家心理焦慮，懷念地球，然後發現前面是一條死路，燃料不夠。結論非常尖銳，要麼部分人死，要麼全體死。

幾個軍艦上的艦長同時都想到了一個悲慘結論。當然，「自由選擇」號，還是由章北海來動手。可是攻擊其他軍艦時，因為人性軟弱，猶豫數秒鐘，結果「藍色空間」號消滅了其他軍艦，獲得了更多燃料設備。之後，就獨自航向新的行星了。

歷史存亡之際，不是革命大團結，不是人類充滿了愛。而是走到絕境還要自相殘殺——《三體》不僅偏離了「主旋律」，也不同於大部分其他涕淚縱橫的中國故事。另一方向也發生了同樣冷酷的自相殘殺：「青銅時代」號消滅了「量子」號，攜帶了兩個船的燃料，向另一個遠方航行。

《三體》設計的關於社會制度的自由選擇，用小說裏（太空中）的一句北京話來說就是「黑，真他媽黑」。人類真的為了自己生存，甚麼都可以做嗎？這就回到了小說「黑暗森林」的假設主題了。

水滴擊敗聯合艦隊後，地球陷入全盤混亂。知道逃走的星艦地球還要自相殘殺，人類就更加陷入絕望。

第二卷中地位重要的中國人丁儀，最早觸摸水滴，瞬間汽化；章北海帶着一隻「諾亞方舟」，結果自己也身亡；現在就只有羅輯還在，因為當年設定的咒語突然有效，那顆做實驗的行星果然被毀，所以羅輯在世界末日之前，一度又被恢復了面壁者的權力。

但是水滴封鎖了太陽，沒法再直接發信號。羅輯就要借助一個雪地工程，悄悄佈置了一系列的核彈。換言之，他還是可以發射信號來暴露地球和三體的位置。所以，他最後能夠和三體談判：我不暴露你們三體，你們的水滴艦隊也轉向或者撤退。換言之，就是以恐怖平衡換取地球暫時安全。

三體專制，效率很高，僅僅三分鐘考慮就達成了協定。中國人羅輯就站在中國人葉文潔的墓地，後者是給世界帶來災難，前者拯救了世界。

必須承認，《三體》，至少前兩卷，和上世紀大部分中國小說很不一樣。梁啟超的中國幻想就是六十年後，政黨偉大、領袖英明、民富國強，世界地位。之後，幾十部小說一直在描寫為實現這一幻想，過程如何艱難、怎樣艱辛、何等艱苦。

《三體》可以從很多不同的側面維度去展開閱讀，可以是追溯「文革」對世界的影響，可以是想像人類困境中的中國地位，也可以將社會達爾文主義發展到天文級別——生存第一、物質有限、人人是敵、恐怖平衡。

嚴鋒說，劉慈欣是單槍匹馬，把中國科幻文學提升到了世界級的水平；[5] 也有評論說他是中國新科幻作家中的新古典主義作家。[6] 當然，作品譯成各種文字以後，也會有一些完全意想不到的科幻閱讀效果。比如說日文本暢銷以後，就出現了擬人化的智子形象，像美少女戰士。很多人最喜歡的角色是警官大史。

人們完全可以把小說裏的量子幽靈、三體模式、高維宇宙、歌者文明、降維過程都看成是燒腦的哲學課，但也可以像朱克伯格（Mark Zuckerberg）那樣，他說他一直在讀經濟學和社會學，《三體》可以讓他很好地緩解閱讀的疲憊。[7]

所以中外之間、雅俗之間，無論如何，這是二十世紀中國小說的一次越界，一次轉向。雖然轉向、越界當中，中國小說一貫的焦點——中國革命的歷程、中國人的世界形象，還始終存在。

一百年前，梁啟超的政治幻想，中國前途光明。一百年後，劉慈欣的地球往事，世界前景灰暗。整整一百年了，歷史在進步，還是在重複？或者，在螺旋之中上升？

在閱讀百年中國小說的最後階段，在回顧二十世紀中國故事並希望展望明天的時候，總結《三體》的三層主題可能頗有預言性——一是文革是災，災難超出中國；二是國勢日強，在某種程度上領導地球；三是力量來自恐懼，人人要生存，人人可能是敵人。

這是世紀末和新時代國人（尤其是年輕人）的夢幻與夢魘嗎？

注

1 《三體》由《三體 I》、《三體 II ・黑暗森林》、《三體III ・死神永生》組成，第一部於 2006 年 5 月起在《科幻世界》雜誌上連載，第二部於 2008 年 5 月首次出版，第三部於 2010 年 11 月出版。本文中的小說引文，除特別說明，均引自 2008 年重慶出版社版本。

2 參見「界面文化」：〈王德威：劉慈欣的文字不夠好 但他處理人類文明的手法不是莫言可處理的〉，2017 年 6 月 14 日。原文網址：https://www.jiemian.com/article/1391364.html

3 夏志清：〈現代中國文學感時憂國的精神〉，《中國現代小說史》（臺北：傳記文學出版社，1979），頁 535-536。

4 托馬斯・霍布斯：《利維坦》（*Leviathan*），全名為《利維坦，或教會國家和市民國家的實質、形式、權力》（*Leviathan or The Matter, Forme and Power of a Common Wealth Ecclesiastical and Civil*；又譯《巨靈》、《巨靈論》，1651 年出版。

5 嚴鋒：〈追尋「造物主的活兒」── 劉慈欣的科幻世界〉，《書城》，2009 年第二期。

6 吳岩、方曉慶：〈劉慈欣與新古典主義科幻小說〉，《湖南科技學院學報》，2006 年第二期。

7 2015 年 10 月 21 日，Facebook 創始人朱克伯格在其社交網絡平臺的個人主頁上更新了一條閱讀狀態：「我在讀劉慈欣的《三體》」（My next book for A Year of Books is The Three-Body Problem by Liu Cixin），獲得近三萬個點讚。朱克伯格同時介紹了閱讀這本書的原因：「這是一本非常暢銷的中國科幻小說，甚至現在荷李活都將它作為劇本來拍攝電影。我最近一直在閱讀經濟學和社會學方面的書，《三體》可以讓我很好地緩解閱讀的疲憊，並且也不會無聊。」。（It's a Chinese science fiction book that has gotten so popular there's now a Hollywood movie being made based on it. This will also be a fun break from all the economics and social science books I've read recently.）

二十世紀中國小說中的人物形象及若干問題

從 1902 年梁啟超的《新中國未來記》起，到 2007 年《三體》第二卷為止，我們按作品發表時序重讀了總共九十四篇（部）長、中、短篇小說，大部分是中、長篇。另外還有一些章節，分別紀錄每一個十年中一位作家的一天生活 —— 根據日記或其他第一手材料。在閱讀小說文本、重述中國故事的過程中，我們也討論一些文藝理論、流派思潮等文學史背景。為了盡可能選擇已有定評的名作，本書參考各種版本的現代、當代文學史，也參照《亞洲週刊》的「二十世紀中文小說一百強」名單。在百強目錄的基礎上，再增加了一些「十七年」的作品：「三紅一創一歌」等等。放在上世紀文學發展的過程中，這些作品至少有歷史價值，不該迴避。篇幅已經超額，還有很多作家作品暫時遺漏，比如林斤瀾、馮驥才、蘇童、畢飛宇、阿來、麥家、金宇澄、格非、李銳、嚴歌苓等人的作品，還有很多新人的作品，希望以後有機會補上。還有臺灣、香港的小說，更需要專書研讀。

老老實實讀原作，從文本而不是從作家或從理論出發，這是本書的宗旨。下面是暫時讀完九十四部小說之後的一些初步感想。

一、二十世紀中國小說中的官員形象

學界基本上有共識，現代文學最重要最成功的人物系列是知識分子和農民形象。黃子平、陳平原、錢理羣在他們的合作論文〈論「二十世紀中國文學」〉中指出：「與『改造民族的靈魂』這一總主題相聯繫，在二十世紀中國文學中，兩類形象始終受到密切的關注：農民和知識分子。在這兩類形象之間，總主題得到了多種多樣的變奏和展開：靈魂的溝通，靈魂的震醒，靈魂的高大與渺小，靈魂的教育與再教育的互相轉化，等等。」[1] 但是閱讀二十世紀中國文學，從胡適、魯迅讀起，還是從梁啟超、李伯元讀起，有很大分別。在上世紀初的晚清四大名著中，主人公並不是「士農工商」，而是各種各樣的官員。官員形象雖然在「五四」以後的小說被有意忽視，但是到當代小說又成為重要人物系列。很多作品，如果抽掉幹部形象，小說結構都無法成立。所以，有必要考察官員／官場形象在二十世紀小說中的發展變化（官員、官場、幹部，在本文中均為中性概念）。

李伯元對晚清「官本位」現象的無差別批判，分開四個層次。一是無官不貪的人性原因 —— 貪腐是剛需。清朝後期半數官員是捐的，捐官投資，官員家庭開銷，以及向上級送禮（「政治保險金」），合起來超過官俸部分，必須靠實缺貪腐。這是經濟學原理。第二個層次，普遍貪腐必然導致教育、經貿、軍事、吏治，還有救災、慈善、外交等等官場全方位失職。而且從縣市省至京城，層層貪腐層層保護，上下一心，反正「佛爺也知道，通天下十八省，哪來的清官？」最高領導非常體諒，現實當中的慈禧也沒有派人到租界去抓小說家，反而把小說當作官場反貪的線索。《官場現行記》人物太多，沒有突出的文學典型。但作為羣象刻畫，對中國社會的理解，卻是後人所不及。「五四」以後，人們以為「官本位」現象應該一去不復返了，其實中國的傳統官僚制度，歷史悠久，也可能來日方長。中國小說在一百年前就有這麼精彩的起點，李伯元作品的意義確實被低估了。

第三個層面，小說為甚麼批判貪腐，不是因為貪腐社會成本太高，也不是擔心造成政治軍機延誤，而是無法忍受官員道德墮落突破儒家基本倫理。二十世紀中國小說，晚清重視的是「人倫」；五四最關心「人生」；延安以後強調的是「人民」和階級；八十年代以後，重新回到「人生」。

第四個層次，李伯元等人寫作動機，是真心認為中國病了，病因就在官場。官員怎樣，百姓就怎樣，上行下效。所以，批判拯救官場，正是拯救國家的關鍵。

全部晚清四大名著，還有梁啟超的《新中國未來記》，主要人物都是官員，差別只是李伯元冷嘲，吳趼人就是熱諷。《孽海花》男主角既是官員也是知識分子，狀元出身的外交官，被騙買了假中俄地圖。藝術價值最高的晚清小說是《老殘遊記》，小說中關於官場的立論也最令人注目——清官可能比貪官更壞。劉鶚所謂更壞的清官，不僅是後來常有的「好人辦壞事」，更是描寫某些官員太有道德自信，剛愎自用，心胸狹窄，實際是將個人利益置於國家之上。

晚清小說中的官員主角，到「五四」新文學以後，幾乎忽然不見了 —— 這是筆者在系統重讀上世紀九十三部代表作之前所沒有預想到的，或者說沒有足夠注意的一個文學現象。

從 1918 年的〈狂人日記〉，到 1943 年〈小二黑結婚〉，二、三十年代的中國現代小說，極少以官員為主要人物。罕見的例外是 1938 年的〈華威先生〉，茅盾早期中篇〈動搖〉等。

為甚麼晚清作家認為官員是中國問題的關鍵，到了五四文學卻好像被忽視了。這是一個可以從中國作家生態變化、民國出版審查制度、社會政治思潮變化，以及現代文學本身發展規律等等不同角度深入探討的課題。

第一，魯迅說過，「專制使人們變成冷嘲……共和使人們變成沉默」。[2] 在軍閥和國府管治下，文學要批判官員（後來改稱「幹部」），比在租界嘲諷晚清官員技術難度更大。第二，辛亥革命、北伐「清黨」等等政局變化，讓人們看到舊官場即使打倒，新官上去未見得會變好。所以關鍵並不只是在官員和官場。「五四」作家不再像李伯元那樣視官員和老百姓的二元對立為中國問題關鍵。魯迅看到的是在傳統禮教和社會秩序下，國人同時都有被人壓迫和欺負別人的兩重性。國民與政府，不僅有對抗性，也有依賴性。「大約國民如此，是決不會有好的政府的；好的政府，或者反而容易倒。也不會有好議員的；現在常有人罵議員，說他們收賄，無特操，趨炎附勢，自私自利，但大多數的國民，豈非正是如此的麼？這類的議員，其實確是國民的代表。」[3]「中國人向來就沒有爭到過『人』的價格，至多不過是奴隸……但我們自己是早已佈置妥帖了，有貴賤，有大小，有上下。自己被人凌虐，但也可以凌虐別人；自己被人吃，但也可以吃別人。一級一級的制馭着，不能動彈，也不想動彈了。因為倘一動彈，雖或有利，然而也有弊。」[4] 因此，「五四」文學的重點就不再是官，也並不是民，而是官民共享的國民性。

第三，民國文學「官場」缺席也可能是表像。魏連殳做過將軍的秘書，「孤獨者」陷入尷尬身分。「狂人」最後病癒候補實缺去了，做官等於失敗墮落。茅盾〈動搖〉詳細紀錄北伐前後大革命中一些幹部，如何選舉，怎樣戀愛，也是民國官場一角。官府當然依舊迫害民眾，只是作家有時不必讓軍閥政要直接露面（除了通俗文學需要絕對反派，《啼笑因緣》、《秋海棠》才會直寫軍閥作惡），五四小說更注重寫官場的幫兇爪牙，給奴才做奴才的奴才，比如〈藥〉裏的康大叔，《駱駝祥子》裏的孫偵探。

直到 1943 年的〈小二黑結婚〉，官員形象才再次成為現代小說的主角。主人公名義上是小二黑、小芹，最出色的形象是三仙姑、二諸葛，但是對劇情起關鍵作用的是村武委會主任興旺、村鎮委員金旺、婦救會主任金旺老婆，當然，最後還有區長。

〈小二黑結婚〉重新開始了一個官民對立的基本格局，但不僅像晚清小說那樣貪官欺壓民眾，還有好官為民做主。官分善良邪惡，民分先進落後，從 1943 年一直到七十年代末，中國小說裏一直貫穿這種人物四分法。區別官員善惡主要看是國是共，後來則看路線（有時也考慮是否讀書）。劃分羣眾的標準有時看年齡——年輕的先進，年老的落後：有時看經濟——貧窮的先進，富裕的落後。

黑白分明、善惡對立既是通俗文學規則也是戰爭文化需要。

從文學角度看，晚清小說的「官員」形象，共性多個性少，除了狀元官雯青與行醫文俠老殘。五四文學雖將「官場」隱於二線，魏連殳、華威先生的性格還是充滿矛盾或戲劇性。五十年代文學主人公也是「幹部」身分，但其中比較知名比較感人（也比較有文學意義）的形象，大都有「幹部」之心，尚無「官員」之位（如許雲峰、江姐、盧嘉川等）。新的幹部官員大都是知識分子發展過來（「士」與「仕」有歷史淵源）。如果說晚清寫「官」是無差別批判，五四寫「官」是有差別忽略，「十七年」寫「官」是黑白分明，那麼第四個階段，從〈組織部來了個年輕人〉開始，更準確的說是七十年代末開始，官員形象不僅重新回到了中國小說的中心舞臺，而且至少出現了五個類型。

第一類是許雲峰、江姐等正面形象的延伸，內心品德高尚，做事也有益於社會。比如說喬廠長，《平凡的世界》當中的田福軍，《芙蓉鎮》裏的谷燕山，這些幹部都是胸懷坦蕩，把民眾利益放在首位。組織部的林震是這類形象的先鋒。毛澤東在〈組織部來了個年輕人〉中看到官僚主義的問題[5]，也看到了「幹部」與「官員」兩個概念之間的聯繫。喬廠長、田福軍因為身處改革開放時代，更容易得到上級的支持。比起許雲峰一代英雄，他們也可以有些小缺點，比如喬廠長急急忙忙找女工程師結婚，比如田福軍開會以前要摳腳，谷燕山戰爭當中被打成性無能等等。小缺點是為了糾正「高大全」，使英雄更有人情味。

第二類，就是負面的官員形象——徐鵬飛、張靈甫的繼承人。這些人內心醜惡，行為害民，至少也是「精緻的利己主義官」（如韓常新）。這類形象在新時期有很多新發展。《芙蓉鎮》裏的李國香是性心理不平衡，要在政治運動當中出風頭。《古船》裏的趙多多與趙四爺，一個粗野，一個文雅，卻都是貧苦出身，最後變成新惡霸——一對令人印象深刻的文學典型。《平凡的世界》裏有幾位在「文革」後期積極打擊農民「資本主義」的幹部，後來有的跟形勢轉向，有的像徐治功、高鳳閣一直有問題，不是睡寡婦，就是搞權鬥。他們屬於反改革的反派人物，而且道德敗壞。

第三類官員是「文革」後文學的新品種，在晚清、五四、延安和「十七年」都沒出現過，卻是二十世紀晚期小說中最常見的幹部／官員形象。通俗講就是「好人做壞事」，分明是好官，有心為人民服務，卻壞了老百姓的事情。

李順大辛苦積累蓋房材料，結果被大躍進折騰沒了。區委書記劉清同志，一個作風正派、威信很高的領導人，特地跑來探望他，同他促膝談心，最後硬是把國家應有的賠償給勸沒了，勸得李順大還流淚感動。另外一個吳書記，看到農民陳奐生躺在車站，身體不舒服，好心叫車把他送進縣委招待所，沒想到一晚的住宿費，陳奐生進城賣農副產品的收入去掉了大半。劉清同志、吳書記在高曉聲筆下都是好人，可是做的事情分明傷害了農民。

更典型案例，當然是《活着》。農民土地入社，忙於煮鋼鐵，然後大饑荒等等，都是聽從隊長的指揮。農民都相信隊長，隊長是好人，可是好人領導大家走向災難。縣長夫人生病，抽血把福貴的兒子抽死了。可是偏偏縣長春生和主人公福貴又是國軍戰友，又是好人辦了壞事。只能流淚，不能問責，只寫細節，不論背景。這種好心卻做壞事的傳統，一直可以追溯到《白鹿原》。二十年代共產黨員鹿兆鵬就鼓動農民運動，結果砸了祠堂毀了鄉約……

《受活》裏的茅枝婆是好幹部的最後一個榜樣。一個老紅軍，幾十年來領了一村的殘疾人，入社、煉鐵、度荒年，經「文革」。茅枝婆絕對革命道德高尚，不忘初心，可是一生做的大部分事情都害了受活莊的鄉親。所以最後她非常後悔。

第四類官員形象是「官僚主義者」，是一種從理想朝氣漸漸變成世故犬儒的幹部。最典型當然是劉世吾，年輕時可能也是一個林震，多年「官場」經歷，百般錘煉，成熟了，世故了，有涵養了，也變得明哲保身，事不關己，高高掛起了。

這種官僚化的過程到底是特例還是規律？王蒙提出的問題，在中篇〈蝴蝶〉裏，還有韋君宜的長篇《洗禮》，都有更細緻探討。總體上作家們相信經過「文革」洗禮、忘了初心的好幹部，能夠在人民的感化下重新成為好戰士、好官員。另一方面，作家也喜歡想像或期待幹部官員的知識分子化——如果某官員愛讀書，尤其是愛讀文學書，通常至少曾經是個好官。

第五類官員形象特別奇葩，分明不是「好人」，人格道德都有明顯缺陷，卻也能夠為民眾辦實事。比如《受活》裏的柳縣長，追求個人崇拜，相信白貓黑貓，想做老百姓的父母官，但是實際上他的「政績」，絕術團的確幫殘疾人賺了人民幣。想買列寧遺體，要不是選錯政治符號，如果修個伏羲或西施墓，也完全可能振興當地經濟。還有另外一個讓人忘不了的官員，《白鹿原》裏的白孝文，小說結尾做了新社會的縣長，他將來會不會有政績呢？還有閻連科《炸裂志》裏的領導，還有余華《兄弟》裏邊的李光頭，即使不是官員，但也很有權勢。明明是個壞人，怎麼居然也可能為鄉親謀福利？這又是一個嚴峻問號。

五種幹部類型中，以第三第四種最有文學意義。第三種「好心壞事」現象，正正顯示農民與官員的複雜矛盾；第四種關於官僚主義的反省，則是從知識分子角度思考官場的遊戲規則。

二、二十世紀中國小說中的農民形象

無論如何，農民總是中國現當代文學最重要的主角，貫穿二十世紀各個歷史階段。晚清小說一般不會特別突出農民形象。《官場現形記》裏從大小官員到書生、丫鬟、僕人，都在迫害與被迫害的權力關係網絡中。比較具體的受害者，比如江山船上被誣陷的妓女等，農民不多。《老殘遊記》寫官員欺壓民眾，但「民眾」範圍裏，其實有財主，也有雇工，階級意識不強。二十年代以後，小說裏的農民，基本都是很苦很愚昧的弱勢羣體，從麻木的閏土，到賣人奶、被抽血的〈官官的補品〉中的農民夫婦，從《生死場》裏忙着生忙着死的東北婦女，到沈從文筆下將妻子送出來賣笑的農民丈夫……還有茅盾的〈春蠶〉、葉聖陶的〈多收了三五斗〉等等，都是主要強調農民苦境。但也有作品描寫農民不僅被欺而且欺人的兩面性，所以〈阿 Q 正傳〉既代表又超越那個時代的農民文學。

〈小二黑結婚〉以後，農民形象被分化，不是在被欺和欺人的兩重性上分化，而是分化成了先進和落後。從周立波《暴風驟雨》、趙樹理《三里灣》，柳青《創業史》一直到浩然的《艷陽天》、《金光大道》，農民一直都被劃分成兩大羣體。到了七十年代末，農民在小說裏又從幸福翻身主體變回被傷害的苦難羣體。高曉聲、茹志鵑筆下，麻木善良的農民辛苦勞作幾十年，在「大躍進」、自然災害或者「文革」等多次社會危機中，承受最實實在在的損失。李順大、陳奐生，流着阿Q的血，延續阿Q的命，既狡黠又麻木，好像打盡小算盤，還是糊裏糊塗在底層「幸福」掙扎。這些農民的命運與「好心辦壞事」的幹部之間，有一種互相依存的關係，被理解成官民關係的基調和主流。

這種官民關係偶然也有不和諧的時候，比如張一弓的《犯人李銅鐘的故事》寫農民搶糧，和《秧歌》同一主題，遲了二十多年。但在大部分小說裏，在大部分時段裏，農民和幹部還是可管控的矛盾關係。《平凡的世界》和〈插隊的故事〉裏都有農民做小生意被批「走資本主義道路」。賣豆腐發財，會變成「新富農」(《芙蓉鎮》)。余華的《活着》，本來主角是地主兒子，無奈太多感人細節。很苦很善良，善良的中國讀者，看着看着也就忘了階級鬥爭這條弦，認同了福貴似乎就代表了幾十年中國農民的典型命運。

只有極少數作品，不僅寫農民很苦很善良，也寫他們很壞很愚昧。《白鹿原》中鹿三和他的兒子黑娃，分別代表農民的麻木、忠厚和暴力、殘酷。《受活》中的農民，殘疾人被人欺，圓全人也欺人。這又回到了魯迅早分析過的底層羣體，也有着兩重性。

官員／官場與農民形象在二十世紀小說中的關係，簡單概括，晚清官場壓迫廣義的農民，包括地主和貧農；「五四」後官府主要是壓迫貧農，地主有時是幫兇。但農民被欺亦欺人。延安以後，農民分成先進和落後，官員必須黑白分明。好官代表並拯救人民，不認識不聽從好官的，便不屬於「人民」範圍。官民關係，有一個互相證明的邏輯關係。

到了八十年代，農民又回到晚清和「五四」狀態，整體被人欺。不過官員大多數還是好人，不知怎麼糊裏糊塗地辦了壞事。農民很苦很善良，想想終究是好官，所以也原諒。訴苦免不了，但多細節，少分析，多流淚，少問責。

在二十世紀中國小說裏，官民關係的演變規律，很值得深入探討。

三、百年中國小說中的知識分子形象

知識分子當然也一直是現當代小說的主角，一來作家的身分就是知識分子，是小說的創作主體；二來大部分小說的主人公也是知識分子。

二十世紀中國小說裏的知識分子形象，晚清時期比較勇敢，五四時代比較彷徨，五十年代比較現實，最後二十年比較多元。

晚清時期作家不是官場中人，除了梁啟超是政治家，其他文人都躲在租界辦報，也做醫生、工程師、礦主，偏偏都不是官。在作品裏，主人公或知識分子敘事者對儒家倫理仍然信任，對晚清政治不抱希望，覺得少年中國前途無量，小說主角或是勇敢義俠，或能憑才學考成大官。一百年間，這是知識分子形象最樂觀、最勇敢、最銳意進取、自我感覺最好的一個階段。

晚清小說作家心態與知識分子形象都是感時憂國，救世救人。梁啟超不僅首先提出「中華民族」的概念，還主張「小說革命」。[6]「新」甚麼，都要先「新」小說。從黃克強、李去病開始，二十世紀小說中很多知識分子主角，至少在心態上，由「士」而「仕」，同時又是幹部／官員。《官場現形記》裏讀書人不多，但小說結尾作者直言，他之所以批判官場，目的是教人家怎麼做官。《二十年目睹之怪現狀》「九死一生」也說要跟各種腐朽骯髒的現狀做鬥爭（雖然實際上有很多妥協）。《孽海花》主角原型是同治七年狀元，官至內閣學士。老殘更是晚清知識分子憂國救世形象的典型代表。雖有高官賞識提拔，依然堅持街頭行醫，路見不平，看見官府執法不公，就挺身而出，像俠客一樣仗義執言（當然身上帶着「尚方」信件）。

總之，晚清作家感時憂國，小說主角也救世救民。感時憂國，救世救民或是中國讀書人的傳統使命，魯迅一代和梁啟超、劉鶚完全一致。不同的是，梁啟超、劉鶚從感時憂國出發，寫出了創建國家、解救百姓的黃克強、「九死一生」、老殘，寫出了革命家與俠客，可是魯迅等人也從感時憂國出發，筆下的知識分子形象卻主要是病人、弱者和孤獨的人。

「五四時代比較彷徨」。作家和官場有距離，主要靠寫稿、辦報或教書謀生，但郭沫若、茅盾、胡適都曾參與「體制」，魯迅也是教育部官員。整個民國時期，現代作家筆下的知識分子，基本上就是三個類型——病者、弱者、孤獨者。

「五十年代比較現實」。在作家生態上，「三紅一創」的作者們，既是幹部又是作家。（文壇地位通常比官員職位更重要）。在作品人物中，知識分子也身兼幹部身分。主人公的處境是危險的，甚至要犧牲生命；作家的寫作策略卻是安全的，廣受歡迎。也八十年代以後創作的五十年代故事，主要補敍知識分子當年「洗澡」過程，非常現實地配合各種審查程序，並無不滿與反抗。

「最後二十年比較多元」。理論上、技術上作家還在作協系統，屬於幹部體制。但實際上，作家同時要考慮讀書市場。從作品人物看，八十年代以來的知識分子形象比較複雜，兼有勇敢、俠氣，更多彷徨、懷疑，無意識中亦顯示安全智慧。

《金牧場》、《心靈史》的抒情男主角比較勇敢，俠客般抵抗投降；梁曉聲、韓少功筆下的知青，堅守理想，對革命前景樂觀。〈綠化樹〉、〈男人的一半是女人〉的「勞改文學」基本重複郁達夫式的情欲／思想苦悶，不同在於是郁達夫曾想拯救女工，張賢亮則是被農民所拯救。在技巧實驗的小說中，懷疑是基調，知識分子或者懷疑家庭（〈山上的小屋〉），或者懷疑江湖（〈錯誤〉），或者懷疑究竟甚麼是「流氓」（〈動物兇猛〉、《黃金時代》）。還有一些前所未見的知識分子，神奇如白鹿原上的朱先生，頹廢如《廢都》中的著名作家……

小說裏的知識分子形象在「五四」前後有微妙反差。之前國家不幸，作家憂國，小說人物像英雄如俠客；之後革命來臨，作家還是憂國，可是小說裏的知識分子，不是瘋狂、憂鬱，就是孤獨。究其原因，一來是科舉被廢，「士」實際上無法「仕」，斷了讀書人傳統救世之路。二來因為現代小說注重人物心理，可能外表看着像俠客英雄，內心恐怕也是孤獨彷徨。瘋狂、憂鬱、孤獨，這三個知識分子的類型，早就出現在魯迅的小說裏，代表人物分別是狂人、孔乙己、魏連殳。這三種知識分子形象，後來幾乎貫穿中國小說百年。

魯迅雖然自己很悲觀，最後安排狂人重新做官，但是這個人物在「生病」期間的清醒、勇氣、戰鬥精神，引導了二十世紀不止一代知識分子。例如覺慧、林震、蔣純祖，還有還沒被冰心感化以前的「超人」，苦讀共產黨宣言的抱樸，《金牧場》裏的「人民之子」，甚至《白鹿原》裏，面對各種軍閥政黨都毫無懼色的白鹿書院的朱先生……

這些堂吉訶德們天真、勇敢、執着，像狂人，呼喊「不要吃人」、「救救孩子」。他們都是努力在黑屋子裏開窗的戰士，也不管開了窗以後，能不能開得了門，也不管屋子裏的人是真睡還是裝睡，或者會不會責怪他們。甚至許雲峰、江姐他們也是這種救世傳統，也有狂人的遺傳。

這是二十世紀中國小說裏的第一類知識分子——「狂人」。

第二類讀書人的最初代表是孔乙己，特點是身處社會底層，精神上還殘留着儒家文化教育的優越感。連吃飯喝酒錢都沒了，腿都被人打瘸，還洋洋得意地跟旁人說：「茴」字有四種寫法。這個形象讓大家很難忘。

其實民國小說裏，「孔乙己」並不多，說明知識分子底層經歷還不多。王蒙在八十年代回首審父，發現倪吾誠其實是喝洋墨水的「孔乙己」——自己陷於亂世，沒法修身，更難齊家，被家中女人潑了一身的綠豆湯，卻還念念不忘歐洲先進文明的種種習慣，像咒語一樣，但沒有人欣賞。

五十年代以後的知識分子輪流「洗澡」，都要在被改造和接受再教育過程中，艱難保留士大夫基因。身在底層精神優越的「孔乙己精神」，於是漸漸轉化演變為一種知識分子生態心態存在巨大反差的普遍情況，一直發展到人們今天說的「地命海心」—— 喝地溝油的命，操中南海的心。

勞改犯章永璘餓得跟狼一樣，還讀《資本論》，最後要到大會堂裏去感謝綠化樹。《古船》中的地主兒子抱樸，終年躲在小屋裏研究《共產黨宣言》。知青們年紀輕輕陷入沼澤地，說是為神奇的土地獻身。秦書田低聲下氣要求從右派改為壞分子。孫少平和其他搬運工不同，因為在工地點油燈讀西方小說。當年孔乙己只是一個科舉制度中斷以後的可憐讀書人，因為小夥計的敍述角度，人人可見科舉後果可憐可笑。假如孔乙己自己也從第一人稱表達心志呢？會不會獲得人們更多同情和共鳴？後來無論右派平反或知青下鄉，共通點都是生態心態互相嘲諷，「身處低賤心比天高」確是二十世紀小說中的一個知識分子「傳統」。

「孤獨者」是現當代小說中知識分子形象的第三個類型。這些人的內心感時憂國，但不如「狂人」般勇敢堅定，他們的社會處境也不如意，但也沒有孔乙己們那麼悲慘。基本上，他們的生活還在一般民眾之上，他們的主要特點是內心痛苦、憂鬱、矛盾、彷徨、孤獨。在「狂人」戰士看來，他們的憂鬱多少有點自作自受；在普羅大眾看來，他們的煩惱又有點矯情，自作多情；但是在這類知識分子自己心裏，這種心理危機就是一切，是最真實的世界。有時這種孤獨可以很深刻，比如〈在酒樓上〉中的呂緯甫，比如〈孤獨者〉中的魏連殳做官也很痛苦。有時這種孤獨連着身體，靈肉衝突，性苦悶，更容易得到青年人的共鳴，比如像〈沉淪〉。

也有時是被放大誇張的孤獨，袋中無錢，心頭多恨，自覺是社會上的零餘者、多餘人，從俄國文學那裏學來一些知識分子無力濟世、無力救民的自責感，說明雖然無力，至少還有心。這一系列形象，包括有心無力、追求愛情的涓生，包括「承上啟下」的覺新——既承受上一代重託，又理解下面弟妹反叛，也包括整天不需要操心經濟人生，可以專職追求愛情，但還是孤獨苦悶的莎菲女士等等。

有意思的是，這類憂國憂民無力、社會地位小康、內心好像特別痛苦的知識分子形象，主要集中在二十年代到四十年代。五十年代以後，對不起，零餘者連「多餘」的資格也沒有了。編入了不同級別的幹部隊伍，要麼學習狂人反抗姿態，像林震；或者像韓常新那樣去努力「上進」；也可在社會底層研讀《資本論》保護自己。總之忙得很，沒時間孤獨鬱悶。所以五十年代以後，中國小說裏很少有多餘人、零餘者，但很多「地命海心」。

除了魯迅小說裏的狂人、孔乙己、孤獨者等三種知識分子類型以外，還有第四種，魯迅沒有寫，錢鍾書等人補上。就是一個讀書人，沒有特別憂國憂民的志向，也不接受別人對他的拯救或者改造，他就在社會生存中做些無奈的選擇和掙扎，人生雖然於事無補，卻也於世無損。比如〈白金的女體塑像〉裏的醫生，〈梅雨之夕〉中為陌生女子撐傘的上海男人，還有我們熟悉的方鴻漸（《圍城》）。方鴻漸就是缺乏知識分子憂國憂民傳統、不會救人也不要人來救的一個知識分子。

表面看，生活頹廢的莊之蝶，以性愛做精神武器的王二，好像也是方鴻漸的傳人，也是拒絕救人和謝絕被救的追求消極自由的知識人形象。在某種意義上，也是寧可「躺平」也不認命。

簡單概括，百年小說裏的知識分子，晚清是俠客救世，五四是彷徨孤獨，延安是英雄為民（不能做「多餘人」），八十年代後主流是「地命海心」，但也有人堅持抵抗投降，也有人追求消極自由。

認為現代文學最重要、最有成就的人物形象是知識分子和農民，知識分子和農民的關係便成為現代文學一條最重要的主題線索。我們在重讀二十世紀中國小說名著的過程中，看到官員形象也是知識分子與農民之外另一個重要的人物系列。因此在考察小說中知識分子與農民關係的同時，我們也要分別探討知識分子與官員形象關係的歷史演變規律，以及農民命運與官員／官場的互相依存的矛盾關係。

如果說，在小說中，知識分子與農民的關係，有一個「同情——啟蒙——被改造——再啟蒙」的發展變化過程，那麼知識分子與官員形象的關係，也有一個「批判——疏離——同步——地命海心」的歷史過程。從晚清知識分子批判官場教育官員，到「五四」的疏離官場（視仕途為墮落），再到五十年代作家幹部化（主角大都是幹部），再到八十年代後知識分子想像自己與和官場關係的複雜演變：或者回顧苦難歷程，生處底層仍然充滿士大夫政治使命感；或者寄希望與幹部官場的知識分子化；或者尋求不同的脫離政治的方法，下棋、做愛、受戒、祠堂等等。

二十世紀中國小說中農民形象與官員／官場的關係，也有一個「壓迫——同構——解救——好心辦壞事」的歷史過程。晚清是直接對立（官府壓迫廣義的農民），「五四」還是官壓民苦，但官員不是焦點，主要寫幫兇爪牙。延安以後官場／幹部分化，或者是敵人或者是救星。最弔詭的就是八十年代回首，則發現還是官員欺負農民，但是「好心辦壞事」。有時甚至「壞官」也可能為農民謀幸福。

本來是兩種人物形象系列合成一個主題線索，現在要考察三種人物形象系列，同時出現至少三條主題線索，多了很多變數，中國故事有些複雜。

四、百年中國小說中的工人和商人形象

和農民相比，近百年小說中寫工人的佳作確實較少。現代文學史評論郁達夫〈春風沉醉的晚上〉是較早描寫中國無產階級的小說。二十年代中期，郁達夫一邊描寫青樓文化，抒發性苦悶，一邊又提倡無產階級文學。他的〈薄奠〉也寫了人力車夫。人力車夫算不算工人？雖然不是嚴格的產業工人，但顯然也不是農民或者職員。

如此分類，祥子就是現代文學最重要的工人形象，特別是自己的生產資料早早被兵痞搶走以後。和煙廠女工徹底否定自己從事的煙廠不一樣，祥子是把人生希望建築在他的工作上。

另外，《子夜》裏也有一些工人羣像，和工賊鬥爭當中有大公無私的，有投機叛變的，有貪圖私利的。《淮南子·齊俗訓》裏說：士農工商，「農與農言力，士與士言行，工與工言巧，商與商言數」。所謂「言巧」，指的是工藝、技術。在這個角度看，寫工人的文學，真是老舍最實在 —— 只有祥子，曾經全心全意地追求他的工藝技術、他的生產工具，還有他的職業道德。

到「十七年文學」裏，工人階級名正言順成了領導階級，但在文學史上有定評的作品，直接以工人為主角，仍然不多。有意思的現象是，「紅色經典」裏的主人公自己是幹部或者農民，是職業革命者，可是他們都被安排有一個不用出場的產業工人父親。《紅旗譜》裏，領導農運的教師賈湘農，祖父是農民，父親是工人；《青春之歌》裏的盧嘉川、江華，還有《紅岩》裏的許雲峰，他們都是工人家庭出生。許雲峰還是工委書記，在長江兵工總廠當過鉗工。總體上，這些工人身分標誌，很有符號意義。

到了八十年代以後，工人形象有，但還是不多。「重放的鮮花」〈組織部來了個年輕人〉要下工廠調查，改革文學〈喬廠長上任記〉要寫工業生產，《平凡的世界》有工地搬磚，煤礦工下井等等，但這些小說的主題還是農民「進城」，是農民變成工人。

為甚麼近百年中國小說，士農工商之中，相比之下工人形象比較單薄？甚至在「文革」期間，任何大批判，批判資本主義都用無產階級的名義，怎麼就沒有描寫無產階級的、有藝術價值的小說？《朝霞》上工人創作比例高了，文學意義恐怕仍然存疑。這也值得研究者思考，尤其是據說現在中國城市人口已經超過農民了，人民的主要成分已經發生變化。

中國小說的三大主角是官員、知識分子和農民，相對來說，工人和商人是「弱勢羣體」—— 不是在劇情裏是弱勢，而是較少有機會成為小說的主人公。如果還要再比較，商人其實比工人受到更多關注，尤其在二十世紀上半葉。

「十七年文學」和「十年文學」當中，讀者記得住的工人主角，不分男女，實在很少。反過來講起商人，人們馬上想起吳蓀甫、趙伯韜，《財主底兒女們》，還有〈林家鋪子〉裏的林老闆等等。（不好意思，大部分就靠茅盾一個人在寫）。

從研究的角度，現當代文學怎麼寫商人，其實這也是非常值得做的題目。

按照《淮南子》的說法，「商與商言數」，晚清小說裏的官員之間的來往，其實也是言「政」少，言「數」多。他們並不關心國事，整天討價還價：這個官，多少年，值多少銀子；上面來了巡視組，下面交多少錢，要交的太多，寧可坐牢去……十分精彩。現在機場等飛機，書鋪大都是成功學與通俗官場小說，原來內容一直可以互通。

全面剖析商家歷史處境，還是有政治經濟學理論武裝的茅盾。《子夜》中的商人羣像，簡單說有四類：一是趙伯韜買辦，二是吳蓀甫民族實業家，三是在這兩者之間投機，又想實業，又想多賺錢的杜竹齋；第四類最慘，就是像馮雲卿這種在鄉下的土財主，進城經商，到處失敗，最後用女兒做工具騙情報，白白賠了千金和「白銀」。晚清小說裏的墮落底線，到了茅盾筆下，變成商人沉淪標誌。人們一方面佩服茅盾作為小說家對於都市商界各色人物的觀察興趣，另一方面也可惜茅盾的商人分類有時候太遷就《中國社會各階級的分析》的理論框架。相比之下，在更多激情、更少理論的路翎筆下，商人蔣捷三和他的後代是比較難以定性也比較真實的商人形象。嚴格來說，張愛玲筆下的男人也大都算是商人。喬琪喬和季澤是花心男，沒有出息的商人。范柳原雖然跳交誼舞，背詩經，戀愛的基礎還是有錢幫女主角訂頭等艙船票和淺水灣海景房。之後情人一到手，馬上又要坐船去英國做生意，商人本色。最有意思的是佟振保，他的商人性格並沒有表現在他怎麼開廠，如何辦實業，而是一發現老婆出軌，氣昏了頭出門，居然沒講價就上了黃包車。讓一個商人氣得忘了講價的地步，想想該是多麼令人激動、憤怒的事情。

五十年代以後，「三紅一創」裏基本沒有商人形象。劉思揚作為革命者，出生於有錢的家庭，但那只是背景。《青春之歌》裏的林道靜有同學貪圖物質，下嫁權貴。但是，總體上前三十年，公私合營，商人不見了。

八十年代以後，張煒的《古船》裏老隋家的兩個兒子抱樸和見素，可以視為新時代商人形象的代表，而且代表兩種不同的發展方向。弟弟是以惡抗惡，不擇手段，反抗他的家族所蒙受的不公正的歷史遭遇。所以，他拼命要搶奪家族粉絲企業，要爭着承包，也要到城裏去投機打拼。當然，張煒把他寫成是失敗者。出身更低性格比較類似的，還有《兄弟》裏的李光頭，在余華筆下，他非常無恥地在新時代從成功走向新的成功。

張煒把哥哥抱樸寫成一個韜光養晦，等待時機，積蓄力量，同時又苦苦研讀《共產黨宣言》的人。所以，最後他發展的商業，復興了家族，還拯救了父老鄉親。這是一個知識分子化的商人形象。放在二十世紀文學背景中，《古船》頗有野心地虛構想像了中國式新時期資本主義的兩種發展可能。

八十年代以來，讓一部分人先富起來，商人在中國改革開放當中就扮演越來越重的社會角色。電視劇裏，也有更多晉商的傳統、大宅門的歷史、胡雪巖的傳奇等等。總之，有錢人也有了光榮歷史。全面回顧民國史的《白鹿原》中，白嘉軒和鹿子霖說是財主，是地方上的「族權」和「政權」的代表。但在某種程度上，他們又何嘗不是善於講數的商人？買賣土地、銷售鴉片、創辦學堂、建造白塔，無意有意地還培養書記、縣長等家族接班人兼政治代理人。歷史的經驗，做生意首先要做官——晚清作家早就告訴各位。你們不聽，以為時代變了。也許時代易改，中國難移。白嘉軒和鹿子霖的形象，正好補充「革命歷史小說」系列當中有錢人形象的缺失。補得是否合適，是另外一回事。

五、百年中國小說中的女性形象

最後，在官員、士農工商之外，我們還可以討論女性人物形象在二十世紀中國小說裏的變化發展。顯然，這又是一個需要寫很多論文，甚至學術專著才能深入討論的課題。限於篇幅，我們只能簡單地回顧一下重讀過程中印象比較深刻的女性形象。

《官場現形記》裏的晚清社會，女人在各種官員貪污、瀆職、腐敗的故事裏，都不缺席。有時是純粹的犧牲品，比如江山船妓被嶬偷竊珍寶，含冤自殺。也有時是工作盡職，分享好處，如山東官員到上海買外國機器，四馬路新嫂嫂，及身旁另一少女，也在貪腐過程當中獲得利益。另一個江山船妓比較受寵，她並不要求多一點賞錢，而是趁着官員高興，替自己親戚求缺，很有政治眼光。

還有徐都老爺，本來比較清高，可是他太太吵着要贖當頭，所以徐都老爺也只好受賄。好像官場腐敗，官太太也都有責任。

女人「參政」各有奇法，官員多歡有十二個老婆，某晚老公批閱官員任命文件，十二姨「啪」地打在多歡手背上 —— 說是有蚊子，其實是要阻止他批文，然後提出一個新的（自己已受賄的）人選。這種時候，女人真是「半邊天」。同樣的例子是姓賈的司法官，判案要聽老母的意見。當然，女人偶然參與分享權力運作，更多時候還是忍受屈辱。比如官太太要認上司小妾做乾媽，自己卻比乾媽大二十歲。冒得官的女兒被父親拿去當禮物送給上司等等。

總而言之，女性在晚清官場多數是被侮辱和被損害者，少數也會侮辱和損害他人。就像四馬路的新嫂嫂所說：「你們做官的身不由己，跟我們風月場中的女人其實是一樣的。」

這個時期小說中最突出的女性形象，還是不同階級的妓女。《孽海花》女主角，以賽金花為原型。從船妓，變成官妾，然後出使歐洲進入上層，又出軌，又戀愛，充滿反抗精神。《老殘遊記》裏有很長一段戲，描寫老殘和一個縣官，因天氣原因被困在黃河邊上小客棧，講述各種冤案、政事。兩個男的也不會乾聊，叫來兩個妓女陪酒。說話間才知，風塵女子本是地主家千金，只因省官亂治黃河，家鄉被淹，所以淪落至此。縣官替翠環贖身，送給老殘。老殘後來把女人名字前後調整調整，「翠環」比較像丫頭，「環翠」就像小姐了。

這個憂國憂民的知識分子「拯救」風塵女子的細節，其實開啟了「五四文學」很多愛情故事的基本格局。「風塵女子」定義寬泛一點，〈春風沉醉的晚上〉、〈秋柳〉、〈傷逝〉、〈創造〉、《啼笑因緣》，還有《日出》、《家》等等，都有一個讀書人企圖教育、引導、感化、拯救另外一個女性。而這個女性，要麼被家庭所困，要麼在社會上掙扎，或者是比較「無知」(沒受過教育)，或者身處社會下層。這些小說，以愛情為名義，以啟蒙為目的。看上去是男人拯救女人，實際上象徵知識分子自以為能夠拯救弱勢羣體社會大眾。但是「五四小說」不僅幻想這種教育、拯救式的愛情，同時也反省這種教育、拯救的失敗或局限：涓生救不了反害了子君；郁達夫的窮書生不敢擁抱可憐純真的煙廠女工；君實創造了妻子，反而被拋棄；覺慧也是好心害了他喜歡的丫鬟鳴鳳；《啼笑因緣》裏的樊家樹最後也幫助不了天橋賣唱的沈鳳喜。

很快，連小說中的女人們也都知道了，等待、依靠這些感時憂國的書生來拯救，是沒有希望的。《日出》裏陳白露對方達生說：「你救不了我。」所以接下來，小說中的女主人公就必須各自奮鬥，至少也走出了五種不同的人生道路。

第一，從女性本能和生存智慧出發，與男人周旋、博弈，直面男性中心主義之慘澹人生。可以追求，可以忍耐，可以妥協，但絕不放棄女人自我。有時會成功，比如〈傾城之戀〉，至少爭得了十年八年的歲月安穩；有時會失敗，比如〈第一爐香〉，名為婚姻，實際是沉淪；有時人生路很長，也說不清甚麼是輸，甚麼是贏，比如《長恨歌》裏的女主角，少女的時候很現實，中年的時候很任性，老年了反而很浪漫。還有《玫瑰門》中的媳婦竹西，面對生病的丈夫、工人鄰居大旗和知識分子葉龍北，都沒有失卻自己的主動權。

二十世紀幾位最傑出的女作家，丁玲、張愛玲、王安憶，還有寫王婆、金枝的蕭紅，都以這一類女性為主人公。

第二類，繼續沿着晚清模式，寫女人在男性社會的遊戲當中，既被人欺，也欺負別人。有時候被欺的情況嚴重，有時候欺人的成分更厲害。最典型的當然就是〈金鎖記〉裏的七巧，還有《玫瑰門》裏的司猗紋；《財主底兒女們》裏瘋狂在家族裏搶錢的媳婦金素痕；還有《活動變人形》裏的靜珍、靜宜姐妹。

這一類的形象常常很兇狠潑辣，如虎妞，設局套住男人，也死在祥子身邊。但偶然也會很美很善良，比如自己是童養媳又招童養媳的蕭蕭，麻木忍受欺壓，無意當中害人。

第三類女性形象，就是反抗社會壓力，追求革命。從莎菲到林道靜，從《白鹿原》裏的白靈到〈掙不斷的紅絲線〉裏的女主角（年輕時居然敢於拒絕跟首長的婚事，也是一種大膽反抗）。還有〈創造〉裏超越丈夫，參加社運的嫻嫻。《創業史》裏先進的農民改霞。當然，還有目睹丈夫頭顱高掛城門，從而更堅定革命意志的江姐。這一類勇敢、反叛、追求革命的女性形象，和男性主人公當中的「狂人」系列一樣，很多人後來會挫折、失敗或者犧牲。嫻嫻和林道靜暫時是勝利的，但她們的故事發展下去，結局也很難說。

第四類是女人的身體成為小說情節焦點，成為各種勢力男人的戰場，成為社會矛盾的集中表現。這類案例居然很多：〈我在霞村的時候〉的貞貞，〈色戒〉裏的王佳芝，《白鹿原》裏的田小娥，〈丈夫〉裏的老七，《死水微瀾》的大女主鄧么姑，《紅旗譜》裏的春蘭（運濤、大貴、馮老蘭都喜歡她）。再比如，〈綠化樹〉裏面的「美國飯店」馬纓花，一個人至少跟三個男人周旋；〈男人的一半是女人〉的黃香久，又嫁給知識分子、勞改犯，又跟當地幹部通姦等等。

這些人物當中，貞貞、田小娥是最典型的階級鬥爭戰場，其他的「一女多男」關係模式，也都不僅是三角戀愛關係，都滲透不同有政治符號。

二十世紀中國小說中的第五類女性形象，讀者閉起眼睛都看得到，這是人們最熟悉的「很苦很善良」系列：祥林嫂、商人婦、煙廠女工陳二妹、子君、翠翠，還有《生死場》裏大部分的女人，特別是最美麗的，生病很慘的月英……

值得注意的是，這些形象大部分集中在二、三十年代；之後從五十到七十年代，這類很苦很善良的女性形象基本不見了。到了八十年代以後，又重新出現了。

八十年代以後，《金牧場》裏的草原母親，《平凡的世界》裏的哥哥孫少安的妻子，美麗、賢慧、能幹，最後得癌症。還有白嘉軒的女人，還有中國讀者最感動的《活着》裏的福貴的老婆。福貴女人從老公去賭場做花花公子，到後來他變成受苦人，家裏各種各樣的災難，可以說是忍受了一切的社會之苦，當時毫無怨言，事後也不後悔。女性主義文學批評完全可以說：這就是你們男人發夢，你們就希望女人永遠都這樣嗎？

六、「小說中國」裏的歷史共識與分歧

二十世紀中國故事的關鍵詞始終是革命，晚清是批判／推翻帝制，民國是國共（中日）戰爭，五十至七十年代是「繼續革命」（階級鬥爭及其擴大化），八十年代後是改革開放。革命的關鍵問題始終是階級關係的調整與變化，具體在小說裏，主要就是「士」「官」「民」等人物形象的複雜關係及其演變。

晚清時期是「士見官欺民」：「官」總是壞，不管貪官清官。「民」總受欺，無論財主或窮人。何以必須「士」見？因為「官」不會承認欺民，「民」則麻木或不敢言被欺。「士」的「見」法有二，或作為主人公（如老殘），或作為小說敍事者（如李伯元）。

在「五四」小說裏，「士」「官」「民」三種形象都比較複雜化。僅以魯迅小說論，「士」至少有四種：有戰鬥的狂人，有卑微的孔乙己，有〈祝福〉、〈故鄉〉裏的「我」，（因無力救「民」而歉疚），還有鄙夷阿Q「奴隸性」但自己做幫兇的「長衫人物」。「民」亦可分三類：祥林嫂、閏土麻木不爭；阿Q和〈藥〉裏的茶館看客及狂人的鄰居們，被人欺而且也欺人；〈一件小事〉車夫則體現底層尊嚴。「官」不再是主角，但仍然有爪牙幫兇，或是隱形背景（趙家人、財主及禮教），也是知識分子的墮落「前途」（狂人最後候補，魏連殳做將軍秘書）。「士」入仕途，在民國的現實和文學中都是前景悲觀。

五十年代「紅色經典」的最大變化是「士成新官而助民救民」。首先，大部分的知識分子都成為革命幹部：賈湘農、江濤、運濤、江姐、成崗、劉思揚、林道靜、盧嘉川、江華……目睹「官

欺民」現實，「士」幾乎沒有選擇餘地，除非變成叛徒（甫志高、戴瑜）。唯一的中間人物是余永澤（類似的方鴻漸、倪吾誠一度被文學忘卻或拋棄）。官場忠奸模式與官民對立模式相結合，官分忠貞奸邪（好官大都由「士」而「仕」，這個現象值得注意），民分先進落後，先進如小二黑、梁生寶等也是基層幹部。落後的中農們因為聯繫着鄉村的宗族文化和神權信仰，文學形象比較豐富。

到了八十年代，「士見官欺民」模式重現。「士」和晚清一樣，或是小說敘事角度（高曉聲、茹志鵑），或者出場做見證（《活着》、〈插隊的故事〉）。農民回歸「五四」分類，李順大、陳奐生等是麻木受欺一羣；《受活》中的「圓全人」是被欺欺人一類；孫少安兄弟等則體現底層尊嚴。變化最多的還是幹部／官員形象。我們分析過，主流是「好心辦壞事」，淡化官民對立模式，「官」有反思和自我糾錯能力，各級都有「忠 - 奸對立」而且有轉化。甚至「官場」也有新發展，比如不擇手段為民謀利益的柳縣長，比如飽受磨難性格複雜很難說善良卻執掌大權的白孝文縣長。最新一代的幹部偶像是《三體》中的章北海，為正當目的而刺殺競爭對手，以政工幹部經驗設計船艦（及人類）威權制度並叛逃地球……

再看看小說中的一些重要事件或者歷史階段。晚清小說寫晚清社會，充滿怪現狀，官場現形，無官不貪，十分混亂、骯髒、衰落的景象。「五四小說」寫辛亥革命前，比如阿 Q 早前狀況，也是窮苦被欺。大部分現代文學，即使不再直接描寫晚清社會狀況，也基本假定那是一個黑暗的舊時代。並不宣傳革命的〈金鎖記〉裏，寫一〇年代舊式家庭，也是充滿鴉片、小腳的腐朽氣息。《死水微瀾》裏的清末民初社會，貌似有些社會運作規則，黑手黨、官府、商人互動合作。只有到了九十年代的《白鹿原》，拉開審美距離，也對比之後的革命進程，讀者才看到北伐前，鄉村的「族權」、「政權」、「神權」分立的格局最為完整。在沈從文的〈新與舊〉裏，在老舍的〈斷魂槍〉裏，好像也是舊日時光頗有留戀之處。

總之，關於清末民初社會，距離越遠，畫面越好。

到了二十年代北伐前後，《倪煥之》直接寫大革命。〈創造〉隱喻革命方向不可阻擋。《紅旗譜》裏的運濤，北伐軍連長，後來被「清黨」入獄，表現國共分裂與三十年代農村階級鬥爭。最花功夫寫這一個歷史時期的也還是《白鹿原》，不僅展現軍閥對革命軍的反撲，而且暴露了農民運動的偏頗。《白鹿原》重寫《紅旗譜》，用文學的方法解構現代史，所以被稱作「民族心靈的秘史」，作家有這樣的使命感。

關於三、四十年代的中國社會，各種不同流派的小說，各種不同的歷史畫面，有分歧，也有共識。

關於城市的共識就是很繁華很罪惡。左派的《子夜》，濃墨渲染繁華罪惡；新感覺派穆時英也概括，「上海——造在地獄上的天堂」；甚至白流蘇在上海也覺得老宅很腐敗沉悶，呆不下去，所以要去香港冒險。

當然，再仔細閱讀，三十年代茅盾寫黎明前的子夜，意思是這個歷史階段很快會消失，會被革命、被光明所取代。但到了四十年代，張愛玲、錢鍾書再寫這些都市男女，種種虛榮貪慾故事，好像根植於都市人性異化，並不只是時代病。所以四十年代的城市故事，比三十年代的左翼文學擁有更長遠的文學生命，雖然實際上四十年代的社會情況比三十年代更糟糕。

反而到了九十年代——這中間跨度很大，因為近半個世紀，很少名著寫城市——又出現了像《長恨歌》這樣，對舊上海繁華的重新幻想與粉刷。也許因為到了新社會、新時代，舊上海的腐敗已經盡人皆知，所以可以重新審視一番，給一個女人的感情冒險搭一個舊社會的戲臺。張愛玲、錢鍾書仔細拷問的虛榮與人性的問題，王安憶反而很寬容理解。

第二個分歧和共識，是怎麼描寫三、四十年代的中國農村。共識是農民很苦，無論〈柏子〉、〈丈夫〉、〈蕭蕭〉、〈官官的補品〉、《生死場》等，農民都很苦，各家各派都寫農民的苦。分歧是在三十年代〈邊城〉，農民苦，地主也不壞，靠階級鬥爭解決不了問題。但在五十年代《紅旗譜》，農民苦，因為地主壓迫，所以必須階級鬥爭。在《生死場》裏，有階級，卻不知道該怎麼鬥爭。趙三要造反，卻誤打了小偷，還要財主保他出來，這個細節象徵階級鬥爭之難。同樣的社會矛盾和複雜性，更體現在路翎的《財主底兒女們》。

到了 1950 年以後，中國小說幾乎都要寫重大社會事件，「三紅」寫農村階級鬥爭、國共戰爭還有監獄裏面的信仰，雖然符合五十年代政治正確的標準，但是在六十至七十年代也受到批判。

八十至九十年代很多中國小說也總要圍繞重大歷史事件。一是十年「文革」，有的是回顧全過程並前因後果，《芙蓉鎮》、《古船》、《玫瑰門》、《活着》、《長恨歌》等。有的是放大一片段，如《晚霞消失的時候》、〈男人的一半是女人〉、〈錯誤〉、《金牧場》、〈動物兇猛〉、〈黃金時代〉、《平凡的世界》甚至《三體》。也有的是插一筆舊事或後話，如〈喬廠長上任記〉、《活動變人形》、《白鹿原》。總之有段時間，幾乎沒有小說會繞過文革。儘管有這麼多不同的「文革」書寫，但是對「文革」的基本政治批判卻是一致的。而且不僅是「文革」，如果寫到「三年自然災害」，也是既有天災又有人禍。如果涉及「大躍進」，一定有很大篇幅渲染煮鋼鐵的荒誕，大鍋飯的可笑。如果回顧反右，也總是錯劃，而且大概率是有才華者才會被錯劃。

1978年以後中國小說對文革、自然災害、大躍進及反右等歷史事件的集體否定態度，與當年「十七年文學」的政治傾向很不一樣，與後來大眾媒體影視製作的意識形態管理也不完全一致。在某種意義上，中國小說在世紀末再次成為思想解放的先鋒（或者至少是思想解放成果的守衛者），這也是有評論家認為小說在當代中國仍然重要的原因。

只有在一兩個歷史事件上，作家們的描寫比較有分歧。有分歧就有不同的切入角度，也有不斷的挑戰，不少知名作家都「前赴後繼」去試探這些有爭議的歷史事件，比如五十年代初的土改。

在《創業史》裏，土改正確，可惜不能一直鬥地主，梁生寶等要靠生產互助，不讓窮人再窮，富人再富。到《古船》裏，開明士紳被民兵活活嚇死，地主兒子後來成了小說正面人物。《活着》的男主角，賭輸地產才在土改中逃過一劫，賭博贏的就被槍斃。《受活》就更荒唐，說受活莊每人以前都有十幾畝地，居然漏了土改這個歷史環節，沒有地主，也沒有貧農。「文革」時必須補課，硬劃階級，紅軍幹部冒稱自己是地主以保護鄉親。還有莫言的《生死疲勞》，地主早早被槍斃，可是不斷投胎，變成不同動物，讓人們不得安生。

簡而言之，二十世紀中國小說中的重大社會事件，寫晚清階段距離越遠越「美好」，寫三、四十年代，共識多分歧少。關於「文革」、「大躍進」和「反右」，至少到目前為止，還是批判為主。最多的不同「政見」探索，就是關於五十年代的土改。在文學史研究方面，現在的學術焦點則主要有兩個，一個是晚清與「五四」的關係，本書企圖討論，晚清與「五四」的關鍵不同就是對待「官場」的態度，這也是理解中國問題的關鍵；另外一個分歧的焦點就是關於「十七年文學」的問題——既是對「十七年文學」的評價問題；也是如何描寫「十七年」的問題。

注

1 黃子平、陳平原、錢理羣：〈論「二十世紀中國文學」〉，《文學評論》第五期，1985 年，頁 3-14。

2 魯迅：〈小雜感〉，《魯迅全集》第三卷（北京：人民文學出版社，2005 年），頁 554。

3 魯迅：〈通訊〉，《華蓋集》，《魯迅全集》第三卷（北京：人民文學出版社，2005 年），頁 22-23。

4 魯迅：〈燈下漫筆〉，《魯迅全集》第一卷（北京：人民文學出版社，2005 年），頁 227。

5 1957 年 2 月 27 日毛澤東在最高國務會議第十一次（擴大）會上的講話（後改為〈關於正確處理人民內部矛盾的問題〉）和 3 月 12 日宣傳工作會議的講話中都談到王蒙小說發現官僚主義問題。參見黎之：〈回憶與思考——1957 年紀事〉，《新文學史料》，1999 年第三期。

6 梁啟超：〈論小說與羣治之關係〉，《新小說》創刊號，1902 年 11 月 14 日。

後　記

大約三年前，北京「理想國」的劉瑞琳、梁文道和曹凌志幾位朋友，約我寫本「中國當代（或二十世紀）文學簡史」。我知道，倘若沒有寫「繁史」的資料準備，當然也不能寫「簡史」。我仔細考慮了自己的能力、興趣和工作條件（在香港的大學教書，手頭並沒有相關的集體項目和團隊支持），覺得自己在資料準備、文本閱讀、理論研究和文學史書寫四個環節中，比較有興趣也可以獨立完成的，還是文本閱讀。陳平原有次談論趙園的治學方法，「一篇一篇讀過去，這確實是『笨人的笨辦法』，但卻是最有效的老辦法。宋代大儒朱熹談讀書：『須是一棒一條痕，一摑一掌血！看人文字，要當如此，豈可忽略！』。」（〈閱讀感受與述學文體 —— 關於《論小說十家》及其他〉）稱贊部分是講趙園有才氣，「笨人笨方法」，我倒也想學，本書就是嘗試。

依我自己二十多年在大學中文系的教書及行政經驗，覺得現在大學生最缺乏的也是最基本的文本閱讀。「新批評」的理論與方法，從未在中國的高校普及，我們從社會政治批評很快就跨入後現代話語時代。現在閱讀片斷化，長篇作品沒耐心讀。各種文學史都以教科書形式存在，即使一位作家列有專章專節，介紹時代背景、社會環境、作家生平及潮流派別之後，具體作品分析通常也就十分簡略了。更不要說現行高校評審制度，以期刊論文為標準，各種研究，都要強調西洋理論，說是以某某為中心，以某某為方法，話語概念策略術語高深，結果也大都忽略作品閱讀文本分析。因此我便很想嘗試從文本閱讀角度，參與文學史書寫。

文本閱讀也要排個次序。 按作家地位排序就有文學價值判斷。按作品出版發表年份，也自然會形成一個歷史（文學史）的時間框架。於是在作品閱讀之中（或之外），不得不補充一些文學史的背景（比如二十年代末「批判魯迅」，比如三十年代的「兩個口號之爭」，甚至有些文學史上的事件我還有幸直接參加，如1984年的杭州會議）。

一篇一篇讀下來的「笨人笨方法」，實行起來也不容易。每一步作品都是一個獨特角度的中國故事，都在進行作家個人的「中國社會各階級分析」，都在以文字描述或參與二十世紀中國革命。現在有機會連貫並置一起，可以回頭看看「中國怎麼會走到今天，又會走向怎樣的明天？」

文學史在某種意義上也是一連串典型人物形象的排列組合。知識分子和農民是現代文學最重要最成功的人物形象，這基本上是學界共識。但本書從晚清小說開始，特別注意官員／幹部形象的演變。不僅因為華威先生、劉世吾、江姐、喬廠長、柳鷹雀、章北海等等人物也是文學史上的重要形象，更因為在上世紀初和下半個世紀，中國小說裏如果沒有官員／幹部形象存在，敍事結構常常就無法成立。如果說二十世紀中國的關鍵詞是革命（我將 1978 年後的改革開放也看成一種革命），革命的關鍵問題就是階級關係的變化和調整。所以我在近百部中國小說中特別注意人物形象的階級身分，特別留意考察士、農、工、商以及「仕」互相之間的複雜關係。

我佩服的文學史家，或堅持藝術原則以「發現優異」為使命，或論證文學如何體現社會發展規律，總之他們對文學背後的社會政治歷史都有把握清晰瞭解並有自信堅持政見。對我來說，則恰恰是對二十世紀中國的社會政治歷史不夠瞭解（甚至有些親眼所見的事情，至今仍不明白其歷史意義），所以才企圖通過閱讀作品來窺探小說背後的社會政治歷史 —— 好在我們也不是閱讀任意一部作品，我們討論近百部有民意基礎的「經典作品」。小說雖然虛構歷史，持久暢銷卻是客觀歷史事實。一部作品很偉大卻也可能對歷史對社會有偏見，但我們可以看到很多不同作家以各種不同方法各種不同角度書寫同一個故事，我們可以看到很多不同的偏見或洞見。評判選擇的權利在讀者這裏，這點是讀者的幸運與榮幸。

簡單說本書想做三件事，想回答三個問題：第一，上世紀百年比較有名的中國小說，究竟在講些甚麼故事？第二，為甚麼是這些（而不是其他故事）在不同歷史時期特別為國人所接受？第三，這些故事之間有甚麼政治和藝術上的聯繫？至於在這些故事裏（或後面），究竟可以看到哪些二十世紀中國歷史的發展變化軌跡？我卻也是沒有多少把握的。

本書原來是寫給大學中文系同學同行看的，希望在已有的幾種不同意識形態背景的現代文學史之外，多一個不同的閱讀和學術角度。如有一般文學愛好者，或其他對「中國故事」不同講法也感興趣的國人，也願意看這本書，那更是我的光榮。

感謝劉瑞琳、梁文道和曹凌志、陳天真等各位理想國朋友的熱心鼓勵；感謝商務印書館毛永波先生、蔡柷音女士的幫助支持，讓本書先出繁體字版（本書能在香港多次重印並發行精裝版，更是令我意外的榮幸）。本書也在北京理想國與上海三聯出版了簡體版，但大約有五、六萬字的刪節。感謝《文學評論》、《文藝理論研究》、《當代作家評論》、《現代中文學刊》、《文藝爭鳴》、《南方文壇》、《中國當代文學研究》、《名作欣賞》、《上海文學》等期刊的支持，在 2021 年發表了本書中的部分章節。感謝馬曉炎、林雨淇等同學幫忙資料整理和校對；感謝吳筱蘭對本書寫作的支持。感謝陳平原、陳丹青、閻連科對《重讀二十世紀中國小說》的熱情推薦，感謝李歐梵老師和王德威、黃子平、趙園等同行的批評指點。衷心感謝。這是我迄今為止寫得最厚的一本書。過兩年如有時間，或者還可以做較大規模的修訂。

參考書目

一、1949-1976

1949 當代文學生產機制

王德威、陳思和、許子東主編：《一九四九以後 —— 當代文學六十年》（上海：上海文藝出版社，2011 年）。

王本朝：《中國當代文學制度研究（1949-1976）》（北京：新星出版社，2007 年）。

吳俊、郭戰濤：《國家文學的想像和實踐：以《人民文學》為中心的考察》（上海：上海古籍出版社，2007 年）。

李楊：《50-70 年代中國文學經典再解讀》（北京：北京大學出版社，2018 年）。

李輝：《胡風集團冤案始末》（武漢：湖北人民出版社，2003 年）。

孟繁華、程光煒、陳曉明：《中國當代文學六十年》（北京：北京大學出版社，2015 年）。

洪子誠：《中國當代文學史》（北京：北京大學出版社，2007 年）。

洪子誠：《中國當代文學概說》（香港：青文書屋，1997 年）。

洪子誠：《問題與方法：中國當代文學史研究講稿》（北京：北京大學出版社，2010 年）。

洪子誠主編：《中國當代文學史・史料選：1945-1999（上下）》（武漢：長江文藝出版社，2002 年）。

洪子誠、孟繁華主編：《當代文學關鍵詞》（桂林：廣西師範大學出版社，2002 年）。

胡風：《胡風回憶錄》（北京：人民文學出版社，1997 年）。

陳思和：《中國當代文學史教程》（上海：復旦大學出版社，2008 年）。
陳思和：《中國當代文學關鍵詞十講》（上海：復旦大學出版社，2002 年）。
陳思和：《當代文學與文化批評書系・陳思和卷》（北京：北京師範大學出版社，2010 年）。
陳曉明：《中國當代文學主潮》（北京：北京大學出版社，2013 年）。
袁晞：《〈武訓傳〉批判紀事》（武漢：長江文藝出版社，2000 年）。
張軍：《中國新文學史寫作編年研究（1919-1949）》（北京：中國社會科學出版社，2018 年）。
程光煒：《當代文學的「歷史化」》（北京：北京大學出版社，2011 年）。
程光煒：《文人集團與中國現當代文學》（北京：人民文學出版社，2005 年）。
程光煒：《文學想像與文學國家：中國當代文學研究（1949-1976）》（開封：河南大學出版社，2005 年）。
程光煒：《文學史二十講》（上海：東方出版中心，2016 年）。
程光煒、孟繁華：《中國當代文學發展史》（北京：北京大學出版社，2011 年）。
楊俊：《〈武訓傳〉批判事件研究 —— 從歷史語境的角度》（北京：當代中國出版社，2015 年）。

1952 年 3 月 22 日的巴金日記

巴金：《巴金全集》（北京：人民文學出版社，2000 年）。
巴金：《隨想錄》（北京：作家出版社，2009 年）。
巴金：《巴金散文：懷念蕭珊》（杭州：浙江文藝出版社，2014 年）。
中國社會科學院文學研究所總纂，李存光編：《中國文學史資料全編現代卷 —— 巴金研究資料》（北京：知識產權出版社，2010 年）。
李存光：《巴金研究回眸》（上海：復旦大學出版社，2016 年）。
李輝：《巴金傳》（北京：人民日報出版社，2011 年）。
林賢治：《巴金：浮沉 100 年》（香港：香港城市大學出版社，2018 年）。
陳思和、李輝：《巴金研究論稿》（上海：復旦大學出版社，2009 年）。
陳思和：《人格的發展：巴金傳》（上海：上海人民出版社，1992 年）。
洪子誠：《中國當代文學史》（北京：北京大學出版社，2007 年）。
徐開壘：《巴金傳》（上海：上海文藝出版社，2003 年）。

〈組織部來了個年輕人〉，王蒙

王蒙：《王蒙自述：我的人生哲學》(北京：人民文學出版社，2003 年)。
王蒙：《王蒙自傳》(廣州：花城出版社，2006 年)。
王蒙：《王蒙精選集》(北京：北京燕山出版社，2009 年)。
王蒙：《王蒙散文》(杭州：浙江文藝出版社，2008 年)。
王蒙：《王蒙八十自述》(北京：人民出版社，2013 年)。
王蒙：《戀愛的季節》(北京：人民文學出版社，2001 年)。
王蒙：《狂歡的季節》(北京：人民文學出版社，2000 年)。
王蒙：《失態的季節》(北京：人民文學出版社，2000 年)。
王蒙：《青春萬歲》(北京：人民文學出版社，2003 年)。
王蒙：《王蒙文集 (新版) 短篇小說》(北京：人民文學出版社，2020 年)。
王蒙：《堅硬的稀粥》(武漢：長江文藝出版社，1992 年)。
王蒙：《活動變人形》(北京：人民文學出版社，2004 年)。
王蒙、李國文、陸文夫等：《重放的鮮花》(北京：解放軍文藝出版社，2000 年)。
宋炳輝、張毅編：《王蒙研究資料》(天津：天津人民出版社，2009 年)。

〈論「文學是人學」〉，錢谷融

洪子誠：《中國當代文學史》(北京：北京大學出版社，2007 年)。
夏偉：《錢谷融：學術情懷》(上海：上海交通大學出版社，2013 年)。
錢谷融：《錢谷融論文學》(上海：華東師範大學出版社，2008 年)。
錢谷融：《當代文藝問題十講》(上海：復旦大學出版社，2004 年)。
錢谷融：《錢谷融文集》(上海：上海人民出版社，2013 年)。
錢谷融：《錢谷融論學三種》(開封：河南大學出版社，2008 年)。
錢谷融：《錢谷融文論選》(上海：上海文藝出版社，2009 年)。
錢谷融：《藝術・人・真誠 —— 錢谷融論文自選集》(上海：華東師範大學出版社，1995 年)。
錢谷融：《錢谷融文選》(上海：上海人民出版社，2019 年)。
錢谷融、謝冕：《中國當代文學史寫真》(杭州：浙江大學出版社，2003 年)。
錢谷融、殷國明：《中國當代大學者對話錄・錢谷融卷》(北京：中國文聯出版社，2000 年)。
《論「文學是人學」批判集 (第一集)》(上海：新文藝出版社，1958 年)。

《紅旗譜》，梁斌

丁帆、王世城：《「頌歌」與「戰歌」的時代——「十七年文學」論綱》（臺北：新地文化藝術有限公司，2016年）。
丁帆、王世城：《十七年文學：「人」與「自我」的失落》（開封：河南大學出版社，1999年）。
吳秀明：《「十七年文學」歷史評價與人文闡釋》（杭州：浙江大學出版社，2007年）。
李蓉：《「十七年文學」（1949-1966）的身體闡釋》（北京：人民出版社，2014年）。
李松：《十七年文學批評史論》（北京：中國社會科學出版社，2017年）。
洪子誠：《中國當代文學史》（北京：北京大學出版社，2007年）。
賀桂梅：《書寫「中國氣派」當代文學與民族形式建構》（北京：北京大學出版社，2020年）。
陳思和：《中國當代文學史教程》（上海：復旦大學出版社，2008年）。
陳平原：《千古文人俠客夢》（北京：新世界出版社，2002年）。
許子東：《當代小說閱讀筆記》（上海：華東師範大學出版社，1997年）。
郭冰茹：《革命敍事與現代性》（臺北：文史哲出版社有限公司，2006年）。
黃子平：《革命・歷史・小說》（香港：牛津大學出版社，2018年）。
劉志華：《闡釋與建構：「十七年文學批評」研究》（廈門：廈門大學出版社，2018年）。

《林海雪原》，曲波

丁帆、王世城：《「頌歌」與「戰歌」的時代——「十七年文學」論綱》（臺北：新地文化藝術有限公司，2016年）。
丁帆、王世城：《十七年文學：「人」與「自我」的失落》（開封：河南大學出版社，1999年）。
吳秀明：《「十七年文學」歷史評價與人文闡釋》（杭州：浙江大學出版社，2007年）。
李蓉：《「十七年文學」（1949-1966）的身體闡釋》（北京：人民出版社，2014年）。
李松：《十七年文學批評史論》（北京：中國社會科學出版社，2017年）。
姚丹：《「革命中國」的通俗表徵與主體建構：〈林海雪原〉及其衍生文本考察》（北京：北京大學出版社，2011年）。
洪子誠：《中國當代文學史》（北京：北京大學出版社，2007年）。
陳平原：《千古文人俠客夢》（北京：新世界出版社，2002年）。
陳思和：《中國當代文學史教程》（上海：復旦大學出版社，2008年）。
郭冰茹：《革命敍事與現代性》（臺北：文史哲出版社有限公司，2006年）。

絲烏：《論〈林海雪原〉的創作方法》（武漢：湖北人民出版社，1959年）。
劉志華：《闡釋與建構：「十七年文學批評」研究》（廈門：廈門大學出版社，2018年）。

《紅日》，吳強

丁帆、王世城：《「頌歌」與「戰歌」的時代——「十七年文學」論綱》（臺北：新地文化藝術有限公司，2016年）。
丁帆、王世城：《十七年文學：「人」與「自我」的失落》（開封：河南大學出版社，1999年）。
吳秀明：《「十七年文學」歷史評價與人文闡釋》（杭州：浙江大學出版社，2007年）。
李蓉：《「十七年文學」（1949-1966）的身體闡釋》（北京：人民出版社，2014年）。
李松：《十七年文學批評史論》（北京：中國社會科學出版社，2017年）。
洪子誠：《中國當代文學史》（北京：北京大學出版社，2007年）。
陳思和：《中國當代文學史教程》（上海：復旦大學出版社，2008年）。
郭冰茹：《革命敍事與現代性》（臺北：文史哲出版社有限公司，2006年）。
黃子平：《革命・歷史・小說》（香港：牛津大學出版社，2018年）。
劉志華：《闡釋與建構：「十七年文學批評」研究》（廈門：廈門大學出版社，2018年）。

《青春之歌》，楊沫

丁帆、王世城：《「頌歌」與「戰歌」的時代——「十七年文學」論綱》（臺北：新地文化藝術有限公司，2016年）。
丁帆、王世城：《十七年文學：「人」與「自我」的失落》（開封：河南大學出版社，1999年）。
王永生：《小說〈青春之歌〉評析》（上海：上海教育出版社，1980年）。
王嘉良、顏敏主編：《中國現當代文學作品選讀》（上海：上海教育出版社，2004年）。
鄭立峰、楊榮主編：《中國新文學史一百年・作品導讀（下卷）》（成都：西南交通大學出版社，2012年）。
吳秀明：《「十七年文學」歷史評價與人文闡釋》（杭州：浙江大學出版社，2007年）。
李蓉：《「十七年文學」（1949-1966）的身體闡釋》（北京：人民出版社，2014年）。
李松：《十七年文學批評史論》（北京：中國社會科學出版社，2017年）。
洪子誠：《中國當代文學史》（北京：北京大學出版社，2007年）。

姚丹：《「革命中國」的通俗表徵與主體建構：〈林海雪原〉及其衍生文本考察》（北京：北京大學出版社，2011年）。
陳思和：《中國當代文學史教程》（上海：復旦大學出版社，2008年）。
郭冰茹：《革命敘事與現代性》（臺北：文史哲出版社有限公司，2006年）。
楊沫：《楊沫散文選》（北京：北京出版社，1982年）。
楊沫：《楊沫文集（第六卷）自白——我的日記》（北京：北京十月文藝出版社，1994年）。
劉志華：《闡釋與建構：「十七年文學批評」研究》（廈門：廈門大學出版社，2018年）。

《創業史》，柳青

丁帆、王世城：《「頌歌」與「戰歌」的時代——「十七年文學」論綱》（臺北：新地文化藝術有限公司，2016年）。
邢小利、邢之美：《柳青年譜》（北京：人民文學出版社，2016年）。
仵埂、邢小利、董穎夫編：《柳青紀念文集》（西安：西安出版社，2016年）。
吳進：《柳青新論》（西安：陝西師範大學出版社，2013年）。
吳秀明：《「十七年文學」歷史評價與人文闡釋》（杭州：浙江大學出版社，2007年）。
李蓉：《「十七年文學」(1949-1966)的身體闡釋》（北京：人民出版社，2014年）。
李松：《十七年文學批評史論》（北京：中國社會科學出版社，2017年）。
《中國當代文學研究資料》編輯委員會編：《中國當代文學研究資料——柳青專集》（福州：福建人民出版社，1982年）。
柳青：《柳青文集》（北京：人民文學出版社，2005年）。
段建軍主編：《柳青研究論集》（西安：西北大學出版社，2016年）。
洪子誠：《中國當代文學史》（北京：北京大學出版社，2007年）。
賀桂梅：《書寫「中國氣派」當代文學與民族形式建構》（北京：北京大學出版社，2020年）。
陳曉明：《中國當代文學主潮》（北京：北京大學出版社，2013年）。
陳思和：《中國當代文學史教程》（上海：復旦大學出版社，2008年）。
郭冰茹：《革命敘事與現代性》（臺北：文史哲出版社有限公司，2006年）。
賈永雄：《新視野下的柳青》（西安：陝西人民出版社，2018年）。
蒙萬夫等編：《柳青寫作生涯》（天津：百花文藝出版社，1985年）。
劉建軍：《論柳青的藝術觀》（上海：上海文藝出版社，1981年）。
劉志華：《闡釋與建構：「十七年文學批評」研究》（廈門：廈門大學出版社，2018年）。

《紅岩》，羅廣斌、楊益言

丁帆、王世城：《「頌歌」與「戰歌」的時代——「十七年文學」論綱》（臺北：新地文化藝術有限公司，2016年）。

何建明、厲華：《忠誠與背叛：告訴你一個真實的紅岩》（重慶：重慶出版社，2011年）。

吳秀明：《「十七年文學」歷史評價與人文闡釋》（杭州：浙江大學出版社，2007年）。

李蓉：《「十七年文學」（1949-1966）的身體闡釋》（北京：人民出版社，2014年）。

李松：《十七年文學批評史論》（北京：中國社會科學出版社，2017年）。

洪子誠：《中國當代文學史》（北京：北京大學出版社，2007年）。

孫曙、陳建新、劉和平、王慶華：《來自B類檔案的報告》（重慶：重慶出版社，2000年）。

陳由歆：《話語權力再生產：《紅岩》的成型過程及改編研究》（瀋陽：遼寧大學出版社，2011年）。

陳思和：《中國當代文學史教程》（上海：復旦大學出版社，2008年）。

郭冰茹：《革命敘事與現代性》（臺北：文史哲出版社有限公司，2006年）。

曹德權：《紅岩大揭密——保密局重慶集中營紀實》（北京：中國文聯出版社，1999年）。

厲華 主編：《紅岩檔案解密》（北京：中國青年出版社，2008年）。

厲華、陳建新、劉和平、王慶華：《紅岩魂紀實——來自白公館、渣滓洞的報告》（北京：羣眾出版社，1997年）。

厲華：《信仰的力量：紅岩英烈紀實》（北京：商務印書館，2011年）。

劉志華：《闡釋與建構：「十七年文學批評」研究》（廈門：廈門大學出版社，2018年）。

錢振文：《〈紅岩〉是怎樣煉成的：國家文學的生產和消費》（北京：北京大學出版社，2011年）。

羅廣斌、楊益言：《紅岩英豪傳》（重慶：重慶出版社，2003年）。

1966年8月23日：老舍自殺前一天

中國老舍研究會選編：《世紀之初讀老舍》（北京：人民文學出版社，2007年）。

老舍：《老舍自傳》（南京：江蘇文藝出版社，1995年）。

孟廣來、史若平、吳開晉、牛運清：《老舍研究論文集》（濟南：山東人民出版社，1983年）。

[法] 保爾・巴迪著、吳永平編譯：《小說家老舍》（武漢：長江文藝出版社，2005年）。

崔恩卿、高玉琨主編：《走近老舍》（北京：京華出版社，2002 年）。
張桂興：《老舍評說七十年》（北京：中國華僑出版社，2005 年）。
張桂興編：《老舍年譜（上下）》（上海：上海文藝出版社，2005 年）。
傅光明、鄭實：《老舍之死口述實錄》（上海：復旦大學出版社，2009 年）。
曾廣燦編：《老舍研究縱覽（1929-1986）》（天津：天津教育出版社，1989 年）。
曾廣燦、吳懷斌編：《中國文學史資料全編現代卷 —— 老舍研究資料（上下）》（北京：十月文藝出版社，2010 年）。
舒乙：《說不盡的老舍》（北京：北京師範大學出版社，2003 年）。

哪部作品可以代表 1966 至 1976 年？

武善增：《文學話語的畸變與覆滅 ——「文革」主流文學話語研究》（開封：河南大學出版社，2012 年）。
洪子誠：《中國當代文學史》（北京：北京大學出版社，2007 年）。
陳思和：《中國當代文學史教程》（上海：復旦大學出版社，2008 年）。
陳曉明：《中國當代文學主潮》（北京：北京大學出版社，2013 年）。
師永剛、劉瓊雄、肖伊緋：《革命樣板戲：1960 年代的紅色歌劇》（西安：陝西人民出版社，2012 年）。
師永剛、張凡：《樣板戲史記》（北京：作家出版社，2009 年）。
許子東：《為了忘卻的集體記憶》（北京：生活・讀書・新知三聯書店，2000 年）。
許子東：《重讀「文革」》（北京：人民文學出版社，2011 年）。
楊健：《1966-1976 的地下文學》（北京：中共黨史出版社，2013 年）。

二、1977-

〈班主任〉，劉心武；〈傷痕〉，盧新華

王澤龍、李遇春：《中國當代文學經典作品選講》（武漢：華中師範大學出版社，2009 年）。
宋如珊：《從傷痕文學到尋根文學：文革後十年的大陸文學流派》（臺北：秀威資訊，2002 年）。
洪子誠：《中國當代文學史》（北京：北京大學出版社，2007 年）。
陳思和：《中國當代文學史教程》（上海：復旦大學出版社，2008 年）。

許子東：《當代小說閱讀筆記》（上海：華東師範大學出版社，1997年）。
程光煒、白亮編：《傷痕文學研究資料》（南昌：百花洲文藝出版社，2018年）。
樊星編：《中國現當代文學史》（武漢：武漢大學出版社，2012年）。

〈李順大造屋〉、〈陳奐生上城〉，高曉聲

毛定海編：《高曉聲編年事略》（南京：江蘇文藝出版社，2015年）。
王彬彬：《八論高曉聲》（上海：上海人民出版社，2019年）。
王彬彬：《高曉聲研究資料》（北京：人民文學出版社，2016年）。
曹潔萍、毛定海：《高曉聲年譜》（南京：南京大學出版社，2017年）。
張春紅：《高曉聲的「陳家村世界」》（長春：吉林大學出版社，2019年）。
劉旭：《底層敘事：從代言到自我表述》（上海：上海人民出版社，2013年）。

〈百合花〉、〈剪輯錯了的故事〉，茹志鵑

洪子誠：《中國當代文學史》（北京：北京大學出版社，2007年）。
孫露西、王鳳伯編：《茹志鵑研究專集》（杭州：浙江人民出版社，1982年）。
茹志鵑：《漫談我的創作經歷》（長沙：湖南人民出版社，1983年）。
茹志鵑：《茹志鵑日記（1947-1965）》（鄭州：大象出版社，2006年）。
陳思和：《中國當代文學史教程》（上海：復旦大學出版社，2008年）。
陳曉明：《中國當代文學主潮》（北京：北京大學出版社，2013年）。

〈愛，是不能忘記的〉，張潔；〈掙不斷的紅絲線〉，張弦

王堯：《作為問題的八十年代》（北京：生活・讀書・新知三聯書店，2013年）。
洪子誠：《中國當代文學史》（北京：北京大學出版社，2007年）。
陳思和：《中國當代文學史教程》（上海：復旦大學出版社，2008年）。
陳曉明：《中國當代文學主潮》（北京：北京大學出版社，2009年）。
徐賁：《人以甚麼理由來記憶》（北京：中央編譯出版社，2016年）。
許子東：《為了忘卻的集體記憶——解讀50篇文革小說》（北京：生活・讀書・新知三聯書店，2000年）。
許子東：《重讀「文革」》（北京：人民文學出版社，2011年）。
程光煒主編、謝尚發編：《反思文學研究資料》（南昌：百花洲文藝出版社，2018年）。
趙園：《非常年代1964-1978》（香港：牛津大學出版社，2019年）。

劉青峰編：《文化大革命：史實與研究》(香港：香港中文大學出版社，1996 年)。
劉志權：《張弦研究資料》(北京：人民文學出版社，2016 年)。
錢理羣：《我的精神自傳》(北京：生活・讀書・新知三聯書店，2016 年)。

〈喬廠長上任記〉，蔣子龍

肖敏：《20 世紀 70 年代小說研究 ——「文化大革命」後期小說形態及其延伸》(北京：中國社會科學出版社，2012 年)。
程光煒主編、陳華積編：《改革文學研究資料》(南昌：百花洲文藝出版社，2018 年)。
程光煒編：《七十年代小說研究》(北京：中國社會科學出版社，2014 年)。
蔣子龍：《我的人生筆記：你是窮人還是富人》(長春：時代文藝出版社，2007 年)。
蔣子龍：《蔣子龍自述》(鄭州：大象出版社，2002 年)。
蘇奎：《改革文學研究（1979-1985）》(北京：中國社會科學出版社，2019 年)。

〈受戒〉、〈大淖記事〉，汪曾祺

方星霞：《京派的承傳與超越：汪曾祺小說研究》(南京：南京大學出版社，2016 年)。
汪朗等：《老頭兒汪曾祺：我們眼中的父親》(北京：中國人民大學出版社，2000 年)。
汪淩著、李輝主編：《汪曾祺：廢墟上一抹傳統的殘陽》(鄭州：大象出版社，2005 年)。
郜宇：《汪曾祺研究》(廣州：花城出版社，2008 年)。
金實秋主編：《永遠的汪曾祺》(上海：上海遠東出版社，2008 年)。
林斤瀾：《一棵樹的森林：林斤瀾談汪曾祺》(北京：中國書籍出版社，2021 年)。
季紅真：《文明與愚昧的衝突》(杭州：浙江文藝出版社，1986 年)。
陸建華：《草木人生：汪曾祺傳》(南京：江蘇文藝出版社，2019 年)。
陸建華：《汪曾祺與沙家浜》(濟南：山東人民出版社，2014 年)。
陸建華：《私信中的汪曾祺》(上海：上海文藝出版社，2011 年)。
孫鬱：《革命時代的士大夫：汪曾祺閑錄》(北京：生活・讀書・新知三聯書店，2014 年)。
徐強：《人間送小溫 —— 汪曾祺年譜》(揚州：廣陵書社，2016 年)。
陳徒手：《人有病，天知否：1949 年後的中國文壇紀實》(北京：人民文學出版社，2011 年)。
解志熙：《考文敘事錄》(北京：中華書局，2009 年)。
盧軍：《汪曾祺小說創作論》(北京：社會科學文獻出版社，2007 年)。
蘇北編：《我們的汪曾祺》(揚州：廣陵書社，2016 年)。

《晚霞消失的時候》，禮平

王堯：《作為問題的八十年代》（北京：生活・讀書・新知三聯書店，2013 年）。
白士弘：《暗流：「文革」手抄文存》（北京：文化藝術出版社，2001 年）。
洪子誠：《中國當代文學史》（北京：北京大學出版社，2007 年）。
徐賁：《人以甚麼理由來記憶》（北京：中央編譯出版社，2016 年）。
陳思和：《中國當代文學史教程》（上海：復旦大學出版社，2008 年）。
陳曉明：《中國當代文學主潮》（北京：北京大學出版社，2013 年）。
許子東：《為了忘卻的集體記憶 —— 解讀 50 篇文革小說》（北京：生活・讀書・新知三聯書店，2000 年）。
許子東：《重讀「文革」》（北京：人民文學出版社，2011 年）。
劉青峰：《文化大革命：史實與研究》（香港：香港中文大學出版社，1996 年）。

《芙蓉鎮》，古華

肖漢初責編：《〈芙蓉鎮〉評論選集》（長沙：湖南人民出版社，1984 年）。
程光煒主編、謝尚發編：《反思文學研究資料》（南昌：百花洲文藝出版社，2018 年）。
李松林：《古華創作論》（武漢：華中師範大學出版社，2008 年）。
許子東：《當代小說與集體記憶 —— 敍述文革》（台北：麥田出版，2000 年）。
洪子誠：《中國當代文學史》（北京：北京大學出版社，2007 年）。
陳思和：《中國當代文學史教程》（上海：復旦大學出版社，2008 年）。
陳曉明：《中國當代文學主潮》（北京：北京大學出版社，2013 年）。
許子東：《重讀「文革」》（北京：人民文學出版社，2011 年）。

〈飛過藍天〉，韓少功；〈這是一片神奇的土地〉，梁曉聲；〈綠夜〉，張承志

王力堅：《回眸青春：中國知青文學》（臺北：華藝學術出版，2013 年）。
車紅梅：《北大荒知青文學：地緣文學的另一副面孔》（北京：中國社會科學出版社，2012 年）。
李彥姝：《鄉愁的辯證法：知青作家的城鄉經驗及其文學書寫》（北京：中國社會科學出版社，2018 年）。
郭小東編：《現代主義視野下的知青文學》（武漢：武漢大學出版社，2013 年）。
郭小東：《中國知青文學史稿》（北京：北京十月文藝出版社，2012 年）。

黑明：《走過青春：100 名知青的命運寫照》（西安：陝西師範大學出版社，2006 年）。
楊健：《中國知青文學史》（北京：中國工人出版社，2002 年）。
鄧鵬編：《無聲的羣落：大巴山老知青回憶錄（1964-1965）》（重慶：重慶出版社，2006 年）。另有續集，鄧鵬編：《無聲的羣落：續「文革」前上山下鄉老知青回憶錄》（重慶：重慶出版社，2009 年）。
鄧賢：《中國知青夢》（北京：人民文學出版社，2000 年）。
劉小萌：《中國知青史：大潮（1966-1980）》（北京：當代中國出版社，2009 年）。
劉小萌：《中國知青口述史》（北京：中國社會科學出版社，2004 年）。

〈棋王〉，阿城

王力堅：《回眸青春：中國知青文學》（臺北：華藝學術出版，2013 年）。
車紅梅：《北大荒知青文學：地緣文學的另一副面孔》（北京：中國社會科學出版社，2012 年）。
李彥姝：《鄉愁的辯證法：知青作家的城鄉經驗及其文學書寫》（北京：中國社會科學出版社，2018 年）。
許子東：《當代小說與集體記憶——敍述文革》（台北：麥田出版，2000 年）。
郭小東編：《現代主義視野下的知青文學》（武漢：武漢大學出版社，2013 年）。
郭小東：《中國知青文學史稿》（北京：北京十月文藝出版社，2012 年）。
黑明：《走過青春：100 名知青的命運寫照》（西安：陝西師範大學出版社，2006 年）。
楊肖：《阿城論》（北京：作家出版社，2018 年）。
楊健：《中國知青文學史》（北京：中國工人出版社，2002 年）。
鄧鵬編：《無聲的羣落：大巴山老知青回憶錄（1964-1965）》（重慶：重慶出版社，2006 年）。另有續集，鄧鵬編：《無聲的羣落：續「文革」前上山下鄉老知青回憶錄》（重慶：重慶出版社，2009 年）。
鄧賢：《中國知青夢》（北京：人民文學出版社，2000 年）。
劉小萌：《中國知青史：大潮（1966-1980）》（北京：當代中國出版社，2009 年）。
劉小萌：《中國知青口述史》（北京：中國社會科學出版社，2004 年）。

1984　杭州會議與韓少功的一天

孔見：《韓少功評傳》（鄭州：河南文藝出版社，2008 年）。
孔見：《對一個人的閱讀：韓少功與他的時代》（南京：江蘇文藝出版社，2013 年）。
何言宏、楊霞：《堅持與抵抗：韓少功》（上海：上海人民出版社，2005 年）。

洪子誠：《中國當代文學史》（北京：北京大學出版社，2007 年）。
陳思和：《中國當代文學史教程》（上海：復旦大學出版社，2008 年）。
陳曉明：《中國當代文學主潮》（北京：北京大學出版社，2013 年）。
許子東：《當代小說閱讀筆記》（上海：華東師範大學出版社，1997 年）。
許志英、丁帆主編：《中國新時期小說主潮》（北京：人民文學出版社，2002 年）。
廖述務編：《韓少功研究資料》（天津：天津人民出版社，2008 年）。
廖述務：《仍有人仰望星空：韓少功創作研究》（北京：新星出版社，2008 年）。
廖述務：《韓少功文學年譜》（上海：華東師範大學出版社，2018 年）。
劉復生、張碩果、石曉岩：《另類視野與文學實踐：韓少功文學創作研究》（北京：北京大學出版社，2012 年）。
韓少功、王堯：《韓少功王堯對話錄》（蘇州：蘇州大學出版社，2003 年）。
韓少功：《文學的根》（濟南：山東文藝出版社，2001 年）。
韓少功：《為語言招魂》（鄭州：河南文藝出版社，2015 年）。
韓少功：《大題小作》（上海：上海文藝出版社，2017 年）。
韓少功：《進步的回退》（上海：上海文藝出版社，2017 年）。

〈綠化樹〉、〈男人的一半是女人〉，張賢亮

王曉明：《所羅門的瓶子》（上海：華東師範大學出版社，2014 年）。
田鷹：《比較視野中的張賢亮和勞倫斯性愛主題研究》（北京：中國社會出版社，2009 年）。
吳秀明：《當代中國文學六十年》（杭州：浙江文藝出版社，2009 年）。
邱曉雨編著：《用文字吶喊》（北京：北京聯合出版公司，2011 年）。
洪子誠：《中國當代文學史》（北京：北京大學出版社，2007 年）。
陳思和：《中國當代文學史教程》（上海：復旦大學出版社，2008 年）。
陳曉明：《中國當代文學主潮》（北京：北京大學出版社，2013 年）。
張賢亮：《中國文人的另一種思路》（北京：中國海關出版社，2008 年）。
許志英、丁帆：《中國新時期小說主潮》（北京：人民文學出版社，2002 年）。
黃子平、許子東等：《評〈男人的一半是女人〉》（銀川：寧夏人民出版社，1988 年）。

〈山上的小屋〉，殘雪

李建周：《先鋒小說的興起》（北京：中國社會科學出版社，2014 年）。
卓今：《殘雪研究》（長沙：湖南文藝出版社，2012 年）。

洪治綱：《守望先鋒：兼論中國當代先鋒文學的發展》（桂林：廣西師範大學出版社，2005年）。
馬福成：《巫文化視域下殘雪小說研究》（杭州：浙江大學出版社，2013年）。
陳曉明：《無邊的挑戰：中國先鋒文學的後現代性》（桂林：廣西師範大學出版社，2004年）。
張清華：《中國當代先鋒文學思潮論》（北京：中國人民大學出版社，2014年）。
殘雪：《趨光運動》（上海：上海文藝出版社，2008年）。
殘雪：《殘雪文學觀》（桂林：廣西師範大學出版，2007年）。
殘雪：《為了報仇寫小說》（長沙：湖南文藝出版社，2003年）。
殘雪：《把生活變成藝術》（長春：時代文藝，2007年）。
殘雪：《殘雪文學回憶錄》（廣州：廣東人民出版社，2017年）。
殘雪、鄧曉芒：《旋轉與升騰》（上海：上海文藝出版社，2017年）。
焦明甲編：《新時期先鋒文學本體論》（北京：中國社會科學出版社，2012年）。
程波：《先鋒及其語境：中國當代先鋒文學思潮研究》（桂林：廣西師範大學出版社，2006年）。
程德培、吳亮：《探索小說集》（上海：上海文藝出版社，1986年）。

〈插隊的故事〉，史鐵生

王力堅：《回眸青春：中國知青文學》（臺北：華藝學術出版，2013年）。
李彥姝：《鄉愁的辯證法：知青作家的城鄉經驗及其文學書寫》（北京：中國社會科學出版社，2018年）。
胡山林：《尋找靈魂的歸宿：史鐵生創作的終極關懷精神》（北京：人民文學出版社，2005年）。
陳希米：《讓「死」活下去》（長沙：湖南文藝出版社，2013年）。
郭小東編：《現代主義視野下的知青文學》（武漢：武漢大學出版社，2013年）。
郭小東：《中國知青文學史稿》（北京：北京十月文藝出版社，2012年）。
張建波：《逆遊的行魂：史鐵生論》（濟南：山東人民出版社，2012年）。
許紀霖：《另一種理想主義》（南京：鳳凰出版社，2011年）。
黑明：《走過青春：100名知青的命運寫照》（西安：陝西師範大學出版社，2006年）。
楊健：《中國知青文學史》（北京：中國工人出版社，2002年）。
趙澤華：《史鐵生傳》（西安：陝西師範大學出版總社，2018年）。
鄧鵬編：《無聲的羣落：大巴山老知青回憶錄（1964-1965）》（重慶：重慶出版社，2006年）。另有續集，鄧鵬編：《無聲的羣落：續「文革」前上山下鄉老知青回憶錄》(重慶：重慶出版社，2009 年)。
鄧賢：《中國知青夢》(北京：人民文學出版社，2000 年)。
《寫作之夜叢書》編委會：《史鐵生說》(北京：中國對外翻譯出版有限公司，2013 年)。
劉小萌：《中國知青史：大潮 (1966-1980)》(北京：當代中國出版社，2009 年)。
顧林：《救贖的可能》(北京：商務印書館，2019 年)。

《古船》，張煒

王光東、張煒：《張煒王光東對話錄》(蘇州：蘇州大學出版社，2003 年)。
亓鳳珍、張期鵬編著：《張煒研究資料長編 (1956-2017)》(濟南：山東教育出版社，2018 年)。
張煒：《張煒自述》(北京：中國社會出版社，2007 年)。
張煒：《張煒文學回憶錄》(廣州：廣東人民出版社，2017 年)。
張煒：《週末對話》(北京：作家出版社，2014 年)。
黃軼編：《張煒研究資料》(濟南：山東文藝出版社，2006 年)。

《平凡的世界》，路遙

王剛：《路遙紀事》(北京：北京時代華文書局，2014 年)。
王擁軍：《路遙新傳》(北京：中國商業出版社，2015 年)。
申曉：《守望路遙》(西安：太白文藝出版社，2007 年)。
李建軍編：《路遙十五年祭》(北京：新世界出版社，2007 年)。
李建軍、邢小利编：《路遙評論集》(北京：人民文學出版社，2007 年)。
厚夫：《路遙傳》(北京：人民文學出版社，2015 年)。
馬一夫、厚夫、宋學成編：《路遙紀念集》(北京：人民文學出版社，2007 年)。
秦客：《路遙年譜》(北京：新世界出版社，2013 年)。
航宇：《路遙在最後的日子》(西安：陝西師範大學出版社，1993 年)。
海波：《人生路遙》(廣州：廣東人民出版社，2019 年)。
海波：《我所認識的路遙》(武漢：長江文藝出版社，2014 年)。
程光煒、楊慶祥編：《重讀路遙》(北京：北京大學出版社，2013 年)。
路遙：《早晨從中午開始》(北京：北京十月文藝出版社，2012 年)。
雷達：《路遙研究資料》(濟南：山東文藝出版社，2006 年)。
楊曉帆：《路遙論》(北京：作家出版社，2018 年)。

〈紅高粱〉，莫言

王德威、張旭東、張閎等：《說莫言》（上海：上海書店出版社，2013 年）。
陳曉明編：《莫言研究：2004-2012》（北京：華夏出版社，2013 年）。
張清華：《莫言研究年編》（北京：生活・讀書・新知三聯書店，2016 年）。
張旭東、莫言：《我們時代的寫作對話〈酒國〉、〈生死疲勞〉》（上海：上海文藝出版社，2013 年）。
莫言：《莫言對話新錄》（北京：文化藝術出版社，2010 年）。
莫言：《小說在寫我 —— 莫言演講集》（臺北：麥田出版社，2004 年）。
莫言、王堯：《莫言王堯對話錄》（蘇州：蘇州大學出版社，2003 年）。
楊守森、賀立華主編：《莫言研究三十年》（濟南：山東大學出版社，2013 年）。
葉開：《野性的紅高粱：莫言傳》（南昌：二十一世紀出版社，2013 年）。
寧明：《海外莫言研究》（濟南：山東大學出版社，2013 年）。

《金牧場》、《心靈史》，張承志

李晨：《在底層深處：張承志的文學與思想》（臺北：人間出版社，2016 年）。
梁麗芳：《從紅衛兵到作家》（臺北：萬象圖書股份有限公司，1993 年）。
張承志：《清潔的精神》（北京：中信出版社，2008 年）。
張承志：《無援的思想》（長沙，湖南文藝出版社，1999 年）。
許子東：《當代小說閱讀筆記》（上海：華東師範大學出版社，1997 年）。
楊懷中：《張承志研究》（銀川：寧夏人民出版社，2011 年）。
蕭夏林主編、張承志著：《無援的思想 —— 張承志〈心靈史〉》（北京：華藝出版社，1995 年）。
顏敏：《審美浪漫主義與道德理想主義：張承志、張煒論》（北京：華夏出版社，2000 年）。

〈錯誤〉，馬原

吳亮：〈馬原的敍述圈套〉，《當代作家評論》，1987 年第三期。
李建周：《先鋒小說的興起》（北京：中國社會科學出版社，2014 年）。
洪治綱：《守望先鋒：兼論中國當代先鋒文學的發展》（桂林：廣西師範大學出版社，2005 年）。
馬原：《中國作家夢》（上海：華東師範大學出版社，2008 年）。

陳曉明：《無邊的挑戰：中國先鋒文學的後現代性》（桂林：廣西師範大學出版社，2004 年）。
張清華：《中國當代先鋒文學思潮論》（北京：中國人民大學出版社，2014 年）。
焦明甲：《新時期先鋒文學本體論》（北京：中國社會科學出版社，2012 年）。
程波：《先鋒及其語境：中國當代先鋒文學思潮研究》（桂林：廣西師範大學出版社，2006 年）。

《活動變人形》，王蒙

王蒙：《王蒙自述：我的人生哲學》（北京：人民文學出版社，2003 年）。
王蒙：《王蒙自傳》（廣州：花城出版社，2006 年）。
王蒙：《王蒙精選集》（北京：北京燕山出版社，2009 年）。
王蒙：《王蒙八十自述》（北京：人民出版社，2013 年）。
王蒙：《青春萬歲》（北京：人民文學出版社，2003 年）。
王蒙：《王蒙文集（新版）短篇小說》（北京：人民文學出版社，2020 年）。
王蒙、李國文、陸文夫等：《重放的鮮花》（北京：解放軍文藝出版社，2000 年）。
王春林：《王蒙論》（北京：作家出版社，2018 年）。
方蕤：《我的先生王蒙》（武漢：長江文藝出版社，2004 年）。
朱壽桐主編：《論王蒙的文學存在》（南京：南京大學出版社，2015 年）。
宋炳輝、張毅編：《王蒙研究資料》（天津：天津人民出版社，2009 年）。
郭寶亮：《王蒙小說文體研究》（北京：北京大學出版社，2006 年）。
崔建飛編：《王蒙作品評論集萃》（青島：中國海洋大學出版社，2013 年）。
溫奉橋：《王蒙文藝思想論稿》（濟南：齊魯書社，2012 年）。
嚴家炎、溫奉橋編：《王蒙研究》（青島：中國海洋大學出版社，2014 年）。

〈頑主〉、〈動物兇猛〉，王朔

王彬彬：《文壇三戶：金庸・王朔・余秋雨》（鄭州：大象出版社，2001 年）。
王益：《卸下面具 —— 王朔小說中的知識份子研究》（成都：西南交通大學出版社，2015 年）。
李然、譚談编著：《喧囂的經典》（瀋陽：遼寧畫報出版社，2000 年）。
沈浩波、伊沙等：《痞子英雄：王朔再批判》（北京：中華工商聯合出版社，2000 年）。
張德祥、金惠敏 等：《王朔批判》（北京：中國社會科學出版社，1993 年）。

蕭元：《王朔再批判》（長沙：湖南出版社，1993 年）。
曉聲編著：《我是流氓我怕誰：王朔批判》（太原：書海出版社，1993 年）。

《洗澡》，楊絳

孔慶茂：《楊絳評傳》（北京：華夏出版社，1998 年）。
田蕙蘭、馬光裕、陳珂玉：《中國文學史資料全編現代卷——錢鍾書楊絳研究資料》（北京：知識產權出版社，2010 年）。
朱雲喬：《楊絳先生》（北京：現代出版社，2017 年）。
吳學昭：《聽楊絳談往事》（北京：生活・讀書・新知三聯書店，2016 年）。
吳學昭、周國平等：《楊絳——永遠的女先生》（北京：人民文學出版社，2016 年）。
陸陽：《楊家舊事》（南京：南京師範大學出版社，2017 年）。
黃惲：《錢楊摭拾》（北京：東方出版社，2017 年）。
楊國良、劉秀秀：《楊絳：「九蒸九焙」的傳奇》（北京：新星出版社，2013 年）。
羅銀勝：《楊絳傳》（成都：天地出版社，2016 年）。

《玫瑰門》，鐵凝

吳義勤編：《鐵凝研究資料》（濟南：山東文藝出版社，2009 年）。
鐵凝著、李曉明編：《鐵凝小說》（長春：吉林文史出版社，2006 年）。
馬雲：《鐵凝小說與繪畫、音樂、舞蹈》（石家莊：河北人民出版社，2006 年）。
張光芒、王冬梅編：《鐵凝文學年譜》（上海：復旦大學出版社，2014 年）。
賀紹俊：《鐵凝評傳》（鄭州：鄭州大學出版社，2005 年）。
賀紹俊：《作家鐵凝》（北京：昆侖出版社，2008 年）。
劉莉：《玫瑰門中的中國女人：鐵凝與當代女性作家的性別認同》（北京：北京師範大學出版社，2012 年）。

《白鹿原》，陳忠實

王仲生、王向力：《陳忠實的文學人生》（西安：陝西師範大學出版社，2012 年）。
卞壽堂：《〈白鹿原〉文學原型考釋》（西安：陝西師範大學出版社，2012 年）。
李清霞：《陳忠實的人與文》（北京：中國社會科學出版社，2013 年）。
許子東：《當代小說閱讀筆記》（上海：華東師範大學出版社，1997 年）。
雷達：《陳忠實研究資料》（濟南：山東文藝出版社，2006 年）。
鐵凝、雷達、何啟治等：《陳忠實紀念集》（北京：人民文學出版社，2017 年）。

《活着》，余華

王達敏：《余華論》（上海：上海人民出版社，2006年）。
邢建昌，魯文忠：《先鋒浪潮中的余華》（北京：華夏出版社，2000年）。
吳義勤：《余華研究資料》（濟南：山東文藝出版社，2006年）。
洪治綱：《余華評傳》（北京：作家出版社，2017年）。
徐林正：《先鋒余華》（杭州：浙江文藝出版社，2003年）。
劉琳、王侃編：《余華文學年譜》（上海：復旦出版社，2015年）。
劉旭：《余華論》（北京：作家出版社，2017年）。

《廢都》，賈平凹

王輸：《一部奇書的命運：賈平凹《廢都》沉浮》（石家莊：花山文藝出版社，2011年）。
王新民：《策劃賈平凹》（西安：陝西師範大學出版社，2018年）。
辛敏：《賈平凹紀事》（西安：陝西師範大學出版社，2012年）。
李碧芳：《勞倫斯與賈平凹比較研究——身體・性愛・空間》（廈門：廈門大學出版社，2014年）。
李伯鈞主編：《賈平凹研究》（西安：陝西師範大學出版總社有限公司，2014年）。
郜元寶、張冉冉編：《賈平凹研究資料》（天津：天津人民出版社，2005年）。
孫見喜、李星：《賈平凹評傳》（鄭州：鄭州大學出版社，2004年）。
孫見喜：《危崖上的賈平凹》（廣州：花城出版社，2008年）。
費秉勳：《賈平凹論》（西安：西北大學出版社，1990年）。
賈平凹：《平凹自述：我是農民》（北京：中國社會出版社，2013年）。
賈平凹：《關於小說》（北京：生活·讀書·新知三聯書店，2015年）。
楊輝：《大文學史視域下的賈平凹研究》（北京：人民出版社，2017年）。
劉斌、王玲：《失足的賈平凹》（北京：華夏出版社，1994年）。

〈黃金時代〉，王小波

王小平：《我的兄弟王小波》（南京：江蘇文藝出版社，2012年）。
王毅主編：《不再沉默》（北京：光明日報出版社，1998年）。
廿一行：《王小波十論：精神遊牧與詩意還鄉》（北京：西苑出版社，2013年）。
江志全：《比較文學視域中的王小波：中西資源與態度選擇》（北京：人民日報出版社，2015年）。

房偉：《革命星空下的「壞孩子」：王小波傳》（北京：生活·讀書·新知三聯書店，2014年）。
房偉：《文化悖論與文學創新：世紀末文化轉型中的王小波研究》（上海：上海三聯書店，2010年）。
曹彬彬：《看穿王小波》（武漢：武漢大學出版社，2013年）。
韓袁紅：《王小波研究資料》（天津：天津人民出版社，2009年）。
韓袁紅：《批判與想像：王小波小說研究》（合肥：安徽文藝出版社，2011年）。

王安憶寫作《長恨歌》的地方

王安憶：《小說家的十三堂課》（上海：上海文藝出版社，2005年）。
王安憶、張新穎：《談話錄》（桂林：廣西師範大學出版社，2008年）。
王安憶：《故事和講故事》（上海：復旦大學出版社，2011年）。
王安憶：《王安憶的上海》（香港：香港三聯出版社，2004年）。
吳義勤：《王安憶研究資料》（濟南：山東文藝出版社，2006年）。
吳芸茜：《論王安憶》（上海：華東師範大學出版社，2010年）。
李淑霞：《王安憶小說創作研究》（青島：中國海洋大學出版社，2008年）。
張新穎、金理編：《王安憶研究資料》（天津：天津人民出版社，2009年）。

《受活》，閻連科

林源編：《說閻連科》（瀋陽：遼寧人民出版社，2014年）。
林建法：《閻連科文學研究》（昆明：雲南人民出版社，2013年）。
梁鴻：《作為方法的「鄉愁」：〈受活〉與中國想像》（北京：中信出版社，2016年）。
梁鴻：《新啟蒙話語建構：〈受活〉與1990年代以來的文學和社會》（北京：中國社會科學出版社，2012年）。
梁鴻：《閻連科文學年譜》（上海：復旦大學出版社，2015年）。
張學昕、閻連科：《我的現實我的主義》（北京：中國人民大學出版社，2011年）。
閻連科、梁鴻：《巫婆的紅筷子》（桂林：灕江出版社，2014年）。

《三體》I、II、III，劉慈欣

石曉岩編：《劉慈欣科幻小說與當代中國的文化狀況》（北京：社會科學文獻出版社，2018年）。

吳飛:《生命的深度:〈三體〉的哲學解讀》(北京:生活・讀書・新知三聯書店,2019年)。
李淼:《〈三體〉中的物理學》(長沙:湖南科技出版社,2019年)。
李廣益、陳頎:《〈三體〉的X種讀法》(北京:生活・讀書・新知三聯書店,2017年)。
杜學文、楊占平編:《我是劉慈欣》(太原:北嶽文藝出版社,2016年)。
杜學文、楊占平編:《為甚麼是劉慈欣》(太原:北嶽文藝出版社,2016年)。
宋明煒:《中國科幻新浪潮》(上海:上海文藝出版社,2020年)。

二十世紀中國小說中的人物形象及若干問題

毛克強、袁平著:《小說人格塑造與人格批評路徑研究》,(北京:北京師範大學出版社,2015年)。
王春林:《文化人格與當代文學人物形象》(廣州:廣東高等教育出版社,2018年)。
王一川:《中國現代卡里斯馬典型:二十世紀小說人物的修辭論闡釋》(昆明:雲南人民出版社,1994年)。
邵毅平:《中國文學中的商人世界》(上海:復旦大學出版社,2016年)。
趙園:《艱難的選擇》(上海:上海文藝出版社會,1986年)。
趙紀娜、張曉燕、潘峰:《轉型期小說作品中的「小人物」形象研究》(濟南:山東大學出版社,2016年)。
鄭堅:《弔詭的新人——新文學中的小資產階級形象研究》(南昌:百花洲文藝出版社,2005年)。